스마트폰으로 QR코드를 스캔해 주세요

우등생 온라인 학습 활용법

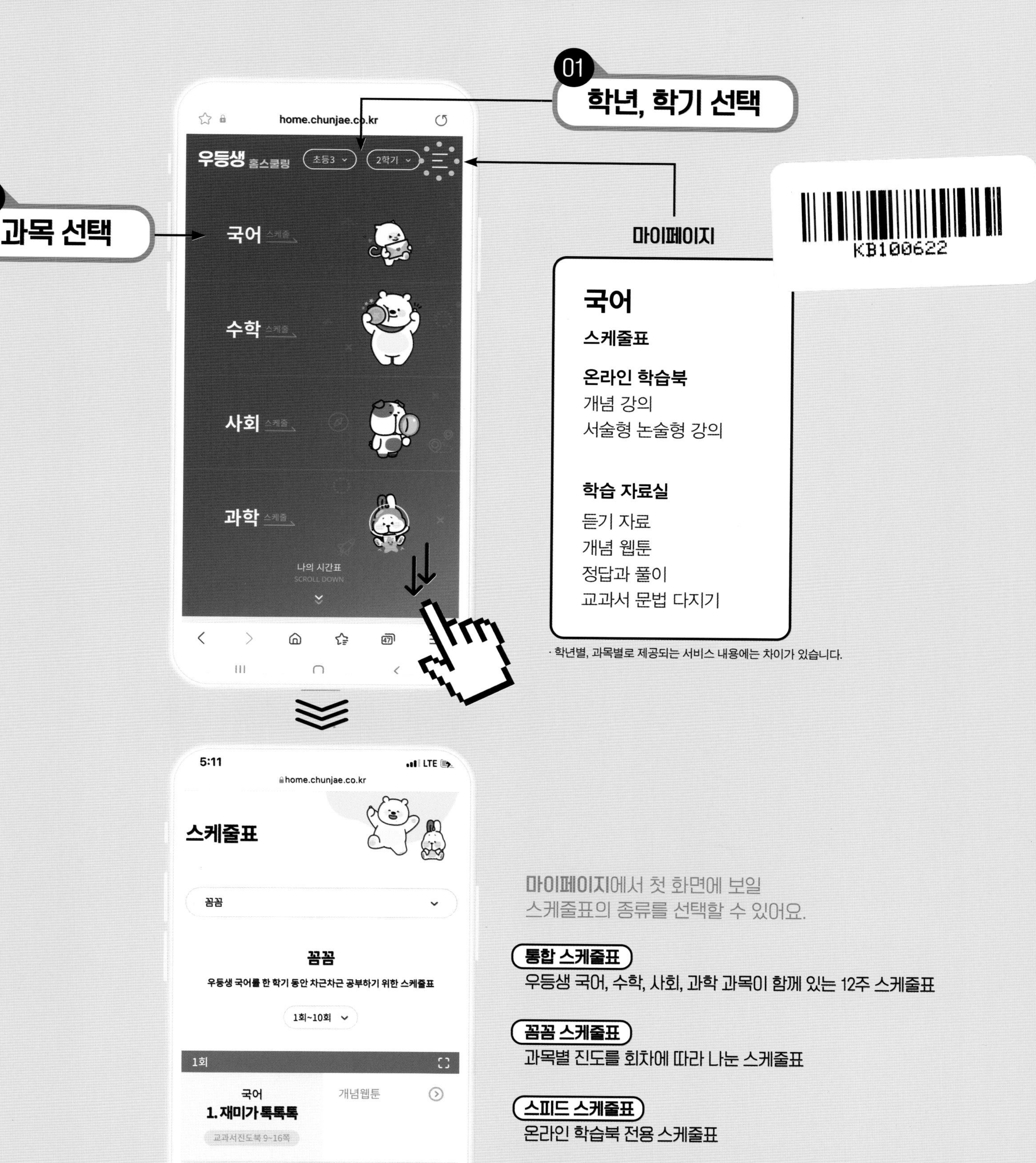

01
학년, 학기 선택
home.chunjae.co.kr
우등생 홈스쿨링
초등3
2학기
02
과목 선택
국어
수학
사회
과학
나의 시간표
SCROLL DOWN
마이페이지
KB100622
국어
스케줄표
온라인 학습북
개념 강의
서술형 논술형 강의
학습 자료실
듣기 자료
개념 웹툰
정답과 풀이
교과서 문법 다지기
· 학년별, 과목별로 제공되는 서비스 내용에는 차이가 있습니다.
5:11
home.chunjae.co.kr
스케줄표
꼼꼼
우등생 국어를 한 학기 동안 차근차근 공부하기 위한 스케줄표
1회~10회
1회
국어
1. 재미가 톡톡톡
교과서진도북 9~16쪽
개념웹툰
2회
국어
1. 재미가 톡톡톡
교과서진도북 17~26쪽
마이페이지에서 첫 화면에 보일
스케줄표의 종류를 선택할 수 있어요.
통합 스케줄표
우등생 국어, 수학, 사회, 과학 과목이 함께 있는 12주 스케줄표
꼼꼼 스케줄표
과목별 진도를 회차에 따라 나눈 스케줄표
스피드 스케줄표
온라인 학습북 전용 스케줄표

과목 클릭

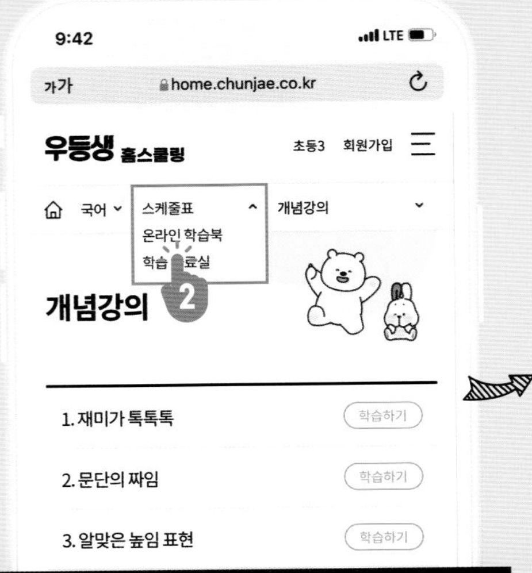

온라인 학습북 클릭

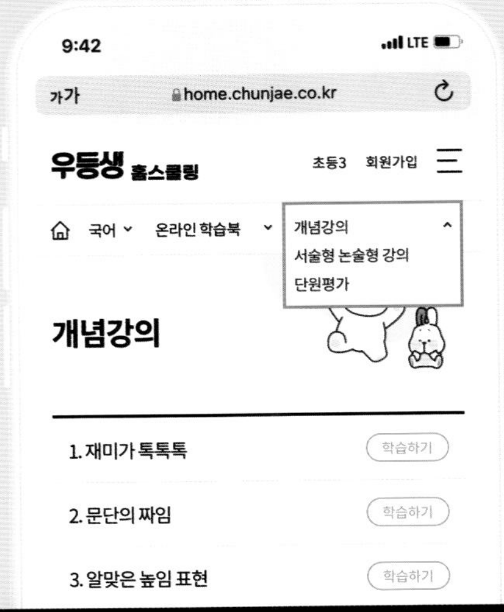

개념강의 / 서술형 논술형 강의 / 단원평가

❶ 개념 강의

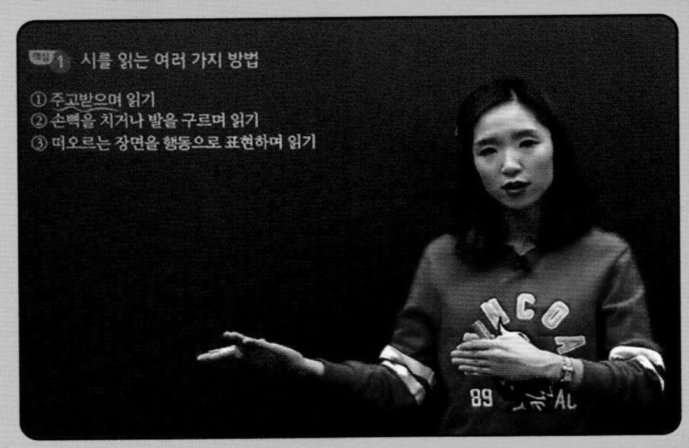

*온라인 학습북 단원별 주요 개념 강의

❷ 서술형 논술형 강의

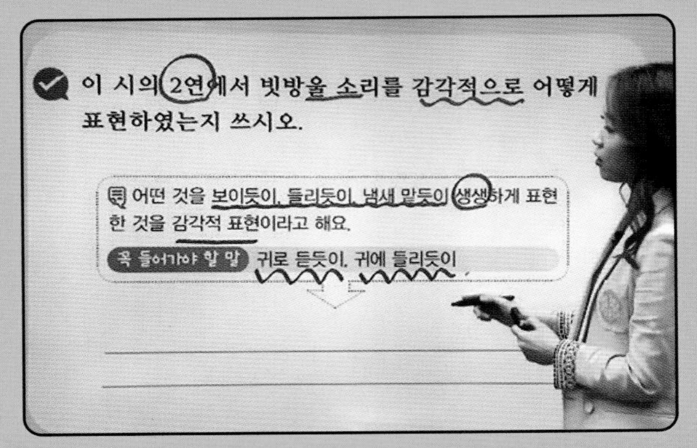

*온라인 학습북 서술형 논술형 강의(3~4년)

❸ 단원평가

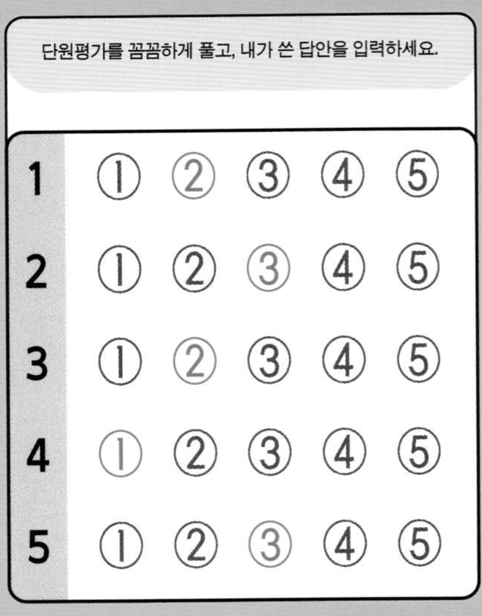

① 내가 푼 답안을 입력하면

② 채점과 분석이 한번에

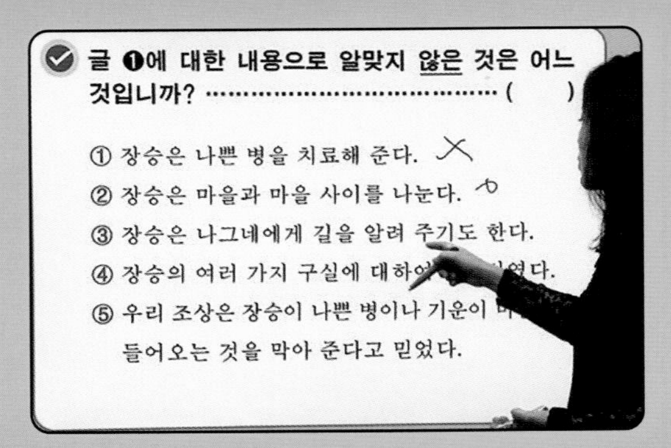

③ 틀린 문제는 동영상으로 꼼꼼히 확인하기!

· 스마트폰의 동영상 구동이 느릴 경우, 기본으로 설정된 비디오 재생 프로그램을 다른 앱으로 교체해 보세요.
· 사용자 사용 환경에 따라 서비스가 원활하지 않을 시에는 컴퓨터를 통한 접속을 권장합니다. 우등생 홈스쿨링 홈페이지(https://home.chunjae.co.kr)로 접속하거나 검색 엔진에서 우등생 홈스쿨링을 입력하여 접속해 주세요.

홈스쿨링 꼼꼼 스케줄표(24회)

우등생 국어 6-2

꼼꼼 스케줄표는 교과서 진도북과 온라인 학습북을
24회로 나누어 꼼꼼하게 공부하는 학습 진도표입니다.

우등생 홈스쿨링 홈페이지에는
다양한 스케줄표가 있어요!

● 교과서 진도북 ● 온라인 학습북

1. 작품 속 인물과 나

1회 교과서 진도북 9~24쪽	2회 교과서 진도북 25~38쪽	3회 온라인 학습북 4~10쪽
월 일	월 일	월 일

2. 관용 표현을 활용해요

4회 교과서 진도북 39~44쪽	5회 교과서 진도북 45~50쪽	6회 온라인 학습북 11~16쪽
월 일	월 일	월 일

3. 타당한 근거로 글을 써요

7회 교과서 진도북 51~58쪽	8회 교과서 진도북 59~66쪽	9회 온라인 학습북 17~22쪽
월 일	월 일	월 일

4. 효과적으로 발표해요

10회 교과서 진도북 67~72쪽	11회 교과서 진도북 73~78쪽	12회 온라인 학습북 23~29쪽
월 일	월 일	월 일

어떤 교과서를 쓰더라도 ALWAYS 우등생

꼼꼼하게 공부하는 24회 **꼼꼼 스케줄표** # 전과목 시간표인 **통합 스케줄표**
빠르게 공부하는 8회 **스피드 스케줄표** # 자유롭게 **내가 만드는 스케줄표**

● 교과서 진도북 ● 온라인 학습북

5. 글에 담긴 생각과 비교해요

13회 교과서 진도북 79~87쪽	14회 교과서 진도북 88~96쪽	15회 온라인 학습북 30~36쪽
월 일	월 일	월 일

6. 정보와 표현 판단하기

16회 교과서 진도북 97~104쪽	17회 교과서 진도북 105~110쪽	18회 온라인 학습북 37~42쪽
월 일	월 일	월 일

7. 글 고쳐 쓰기

19회 교과서 진도북 111~117쪽	20회 교과서 진도북 118~122쪽	21회 온라인 학습북 43~49쪽
월 일	월 일	월 일

8. 작품으로 경험하기

22회 교과서 진도북 123~127쪽	23회 교과서 진도북 128~136쪽	24회 온라인 학습북 50~56쪽
월 일	월 일	월 일

절취선

온라인 학습이 강화된

우등생 국어 사용법

QR로 학습 스케줄을 편하게 관리!

공부하고 나서 날개에 있는 QR코드를 스캔하면
온라인 스케줄표에 학습 완료 자동 체크!

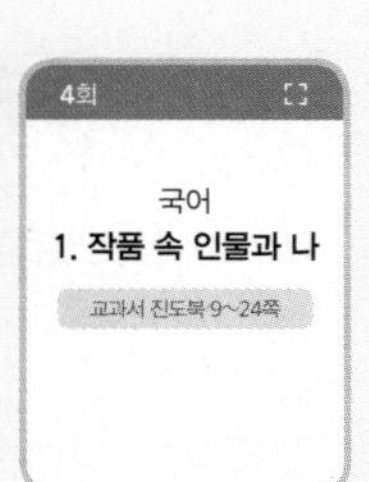

※ 스케줄표에 따라 해당 페이지 날개에
[진도 완료 체크] QR이 들어가 있어요!

진도 완료 체크

우등생 온라인 학습

동영상 강의
개념 / 서술형 · 논술형 문제 / 단원 평가

온라인 채점과 성적 피드백
정답을 올리기만 하면 채점과 성적 분석이 자동으로

온라인 학습 스케줄 관리
밀린 공부는 없나 내 스케줄표로 꼼꼼히 체크하기

교과서에 실린 작품 소개

단원	영역	제재 이름	지은이	나온 곳	우등생
1 단원	국어 ㉮	「의병장 윤희순」	정종숙	『의병장 윤희순』 -(주)한솔수북, 2010.	11쪽
		「구멍 난 벼루」	배유안	『구멍 난 벼루』 -토토북, 2016.	13쪽
		「마지막 숨바꼭질」	백승자	『열두 사람의 아주 특별한 동화』 -파랑새, 2016.	19쪽
		「이모의 꿈꾸는 집」	정옥	『이모의 꿈꾸는 집』 -문학과지성사, 2010.	25쪽
		「떨어져도 튀는 공처럼」	정현종	『노래의 자연』 -시인생각, 2013.	34쪽
2 단원	국어 ㉮	1번 광고 (「물 쓰듯 쓰다」)	방성운 · 송준혁 · 고유리	-한국방송광고진흥공사, 2009.	44쪽
		「도산 안창호 선생의 연설」(원제목: 「대혁명당을 조직하고 임시 정부를 유지하자는 연설」	안창호	도산안창호온라인기념관 누리집 (http://www.ahnchangho.or.kr)	45쪽
		「도산안창호 선생의 연설」에서 생략된 부분	안창호	도산안창호온라인기념관 누리집 (http://www.ahnchangho.or.kr)	45쪽
3 단원	국어 ㉮	「'그냥'이 아니라 '왜'」	이어령	『생각 깨우기』 -푸른숲주니어, 2012.	53쪽
		「가난한 것은 내 잘못이 아니에요!」	한수정 글, 송하완 그림	『지구촌 아름다운 거래 탐구 생활』 -파란자전거, 2016.	55쪽
		일반 무역 유통 단계와 공정 무역 유통 단계	전국사회 교사모임	『사회 선생님이 들려주는 공정 무역 이야기』 -(주)살림출판사, 2017.	57쪽
		㉮ 첫 번째 그림		한국산림복지진흥원 누리집 (http://www.fowi.or.kr)	59쪽
		㉮ 두 번째 그림		-산림청, 2007.	59쪽
		㉮ 동영상 (「숲은 내일이다」)		-산림청, 2016.	59쪽
		「초콜릿 감옥」		「배움 너머」 -한국교육방송공사, 2012.	64쪽
4 단원	국어 ㉮	주요 농산물 주산지 이동 변화		-통계청, 2018.	70쪽
		매체 자료 ㉮ 공익 광고 「중독」	홍수경 · 박대훈 · 양선일	-한국방송광고진흥공사, 2014.	71쪽
		매체 자료 ㉯ 「휴대 전화 관련 교통사고 발생」		-국민안전처, 2016.	71쪽
		2번 동영상 (「온라인 언어폭력: 능력자」)		-한국방송광고진흥공사, 2017.	71쪽

『의병장 윤희순』

우리나라 의병장인 윤희순의 삶에 대한 이야기입니다. 윤희순은 의병 운동 자금을 보내고 안사람 의병대를 만듭니다. 윤희순의 용기와 열정을 본받을 수 있도록 해 줍니다.

『구멍 난 벼루』

추사 김정희를 스승으로 삼은 제자 허련에 대한 이야기입니다. 추사 김정희는 허련에게 끊임없이 연습하여 스스로 배움의 길을 열어야 한다는 가르침을 줍니다. 열정을 가지고 끊임없이 노력하며 스승과 제자 사이에도 서로 가르침과 배움이 오갈 수 있다는 교훈을 줍니다.

『열두 사람의 아주 특별한 동화』

군인, 환경 미화원, 소방관 등 아주 힘들고 어려운 일이지만 최선을 다해 해내는 사람들의 이야기가 담겨 있습니다. 자기가 맡은 일을 열심히 하는 것이 가장 소중하고 아름답다는 것을 알려 줍니다.

『이모의 꿈꾸는 집』

진진이 '꿈꾸는 집'에 가서 진정한 꿈을 찾아가는 과정이 재미있게 펼쳐집니다. 꿈을 이루는 과정도 즐거워야 하고 꿈을 꾸며 행복을 느껴야 한다는 이야기를 들려줍니다.

『지구촌 아름다운 거래 탐구 생활』

부자 나라와 가난한 나라, 시장 경제와 공정 무역 등 세계 경제의 문제점을 역사적 과정을 통해 쉽게 이해할 수 있게 해 줍니다.

단원	영역	제재 이름	지은이	나온 곳	우등생
5 단원	국어 ㉯	「무엇으로 보이십니까?」	오승준·박혜진·임상운	–한국방송광고진흥공사, 2001.	81쪽
		「내가 원하는 우리나라」	김구	『쉽게 읽는 백범 일지』 –돌베개, 2005.	82쪽
		「『열하일기』 소개」	강민경	『장복이, 창대와 함께하는 열하일기』 –한국고전번역원, 2013.	88쪽
		「기와 조각과 똥 덩어리」	박지원 원작, 강민경 글	『장복이, 창대와 함께하는 열하일기』 –한국고전번역원, 2013.	89쪽
		「착한 사마리아인의 법: 필요성」		「배움 너머」 –한국교육방송공사, 2012.	93쪽
6 단원	국어 ㉯	「파리 기후 협약 체결, 기온 상승 폭 2도 제한」		「MBC 뉴스투데이」 –(주)문화방송, 2015. 12. 13.	98쪽
		4번 광고		–필리핀 세계자연보호기금	99쪽
		1번 광고 (「중형차 백만 대를 버렸다」)		–한국방송광고진흥공사, 2011.	100쪽
		「스마트 기부 확산」 (원제목: 「디지털 자선냄비 등장… 스마트 기부 확산」)		「KBS 뉴스 9」 –한국방송공사, 2015. 12. 25.	103쪽
7 단원	국어 ㉯	1의 (1)번 만화		환경부 누리집 (http://www.me.go.kr)	119쪽
8 단원	국어 ㉯	「피부 색깔=꿀색」 영화 포스터	(주)미루픽처스	「피부 색깔=꿀색」 –(주)미루픽처스, 2012.	124쪽
		「나의 여행」		「지식 채널 e」 –한국교육방송공사, 2012.	125쪽
		「피부 색깔=꿀색」	융 에냉	「피부 색깔=꿀색」 –2012.	126쪽
		「대상주 홍라」	이현	『나는 비단길로 간다』 –(주)도서출판 푸른숲, 2012.	128쪽

『쉽게 읽는 백범 일지』

백범 김구 선생의 생애와 시대의 흐름을 한눈에 이해할 수 있게 해 줍니다. 백범 선생의 마음과 독립운동가로서의 모습이 생생하게 펼쳐집니다.

『장복이, 창대와 함께하는 열하일기』

조선 후기의 학자 박지원이 청나라를 여행하고 돌아와 삼 년 동안 쓴 여행기인 『열하일기』를 아이들이 쉽게 이해할 수 있도록 풀어 쓴 책입니다. 박지원의 생각과 세상을 보는 눈을 알 수 있습니다.

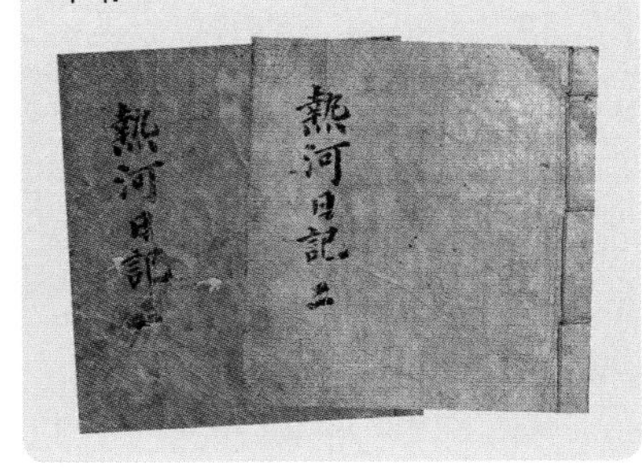

『나는 비단길로 간다』

발해가 '해동성국'이라는 칭호를 얻으며 힘을 떨치던 때에 발해가 무역을 하던 길에서 성장하는 여자아이 '홍라'의 이야기를 담았습니다. 역사적인 사실과 함께 당시의 분위기를 실감 나게 담았습니다.

1 쉽고 재미있게 개념 익히기

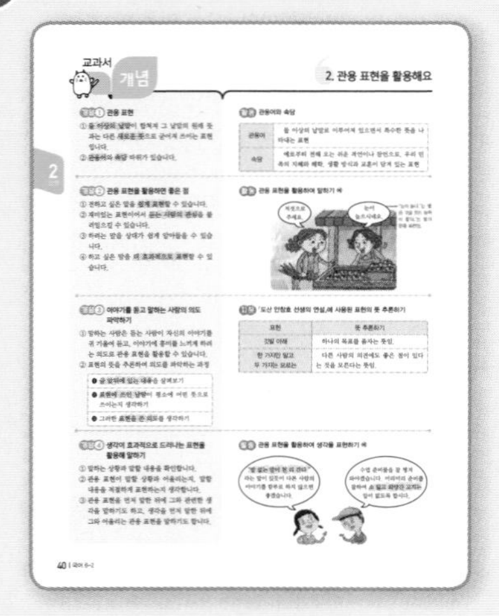

재미있는 개념 웹툰도 함께 보아요!

2 『국어』 교과서로 공부하고 『단원 평가』로 확인하기

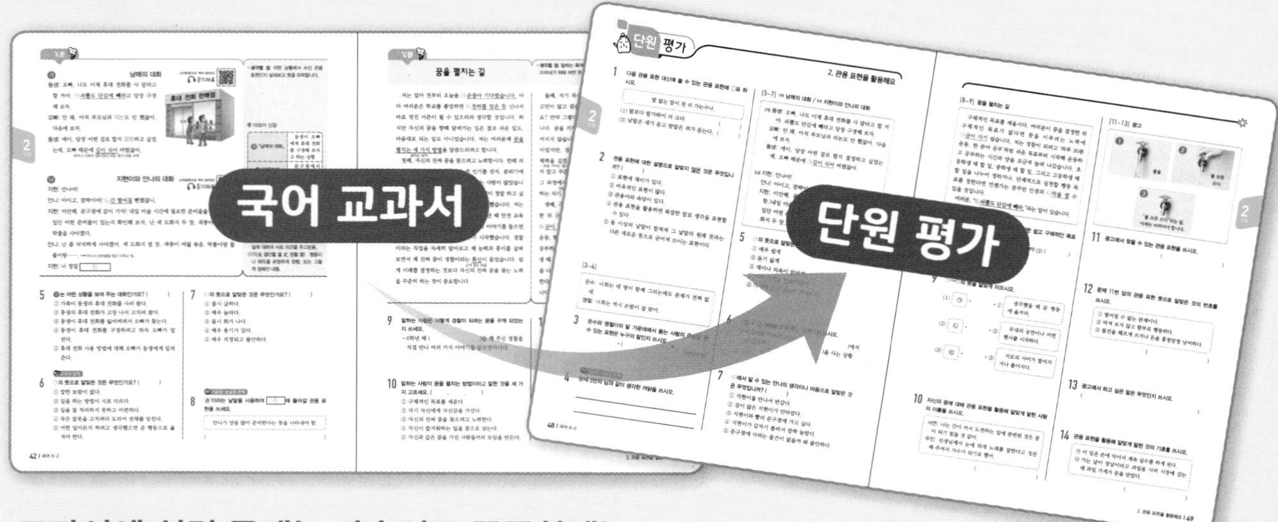

3 교과서에 실린 문제는 자습서로 꼼꼼하게!

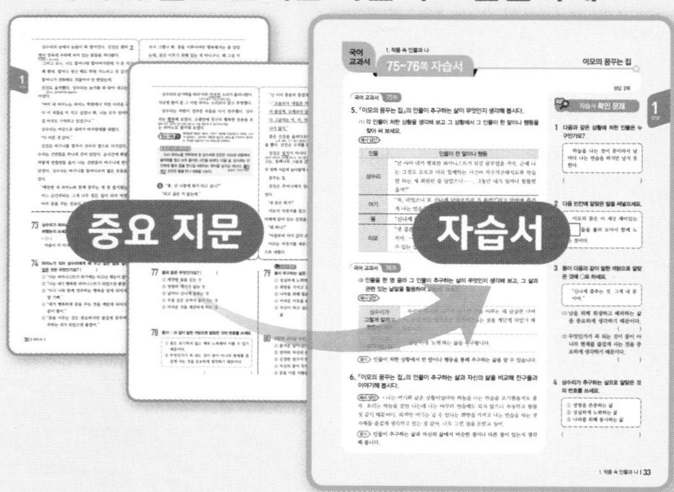

「자습서」는 국어 교사용 지도서를 반영한 <교과서 문제 답안 모음집> 입니다.

1 개념 학습

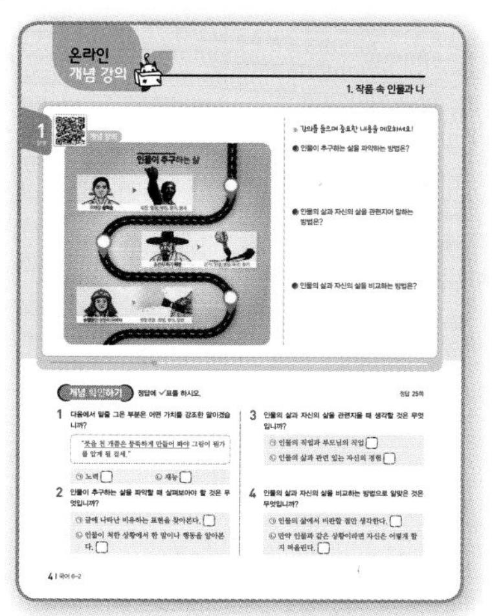

✓ 선생님의 강의를 듣고 확인 문제를 풀어요!

2 서술형·논술형 평가

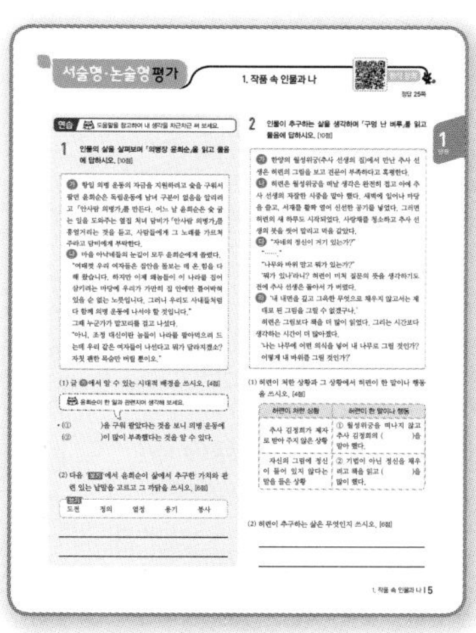

✓ 어려운 서술형 논술형 문제도
강의를 들으며 차근차근 공부해요!

3 단원 평가 풀고 성적 피드백 받기

✓ 채점과 성적 분석이 한번에!

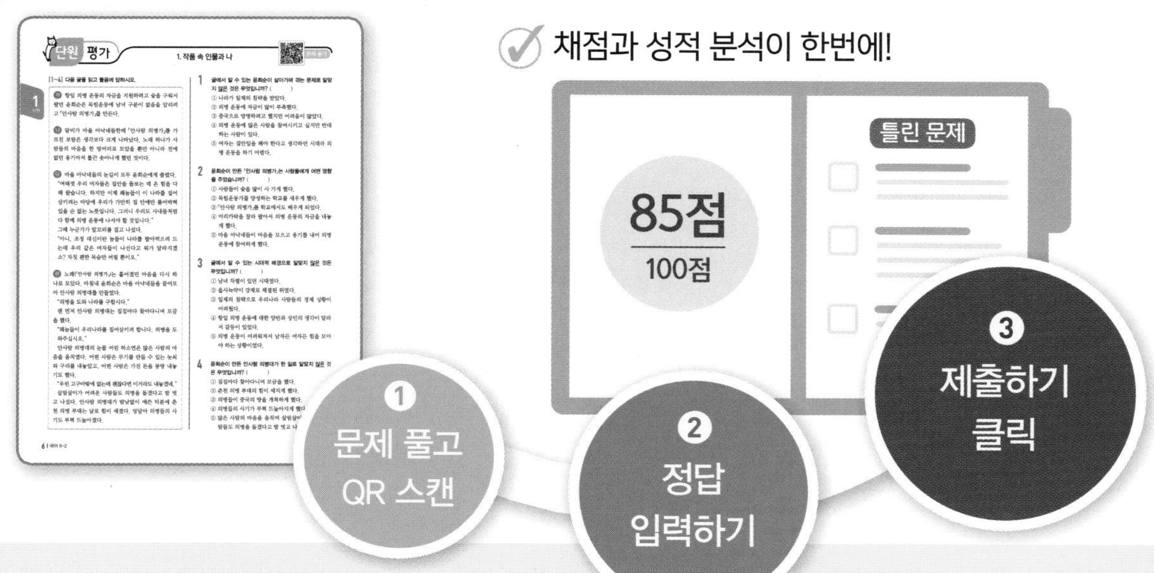

차례

6-2 가

6-2 나

개념 웹툰

등장인물 소개

경복궁 스쿨

어느 날 자신에게 왕족의 피가 흐른다는 사실을 알게 된 예지.
왕족들만 다니는 경복궁의 학교에 입학하게 되는데요.
하루아침에 왕족이 된 예지에게 어떤 일이 벌어질까요?

예지

어느 날 갑자기 자신이
왕족인 것을 알게 되어
왕족 학교에 전학 왔어요.

민주

늘 도도한 척하는,
공주병에 걸린 친구예요.
뒤늦게 왕족이 된
예지를 무시해요.

호민

몸가짐이 바르고
예지를 잘 챙겨 주는
친구예요.

경호원

커다란 덩치에 무뚝뚝한 모습이
무서워 보이지만, 알고 보면
친절하고 부드러운
예지의 경호원이에요.

장난기 많고 재치가 있는
친구예요.

나는 공부할 준비가 되었나? ✓표를 해 보자.

- 책상은 깨끗이 정리했니? ☑
- 엉덩이는 바짝 붙이고 앉았니? ☐
- 연필과 지우개는 책상에 놓여 있니? ☐
- 연필깎이는 가까이에 두었니? ☐
- 화장실에 갔다 오지 않아도 괜찮겠니? ☐

다 괜찮다면,

이제 내 목소리에 귀 기울일 준비가 되었니?
다른 문은 다 닫고, 나와 이야기할 마음이 되었다면

자, 책장을 넘겨 볼까?

1 작품 속 인물과 나

그게 무슨 말이야?

하지만 노력한다고 다 되는 것은 아니야.

우리는 아무리 노력해도 궁에 갈 수 없잖아. 왕족들만 갈 수 있는 곳이니까.

그렇네.

MALL of H

삐뽀 삐뽀

끼익

뭐지?

개념 웹툰

인물이 추구하는 삶은 어떻게 파악할 수 있을까요?
스마트폰에서 확인하세요!

교과서 **개념**

개념 ① 인물의 삶과 관련 있는 가치 찾기

① 인물의 말과 행동에서 시대적 배경을 파악합니다.
② 인물이 살아가며 겪는 문제와 문제를 대하는 태도를 알아봅니다.
③ 인물의 삶과 관련 있는 가치를 찾습니다.

지문 「의병장 윤희순」에서 윤희순의 삶과 관련 있는 가치

윤희순이 문제를 대하는 태도	윤희순의 삶과 관련 있는 가치
의병 운동을 하는 것을 두려워하는 사람들을 설득하려고 노래로 사람들의 힘을 모음.	도전, 정의, 열정, 용기, 봉사
직접 나가 싸우지 못하더라도 숯을 구워서 팔아 의병 운동 자금을 지원함.	

개념 ② 인물이 추구하는 삶을 파악하는 방법

① 인물이 처한 상황을 떠올려 봅니다.
② 인물이 처한 상황에서 한 말이나 행동을 알아봅니다.
③ 인물이 그렇게 말하고 행동한 까닭을 생각해 봅니다.
④ 인물의 삶과 자신의 삶을 관련지어 생각해 봅니다.
⑤ 인물이 추구하는 가치로 추구하는 삶을 파악할 수 있습니다.

지문 「구멍 난 벼루」에서 인물이 추구하는 삶

개념 ③ 인물이 추구하는 삶과 자신의 삶을 관련짓기

① 인물이 추구하는 삶과 관련 있는 자신의 경험을 생각해 봅니다.
② 인물이 중요하게 여기는 삶의 가치를 찾아 내가 중요하게 여기는 삶의 가치와 비교합니다.
③ 인물이 덜 중요하게 여기는 삶의 가치에 대해 내 생각과 비교해 봅니다.

지문 「마지막 숨바꼭질」에서 경민이 아버지가 추구하는 삶과 관련지어 자신의 삶에 대한 다짐 말하기 ㉮

자신의 이익보다 올바른 정의를 추구한 경민이 아버지를 보면서 사회의 정의를 지키는 사회 운동가가 되고 싶다고 생각했어.

개념 ④ 인물의 삶과 자신의 삶을 비교하기

① 인물이 처한 상황에서 한 말이나 행동에서 추구하는 삶이 무엇인지 생각합니다.
② 만약 인물과 같은 상황이라면 자신은 어떻게 할지 떠올립니다.
③ 자신의 삶과 비슷한 점이나 다른 점은 무엇인지 생각해 보며 인물과 자신의 삶을 비교해 봅니다.

지문 「이모의 꿈꾸는 집」에서 인물이 추구하는 삶

상수리	어기
성실하게 노력하는 삶	지금 당장 이루지 못하더라도 희망을 가지고 즐겁게 도전하는 삶

준비

의병장 윤희순

• 글쓴이: 정종숙
• 생각할 점: 인물의 삶을 살펴보며 인물의 삶과 관련 있는 가치를 찾아 봅니다.

앞부분 이야기

㉠항일 의병 운동의 자금을 지원하려고 숯을 구워서 팔던 윤희순은 독립운동에 남녀 구분이 없음을 알리려고 「안사람 의병가」를 만든다. 어느 날 윤희순은 숯 굽는 일을 도와주는 옆집 처녀 담비가 「안사람 의병가」를 흥얼거리는 것을 듣고, 사람들에게 그 노래를 가르쳐 주라고 담비에게 부탁한다.

1 그날부터 담비는 윤희순이 시키는 대로 동에 번쩍 서에 번쩍 쏘다니며 마을 아낙네들을 만났다. 빨래터든 물레방앗간이든 아낙네들이 모이는 곳이라면 어디든 달려가서 노래를 가르쳤다.

"노래란 것이 참 신기해."

"그러게 말이야."

"나도 노래를 부르다 보면 뭔가 해야겠다는 생각이 들어."

담비가 마을 아낙네들한테 「안사람 의병가」를 가르친 보람은 생각보다 크게 나타났다. 노래 하나가 사람들의 마음을 한 덩어리로 모았을 뿐만 아니라 전에 없던 용기마저 불끈 솟아나게 했던 것이다.

"자, 이럴 때 나서시면 될 것 같아요."

담비가 윤희순한테 드디어 직접 나설 때가 왔다고 알려 왔다.

"여러분, 우리가 누구입니까?"

마을 아낙네들의 눈길이 모두 윤희순에게 쏠렸다.

"여태껏 우리 여자들은 집안을 돌보는 데 온 힘을 다해 왔습니다. 하지만 이제 왜놈들이 이 나라를 집어삼키려는 마당에 우리가 가만히 집 안에만 틀어박혀 있을 순 없는 노릇입니다. 그러니 우리도 사내들처럼 다 함께 의병 운동에 나서야 할 것입니다." → 남자와 여자들이 하는 일이 달랐다는 시대적 배경을 알 수 있음.

중심 내용 1 「안사람 의병가」가 퍼지자 윤희순은 마을 아낙네들에게 여자들도 의병 운동에 나서자고 설득하였다.

항일 의병 운동　일본에 맞서서 양반부터 평민에 이르기까지 참여하여 싸운 일.
자금　어떤 일을 하는 데에 쓰는 돈.
「안사람 의병가」　윤희순이 여자들에게 의병 활동을 권하려고 지은 노래.
동에 번쩍 서에 번쩍　이리저리 바쁘게 왔다 갔다 함.

1 ㉠에서 알 수 있는 시대적 배경과 윤희순이 처한 상황으로 알맞은 것을 두 가지 고르세요. (　　　,　　　)

① 의병 운동에 자금이 많이 부족했다.
② 윤희순의 가족이 모두 중국에 있다.
③ 숯을 비싼 값에 사고팔던 시대였다.
④ 윤희순이 의병을 돕고 싶은 마음이 컸다.
⑤ 윤희순의 가족이 모두 의병 운동을 하였다.

2 이 글에서 알 수 있는, 윤희순이 살아가며 겪는 문제로 알맞은 것의 번호를 쓰세요.

① 나라가 일제의 침략을 받았다.
② 여자도 남자와 같은 일을 하였다.
③ 윤희순을 샘내는 사람들이 많았다.

(　　　　　　　　)

3 윤희순이 2번에서 답한 문제를 대하는 태도로 알맞은 것은 무엇인가요? (　　　)

① 더욱더 겸손하게 행동하였다.
② 의병들이 다니는 학교를 세웠다.
③ 산으로 올라가 나무뿌리를 캤다.
④ 노래를 만들어 사람들의 힘을 모았다.
⑤ 일본 군대가 있는 곳에 폭탄을 던졌다.

교과서 문제

4 윤희순이 만든 「안사람 의병가」는 사람들에게 어떤 영향을 주었는지 두 가지 고르세요. (　　　,　　　)

① 일본군들이 겁을 먹었다.
② 남자와 여자가 평등하게 되었다.
③ 사람들의 마음을 한 덩어리로 모았다.
④ 항일 의병 운동 자금이 적게 모아졌다.
⑤ 전에 없던 용기마저 불끈 솟아나게 했다.

1 단원

2 그때 누군가가 말꼬리를 걸고 나섰다.
남의 말 가운데서 꼬투리를 잡아 꼬치꼬치 따지고 들고.

"아니, ㉠조정 대신이란 놈들이 나라를 팔아먹으려 드는데 우리 같은 여자들이 나선다고 뭐가 달라지겠소? 자칫 괜한 목숨만 버릴 뿐이오."

그 말이 떨어지기가 무섭게 여기저기서 술렁거렸다. 기껏 뜨겁게 달아오른 열기가 금세 차갑게 식을 판이었다.

"그럼 나라를 빼앗기고 왜놈들 종으로 살자는 것입니까?"
→ 윤희순의 삶의 태도를 알 수 있는 말

윤희순이 다시 마음을 가다듬고 큰 소리로 부르짖자 마을 아낙네들의 눈길이 또다시 윤희순에게 쏠렸다. 윤희순은 그 틈을 안 놓치고 곧장 말을 이었다.

"여기 계신 분들 가운데 자식을 왜놈의 종으로 살게 내버려 두고 싶은 사람은 한 분도 없을 것입니다. 그러니 우리 여자들도 사내들을 도와 왜놈들을 몰아내는 데 한몫을 해야 하지 않겠습니까?"
의병 운동의 상황이 어려워서 남자든 여자든 힘을 모아야 함.

거침없이 내뱉는 윤희순의 말에 여기저기서 고개를 끄덕였다. 그 틈에 누군가 구성진 목소리로 노래를 불렀다.

> 아무리 왜놈들이 포악하고 강성한들
> 강하고 번성한들.
> 우리도 뭉쳐지면 왜놈 잡기 쉬울세라
> 「안사람 의병가」

담비였다. 둘레에 빙 둘러섰던 마을 아낙네들은 기다렸다는 듯이 노래를 따라 불렀다. 노래는 흩어졌던 마음을 다시 하나로 모았다. 마침내 윤희순은 마을 아낙네들을 끌어모아 안사람 의병대를 만들었다.

중심 내용 2 윤희순은 마을 아낙네들을 모아 안사람 의병대를 만들었다.

3 "의병을 도와 나라를 구합시다!"

맨 먼저 안사람 의병대는 집집마다 찾아다니며 모금을 했다.

"왜놈들이 우리나라를 집어삼키려 합니다. 의병을 도와주십시오."

안사람 의병대의 눈물 어린 하소연은 많은 사람의 마음을 움직였다. 어떤 사람은 무기를 만들 수 있는 놋쇠와 구리를 내놓았고, 어떤 사람은 가진 돈을 몽땅 내놓기도 했다.
억울한 일이나 잘못된 일, 딱한 사정 따위를 말함.

"우린 고구마밖에 없는데 괜찮다면 이거라도 내놓겠네."

㉡살림살이가 어려운 사람들도 의병을 돕겠다고 발벗고 나섰다. 안사람 의병대가 밤낮없이 애쓴 덕분에 춘천 의병 부대는 날로 힘이 세졌다. 덩달아 의병들의 사기도 부쩍 드높아졌다.

중심 내용 3 안사람 의병대는 모금을 하고 의병들의 사기가 높아지는 데 큰 역할을 했다.

5 ㉠과 같은 말에서 알 수 있는 시대적 배경입니다. 보기 에서 알맞은 낱말을 찾아 쓰세요.

보기
강화도 조약　　남녀 차별　　을사늑약

(1) (　　　　　　)이 있던 시대임.
(2) (　　　　　　)이 강제로 체결된 뒤임.

6 윤희순이 만든 안사람 의병대가 한 일로 알맞은 것의 번호를 두 가지 쓰세요.

① 의병대 기념비를 세웠다.
② 집집마다 찾아다니며 모금을 했다.
③ 춘천 의병 부대가 날로 힘이 세지게 했다.

(　　　　,　　　　)

7 ㉡에서 알 수 있는 시대적 배경을 알맞게 말한 사람의 이름을 쓰세요.

서우: 우리나라 사람들의 위기 극복 의지가 대단했다는 것을 알 수 있어.
한솔: 우리나라 사람들의 경제 상황이 좋았다는 것을 알 수 있어.

(　　　　　　)

8 윤희순이 삶에서 추구한 가치와 관련 있는 낱말로 알맞지 않은 것은 무엇인가요? (　　　)

① 정의　② 열정　③ 도전
④ 봉사　⑤ 안전

기본

구멍 난 벼루

• 글쓴이: 배유안
• 생각할 점: 인물이 한 말이나 행동에서 인물이 추구하는 삶과 관련 있는 가치를 찾아봅니다.

❶ 허련은 꼭 추사 김정희의 제자가 될 것이라고 다짐하였다.

❷ 허련은 그림은 사물과 자신과의 소통이 우선되어야 함을 깨달았다.

❸ 허련은 추사 김정희의 집에서 글을 쓰고 그림을 그리며 노력했다.

❹ 허련은 열심히 노력한 끝에 초묵법을 만들어 내었다.

1 단원

앞부분 이야기

해남의 초의 선사에게 학문을 배우던 젊은 허련은 추사 선생(→김정희)에게 그림을 배우려고 한양으로 찾아간다. 그러나 한양의 월성위궁(추사 선생의 집)에서 만난 추사 선생은 허련의 그림을 보고 견문이 부족하다고 혹평한다. 허련은 당황스럽고 부끄러웠지만, 계속 사랑채에 머물며 청나라에서 온 서책들을 보고 견문을 넓힌다. 그러던 어느 날, 추사 선생의 문하생들이 허련의 그림을 칭찬하면서 허련을 추사 선생의 제자라고 칭하자, 추사 선생은 누가 자신의 제자냐며 호통친다. 허련은 포기하지 않고 추사 선생을 다시 찾아가 제자로 받아 달라고 간곡하게 부탁한다.

❶ 다음 날 이른 아침, 허련은 사랑채 마당을 쓸어 놓고 우물로 갔다. 하루의 첫 물을 길어 연적을 채워 놓고 아침 차를 우렸다. 이른 아침의 서재가 차향으로 은은해졌다. 추사 선생은 무심한 척 허련이 우려 놓은 차를 마셨다.
→ 허련이 추사 김정희의 집에서 허드렛일을 함.

"어르신 옆에서 붓의 세상을 열어 보고 싶습니다."

"붓의 세상?"

허련은 벌떡 일어나 큰절을 올렸다. 추사 선생은 미간(두 눈썹의 사이.)에 주름을 세우고 허련을 바라보았다.

"저는 해남을 떠나올 때 이미 스승을 찾았습니다. 초의 선사의 편지 내용이 어떤 것이었든 이제 상관이 없습니다. 어르신께서 제 그림의 부족함을 일깨워 주셨으니 그것을 채우는 것도 어르신께로부터 배우고 싶습니다."

추사 선생은 못마땅한 표정으로 허련을 쏘아보았다. 애당초 흔쾌한(기쁘고 유쾌한.) 대답을 기대하지 않은 터였다. 허련은 개의치(마음에 두고 생각하거나 신경을 쓰지.) 않고 고개를 깊이 숙였다.

초의 선사 조선 후기의 승려.
견문(見 볼 견 聞 들을 문) 보거나 듣거나 하여 깨달아 얻은 지식.
혹평 몹시 모질게 따져 말함.
사랑채 집의 안채와 떨어진, 바깥주인이 거처하며 손님을 접대하는 곳.
문하생 스승 아래에서 가르침을 받는 제자.

9 추사 김정희의 집에서 어떤 일이 일어났는지 쓰세요.
• (   )이 추사 김정희의 제자가 되려고 찾아왔다.

10 추사 김정희는 허련의 그림을 어떻게 평가했나요? (   )
① 견문이 부족하다고 혹평했다.
② 초의 선사에게 잘 배웠다고 칭찬했다.
③ 자신의 그림보다 낫다고 겸손하게 말했다.
④ 자신에게 배우면 나아질 것이라고 격려했다.
⑤ 문하생들에게 보여 줄 정도로 훌륭하다고 했다.

11 허련은 자신의 그림에 대한 추사 김정희의 평가를 듣고 어떻게 했는지 기호를 쓰세요.

㉮ 해남의 초의 선사에게 돌아갔다.
㉯ 당황스럽고 부끄러웠지만 계속 추사 김정희의 사랑채에 머물며 서책들을 보고 견문을 넓혔다.

(   )

12 글 ❶에서 알 수 있는, 허련이 추구하는 삶과 관련 있는 가치를 두 가지 고르세요. (,   )
① 도전 ② 용기 ③ 사랑
④ 봉사 ⑤ 안전

1 단원

추사 선생이 심드렁하게 말했다.

"그러시게. ㉠자네는 자네의 스승을 찾게. 나는 내 제자를 찾을 터이니."

대단히 아리송한 말이었다. 짧게 흘린 웃음소리도 아리송하긴 마찬가지였다. 제자를 찾겠다는 말이 제자가 될 만한지 두고 보겠다는 뜻인지, 자네는 내가 찾는 제자가 아니라는 뜻인지. 허련은 무슨 뜻인지 묻지 못했다. 답이 두려웠다.

알기 어려운.

"한 잔 더 주게."

추사 선생이 차를 청했다. 순간, 허련은 앞쪽이 답일 가능성이 더 크다고 생각하며 얼른 찻잔을 채웠다. 그렇게 생각하기로 마음먹었다. 추사 선생의 말이 '그만 떠나게'만 아니면 된 거 아닌가?

허련도 차 한 잔을 따라 마셨다. 향긋한 차가 매끄럽게 목구멍을 타고 흘러내렸다.

'꼭 어르신의 제자가 될 것입니다.'

중심 내용 1 추사 김정희가 제자로 받아들이지 않았는데 허련은 꼭 추사 김정희의 제자가 될 것이라고 다짐하였다.

(중략)

2 허련은 월성위궁을 떠날 생각은 완전히 접고 아예 추사 선생의 자잘한 시중을 맡아 했다. 새벽에 일어나 마당을 쓸고, 서재를 활짝 열어 신선한 공기를 넣었다. 그러면 허련의 새 하루도 시작되었다. 사랑채를 청소하고 추사 선생의 붓을 씻어 말리고 먹을 갈았다. 얼마 안 가서 하인이 아예 허련에게 일을 미루어 버렸다. 추사 선생도 언제부턴가 허련이 월성위궁에 머무는 걸 당연하게 여겼다.

추사 선생의 독서량과 연습량은 실로 엄청났다. 부지런하고 열성적인 것으로는 누구에게 뒤져 본 적이 없던 허련이지만 잠깐의 시간도 허투루 쓰지 않는 추사 선생의 근면함에는 혀를 내둘렀다. 추사 선생은 획 하나, 글자 하나를 수십 번, 수백 번 연습하는 연습 벌레였다. 누구나 알아주는 대가가 되고서도 끊임없이 뭇 명필들의 서체를 감상하고 연구하며 자기만의 서체를 만들어 나갔다. 스승의 문 안에는 배울 게 많았다. 허련은 우러르는 마음이 절로 생겼다.

추사 김정희의 집에 오기 전 허련의 삶의 태도를 알 수 있음.

추사 김정희가 추구하는 삶 / 몹시 놀라거나 어이없어서 말을 못하였다.

심드렁하게 마음에 들지 않아서 관심이 거의 없게.
허투루 아무렇게나 되는대로.
대가(大 클 대 家 집 가) 전문 분야에서 뛰어나 인정받는 사람.
명필(名 이름 명 筆 붓 필) 글씨 잘 쓰기로 이름난 사람.
서체(書 글 서 體 몸 체) 붓글씨에서 글씨를 쓰는 일정한 격식이나 양식.

13 ㉠에 담긴 뜻을 알맞게 말한 사람의 이름을 쓰세요.

도현: 다른 스승을 찾아서 빨리 자신의 집에서 나가라는 뜻이야.
윤서: 스스로 연습하는 것이 중요하지 좋은 스승을 만나기만 해서 좋은 화가가 되는 것이 아니라는 뜻이야.

( )

교과서 문제

14 허련이 처한 상황은 무엇인가요? ( )

① 해남의 초의 선사에게 돌아갔다.
② 추사 김정희의 다른 제자와 경쟁하였다.
③ 새로운 스승을 찾아 월성위궁을 떠났다.
④ 추사 김정희가 제자로 받아 주지 않았다.
⑤ 추사 김정희가 다른 스승을 소개해 주었다.

15 문제 14번의 답과 같은 상황에서 허련이 한 행동은 무엇인가요? ( )

① 스승을 찾으러 중국으로 떠났다.
② 추사 김정희의 제자를 찾으러 떠났다.
③ 추사 김정희의 글씨를 계속 따라 썼다.
④ 추사 김정희의 다른 제자에게 나쁜 말을 하였다.
⑤ 월성위궁을 떠나지 않고 추사 김정희의 시중을 들었다.

16 추사 김정희가 처한 상황으로 알맞은 것을 두 가지 고르세요. (,)

① 허련이 스스로 길을 찾기를 바란다.
② 허련이 자신의 시중을 드는 것이 싫다.
③ 뛰어난 제자가 나타나지 않아 속상하다.
④ 허련이 월성위궁을 빨리 떠났으면 좋겠다.
⑤ 자신의 그림을 계속 발전시키고 싶어 한다.

추사 선생은 무심한 듯이 책이나 화첩을 허련에게 건네주기도 했다. 허련은 그것을 황송하게 받아 꼼꼼히 읽고 살폈다. 그러면 그것이 그때 자신에게 꼭 필요한 것임을 알 수 있었다. 그러나 그뿐, 추사 선생은 손님 누구에게도 허련을 제자라고 소개하지는 않았다. 허련은 혼자 있는 시간은 한 시각도 아껴서 책을 읽고, 화첩을 보고, 그림을 그렸다.

화첩: 그림을 모아 엮은 책.
자신에게 꼭 필요한 것임을 알 수 있었다: 추사 김정희가 허련의 발전 정도를 지켜보고 있다는 것을 알 수 있음.

여러 날 공들여 바위틈에 자란 나무를 그렸는데 꽤 마음에 들었다. 마당에서 종이를 들고 그림을 말리고 있는데 뒤에서 추사 선생의 목소리가 들렸다.

공들여: 어떤 일을 이루는 데 정성과 노력을 많이 들여.

"그 나무는 자네의 나무인가?" / "예?"

"자네의 정신이 거기 있는가?" / "……."

자네의 정신이 거기 있는가?: 그림에 허련의 정신이 깃들지 않았다는 뜻임.

"나무와 바위 말고 뭐가 있는가?"

'뭐가 있나'라니? 허련이 미처 질문의 뜻을 생각하기도 전에 추사 선생은 돌아서 가 버렸다.

허련은 하릴없이 그림을 내려다보았다. 공들인 붓질이었다. 그러나 기법만 있고 이야기가 없었다. 추사 선생의 그림처럼 그리는 사람의 이상이나 소망 같은 것이 없었다. 허련은 맥이 빠졌다. 나무나 바위가 아무리 진짜 같아도, 붓질이 아무리 펄펄 살아 있어도 눈에 보이는 것만으로는 안 되는 거였다. 정신이라는 것은 붓끝의 교묘함에서 나오는 게 아니었다. 그건 그리는 사람의 마음속에 있는 것이 손을 타고 붓을 지나서 나오는 것이라고 말할 수밖에 없었다. 며칠 동안 ㉠허련은 절망감으로 괴로웠다.

하릴없이: 달리 어떻게 할 도리가 없이.
교묘함: 솜씨나 재주 따위가 재치 있게 약삭빠르고 묘함.

'내 내면을 깊고 그윽한 무엇으로 채우지 않고서는 제대로 된 그림을 그릴 수 없겠구나.'

내면: 밖으로 드러나지 아니하는 사람의 속마음.

허련은 그림보다 책을 더 많이 읽었다. 그리는 시간보다 생각하는 시간이 더 많아졌다.

'나는 나무에 어떤 의식을 넣어 내 나무로 그릴 것인가? 어떻게 내 바위를 그릴 것인가?'

'이 모란은 내 모란인가, 아닌가?'

'나는 어떤 마음으로 새가 되어 날고 있는가?'

허련은 자신에게 더 많은 것을 물었다. 사물을 보고 앉아서 깊이 생각하다 보면 사물과 마음이 통하는 듯했다. 그림은 사물과 자신과의 소통이 우선되어야 하는 것이었다.

중심 내용 2 허련은 추사 김정희의 집에서 지내다가 그림은 사물과 자신과의 소통이 우선되어야 한다는 것을 깨달았다.

1 단원

17 이 글에서 알 수 있는, 추사 김정희가 추구하는 삶은 무엇인지 번호를 쓰세요.

① 나라를 위해 힘을 바쳐 애쓰는 삶
② 성실하고 정직한 사람에게 도움을 주는 삶

( )

18 ㉠의 까닭은 무엇인지 **보기** 에서 찾아 쓰세요.

보기		
내면	소망	이야기

(1) 공들여 그린 그림이지만 기법만 있을 뿐 ( )가 없었기 때문이다.

(2) 그리는 사람의 마음속에 이상이나 ( ) 같은 것이 없었기 때문이다.

(3) 그림만 잘 그렸을 뿐 ( )이 그윽한 무엇으로 채워져 있지 않았기 때문이다.

19 다음과 같은 허련의 말은 어떤 뜻이겠는지 ( ) 안의 알맞은 말에 ○표 하세요.

"내 그림에는 기법만 있고 정신이 없구나."

• 대상과 똑같이 그림을 그리는 것에만 신경을 썼을 뿐 그림에 대한 (생각 / 기술)이 부족하다는 뜻이다.

교과서 문제

20 이 글에서 허련이 처한 상황에서 한 행동은 무엇인가요? ( )

① 책을 읽고 생각을 많이 했다.
② 좋은 먹과 붓을 찾으러 떠났다.
③ 붓을 쓰는 방법을 더 많이 연구했다.
④ 추사 김정희에게 질문을 많이 하였다.
⑤ 그림을 실제와 똑같이 그릴 수 있도록 노력했다.

3 월성위궁에서 종이를 먹으로 채우면서 계절이 휙휙 지나갔다. 먹을 가는 시간은 마음을 닦는 시간이기도 했다. 먹물이 까맣게 벼루를 채우는 동안 마음은 차분히 가라앉고 내면 깊은 곳에서 그림에 대한 열정만 오롯이 솟아올랐다.

열정: 어떤 일에 열렬한 애정을 가지고 열중하는 마음.

학문이 날로 깊어졌고 그림 보는 안목도 높아졌다. 허련은 기쁨과 뿌듯함에 종일 쉬지 않아도 힘든 줄 몰랐다. 마음먹은 대로 안 되어 괴로울 때가 더 많았지만 그 괴로움조차도 기꺼웠다. 자신의 그림을 볼 줄 아는 안목이 없어 괴로워할 줄도 몰랐던 시절을 생각하면 지금의 괴로움은 오히려 이제 눈이 뜨였음을 보여 주는 증거였다.

안목: 사물을 보고 바르게 판단하는 능력.
기꺼웠다: 마음속으로 은근히 기뻤다.

아주 가끔이지만 추사 선생이 허련의 그림을 보고 고개를 끄덕이기도 했고, 비판을 하기도 했다. 호된 악평을 들어도 허련은 행복하고 황홀했다.

어느 날, 추사 선생이 물었다.

"자네는 종요라는 사람을 아는가?"

"예, 해서체의 대가로 알고 있습니다."

"그는 잠을 잘 때도 이불에다 손가락으로 글씨를 써 대서 이불이 너덜너덜해졌다고 하더군."

"예. 그만큼 연습을 해야 대가가 되는군요."

"뭐든 미친 듯이 하지 않고서는 큰 성취를 얻을 수 없네."

성취: 목적한 바를 이룸.

허련은 깊이 알아듣고 고개를 숙였다.

"㉠붓을 천 개쯤은 뭉뚝하게 만들어 봐야 그림이 뭔가를 알게 될 걸세."

추사 선생이 흘리듯 말하고는 돌아서 갔다. 허련은 몽당붓을 들고 물끄러미 보았다. 이제 겨우 한 걸음을 더 뗀 것 같았다. / '천 개 넘어 붓이 닳으면…….'

허련은 쓰고 또 썼다. 그리고 또 그렸다. → 허련이 한 행동

「추사 선생이 행장을 꾸렸다. 멀리 문경에서 비석 하나가 발견되었다는 소식을 듣고서였다. 벌써 여러 번째였다. 추사 선생은 종이와 먹을 들고 방 안에 앉아서 쓰기만 하는 사람이 아니었다. 깨진 비석 한 조각이 발견되었다는 말을 들으면 그냥 넘어가지 않았다. 멀다 않고 찾아가 거기에 쓰인 글씨를 탁본해 왔다. 그러고는 옛 책들을 뒤지며 그 서체를 연구했다. 젊은 날에도 부친의 부임지에 다니러 가서는 그 지방의 산을 헤매며 비석들을 탐색했다고 들었다. 비석에는 수백 년 전의 다양한 서체가 쓰여 있기 때문이었다.

행장: 여행할 때 쓰는 물건과 차림.
탁본해: 글씨나 무늬를 종이에 그대로 떠내.
부임지: 임무를 받아 근무하는 곳.

서둘러 떠나는 추사 선생의 발걸음이 청년의 걸음보다 힘차고 가벼웠다. 기대감으로 환하게 빛나는 얼굴 표정 또한 청년 이상이었다.」

「 」: 추사 김정희가 추구하는 삶을 알 수 있음.

'이번엔 또 어떤 걸 찾아 오실까?' / 돌아오면 아마 또 며칠간 서재에 틀어박혀 나오지 않을 게 분명했다.

중심 내용 3 허련은 추사 김정희의 집에서 글을 쓰고 그림을 그리며 노력했고, 추사 김정희는 비석을 탐색하러 문경으로 떠났다.

교과서 문제

21 허련이 추구하는 삶과 관련 있는 가치로 알맞은 것은 무엇인가요? (　　　)

① 끈기와 열정　② 사랑과 배려
③ 봉사와 희생　④ 행복과 즐거움
⑤ 안전과 생명 존중

22 ㉠과 관련 있는 가치로 알맞지 않은 것은 무엇인가요? (　　　)

① 배려　② 노력　③ 성실
④ 열정　⑤ 끈기

23 추사 김정희가 추구하는 삶으로 알맞은 것의 번호를 쓰세요.

① 이웃과 더불어 살고 나누는 삶
② 자신의 글씨를 계속 발전시켜 가는 열정이 있는 삶

(　　　　　)

24 의견을 알맞게 말한 사람을 쓰세요.

수빈: 추사 김정희가 젊은 날에 많이 떠돌아다닌 것은 부모님에 대한 불효이다.
현준: 엄하면서도 허련을 내쫓지 않고 허련의 성장을 지켜보는 추사 김정희는 좋은 선생님이다.

(　　　　　)

❹ 허련은 추사 선생이 없는 동안 서재에서 추사 선생의 글씨와 그림들을 다시 살폈다. 전에는 안 보이던 게 보였다. 추사 선생은 풍경을 그려도 단순히 실제 모습을 그리는 게 아니었다.

마음속에 꿈꾸는 이상과 의지, 세상에 대한 생각들을 그림에 담아냈다. 성근 나무 숲 아래 띠풀로 지붕을 엮은 고적한 정자와 조용히 흐르는 강물을 그리고, 그 뒤로 먼 산을 은은하게 그리면 놀랍게도 그 속에서 세상을 떠나 자연 속에 묻혀 살고자 하는 선비의 소망이 읽혔다. 낮은 언덕에 몇 그루의 고목과 그 옆에 허물어질 듯 서 있는 작은 집을 보고 있으면 세속이 한없이 작아지고 우주의 섭리가 온 세상에 내려와 앉은 듯했다.

→ 추사 김정희의 그림에는 정신이 담겨 있음.

그림을 그렸는데 시가 읽히고, 글씨를 썼는데 세상이 그려졌다. 어느 획에서, 어느 나뭇잎에서, 아니면 어느 산자락에서 그게 나오는지 알 수가 없었다. 붓질이 산자락을 흐르며 힘을 더 주고 덜 준 흔적만으로도 뭔가를 이야기하고 있었다. 허련은 탄식을 했다.

허련은 화첩에서 배운 필법을 바탕으로 연구와 실험을 해 가며 나름의 붓질법을 만들어 나갔다. 수십 개의 붓이 뭉뚝해졌다.(열심히 노력함.) 점차 허련만의 그림이 나왔다.

날로 부드러워지는 봄 산을 그리느라 열중해 있는데 문득 뒤에서 인기척(사람이 있음을 알 수 있게 하는 소리나 기척.)이 들렸다. 고개를 드니 추사 선생이 었다. 허련이 일어나려 하자 추사 선생이 말렸다.

"그냥 계속하게."

허련은 진하게 간 먹을 마른 붓에 듬뿍 찍어 종이에 닿을 듯 말 듯 가볍게 긋다가 슬쩍 눌러 긋다가 하며 산의 능선을 표현했다. 바위는 짙고 마른 먹으로 그려 거칠고 투박한(생김새가 볼품없이 둔하고 튼튼하기만 한.) 느낌을 물씬 냈다. 나무껍질 또한 물기 없는 붓으로 건조하게 찍어 까끌까끌한 질감을 살렸다.

㉮ "으음."
추사 선생이 신음을 내뱉었다. 허련이 돌아보니 추사 선생이 체면도 잊고 옆에 쪼그리고 앉아 그림을 뚫어지게 보고 있었다. 입술 사이로 탄식이 새어 나왔다.

성근 물건의 사이가 뜬. 예 하늘에 성근 별들이 떠 있습니다.
띠풀 볏과의 여러해살이풀.
고적한 외롭고 쓸쓸한. 예 고적한 가을의 바닷가입니다.
세속(世 인간 세 俗 풍속 속) 사람이 살고 있는 모든 사회.
섭리 자연계를 지배하는 원리와 법칙.
체면(體 몸 체 面 낯 면) 남을 대하기에 떳떳한 도리나 얼굴.

25 추사 김정희의 그림은 어떠했는지 쓰세요.

- 풍경을 그려도 단순히 실제 모습을 그리는 것이 아니라, 마음속에 꿈꾸는 (1) (   )과 의지, 세상에 대한 (2) (   )들을 그림에 담아냈다.

26 추사 김정희가 없는 동안 허련이 한 일로 알맞지 않은 것은 무엇인가요? (   )

① 정자에 앉아 자연의 모습을 살펴보았다.
② 추사 김정희의 글씨와 그림들을 다시 살폈다.
③ 몽당붓 수십 개를 만들며 끊임없이 연습했다.
④ 꾸준히 연습해 점차 자신만의 그림을 그렸다.
⑤ 연구와 실험을 하며 그 나름의 붓질법을 만들어 나갔다.

교과서 문제

27 허련의 행동에서 알 수 있는 허련이 추구하는 삶과 관련 있는 가치는 무엇인가요? (   )

① 어려운 이웃에 대한 배려
② 나라를 위해 힘을 바쳐 애쓰는 봉사
③ 자신이 하는 일에 최선을 다하는 성실
④ 친구에 대한 믿음을 끝까지 지키는 의리
⑤ 더 좋은 사회를 이루기 위해 함께하는 협동

28 ㉮에서 알 수 있는 추사 김정희의 마음으로 알맞은 것은 무엇인가요? (   )

① 샘나고 부럽다.
② 지루하고 답답하다.
③ 놀랍고 감탄스럽다.
④ 화나고 실망스럽다.
⑤ 부끄럽고 걱정스럽다.

1 단원

"하아, 건조하기는 마치 가을바람과 같고, 부드럽고 윤택하기는 마치 봄비와 같구나. 줄기는 힘이 있고 잎은 생명력이 넘쳐."

허련은 추사 선생의 칭찬에 으쓱했다.

"먹이 몹시 진하구나."

"예. 물기 없이 마른 붓을 썼습니다."

"진한 먹에 마른 붓이라…… 뚜렷하면서도 깊은 분위기를 내는구나."

"달을 그리거나 경계를 표현할 때에도 이런 붓질을 사용합니다."

"이런 붓질법을 어디서 배웠느냐?"

"그냥, 제가 본 느낌들을 표현해 내기 위해 이렇게 저렇게 해 보다가……."

추사 선생의 눈이 살짝 커졌다.

"계속해 보아라."

허련이 붓을 들어 이번엔 잎 달린 작은 나무 몇 그루를 그렸다.

추사 선생이 고개를 끄덕이더니 붓을 들었다. 허련이 종이 한 장을 깔아 사방을 눌러 추사 선생이 그릴 수 있도록 마련했다. 추사 선생은 먹을 찍어 조심조심 붓질을 했다. 힘 조절에 신경을 쓰느라 손등에 핏줄이 섰다. 추사 선생은 수없이 내리그어 종이 한 장을 다 채웠다. 허련이 다시 새 종이를 깔았다.

추사 선생이 이번엔 가로로 선을 그었다. 가는 선 굵은 선을 번갈아 그리다가 사선으로 짧은 선들을 무수히 그었다. 둥근 선으로 한 장을 또 채웠다.

추사 선생이 돌아보며 싱긋 웃었다. → 추사 김정희의 기뻐하는 마음을 알 수 있음.

"이게 바로 초묵법이구나."

"초묵법요?"

"마르고 건조한데 윤기가 있어 보이는 붓질. 오랫동안 풀지 못한 것을 오늘 자네한테 배우는구나." (제자인 허련에게서도 배움)

추사 선생의 얼굴에 환희가 차올랐다. 초묵법. 허련은 자기가 먹을 쓴 방법이 그것인 줄 몰랐다. 추사 선생이 기뻐하는 것을 보고 그저 어리둥절할 뿐이었다. 그 뒤로 추사 선생은 산수화를 그릴 때에 이런 붓질법(→초묵법)을 즐겨 사용했다.

중심 내용 4 허련은 열심히 노력한 끝에 초묵법을 만들어 내었고 그 뒤로 추사 김정희도 초묵법을 즐겨 사용했다.

경계(境 지경 **경** 界 지경 **계**) 사물이 어떠한 기준에 의하여 구별되는 한계.
사선(斜 비낄 **사** 線 줄 **선**) 비스듬하게 비껴 그은 줄. 빗금.
무수히 헤아릴 수 없이.
환희(歡 기쁠 **환** 喜 기쁠 **희**) 매우 기뻐함. 또는 큰 기쁨.
산수화 산과 물이 어우러진 자연의 아름다움을 그린 그림.

29 허련이 만들어 낸 기법은 무엇인지 세 글자의 낱말을 찾아 쓰세요.

( )

교과서 문제

30 글 4에 나타난 추사 김정희의 말이나 행동으로 알맞은 것은 무엇인가요? ( )

① 허련의 그림을 혹평하였다.
② 허련의 칭찬에 우쭐하였다.
③ 허련이 기뻐해서 어리둥절하였다.
④ 허련이 자신만의 기법을 완성하자 진심으로 기뻐하였다.
⑤ 허련의 그림 방법이 남을 따라 한 것이라고 비난하였다.

31 추사 김정희가 추구하는 삶과 관련 있는 가치는 무엇인가요? ( )

① 부모님을 정성껏 모시려는 효심
② 제자인 허련에게서도 배우는 겸손함
③ 자신의 이름을 널리 드러내려는 마음
④ 형제 사이에 사이좋게 지내려는 우애
⑤ 우리나라의 그림을 세계에 널리 알리려는 마음

서술형·논술형 문제

32 허련이 추구하는 삶을 쓰세요.

기본 

마지막 숨바꼭질

- **글쓴이:** 백승자
- **생각할 점:** 경민이 아버지가 처한 상황에서 한 말이나 행동을 살펴보고 경민이 아버지가 추구하는 삶을 파악합니다.

❶ 일요일인데도 낮잠만 주무시는 아버지께 경민이는 서운함을 느꼈다.

❷ 어머니의 이야기를 듣고 마음이 풀린 경민이는 아버지의 생일상을 차렸다.

❸ 아버지께서는 어렸을 때 불이 나서 동생을 잃은 이야기를 들려주셨다.

❹ 아버지의 이야기를 들은 경민이는 아버지가 정말 자랑스럽게 느껴졌다.

1 단원

1 "이쪽이야, 이쪽! 빨리빨리!"

아버지의 잠꼬대가 오늘따라 유난스러웠다. 전에도 가쁜 숨을 몰아쉬며 손짓까지 섞어 잠꼬대를 하시는 바람에 어머니와 경민이가 깜빡 속은 적이 있었다.

목이 마르다고 손사랫짓(손을 펴서 함부로 휘젓는 짓.)까지 하시기에 마실 물을 가지고 와 보니 드르렁거리며 코를 골고 계셨던 것이다.

"아버지는 오늘 꿈속에서도 불을 끄시나……?" (경민이 아버지의 직업이 소방관이라는 것을 알 수 있음.)

경민이는 아버지가 깨지 않게 어깨를 슬며시 밀어 숨을 편안히 쉬도록 했다. / "끄응……."

지난달에 소방 호스에 부딪힌 왼쪽 어깨가 아직도 아픈지 돌아눕는 아버지의 입에서 앓는 소리가 새어 나왔다.

"후유……."

이번에는 ㉠경민이가 한숨을 내쉬었다. 모처럼 아버지와 함께 맞은 일요일인데, 아침 밥상을 물리고 잠깐만 쉬겠다던 아버지가 한나절이 다 지나도록 잠에 취하신 탓이다.

잠든 아버지 곁에 엎드려 동화책을 읽고 있지만 경민이 머릿속은 온통 다른 생각(아버지와 놀고 싶다.)뿐이었다.

"경민아, 엄마랑 둘이 바람 쐬러 나갈까?"

어머니는 경민이 마음을 언제나 꿰뚫고 계시니까 지금 경민이가 원하는 것도 훤히 아실 터였다.

아니, 이번에는 경민이가 먼저 어머니의 마음을 읽었는지도 모르겠다. 늘 고단하신 아버지의 낮잠을 위해 자리를 피해 주자는 게 어머니의 마음일 테니까 말이다.

어머니와 경민이는 살그머니 집을 나섰다.

"쉬는 날이면 놀아 주지도 않고 낮잠만 주무시는 아버지가 야속하고 밉니?"

"아니에요. 전 아무래도 괜찮다니까요!"

대답은 그렇게 했지만 아무래도 경민이의 대답에는 뾰로통한 기색(쉬는 날 낮잠만 주무시는 아버지가 야속하고 미워서.)이 담겨 있었다. / 아들의 손을 끌어 길가의 벤치에 앉힌 어머니는 경민이의 어깨를 끌어안았다. (→ 경민이의 기분을 풀어 주려는 어머니의 행동에서 '배려'의 가치를 알 수 있음.)

중심 내용 1 모처럼 아버지와 함께 맞은 일요일인데도 낮잠만 주무시는 아버지에게 경민이는 서운함을 느꼈다.

33 언제, 어디에서 있었던 일인지 ○표 하세요.

(1) 토요일, 화재 현장 (　　　)

(2) 일요일, 경민이네 집 (　　　)

34 ㉠의 까닭은 무엇인가요? (　　　)

① 동화책이 재미없어서
② 아버지께서 낮잠만 주무셔서
③ 어머니께서 나가자고 하셔서
④ 아버지께서 계속 심부름을 시키셔서
⑤ 아버지께서 어깨를 다친 것이 속상해서

35 경민이 어머니의 마음으로 알맞은 것의 번호를 쓰세요.

① 경민이 아버지가 낮잠을 편하게 자도록 경민이와 함께 밖으로 나가겠다.
② 경민이 아버지 생일상을 준비할 수 있게 경민이와 함께 시장에 가고 싶다.

(　　　　　　　　)

36 글 **1**에서 경민이의 마음은 어떠한가요? (　　　)

① 부럽다. ② 무섭다. ③ 서운하다.
④ 부끄럽다. ⑤ 자랑스럽다.

1 단원

❷ 너는 잘 몰랐을 테지만, 아버지는 어제 두 차례나 화재 현장에 출동하셨다가 새벽녘에나 집에 들어오셨단다.

얼마나 힘들었던지 집에 와서도 영 마음이 가라앉지 않는다며, 여간해서 말을 안 하시는 화재 현장의 이야기를 하시더구나. 예고도 없이 닥치는 일, 사납게 일렁이는 불 속에 갇힌 사람을 구해 내는 일이 얼마나 위험하고 힘든지는 너도 알잖아.

특히 어제는 재래시장의 낡은 건물에서 불이 났대. 신고를 받은 소방관들이 출동했을 때, 시장 골목은 이미 구경하는 사람들로 메워져 있었단다.

문틈으로 나오는 검은 연기와 매캐한 냄새, 사람들의 비명…….

소방관 세 명이 들기에도 벅찰 정도로 소방 호스는 쉴 새 없이 강한 물줄기를 뿜어내고, 네 아버지를 비롯한 두 팀의 구조대가 그 속을 파고들었단다.

'무엇보다 먼저 사람의 목숨을 구한다!'
말 없는 약속

소방관들은 눈길이 마주칠 때마다 말 없는 약속을 확인하고 힘을 내곤 한다지. 그래서 한순간에 온몸을 집어삼킬 듯한 불길을 이리저리 피해 가며 연기에 질식한 사람을 업고 나올 때는 죽음조차 두렵지 않을 만큼 다급하단다.

어제도 네 아버지는 건물에 갇혀 울부짖는 두 사람을 업어 내왔단다. 온몸이 땀으로 범벅이 된 몸으로 또 한 번 들어가려는 순간, 시뻘건 불길이 혀를 날름거리며 건물의 입구를 막아 버린 거야.

"위험해, 더는 도저히 안 되겠어!"

소방관들은 구조를 중단하고 온몸이 오그라드는 듯한 열기 속에서 빠져나오기 시작했대.

"먼저 나가. 내가 한 번만 더……."

그때 ㉠말릴 새도 없이 깨진 창문 사이로 뛰어 들어간 한 사람의 구조 대원이 있었단다. → 자신의 안전보다 남을 위해 희생하고 배려하는 삶을 추구함.

너도 한번 생각해 보렴. 소방관에게도 지켜야 할 소중한 목숨이 있고, 우리처럼 애타게 기도하며 기다리는 가족이 있을 거 아니겠니?

예고(豫 미리 **예** 告 알릴 **고**) 미리 알림.
일렁이는 이리저리 크게 흔들리는.
벅찰 감당하기가 어려울.
질식(窒 막힐 **질** 息 쉴 **식**) 숨을 쉴 수 없게 됨.

37 경민이 어머니께서 경민이에게 어제 이야기를 들려주신 까닭을 알맞게 말한 사람의 이름을 쓰세요.

서윤: 소방관이 하는 일을 자세히 설명해 주시려는 것 같아.
우진: 경민이가 아버지를 이해해 주기를 바라시는 마음인 것 같아.

( )

38 어제 아버지께 있었던 일의 번호를 쓰세요.

① 화재 현장에 출동하셨다.
② 소방 호스에 부딪혀 어깨를 다치셨다.
③ 불이 난 건물에 들어갔다가 갇히셨다.

( )

교과서 문제

39 어제 아버지께서 하신 말이나 행동으로 알맞은 것을 세 가지 고르세요. (, ,)

① 불이 난 건물에 갇힌 사람들을 업고 나왔다.
② 화재 현장을 구경하는 사람들을 멀리 보냈다.
③ 다른 소방관들의 안전을 위해 애타게 기도하였다.
④ 불이 난 재래시장의 낡은 건물 속으로 뛰어들었다.
⑤ '무엇보다 먼저 사람의 목숨을 구한다!'고 속으로 말하였다.

40 ㉠의 소방관이 추구하는 삶과 관련 있는 가치로 알맞지 않은 것은 무엇인가요? ( )

① 의지 ② 도전 ③ 용기
④ 정직 ⑤ 열정

㉮ 아, 어쩌면 그렇게 짧고도 기막힌 순간이 또 있을까?
네 아버지가 빠져나오고 뒤를 돌아보았을 때, 불길에 무너지는 커다란 기둥이 그 구조 대원의 몸을 휩싸 안고 바닥으로 꺼져 버렸단다.
자기 목숨보다 남의 목숨을 먼저 생각한 용감한 소방관 아저씨의 최후…….

맨 마지막. 삶의 마지막 순간.

그 이야기를 하시면서 아버지는 정말 뜨거운 눈물을 쏟으셨단다.

"만약에 빠져나오는 차례가 나와 바뀌었더라면 그가 살고 나는 지금 이 자리에 없는 거야……."

㉠그 말 끝에 나도 얼마나 울었는지 몰라. 마치 네 아버지가 다시 태어난 것처럼 반갑고 고맙더라니까!

어머니의 이야기에 경민이 마음이 한결 풀렸다. 덕분에 집에 돌아오는 발걸음도 햇살처럼 가벼웠다.

경민이의 마음

아버지를 위한 특별한 장보기를 마치고 집에 돌아오니, 아버지는 언제 잠꼬대까지 하며 낮잠을 잤느냐는 듯 환한 웃음으로 경민이를 맞으셨다.

"허허, 미안하다. 아빠가 우리 아들과의 약속도 못 지킬 만큼 곯아떨어졌었구나!"

그사이 아버지는 내려앉은 경민이의 책상 서랍도 말짱하게 고쳐 놓으시고, 이제 막 현관문의 헐렁해진 손잡이를 고치시는 중이었다.

"아버지, 일은 그만하시고 이리 와서 앉으세요. 빨리요!"

경민이는 어머니와 찡긋 눈 맞춤을 하고는 거실에 멋진 생일상을 차리기 시작했다.

"옳지, 요 녀석이 엄마를 졸라서 맛있는 케이크까지 사 왔구나."

아버지는 여느 때보다도 기분 좋은 표정이셨다.

세 식구가 단출하게 둘러앉아서 케이크에 촛불을 켰다. 큰 초 네 개와 작은 초 두 개에서 무지갯빛 환한 불이 살아났다. 고개를 갸웃하신 건 역시 아버지였다.

식구가 많지 않아서 홀가분하게.

"어? 이게 누구 나이만큼 촛불을 켠 거냐?"

경민이는 대답 대신 예쁘게 포장해 온 선물을 아버지께 내밀었다.

"아버지, 생신을 축하합니다. 그리고 위험 속에서 살아나 주셔서 고맙고, 또 사랑합니다!"

어쩐지 쑥스러워서 마지막에 혀를 날름 내밀기는 했지만, 늘 개구쟁이 노릇만 하던 경민이로서는 제법 의젓한 인사말이었다. 눈이 휘둥그레진 아버지께 어머니가 다가앉으며 말했다.

"경민이에게 당신이 어제 화재 현장에서 고생하신 얘기를 들려주었어요. 그랬더니 글쎄, 우리 아버지가 다시 태어나신 거나 마찬가지라고 저렇게 야단이랍니다."

41 ㉮에서 아버지가 처한 상황의 번호를 쓰세요.

① 현장에서 다쳤다. ② 눈앞에서 동료를 잃었다.

( )

42 문제 41번의 답과 같은 일을 이야기하는 상황에서 아버지가 한 말이나 행동으로 보아 관련 있는 가치는 무엇인가요? ( )

① 어려운 일을 극복하는 용기
② 생명 존중과 동료에 대한 사랑
③ 이웃과 사이좋게 지내려는 배려
④ 자식에게 아낌없이 베푸는 진정한 희생
⑤ 꿈을 향해 좌절하지 않고 다시 일어서는 도전

43 ㉠에서 알 수 있는 어머니가 추구하는 삶은 무엇인지 알맞은 말을 보기 에서 찾아 쓰세요.

보기			
사랑	희생	도전	봉사

• 아버지에 대한 ( )

44 경민이가 케이크를 사 온 까닭은 무엇인가요? ( )

① 경민이 생일이어서
② 어머니 생신이어서
③ 아버지께서 상을 받으셔서
④ 아버지가 케이크를 좋아하셔서
⑤ 아버지가 화재 현장에서 다시 태어나신 것이나 마찬가지여서

1 단원

1 단원

경민이는 아버지의 잔과 자기의 콜라 잔을 부딪치며 힘차게 "브라보!"를 외쳤다.

㉠"우리 아들, 고맙고 기특하구나. 이 아빠가 막 눈물이 날 것 같아."

화재 현장에 갈 때마다 얼마나 많은 위기를 맞았던가!

화재 진압을 마치고 나서 동료들끼리 늘 하는 말이 "우리는 오늘도 다시 태어났다."였는데…….

이렇게 사랑하고 이해하는 가족이 있기에, 남들이 다 위험하다지만 그만큼 큰 자부심을 얻는다고 큰소리를 칠 수 있는 것이었다.
(자부심: 스스로 그 가치나 능력을 믿고 당당히 여기는 마음.)

그 자리에서 아버지는 경민이에게 자기가 처음으로 소방관이 되고자 결심한 어린 시절의 사건 하나를 들려주었다.

중심 내용 2 어머니의 이야기를 듣고 마음이 풀린 경민이는 아버지의 생일상을 차렸다.

3 아, 그러니까 이 아빠가 꼭 너만 한 나이 때의 일이구나.

그해 여름, 아마 장마가 막 시작될 무렵이었을 거야.
(시간적 배경)

그날은 부모님이 먼 친척 집에 가셔서 두 살 아래의 동생과 나 둘이서만 하룻밤을 지내야 했단다.

어머니가 해 놓으신 저녁밥을 일찌감치 먹고 난 우리는 뭔가 재미있는 일을 찾기 시작했지.

숨바꼭질, 예나 지금이나 그보다 더 재미있는 놀이가 있을까? / 그날따라 정전이 되어 우린 마루에 촛불 하나를 켠 상태였어. 우리는 서로서로 술래를 해 가며 이불장이고 장이고 다 헤집고 숨어들었지. 내가 술래가 되어 마루의 기둥에서 오십까지 세기로 했을 때, 갑자기 동생을 놀리고 싶은 생각이 드는 게 아니겠니?

그래서 동생을 찾아다니지 않고 오히려 술래인 내가 마당의 장독 뒤에 숨어 버렸지.

이미 날은 어둡고 으스스한 기분을 꾹꾹 참으며, 시간이 얼마나 지났을까……!
(으스스한: 크게 소름이 돋는 느낌이 있는.)

문득 번갯불처럼 환한 기운에 나는 소스라쳐 뛰어나왔지. 아, 그 순간의 놀라움이란!
(소스라쳐: 깜짝 놀라 몸을 갑자기 떠는 듯이 움직여.)

우리 집 안방이 온통 불바다가 되어 버린 거야.
(집에 불이 남.)

㉮
"불이야! 불이야! 누가 좀 도와주세요!"

나는 뜨거운 불기운을 피해 달아나며 정말 목이 터지도록 소리쳤단다.

아아, 어둠 속 메아리밖에 돌아오지 않던 그때의 막막함이란…….
(경민이 아버지의 마음)

산골 마을이라 집들이 띄엄띄엄 있는 데다가 우리 집은 산모퉁이를 돌아 앉은 외딴집이었거든.

"경수야! 어디 있니? 빨리 나와야지……."

어린 마음에도 동생을 찾아야 한다는 마음 하나로 불꽃이 널름거리는 방문 앞까지 몇 번이나 다가갔다가 물러 나왔는지 모른다.

지금부터 삼십여 년 전이니 전화는커녕 불자동차는 장난감으로조차 본 적이 없는 시절이었단다.

공포의 시간이 얼마나 지났을까.
(집에 불이 나고 동생이 없어져서.)

교과서 문제

45 ㉠에서 알 수 있는 아버지의 삶과 관련 있는 가치로 알맞지 않은 것은 무엇인가요? (　　　)

① 가족에 대한 사랑이 있다.
② 가족에 대한 배려가 있다.
③ 가족에 대한 존중이 있다.
④ 가족이 이해해 주는 것에 감사한다.
⑤ 소방관이라는 직업에 대한 자부심이 없다.

46 글 **3**에서 아버지가 들려준 이야기는 무엇인지 쓰세요.

• (　　　　　)이 되고자 결심한 어린 시절의 사건

47 ㉮에서 알 수 있는 아버지의 마음으로 알맞은 것을 세 가지 고르세요. (　　,　　,　　)

① 다급하다.　② 불안하다.　③ 막막하다.
④ 재미있다.　⑤ 행복하다.

48 ㉮에서 알 수 있는 아버지의 삶과 관련 있는 가치는 무엇인지 알맞은 말을 **보기**에서 찾아 쓰세요.

보기
끈기　존경　존중　감사

• 끝까지 동생을 찾으려고 하는 (　　　　　)

후둑후둑 빗방울이 떨어지기 시작할 때 언덕 너머 사시는 아저씨 두 분이 손전등을 비추며 쇠스랑과 낫을 가지고 달려오셨어. 나의 애타는 목소리가 들린 게 아니라, 벌건 불기운이 노을처럼 비쳐 보였다는 거야.

꼭 전쟁을 겪은 것 같던 하룻밤이 어떻게 지났는지 몰라.

사람들은 웅성웅성 달려왔지만, 나는 놀라고 지친 끝이라 불이고 동생이고 잊은 채 헛간 구석에서 죽음같이 깊은 잠을 잤단다.

"아이고, 내 강아지야! 어떻게 이런 일이 다 있단 말이냐……!" / 불타 버린 옷장 안에서 발견된 동생을 끌어안고 몇 번이나 혼절하시는 어머니, 핏발 선 눈빛으로 하늘만 보시는 아버지…….

→ 경민이 아버지가 화재로 동생을 잃은 상황이 나타남.

동생은 위험하게도 촛불을 들고 안방 옷장 안으로 숨었던 거야. (집에 불이 난 까닭) 씩씩한 사람으로 자라서 어려운 사람을 다 구하겠다던 녀석이 그렇게 어리석은 짓을 할 줄이야!

그렇게 동생이 하늘나라로 간 뒤부터 내 가슴속에는 확실한 꿈 하나가 자리 잡았단다.

반드시 내 동생 경수를 삼켜 버린 불길과 싸워 이기겠다는 결심이었지. 나중에서야 불길은 싸울 대상이 아니라 잘 다스려야 이긴다는 걸 알게 되었지만 말이다.

불이라는 말만 들어도 가슴이 미어진다는 부모님의 반대를 무릅쓰고 나는 기어이 소방관의 꿈을 이루어 냈단다. 그리고 늘 기도하는 마음으로 맡은 일을 하지.

빨간 불자동차에 올라타고 다급한 사이렌을 울리며 화재 현장에 나갈 때마다, 나는 어린 시절 무서운 불길 속에서 구해 내지 못한 동생의 목소리를 떠올린단다. 그리고 주먹을 불끈 쥐며 두려움을 잊곤 하지. 동생과 나의 마지막 숨바꼭질처럼 소중한 추억을 영원히 잊지 않기 위해서 말이다.

→ 글의 제목이 「마지막 숨바꼭질」인 까닭을 알 수 있음.

중심 내용 3 아버지는 어렸을 때 아버지의 동생을 삼켜 버린 불길과 싸워 이기려고 소방관이 되었다고 하였다.

4 아득한 그리움을 섞은 아버지의 긴 이야기가 끝났을 때는 어느덧 해 질 무렵이었다. 창밖 멀리 보이는 서쪽 하늘에 주홍색 노을이 물들어 있었다.

"어이쿠, 빨갛기도 해라! 난 저렇게 붉은 노을만 봐도 어디서 불이 났나 싶어 가슴이 철렁한다니까!"

아버지는 자기도 모르게 축축해진 눈가를 훔치며 애써 웃음을 보이셨다. 경민이는 얼른 아버지의 허리를 끌어안고 얼굴을 비볐다.

"우주의 전사보다 훨씬 더 멋진 우리 아버지! 아버지가 정말 자랑스러워요."

경민이는 오늘 하루 사이에 어쩐지 마음이 성큼 자란 것 같았다.

중심 내용 4 아버지의 이야기를 들은 경민이는 아버지가 정말 자랑스럽게 느껴졌다.

49 동생이 하늘나라로 간 뒤에 아버지께서는 어떤 결심을 하셨는지 쓰세요.

• 동생을 삼켜 버린 불길과 (   ) 결심

50 아버지가 추구하는 삶으로 알맞지 않은 것은 무엇인가요? (   )

① 생명을 존중하는 삶
② 현실적인 이익을 추구하는 삶
③ 다른 사람을 위해 자신을 희생해 봉사하는 삶
④ 가족을 사랑하고 가족의 이해에 대해 감사하는 삶
⑤ 불에 대한 두려움과 부모님의 반대를 이겨 내기 위해 끈기 있게 노력하고 도전하는 삶

51 경민이는 아버지가 소방관이 된 사연을 들은 후에 어떻게 바뀌었는지 세 가지 고르세요. (,   ,   )

① 아버지를 이해하게 되었다.
② 아버지를 존중하게 되었다.
③ 아버지를 부끄럽게 생각하였다.
④ 아버지에 대한 사랑이 더 커졌다.
⑤ 자신도 봉사하는 직업을 가지겠다고 결심하였다.

서술형·논술형 문제

52 「마지막 숨바꼭질」의 경민이 아버지가 추구하는 삶을 생각하며 자신의 삶에 대한 다짐을 쓰세요.

정답 2쪽

1 단원
진도 완료 체크

국어 교과서 60쪽

3. 이야기 구조에 따라 「마지막 숨바꼭질」의 내용을 간추려 봅시다.

예시 답안

이야기 구조	내용 간추리기
발단	모처럼 아버지와 함께 맞은 일요일인데도 낮잠만 주무시는 아버지에게 경민이는 서운함을 느꼈다.
전개	서운해하는 경민이에게 어머니는 어제 아버지가 두 차례나 화재 현장에 출동하고 새벽녘에나 집에 들어오셨다고 이야기했다. 재래시장에서 일어난 화재에서 아버지가 목숨을 잃을 뻔했다는 어머니의 이야기를 듣고 마음이 풀린 경민이는 어머니와 함께 케이크도 사고 아버지의 생일상을 차렸다. 아버지는 감동해서 자기가 처음으로 소방관이 되고자 결심한 어린 시절의 사건 하나를 들려주었다. 아버지는 경민이 나이 때의 어느 여름, 부모님이 먼 친척 집에 가셔서 두 살 아래의 동생과 함께 하룻밤을 지내게 되었다.
절정	그날따라 정전이 되어 마루에 촛불 하나를 켜 둔 채로 동생과 함께 숨바꼭질을 하다가 불이 나서 동생을 잃었다. 결국 동생을 삼켜 버린 불길과 싸워 이기려고 소방관이 되었다고 했다.
결말	아버지의 이야기를 들은 경민이는 아버지가 정말 자랑스럽게 느껴졌다.

풀이 중요한 사건의 흐름에 따라 이야기가 나누어지며 이에 따라 내용을 간추립니다.

국어 교과서 61쪽

4. 「마지막 숨바꼭질」의 인물이 처한 상황에서 한 말이나 행동을 알아봅시다.

(2) 아버지가 한 말이나 행동을 보며 아버지의 삶과 관련 있는 가치를 고르고 그렇게 생각한 까닭을 말해 보세요.

예시 답안

- 동료를 잃고 뜨거운 눈물을 쏟으며 안타까워하는 행동은 '생명 존중'과 동료에 대한 '사랑'과 관련 있습니다.
- "우리 아들, 고맙고 기특하구나."라는 말에서 가족에 대한 '사랑'이 깊고, 가족이 이해해 주는 것을 '감사'하는 인물 같습니다.

자습서 확인 문제

1 경민이 아버지의 직업은 무엇인가요?

( )

2 어제 아버지에게 있었던 일이 아닌 것의 기호를 쓰세요.

㉠ 두 차례나 화재 현장에 출동하였다.
㉡ 재래시장에서 일어난 화재에서 목숨을 잃을 뻔하였다.
㉢ 촛불을 켜 둔 채로 숨바꼭질을 하다가 집에 불이 났다.

( )

3 다음과 같은 인물의 행동과 관련 있는 삶의 가치로 알맞은 것에 ○표 하세요.

- 경민이 아버지가 화재로 동생을 잃고 소방관이 되어 불을 다스리려는 것을 보면 (도전 / 안전)과 관련 있다.

4 「마지막 숨바꼭질」의 결말 부분에서 아버지에 대한 경민이의 마음으로 알맞은 것의 번호를 쓰세요.

① 두려움
② 서운함
③ 자랑스러움

( )

기본

이모의 꿈꾸는 집

- **글쓴이:** 정옥
- **생각할 점:** 인물이 추구하는 삶과 자신의 삶에서 비슷한 점이나 다른 점이 있는지 생각해 봅니다.

❶ 상수리에게 이모는 피아노 건반을 씻어 오라고 한다.

❷ 어기는 초리에게 나는 방법을 물으며 즐겁게 나는 꿈을 꾼다.

❸ 상수리는 예전에 즐겁게 피아노를 연주하며 꿈꾸었던 기억을 떠올린다.

❹ 진진은 퐁과 대화하며 퐁이 행복한 꿈을 꾸며 살고 있음을 알게 된다.

1 단원

등장인물

- 진진: 좋은 대학에 가는 것이 꿈인 모범생
- 이모: 평생 책과 함께하는 것이 꿈임.
- 상수리: 훌륭한 피아니스트가 되려고 놀 시간도 없이 피아노 연습을 함.
- 어기: 날마다 날려고 노력하는 거위
- 퐁: 춤추기를 좋아하는 두레박
- 초리: 어기에게 나는 법을 가르쳐 주는 잔소리쟁이 새

앞부분 이야기

진진은 엄마의 권유로 이모의 '꿈꾸는 집'이라는 괴상한 캠프에 참가한다. 동물도 사물도 말을 하는 엉뚱한 곳에서 진진이 어리둥절해하고 있을 무렵, 또래 친구 상수리를 만난다. 피아니스트가 되는 게 꿈이며 어렸을 때부터 피아노를 쳐 온 상수리는 갑자기 피아노 소리가 나지 않아 고민하고, 이모와 진진은 상수리의 고민을 듣게 된다.

1 "근데 너 혹시 걔를(피아노) 한동안 혼자 내버려 뒀니?"

"아니요. 제가 피아노 연습을 얼마나 열심히 하는데요. 컴퓨터 게임을 할 시간도, 친구들이랑 축구할 시간도, 만화책을 볼 시간도 없이 오로지 피아노 연습만 하는 걸요."

"그렇게 아무것도 안 하고 피아노만 치면 재미있니?"

"아니요, 당연히 힘들죠. 정말 어떨 땐 너무 힘들어서 다 그만두고 싶어질 때도 있어요. 그래도 꾹 참고 연습해요. 열심히 연습해야 훌륭한 피아니스트가 될 수 있잖아요."

→ 상수리가 추구하는 삶을 알 수 있음.

이모는 고개를 끄덕거리며 크게 한숨을 내쉬었다.

"쳇, 그게 문제였군. (피아노가) 우울해질 만하군."

"예?"

"훌륭한 피아니스트가 되는 게 네 꿈이라고? 근데 네 피아노의 꿈도 훌륭한 피아니스트와 연주하는 거라던? 아마 아닐걸?" → 이모는 피아노의 꿈이 훌륭한 피아니스트와 연주하는 것이 아닐 것이라고 생각함.

53 상수리가 처한 상황으로 알맞은 것의 기호를 쓰세요.

> ㉮ 좋은 대학에 가야 한다는 엄마의 말씀 때문에 마음이 무겁다.
> ㉯ 피아니스트라는 꿈을 이루려고 열심히 노력해 왔는데, 얼마 전부터 피아노에서 소리가 나지 않아 힘들어하고 있다.

(　　　　　　　　)

54 상수리가 처한 상황에서 한 행동을 쓰세요.

- 놀거나 쉬는 시간을 아껴 가며 (　　　　　　　　)을 했다.

교과서 문제

55 상수리가 삶에서 추구한 가치와 관련 있는 낱말은 무엇인가요? (　　　　)

① 노력　② 배려　③ 정의
④ 봉사　⑤ 용기

56 이모의 생각을 두 가지 고르세요. (　　　,　　　)

① 피아노가 지금 외롭다.
② 피아노가 지금 우울하다.
③ 상수리의 노력이 부족하다.
④ 피아노가 상수리와 함께하는 것을 즐거워한다.
⑤ 피아노의 꿈은 훌륭한 피아니스트와 연주하는 것이 아닐 수도 있다.

이모는 먼지떨이를 놓아두고 뒷벽에 걸린 대바구니 두 개를 내렸다. 먼지가 보얗게 쌓인 바구니를 대충 털어, 진진과 상수리에게 각각 하나씩 나눠 줬다.

"자, 여기다가 피아노 건반 따서 담아 와."

"왜요?"

"우울할 땐 그저 깨끗한 물에 목욕하고, 따뜻한 햇빛을 듬뿍 쏘이는 게 최고야. 데리고 와서 물로 깨끗하게 목욕시켜 준 다음 널어 줘. 그러면 걔네들도(피아노 건반) 기분이 좀 나아질 거야."

중심 내용 1 피아노 소리가 나지 않아 힘들어하는 상수리에게 이모는 피아노 건반을 씻어 오라고 한다.

(중략)

2 상수리는 피아노 덮개를 열고 하얀 건반을 하나씩 똑똑 따 냈다. 건반은 사과나무에서 사과 꼭지가 떨어지듯이 똑똑 떨어졌다. 진진도 검은 건반을 따서 담았다.

"나는 정말 열심히 했는데. 내가 뭘 잘못한 걸까? 정말 꿈을 이루기 위해 최선을 다했는데."

상수리의 혼잣말에 ㉠진진은 마음이 아팠다. 건반을 모두 다 따 담고 나서, 상수리는 피아노 덮개를 가만히 덮어 주었다.

"가자."

상수리가 먼저 방문을 나갔다. 진진은 뒤따라 나가며 다시 한번 방 안을 휙 둘러보았다. 그러고는 악기들에게 주먹을 불끈 쥐어 보이며 눈을 흘겼다.

"까불지 마."

진진과 상수리는 바구니를 들고 우물가로 갔다. 상수리가 먼저 하얀 건반들을 대야에 쏟았다. 진진이 물을 퍼 올려 들이붓자 하얀 건반들에서 거무튀튀한 때가 불어 오르기 시작했다.

둘은 우물가에 쪼그리고 앉아서 손가락으로 건반을 하나씩 씻었다. 까만 때가 돌돌 말려 일어났다.

"에구구, 더러워. 얘는(피아노 건반) 도대체 얼마 만에 목욕을 하는 거야?"

퐁은 구정물이 튈까 봐 멀찌감치 물러나서 지켜보았다.

상수리는 정성스럽게 건반을 하나하나 닦아 냈다. 진진도 뽀드득뽀드득 힘껏 문질렀다. 시간이 흐를수록 대야의 물이 시커멓게 변했다. 상수리는 더러워진 물을 버리고 새로 깨끗한 물을 받아 헹구었다. 물속에 잠긴 건반들이 눈이 부시도록 하얗게 반짝였다. 두 아이의 이마에는 어느새 땀이 송골송골 맺혔다.

→ 상수리와 진진은 피아노 건반을 씻는 일에 정성을 다함.

최선(最 가장 최 善 착할 선) 온 정성과 힘.

구정물 무엇을 씻거나 빨거나 하여 더러워진 물.

57 이모가 상수리에게 시킨 일을 쓰세요.

• 피아노 (   )을 씻어 오는 것

58 상수리가 고민하고 있는 것은 무엇인가요? (   )

① 왜 피아노 건반을 씻어야 하는가?
② 악기들이 장난을 치는 까닭은 무엇인가?
③ 피아노 건반이 더러워진 까닭은 무엇인가?
④ 퐁이 깨끗한 물을 주지 않는 까닭은 무엇인가?
⑤ 자신이 무엇을 잘못해서 피아노에서 소리가 나지 않는가?

59 ㉠에서 알 수 있는 진진의 마음으로 알맞은 것의 번호를 쓰세요.

① 상수리가 안타깝다.
② 모두 아는데도 혼자서만 피아노에서 소리가 나지 않는 까닭을 모르는 상수리가 답답하다.

(   )

60 두레박 '퐁'이 멀찌감치 물러나서 상수리와 진진이 건반을 씻는 것을 지켜본 까닭을 쓰세요.

• (   )이 튈까 봐서이다.

(가)
진진은 허리를 펴고, 어깨를 주물럭거리며 상수리에게 물었다.

"조금 쉬었다 할까?"

"아냐, 난 괜찮아. 힘들지? 넌 저기 그늘에 가서 좀 쉬어."

상수리는 흰 건반들을 바구니에 담아 물기를 빼면서 대답했다. / "아니야, 나도 괜찮아."

진진은 검은 건반들을 대야에 쏟아부었다. 검은 건반들에서 검은 물이 조금씩 배어 나왔다. 건반을 문지르는 아이들의 손에도 검은 물이 스몄다.

검은 건반까지 모두 다 깨끗하게 씻은 뒤, 상수리는 바지랑대를 내려 빨랫줄을 눈언저리까지 낮췄다.

"바구니 좀 들어 줘, 내가 집게로 집을게."

진진은 흰 건반이 담긴 바구니를 들고 왔다. 상수리는 아직도 물기가 흥건한 건반을 하나하나 집어서 널었다. 하얀 건반들은 양말들처럼 나란히 줄을 맞춰서 매달렸다.

하얀 건반을 다 매달고 나서 진진은 검은 건반을 든 바구니도 들고 왔다. 상수리는 검은 건반도 빨래집게로 꼭꼭 집어서 매달았다. 빨랫줄에는 하얀 건반과 검은 건반이 나란히 걸렸다. / "다 됐다."

"이제 얘(피아노 건반) 기분이 좀 좋아질까?"

상수리는 이마에 솟은 땀을 팔로 닦으며 걱정스러운(상수리의 마음) 표정으로 건반들을 쳐다봤다.

두 아이는 마루에 가서 나란히 앉았다. 진진은 허리와 어깨와 허벅지를 토닥거렸다. 상수리는 마루에 누워 몸을 쭉 폈다.

뒤뜰에서 초리가 날아왔다. / "퐁, 나 물 좀 줘."

곧이어 어기가 뒤따라 뛰어왔다.

"초리, 정말 암만해도(아무래도) 이해가 안 돼. 그러니까 날개를 한 번 휘젓는 데 몇 초가 걸린단 소리야?"

초리는 물을 한 모금 마시더니 갑갑하다는(초리의 마음) 듯 앙잘앙잘 앙알거렸다.

"어이구, 이해 따윌 해서 뭣 하게? 날개가 알아서 하게끔 내버려 두라잖아."

어기는 다시 긴 목을 빼며 물었다.

"내버려 둬?"

"어떻게 하면 날 수 있을까, 그딴 생각 하지 말라고!"

"생각하고 또 해도 못 나는데, 생각하지 않고 어떻게 날아?"

바지랑대 빨랫줄을 받치는 긴 막대기.
눈언저리 눈의 가장자리나 주변.
흥건한 물 따위가 푹 잠기거나 고일 정도로 많은.
앙잘앙잘 작은 소리로 원망스럽게 종알종알 군소리를 자꾸 내는 모양.
앙알거렸다 조금 원망스럽게 자꾸 입속말로 군소리를 하였다.

61 (가)에서 알 수 있는 상수리와 진진의 모습으로 알맞은 것에 ○표 하세요.

(1) 서로 배려한다. ( )
(2) 서로 이모에게 칭찬을 받고 싶어 한다. ( )

62 상수리가 걱정하는 것은 무엇인가요? ( )

① 피아노 건반들이 잘 마를까?
② 피아노 건반들의 기분이 좋아질까?
③ 진진과 진정한 친구가 될 수 있을까?
④ 어기는 초리의 말을 이해할 수 있을까?
⑤ 초리가 어기에게 나는 방법을 가르칠 수 있을까?

교과서 문제

63 어기가 처한 상황은 무엇인가요? ( )

① 새장에 갇혔다.
② 태어날 때부터 날개가 작았다.
③ 날개를 휘젓는 속도가 너무 빨랐다.
④ 초리와 다투어서 초리가 퉁명스럽게 대했다.
⑤ 하늘을 나는 것이 꿈이라서 날마다 나는 연습을 하지만 날지 못하고 있다.

64 어기의 질문에 초리는 무엇이라고 대답하였는지 쓰세요.

• 어떻게 하면 날 수 있을지 (1) ( )하지 말고 (2) ( )가 알아서 하게 내버려 두어야 한다.

1 단원

초리는 까만 날개로 어기의 흰 날개를 툭툭 쳤다. 말이 점점 빨라졌다.

"궁금해하지 말라니까. 그냥 날아. 날개에게 모든 걸 맡겨."

"그러니까 그게 무슨 뜻인지……."

"아, 몰라, 몰라. 네 멋대로 해."

초리는 물을 다 마시고 다시 포르르 날아올라 동백나무 위에 앉았다.

포르르: 작은 새 따위가 갑자기 날아갈 때 나는 소리나 모양.

(중략)

진진이 어기의 하얀 깃을 어루만지며 물었다.

깃: 새 따위의 몸 표면을 덮고 있는 털. 깃털.

"어기, 힘들지? 그래도 기운 내."

어기는 고개를 가로저으며 씩씩하게 되물었다.

"하나도 안 힘들어. 꿈꾸는 게 왜 힘드니?"

"그래도 날마다 그렇게 열심히 연습했는데, 못 날면 속상하잖아."

"아니, 속상하지 않아. 난 늘 즐거워. 만약 꿈꾸는 동안 즐겁지 않다면 그게 무슨 꿈이니?"

어기는 꿈을 이루는 과정도 즐거워야 한다고 생각함.

어기는 물을 다 마시고 날개를 푸드덕푸드덕 힘차게 털어 냈다.

"자, 쉬었으니 또 신나게 날아오르러 가 볼까?"

중심 내용 2 상수리와 진진이 피아노 건반을 씻고 있을 때 어기와 초리가 온다. 어기는 초리에게 나는 방법을 물으며 즐겁게 나는 꿈을 꾼다.

3 바람이 불었다. 동백나무 이파리가 나붓나붓 흔들렸다. 바람은 상수리의 이마에 맺힌 땀을 훔치고, 진진의 머리칼도 살짝 띄워 주었다. 마루를 쓸면서 다시 마당 가운데로 불어 가 이번에는 피아노 건반들을 흔들었다.

나붓나붓: 얇은 천이나 종이 따위가 나부끼어 자꾸 흔들리는 모양.

훔치고: 물기나 때 따위가 묻은 것을 닦아 말끔하게 하고.

도로롱 도로롱.

빨랫줄에 나란히 매달린 건반들이 아늘아늘 흔들리면서 가느다랗게 음악이 흘러나왔다. 진진은 귀를 기울여 음악 소리를 들었다.

"들어 봐, 피아노 소리야."

"어, 이 곡은."

"나 이 곡 아는데. 음, 뭐더라? 제목이……."

"백구."

상수리는 잠시 눈을 감고 피아노 소리를 듣더니, 나지막한 목소리로 노래를 따라 불렀다.

"내가 아주 어릴 때였나 우리 집에 살던 백구, 해마다 봄가을이면 귀여운 강아지 낳았지."

상수리의 노랫소리는 바람이 연주하는 피아노 소리와 어우러져 퍼져 나갔다. 노래는 오래오래 이어지고 상수리의 눈빛도 아련해졌다. 진진도 후렴을 함께 불렀다.

후렴: 노래 곡조 끝에 붙여 같은 가락으로 되풀이하여 부르는 짧은 몇 마디의 가사.

65 진진의 성격을 알맞게 말한 사람의 이름을 쓰세요.

> 지민: 힘들어 보이는 친구를 위로하는 배려심이 있어.
> 건우: 자기 것을 모두 나누어 줄 정도로 욕심이 없어.

( )

66 어기가 처한 상황에서 한 말이나 행동으로 알맞은 것을 두 가지 고르세요. (,)

① 초리를 따라다니지 않았다.
② 초리에게 위로의 말을 하였다.
③ 즐겁게 나는 연습을 계속하였다.
④ 진진에게 날 수 있는 방법을 물었다.
⑤ 꿈꾸는 것이 힘들지 않고 즐겁다고 말하였다.

교과서 문제

67 어기가 추구하는 삶은 무엇인지 기호를 쓰세요.

> ㉮ 다른 사람을 위해 베푸는 삶
> ㉯ 희망을 가지고 즐겁게 도전하는 삶

( )

68 글 **3**에서 일어난 일은 무엇인가요? ( )

① 진진이 상수리에게 충고하였다.
② 상수리가 피아노를 연주하였다.
③ 바람이 불어 어기가 날 수 있게 되었다.
④ 초리가 피아노 연주에 맞추어 노래를 불렀다.
⑤ 바람이 빨랫줄에 매달린 피아노 건반들을 흔들어 피아노 소리를 내었다.

"기인 다리에 새하얀 백구, 음 음."

바람이 잦아들고, 피아노 소리가 그쳤다.

"엄마가 늘 불러 주시던 노래야. 엄마는 내가 아기였을 때 나를 옆에 앉히고 피아노를 치면서 이 노래를 불러 주셨어. 피아노를 배워서 내 손으로 처음 이 곡을 쳤을 때 얼마나 기뻤는지. 이렇게 아름다운 소리를 가진 게 있다니, 너무 신기해서."

지붕 위에 앉아 쉬고 있던 바람이 다시 날아 내려왔다. 피아노 건반들은 잘그랑잘그랑 빠르게 몸을 흔들었다. 「젓가락 행진곡」이다. 마루 위에 얹힌 상수리의 손이 달싹이며 건반을 짚는 흉내를 냈다. ㉮진진도 어느새 고개와 발을 까딱까딱 놀리고 있었다. ㉯상수리의 뺨이 발그스름하게 물들어 갔다.

"2학년 때 내 짝꿍이, 실은 내 첫사랑이야. 하루는 걔가 우리 집에 놀러 왔는데, 그때 같이 이 곡을 연주했어. 늘 양 갈래로 땋은 머리를 빨간 방울로 묶고 다니던 애였는데, 정말 예뻤어."

이야기를 이어 가는 상수리의 입가에는 벙싯 웃음이 떠나지 않았다. (상수리의 기분 좋은 마음을 알 수 있음.)

바람의 손길이 조금씩 부드러워지면서, 곡목이 바뀌었다. 사부작사부작 떨리는 건반들은 「고향의 봄」을 연주하기 시작했다. 진진은 노래를 따라 불렀다.

"나의 살던 고향은 꽃 피는 산골, 복숭아꽃 살구꽃 아기 진달래. 울긋불긋 꽃 대궐 차린 동네, 그 속에서 놀던 때가 그립습니다."

그러나 상수리는 연주가 시작될 때부터 입을 꾹 다물고 담 너머 먼 산만 바라보았다.

"꽃동네 새 동네 나의 옛 고향, 파란 들 남쪽에서 바람이 불면, 냇가에 수양버들 춤추는 동네, 그 속에서 놀던 때가 그립습니다."

노래를 부르며 얼핏 쳐다본 상수리의 눈시울이 빨갰다. (눈물이 나려고 함.)

"왜 그래?"

상수리는 고개를 숙이며 대답했다.

"작년에 돌아가신 할머니가 좋아하시던 노래야. 내가 할머니 댁에 가서 이 곡을 연주하면 정말 좋아하셨는데."

"그랬구나."

㉠"돌아가시기 전에 오랫동안 몸이 안 좋으실 때도, 난 피아노 학원 간다는 핑계로 한 번도 가질 않았어."

곡목(曲 굽을 곡 目 눈 목) 음악 작품의 이름.
사부작사부작 별로 힘들이지 않고 계속 가볍게 행동하는 모양.
얼핏 지나는 결에 잠깐 나타나는 모양.
눈시울 눈언저리의 속눈썹이 난 곳.

69 다음 노래에 얽힌 상수리의 추억을 보기 에서 찾아 번호를 쓰세요.

> 보기
> ① 돌아가신 할머니가 좋아하셨다.
> ② 어렸을 때 엄마가 피아노를 치면서 불러 주셨다.
> ③ 첫사랑이었던 2학년 때 짝꿍과 같이 연주하였다.

(1) 「백구」: (　　　)
(2) 「젓가락 행진곡」: (　　　)
(3) 「고향의 봄」: (　　　)

70 ㉮와 ㉯에서 진진과 상수리의 마음을 이으세요.

(1) ㉮ •　　　• ① 흥겨움.
(2) ㉯ •　　　• ② 수줍음.

71 이 글에서 알 수 있는, 피아노 건반들이 연주하는 노래의 공통점은 무엇인지 ○표 하세요.

(1) 피아노와 관련된 상수리의 추억이 담긴 노래 (　　)
(2) 상수리가 피아노로 연주하기 어려워하던 노래 (　　)

72 ㉠에서 알 수 있는 상수리의 마음으로 알맞은 것은 무엇인가요? (　　　)

① 후회　② 존경　③ 미움　④ 두려움　⑤ 자랑스러움

상수리의 눈에서 눈물이 툭 떨어진다. 진진은 괜히 멋쩍어 장독대 주위에 피어 있는 꽃들을 쳐다봤다.
어색하고 쑥스러워.

'그러고 보니, 나도 할머니랑 할아버지한테 가 본 지가 꽤 됐네. 할머니 생신 때도 학원 가느라고 못 갔구나. 할머니가 전화해도 귀찮아서 안 받았는데.'

진진도 울컥했다. 상수리는 눈가를 쓱 닦아 내고는 일어섰다.
할머니, 할아버지께 죄송해서.

"아마 내 피아노는 피아노 학원에서 치던 어려운 곡보다 이 곡들을 더 치고 싶었나 봐. 나는 모두 잊어버린 걸 아직도 기억하고 있었구나."

상수리는 마당으로 내려가 바지랑대를 내렸다.

"다 마른 것 같아."

진진은 바구니를 챙겨서 상수리 옆으로 다가갔다. 상수리는 건반들을 하나씩 걷어 담았다. 순식간에 뽀얗게, 까맣게 반들반들 윤이 나는 건반들이 바구니에 한가득 담겼다. 상수리는 바구니를 들여다보며 옅은 웃음을 지었다.

"예전엔 내 피아노와 함께 꿈꾸는 게 참 즐거웠는데, 어느 순간부터는 그게 너무 힘든 일이 되어 버렸어. 아마 꿈을 꾸는 것보다 꿈을 이루고 싶은 마음이 더 커서 그랬나 봐. 꿈을 이루어야만 행복해지는 줄 알았는데, 꿈은 이루기 위해 있는 게 아니구나. 왜 그걸 미처 몰랐을까?"

진진과 상수리는 바구니를 들고 노란 대문 집으로 갔다. 방으로 들어가 피아노 건반을 하나씩 맞춰 끼웠다. 깨끗하게 씻은 건반들을 다시 갖춘 피아노는 기분이 좋아 보였다.

상수리는 피아노 건반을 살포시 어루만졌다.
포근하게 살며시.

"피아노야, 넌 내가 훌륭한 피아니스트가 되길 바란 게 아니었지? ㉠넌 아마 내가 행복한 피아니스트가 되길 꿈꾸었을 거야. 근데 나는 그것도 모르고 너와 함께하는 시간이 지긋지긋해지도록 연습만 하는 게 최선인 줄 알았으니……. 그동안 네가 얼마나 힘들었을까? 미안해. 정말 미안해."

상수리는 피아노 의자를 당겨 앉았다. 그리고 건반 위에 두 손을 가만히 얹고, 지그시 누르며 작은 소리로 속삭였다.
슬며시 힘을 주는 모양.

"손가락들아, 너희들도 정말 오랜만이지? 이렇게 즐거운 기분으로 피아노랑 노는 게. 너희들이 나보다 내 피아노의 기분을 먼저 알아차렸구나. 고마워."
우울한 기분

73 상수리가 피아노와 함께 꿈꾸는 일이 왜 힘든 일이 되어 버렸는지 쓰세요.

- (1) (   )보다 (2) (   ) 마음이 더 커서 힘들게 연습했기 때문이다.

74 피아노가 되어 상수리에게 해 주고 싶은 말로 알맞지 않은 것은 무엇인가요? (   )

① "너는 피아니스트가 되기에는 타고난 재능이 없어."
② "나는 네가 행복한 피아니스트가 되었으면 좋겠어."
③ "다시 나와 함께 연주하는 행복을 알게 되어서 정말 기뻐."
④ "네가 행복하게 꿈을 꾸는 것을 깨닫게 되어서 기분이 좋아."
⑤ "꿈을 이루는 것도 중요하지만 즐겁게 꿈꾸며 연주하는 네가 되었으면 좋겠어."

75 상수리가 ㉠과 같이 말한 까닭을 알맞게 말한 사람의 이름을 쓰세요.

정우: 즐기는 것도 중요하지만 연습만이 실력을 늘릴 수 있다는 것을 깨달아서야.
소민: 꿈을 이루는 데 급급한 나머지, 꿈을 꾸는 즐거움을 잊어버렸다는 것을 깨달아서야.

(   )

교과서 문제

76 상수리가 삶에서 추구한 가치와 관련 있는 낱말을 두 가지 고르세요. (,   )

① 성실 ② 봉사 ③ 정의
④ 노력 ⑤ 안전

상수리의 손가락을 따라 아주 가녀린 소리가 흘러나왔다. 지금껏 들어 본 그 어떤 피아노 소리보다 맑고 투명했다.
소리가 몹시 가늘고 힘이 없는.

상수리는 바람이 연주한 곡들을 다시 연주했다. 상수리는 행복해 보였다. 오랜만에 친구의 행복한 웃음을 보는 피아노도 즐거워 보였다.
꿈을 꾸는 과정도 즐거워야 한다는 것을 깨닫게 된 상수리의 마음

중심 내용 3 빨랫줄에 매달린 피아노 건반이 바람에 흔들리면서 피아노 소리가 들려온다. 상수리는 예전에 즐겁게 피아노를 연주하며 꿈꾸었던 기억을 떠올리고 다시 피아노를 연주한다.

중간 부분 이야기

다시 피아노를 연주하게 된 상수리와 진진은 이모네 마당에서 음악회를 열고 모두 즐거운 시간을 보낸다. 다음 날, 상수리는 진진에게 빨리 꿈을 만나길 바란다는 편지를 남기고 떠난다. 풀이 죽은 진진은 퐁을 만나 대화를 나눈다.
풀이 죽은: 활발한 기운이 꺾인.

4 "퐁, 넌 나중에 뭐가 되고 싶니?"

"되고 싶은 거 없는데."

"되고 싶은 게 없어? 그럼 꿈이 없단 말이야?"

"꿈이야 있지. 근데 꿈이란 게 꼭 뭐가 되어야 하는 거야? 뭐가 안 되면 어때? 그냥 하면 되지. 내 꿈은 춤추는 거지. 신나게 춤추는 것. 그게 내 꿈이야."
→ 퐁은 꿈이 꼭 무엇이 되는 것은 아니라고 생각함.

퐁은 진진의 물음에 꼬박꼬박 대답하면서도 허리를 흔들며 춤을 췄다. 퐁의 몸짓을 따라 물결이 찰랑찰랑 일었다. 진진은 그런 퐁을 잠시 지켜보다 다시 물었다.
일었다: 겉으로 부풀거나 위로 솟아올랐다.

"넌 이미 충분히 즐겁게 춤추고 있잖아?"

㉠"오늘보다 내일은 더 즐겁게, 내일보다 모레는 더, 더 즐겁게. 모레보다 글피는 더, 더, 더 즐겁게, 글피보다 그글피는 더, 더, 더, 더 즐겁게. 내 꿈은 절대로 끝나지 않지."

퐁은 진진을 올려다보며 오페라의 한 소절처럼 대답을 했다. 진진은 고개를 끄덕였다.
오페라: 노래, 대사, 연기 등이 합쳐진 종합 무대 예술. 소절: 말, 글, 노래 따위의 한 도막. 마디.

진진은 덩치가 마시다 남기고 간 물을 꼴깍꼴깍 마시고는, 동백나무 그늘로 갔다. 무릎을 끌어안고 앉으니 마루 뒷벽 가운데 높다랗게 걸려 있는 글씨가 눈에 들어왔다.
덩치: 4분의 3박자로 꼬리를 흔드는 것이 꿈인 개

꿈꾸는 집.

진진은 주머니에서 상수리의 편지를 꺼내어 다시 읽었다.

'내 꿈은 뭐지?'

이모가 자전거를 끌고 대문으로 들어서다가 동백나무 아래에 앉아 있는 진진을 보았다.

"뭐 하니?"

"아침부터 어디 갔다 오세요?"

이모는 자전거를 세우고 우물가로 가서 퐁을 우물 속으로 내렸다.

77 퐁의 꿈은 무엇인가요? (　　　)

① 깨끗한 물을 긷는 것
② 영원히 깨지지 않는 것
③ 날마다 신나게 춤추는 것
④ 우물 깊은 곳까지 들어가는 것
⑤ 더러운 것을 깨끗하게 하는 것

78 퐁이 ㉠과 같이 말한 까닭으로 알맞은 것의 번호를 쓰세요.

① 꿈은 포기하지 않고 계속 노력해야 이룰 수 있기 때문이다.
② 무엇인가가 꼭 되는 것이 꿈이 아니라 현재를 즐겁게 사는 것을 중요하게 생각하기 때문이다.

(　　　)

교과서 문제

79 퐁이 추구하는 삶은 무엇인가요? (　　　)

① 성실하게 노력하는 삶
② 희망을 가지고 도전하는 삶
③ 나라를 위해 힘을 바쳐 애쓰는 삶
④ 어려운 이웃을 위하여 희생하는 삶
⑤ 자신이 하고 싶은 일을 행복하게 열정적으로 하는 삶

80 진진의 고민은 무엇인가요? (　　　)

① 즐거운 일이 없다.
② 엄마와 자신의 꿈이 다르다.
③ 진정한 친구가 한 명도 없다.
④ 자신의 꿈이 무엇인지 모른다.
⑤ 꿈을 이룬 사람을 부러워만 한다.

"자전거가 바람 쐬러 가자고 졸라 대서. 모두 나한테 어찌나 바라는 게 많은지. 정말 일일이 다 들어주려니까 몸이 열 개라도 모자라겠다. 이래서야 책 읽을 시간이 나겠니?"

"이모는 책 읽는 게 즐거워요?"

"그걸 말이라고 하니? 책 읽는 게 재미없다면 왜 읽겠니?"

"그래도 가끔 보면 재미없는 책도 있잖아요."

"재미없으면 안 읽으면 되지."

"다른 사람들이 다 읽고 재미있다고 하는 책을 나만 재미없다고 안 읽으면 좀 그렇잖아요."

진진의 말에 이모는 혀를 끌끌 찼다.
→ 이모는 다른 사람을 신경 쓰는 진진이 안타까움.

"넌 다른 사람이 맛있다고 하는 요리는 맛없어도 먹니? 그런 게 어디 있어? 내가 재미없으면 없는 거지."

이모는 퐁이 담아 올려 온 물을 받아서 꿀꺽꿀꺽 마셨다. 진진은 무릎을 안은 채, 이모를 빤히 쳐다봤다.

"왜? 내 얼굴에 뭐 묻었니?"

진진은 고개를 가로저으며 물었다.

"이모, 이모는 꿈이 뭐예요?"

이모는 퐁을 우물 속으로 던지고는 입을 삐죽거렸다.

"내 꿈? 나는 어른인데?"

"어른들도 꿈이 있잖아요. 꿈이 없는 사람이 어디 있어요?"

이모는 성큼성큼 다가와 진진의 눈앞에 쪼그려 앉더니 진진을 빤히 쳐다봤다. 빨간 안경 속 이모의 눈은 콩알만큼 작아 보였다.

"흥, 이젠 그렇게 생각한다는 말이지? 너도 꽤 똑똑해졌구나." → 전에 진진이 어른들은 꿈이 없다고 생각하였다는 것을 알 수 있음.

그러고는 진진에게만 들리도록 조그맣게 속살거렸다.

"꿈꾸는 집, 이 집이 바로 내 꿈이야."

"이 집이 이모의 꿈이라고요?"

㉠ "그럼, 내 꿈은 이 세상 재미있는 책들을 모두 불러 모아서 함께 노는 거야. 낄낄대며 웃는 재미, 콩닥콩닥 가슴 뛰는 재미, 두근두근 설레는 재미, 눈물 나게 가슴 아린 재미, 궁금한 것들을 알게 되는 재미, 생각하지도 못했던 것을 상상하는 재미…… 재미있는 책들만 올 수 있는 집, 꿈꾸는 아이들만 올 수 있는 집, 이 집이 내 꿈이야."

중심 내용 4 진진은 퐁과 대화하며 퐁이 행복한 꿈을 꾸며 살고 있음을 알게 된다. 또 이모의 꿈은 재미있는 책들과 꿈꾸는 아이들이 오는 집임을 알게 된다.

끌끌　마음에 들지 않아 혀를 차는 소리.
콩닥콩닥　가슴이 자꾸 세차게 뛰는 모양.
설레는　마음이 가라앉지 않고 들떠서 두근거리는.
가슴 아린　몹시 가엾거나 불쌍하여 마음이 알알하게 찌르는 것처럼 아픈.

81 이모가 즐거워하는 일은 무엇인지 쓰세요.

• (　　　　　)을 읽는 것

82 이모가 ㉠과 같이 말한 까닭으로 알맞은 것은 무엇인가요? (　　　)

① 신나지 않은 꿈도 꿈이라고 생각한다.
② 아이들만 꿈을 꿀 수 있다고 생각한다.
③ 어려움을 극복하는 것을 중요하게 생각한다.
④ 하기 싫은 일도 열심히 해야 한다고 생각한다.
⑤ 자신이 좋아하는 것을 하는 것을 중요하게 생각한다.

교과서 문제

83 이모가 추구하는 삶으로 알맞은 것의 번호를 쓰세요.

① 친구에게 진심을 다해서 진정한 우정을 만드는 삶
② 자신이 좋아하고 가치 있다고 생각하는 것을 꾸준히 하는 즐거움이 있는 삶

(　　　　　　　　　　)

서술형·논술형 문제

84 「이모의 꿈꾸는 집」에 나오는 인물을 하나 정해서 그 인물이 추구하는 삶과 자신의 삶을 비교해 간단하게 쓰세요.

75~76쪽 자습서

정답 2쪽

국어 교과서 75쪽

5. 「이모의 꿈꾸는 집」의 인물이 추구하는 삶이 무엇인지 생각해 봅시다.

(1) 각 인물이 처한 상황을 생각해 보고 그 상황에서 그 인물이 한 말이나 행동을 찾아 써 보세요.

예시 답안

인물	인물이 한 말이나 행동
상수리	"넌 아마 내가 행복한 피아니스트가 되길 꿈꾸었을 거야. 근데 나는 그것도 모르고 너와 함께하는 시간이 지긋지긋해지도록 연습만 하는 게 최선인 줄 알았으니……. 그동안 네가 얼마나 힘들었을까?"
어기	"자, 쉬었으니 또 신나게 날아오르러 가 볼까?"라고 말하며 즐겁게 나는 연습을 계속했다.
퐁	"신나게 춤추는 것. 그게 내 꿈이야."
이모	"내 꿈은 이 세상 재미있는 책들을 모두 불러 모아서 함께 노는 거야. …… 재미있는 책들만 올 수 있는 집, 꿈꾸는 아이들만 올 수 있는 집, 이 집이 내 꿈이야."

국어 교과서 76쪽

(3) 인물을 한 명 골라 그 인물이 추구하는 삶이 무엇인지 생각해 보고, 그 삶과 관련 있는 낱말을 활용하여 표현해 보세요.

예시 답안

상수리가 그렇게 말하고 행동한 까닭	자신이 열심히 노력해 왔지만 꿈을 이루는 데 급급한 나머지, 꿈을 꾸는 즐거움을 잊어버렸다는 것을 깨닫게 되었기 때문입니다.
상수리가 추구하는 삶	'성실'하게 '노력'하는 삶을 추구합니다.

풀이 인물이 처한 상황에서 한 말이나 행동을 통해 추구하는 삶을 알 수 있습니다.

6. 「이모의 꿈꾸는 집」의 인물이 추구하는 삶과 자신의 삶을 비교해 친구들과 이야기해 봅시다.

예시 답안 • 나는 어기와 같은 상황이었다면 하늘을 나는 연습을 포기했을지도 몰라. 초리는 하늘을 잘만 나는데 나는 아무리 연습해도 되지 않으니 속상하고 힘들 것 같기 때문이야. 하지만 어기는 날 수 있다는 희망을 가지고 나는 연습을 하는 것 자체를 즐겁게 생각하고 있는 것 같아. 나도 그런 점을 본받고 싶어.

풀이 인물이 추구하는 삶과 자신의 삶에서 비슷한 점이나 다른 점이 있는지 생각해 봅니다.

자습서 확인 문제

1 다음과 같은 상황에 처한 인물은 누구인가요?

> 하늘을 나는 것이 꿈이라서 날마다 나는 연습을 하지만 날지 못한다.

(　　　　)

2 다음 빈칸에 알맞은 말을 써넣으세요.

> 이모의 꿈은 이 세상 재미있는 [　　]들을 불러 모아서 함께 노는 것이다.

3 퐁이 다음과 같이 말한 까닭으로 알맞은 것에 ○표 하세요.

> "신나게 춤추는 것. 그게 내 꿈이야."

(1) 남을 위해 희생하고 배려하는 삶을 중요하게 생각하기 때문이다. (　　)

(2) 무엇인가가 꼭 되는 것이 꿈이 아니라 현재를 즐겁게 사는 것을 중요하게 생각하기 때문이다. (　　)

4 상수리가 추구하는 삶으로 알맞은 것의 번호를 쓰세요.

> ① 생명을 존중하는 삶
> ② 성실하게 노력하는 삶
> ③ 나라를 위해 봉사하는 삶

(　　　　)

실천

떨어져도 튀는 공처럼

그래 살아 봐야지

너도 나도 공이 되어

떨어져도 튀는 공이 되어

어려운 현실에 부딪혀도 씩씩하고 활기차게 살아 보겠다는 다짐이 드러남.

살아 봐야지

쓰러지는 법이 없는 둥근

공처럼, 탄력의 나라의

왕자처럼

가볍게 떠올라야지

곧 움직일 준비 되어 있는 꼴

둥근 공이 되어

옳지 최선의 꼴

떨어져도 튀어 오르고, 쓰러지는 법이 없는 공

지금의 네 모습처럼

떨어져도 튀어 오르는 공

쓰러지는 법이 없는 공이 되어.

• 글쓴이: 정현종
• 생각할 점: '떨어져도 튀는 공'은 어떤 삶의 모습일지 생각해 봅니다.

중등 국어 미리보기

시어(시에 쓰인 말)는 뜻을 속에 담고 있는 경우가 많은데 이러한 것을 '함축적 의미'라고 해요. 시 「떨어져도 튀는 공처럼」에 나오는 시어의 함축적인 의미는 다음과 같아요.

시어	떨어져도, 쓰러지는
함축적 의미	어려움, 고통, 좌절, 포기 따위

↕

시어	떠올라야지, 움직일, 튀어
함축적 의미	극복, 의지, 노력 따위

튀는 탄력 있는 물체가 솟아오르는.
탄력(彈 탄알 **탄** 力 힘 **력**) 용수철처럼 튀거나 팽팽하게 버티는 힘.
꼴 겉으로 보이는 사물의 모양.

85 이 시에서 말하는 이는 무엇처럼 살아 봐야겠다고 했는지 쓰세요.

• 둥근 (　　　　　)

86 '떨어져도 튀는 공'은 어떤 삶의 모습일까요? (　　　)

① 이웃을 배려하는 삶
② 다른 사람을 위해 희생하는 삶
③ 다른 사람보다 높은 곳에 있기를 바라는 삶
④ 도덕적인 사람이 되기 위해 꾸준히 노력하는 삶
⑤ 힘들어도 포기하거나 좌절하지 않고 다시 일어서서 도전하는 삶

교과서 문제

87 시에서 말하는 이가 추구하는 삶의 모습을 떠올리며 생각이나 느낌을 알맞게 말한 것의 번호를 쓰세요.

① 공처럼 포기하지 않고 도전해야겠다는 다짐을 했어.
② 어려운 이웃을 위해 작은 일부터라도 해야겠다고 생각했어.

(　　　　　)

88 이 시를 읽고 만들 수 있는 질문으로 알맞지 않은 것에 ×표 하세요.

(1) 시에 나오는 공은 어떤 종목에 사용되는 것일까요? (　　)
(2) 시에서 말하는 이는 현재 어떤 상황에 처해 있을까요? (　　)
(3) 시에서 말하는 이는 추구하는 삶의 모습을 무엇에 빗대어 표현했나요? (　　)

[1~5] 의병장 윤희순

가 항일 의병 운동의 자금을 지원하려고 숯을 구워서 팔던 윤희순은 독립운동에 남녀 구분이 없음을 알리려고 「안사람 의병가」를 만든다. 어느 날 윤희순은 숯 굽는 일을 도와주는 옆집 처녀 담비가 「안사람 의병가」를 흥얼거리는 것을 듣고, 사람들에게 그 노래를 가르쳐 주라고 담비에게 부탁한다.

나 담비가 마을 아낙네들한테 「안사람 의병가」를 가르친 보람은 생각보다 크게 나타났다. 노래 하나가 사람들의 마음을 한 덩어리로 모았을 뿐만 아니라 전에 없던 용기마저 불끈 솟아나게 했던 것이다.

"자, 이럴 때 나서시면 될 것 같아요."

담비가 윤희순한테 드디어 직접 나설 때가 왔다고 알려 왔다.

"여러분, 우리가 누구입니까?"

마을 아낙네들의 눈길이 모두 윤희순에게 쏠렸다.

"여태껏 우리 여자들은 집안을 돌보는 데 온 힘을 다해 왔습니다. 하지만 이제 왜놈들이 이 나라를 집어삼키려는 마당에 우리가 가만히 집 안에만 틀어박혀 있을 순 없는 노릇입니다. 그러니 우리도 사내들처럼 다 함께 의병 운동에 나서야 할 것입니다."

그때 누군가가 말꼬리를 걸고 나섰다.

"아니, 조정 대신이란 놈들이 나라를 팔아먹으려 드는데 우리 같은 여자들이 나선다고 뭐가 달라지겠소? 자칫 괜한 목숨만 버릴 뿐이오."

다 윤희순은 마을 아낙네들을 끌어모아 안사람 의병대를 만들었다.

"의병을 도와 나라를 구합시다!"

맨 먼저 안사람 의병대는 집집마다 찾아다니며 모금을 했다.

"왜놈들이 우리나라를 집어삼키려 합니다. 의병을 도와주십시오."

안사람 의병대의 눈물 어린 하소연은 많은 사람의 마음을 움직였다. 어떤 사람은 무기를 만들 수 있는 놋쇠와 구리를 내놓았고, 어떤 사람은 가진 돈을 몽땅 내놓기도 했다.

"우린 고구마밖에 없는데 괜찮다면 이거라도 내놓겠네."

1 윤희순이 살아가며 겪는 문제로 알맞은 것을 세 가지 고르시오. (　　,　　,　　)

① 의병대가 중국에 더 많았다.
② 나라가 일제의 침략을 받았다.
③ 의병대에 평민보다 양반이 많았다.
④ 여자는 집안일을 해야 한다고 생각하던 시대이다.
⑤ 의병 운동에 많은 사람을 참여시키고 싶지만 반대하는 사람이 있다.

2 윤희순이 1번에서 답한 문제를 대하는 태도로 알맞지 않은 것은 무엇입니까? (　　)

① 학교를 세워 한글을 가르친다.
② 사람들을 설득하려고 노래로 힘을 모은다.
③ 침략 세력을 물리치려고 의병 운동을 한다.
④ 숯을 구워 팔아 의병 운동 자금을 지원한다.
⑤ 여자임에도 의병 운동에 적극적으로 나선다.

3 글 다에서 알 수 있는 시대적 배경으로 알맞은 것의 번호를 쓰시오.

① 우리나라 사람들의 위기 극복 의지가 대단했다.
② 양반들만 의병 운동 자금에 돈이나 땅을 내놓았다.

(　　　　　　)

4 윤희순이 처한 상황에서 한 말이나 행동을 쓰시오.

(1) 말: "우리도 (　　　　　　)들처럼 다 함께 의병 운동에 나서야 할 것입니다."
(2) 행동: 침략 세력을 물리치려고 (　　　　　　) 운동을 한다.

서술형·논술형 문제

5 다음에서 윤희순이 삶에서 추구한 가치와 관련 있는 낱말을 고르고 그렇게 생각한 까닭을 쓰시오.

도전	정의	열정	용기	봉사

단원 평가

1 단원

[6~10] 구멍 난 벼루

가 한양의 월성위궁(추사 선생의 집)에서 만난 추사 선생은 허련의 그림을 보고 견문이 부족하다고 혹평한다. 허련은 당황스럽고 부끄러웠지만, 계속 사랑채에 머물며 청나라에서 온 서책들을 보고 견문을 넓힌다.

나 "저는 해남을 떠나올 때 이미 스승을 찾았습니다. 초의 선사의 편지 내용이 어떤 것이었든 이제 상관이 없습니다. 어르신께서 제 그림의 부족함을 일깨워 주셨으니 그것을 채우는 것도 어르신께로부터 배우고 싶습니다."

추사 선생은 못마땅한 표정으로 허련을 쏘아보았다. 애당초 흔쾌한 대답을 기대하지 않은 터였다. 허련은 개의치 않고 고개를 깊이 숙였다. 추사 선생이 심드렁하게 말했다.

"그러시게. ㉠자네는 자네의 스승을 찾게. 나는 내 제자를 찾을 터이니."

다 추사 선생의 독서량과 연습량은 실로 엄청났다. 부지런하고 열성적인 것으로는 누구에게 뒤져 본 적이 없던 허련이지만 잠깐의 시간도 허투루 쓰지 않는 추사 선생의 근면함에는 혀를 내둘렀다. 추사 선생은 획 하나, 글자 하나를 수십 번, 수백 번 연습하는 연습 벌레였다. 누구나 알아주는 대가가 되고서도 끊임없이 뭇 명필들의 서체를 감상하고 연구하며 자기만의 서체를 만들어 나갔다.

라 허련은 화첩에서 배운 필법을 바탕으로 연구와 실험을 해 가며 나름의 붓질법을 만들어 나갔다. 수십 개의 붓이 뭉뚝해졌다. 점차 허련만의 그림이 나왔다.

마 추사 선생이 돌아보며 싱긋 웃었다.

"이게 바로 초묵법이구나."

"초묵법요?"

"마르고 건조한데 윤기가 있어 보이는 붓질. 오랫동안 풀지 못한 것을 오늘 자네한테 배우는구나."

추사 선생의 얼굴에 환희가 차올랐다. 초묵법. 허련은 자기가 먹을 쓴 방법이 그것인 줄 몰랐다. 추사 선생이 기뻐하는 것을 보고 그저 어리둥절할 뿐이었다. 그 뒤로 추사 선생은 산수화를 그릴 때에 이런 붓질법을 즐겨 사용했다.

6 글 가에서 추사 김정희는 한양으로 찾아온 허련의 그림을 어떻게 평가했는지 쓰시오.

• 견문이 부족하다고 (　　　　　)했다.

7 ㉠에 담긴 뜻을 파악한 것으로 알맞지 않은 것은 무엇입니까? (　　　)

① 스스로 연습하는 것이 중요하다.
② 스승을 찾는 것이 중요한 것이 아니다.
③ 좋은 스승을 만나기만 해서 좋은 화가가 되는 것은 아니다.
④ 허련이 초의 선사에게 돌아가기를 바라는 뜻이 담겨 있다.
⑤ 추사 김정희가 허련에게 자주정신을 길러 주려고 한 말이다.

8 허련이 처한 상황에서 한 행동으로 알맞은 것에 ○표 하시오.

(1) 청나라로 떠났다. (　　　)
(2) 몽당붓 수십 개를 만들며 끊임없이 연습했다. (　　　)

9 허련이 추구하는 삶은 무엇입니까? (　　　)

① 생명을 존중하는 삶
② 친구를 위해 배려하는 삶
③ 자신의 이익만을 추구하는 삶
④ 다른 사람을 위해 자신을 희생하고 봉사하는 삶
⑤ 끈기와 열정을 가지고 끊임없이 꿈을 향해 노력하는 삶

10 글 다와 마에서 알 수 있는 추사 김정희가 추구하는 삶을 알맞게 말한 사람의 이름을 쓰시오.

하은: 조건이 없는 사랑을 베푸는 삶을 추구해.
건우: 겸손함을 지니고 자신의 그림을 계속 발전시켜 가는 열정이 있는 삶을 추구해.

(　　　　　　　　)

[11~15] 마지막 숨바꼭질

가 "쉬는 날이면 놀아 주지도 않고 낮잠만 주무시는 아버지가 야속하고 밉니?"

"아니에요. 전 아무래도 괜찮다니까요!"

대답은 그렇게 했지만 아무래도 경민이의 대답에는 뾰로통한 기색이 담겨 있었다.

나 "먼저 나가. 내가 한 번만 더……."

그때 말릴 새도 없이 깨진 창문 사이로 뛰어 들어간 한 사람의 ㉠구조 대원이 있었단다.

너도 한번 생각해 보렴. 소방관에게도 지켜야 할 소중한 목숨이 있고, 우리처럼 애타게 기도하며 기다리는 가족이 있을 거 아니겠니?

아, 어쩌면 그렇게 짧고도 기막힌 순간이 또 있을까?

네 아버지가 빠져나오고 뒤를 돌아보았을 때, 불길에 무너지는 커다란 기둥이 그 구조 대원의 몸을 휩싸 안고 바닥으로 꺼져 버렸단다.

자기 목숨보다 남의 목숨을 먼저 생각한 용감한 소방관 아저씨의 최후…….

㉡그 이야기를 하시면서 아버지는 정말 뜨거운 눈물을 쏟으셨단다.

다 그러니까 이 아빠가 꼭 너만 한 나이 때의 일이구나.

그해 여름, 아마 장마가 막 시작될 무렵이었을 거야.

그날은 부모님이 먼 친척 집에 가셔서 두 살 아래의 동생과 나 둘이서만 하룻밤을 지내야 했단다.

어머니가 해 놓으신 저녁밥을 일찌감치 먹고 난 우리는 뭔가 재미있는 일을 찾기 시작했지.

숨바꼭질, 예나 지금이나 그보다 더 재미있는 놀이가 있을까?

라 ㉢불이라는 말만 들어도 가슴이 미어진다는 부모님의 반대를 무릅쓰고 나는 기어이 소방관의 꿈을 이루어 냈단다. 그리고 늘 기도하는 마음으로 맡은 일을 하지.

빨간 불자동차에 올라타고 다급한 사이렌을 울리며 화재 현장에 나갈 때마다, 나는 어린 시절 무서운 불길 속에서 구해 내지 못한 동생의 목소리를 떠올린단다. 그리고 주먹을 불끈 쥐며 두려움을 잊곤 하지. 동생과 나의 마지막 숨바꼭질처럼 소중한 추억을 영원히 잊지 않기 위해서 말이다.

11 글 가에서 알 수 있는 경민이의 마음을 쓰시오.

• 쉬는 날 같이 놀아 주지 않는 아버지 때문에 (　　　　　　　　　　).

12 ㉠의 말이나 행동에서 알 수 있는, 추구하는 삶으로 알맞지 않은 것은 무엇입니까? (　　　)

① 정의로운 일에 앞장서는 삶
② 남을 위해 희생하고 배려하는 삶
③ 자신의 안전보다는 남의 안전을 생각하는 삶
④ 좋아하는 일을 꾸준히 하는 즐거움이 있는 삶
⑤ 끝까지 포기하지 않는 열정과 끈기가 있는 삶

13 ㉡에서 알 수 있는 경민이 아버지의 삶과 관련 있는 가치로 알맞은 것의 번호를 두 가지 쓰시오.

① 생명 존중 ② 진정한 용서 ③ 동료에 대한 사랑

(　　　　　,　　　　　)

14 ㉢에서 알 수 있는 경민이 아버지가 추구하는 삶과 관련 있는 낱말은 무엇입니까? (　　　)

① 끈기　② 안전　③ 겸손
④ 정직　⑤ 예의

15 글의 제목이 「마지막 숨바꼭질」인 까닭은 무엇인지 쓰시오.

• 동생과 마지막 숨바꼭질을 하던 경민이 아버지의 추억이 경민이 아버지가 (　　　　　　　　　　) 이라는 직업을 갖게 하였기 때문이다.

1 단원

진도 완료 체크

[16~20] 이모의 꿈꾸는 집

가 "어기, 힘들지? 그래도 기운 내."
어기는 고개를 가로저으며 씩씩하게 되물었다.
"하나도 안 힘들어. 꿈꾸는 게 왜 힘드니?"
"그래도 날마다 그렇게 열심히 연습했는데, 못 날면 속상하잖아."
"아니, 속상하지 않아. 난 늘 즐거워. 만약 꿈꾸는 동안 즐겁지 않다면 그게 무슨 꿈이니?"

나 "퐁, 넌 나중에 뭐가 되고 싶니?"
"되고 싶은 거 없는데."
"되고 싶은 게 없어? 그럼 꿈이 없단 말이야?"
"꿈이야 있지. 근데 꿈이란 게 꼭 뭐가 되어야 하는 거야? 뭐가 안 되면 어때? 그냥 하면 되지. 내 꿈은 춤추는 거지. 신나게 춤추는 것. 그게 내 꿈이야."
퐁은 진진의 물음에 꼬박꼬박 대답하면서도 허리를 흔들며 춤을 췄다. 퐁의 몸짓을 따라 물결이 찰랑찰랑 일었다. 진진은 그런 퐁을 잠시 지켜보다 다시 물었다.
"넌 이미 충분히 즐겁게 춤추고 있잖아?"
"오늘보다 내일은 더 즐겁게, 내일보다 모레는 더, 더 즐겁게, 모레보다 글피는 더, 더, 더 즐겁게, 글피보다 그글피는 더, 더, 더, 더 즐겁게."

다 "어른들도 꿈이 있잖아요. 꿈이 없는 사람이 어디 있어요?"
이모는 성큼성큼 다가와 진진의 눈앞에 쪼그려 앉더니 진진을 빤히 쳐다봤다. 빨간 안경 속 이모의 눈은 콩알만큼 작아 보였다.
"흥, ㉠이젠 그렇게 생각한다는 말이지? 너도 꽤 똑똑해졌구나."
그러고는 진진에게만 들리도록 조그맣게 속삭거렸다.
"꿈꾸는 집, 이 집이 바로 내 꿈이야."
"이 집이 이모의 꿈이라고요?"
"그럼, 내 꿈은 이 세상 재미있는 책들을 모두 불러 모아서 함께 노는 거야. 낄낄대며 웃는 재미, 콩닥콩닥 가슴 뛰는 재미, 두근두근 설레는 재미, 눈물 나게 가슴 아린 재미, 궁금한 것들을 알게 되는 재미, 생각하지도 못했던 것을 상상하는 재미…… 재미있는 책들만 올 수 있는 집, 꿈꾸는 아이들만 올 수 있는 집, 이 집이 내 꿈이야."

16 어기와 퐁의 꿈은 무엇인지 알맞게 쓰시오.

(1) 어기: 하늘을 (　　　　　) 것

(2) 퐁: 날마다 신나게 (　　　　　) 것

17 글 가에서처럼 어기가 말하고 행동한 까닭으로 알맞은 것의 번호를 쓰시오.

① 행복하게 꿈을 꾸는 것을 잊어버렸다는 것을 깨달았기 때문이다.
② 날마다 연습하면서도 날지 못하는 것이 비록 남들에게는 힘들게 보일지 모르지만, 스스로 즐겁게 꿈을 꾸고 있기 때문이다.

(　　　　　)

18 ㉠의 내용으로 보아 진진은 전에 어떤 생각을 가지고 있었겠습니까? (　　　)

① 어른들은 꿈이 없다.
② 나의 꿈과 엄마의 꿈이 다르다.
③ 어른들의 꿈은 모두 이룰 수 없는 것이다.
④ 이룰 수 없더라도 꿈을 가진 것만으로도 행복하다.
⑤ 꿈을 이루기 위해서라도 즐겁지 않은 일은 하지 않겠다.

19 이모의 꿈은 무엇인지 쓰시오.

• 집에 재미있는 책들과 (　　　　　) 아이들이 오는 것

서술형·논술형 문제

20 이모의 꿈꾸는 집에서 캠프를 마친 뒤 진진에게 어떤 변화가 일어날지 상상해서 쓰시오.

이모의 꿈꾸는 집에 가기 전 진진의 꿈	중학교에 들어가서도 일 등을 놓치지 않고 좋은 대학에 들어가는 것

⬇

이모의 꿈꾸는 집에서 캠프를 마친 뒤의 변화	

2

관용 표현을 활용해요

안녕! 나는 정국이라고 해. 같은 반 친구니까 친하게 지내자. 우리는 손발이 잘 맞을 것 같아. 그리고 왕위 서열은 신경 쓰지 마.
굳이 서열을 말하자면 20번으로 제일 높지.
신경 쓰고 있으면서.
그러면 왕실의 법도 수업을 시작해 볼까요?

개념 웹툰

관용 표현을 활용하여 말하는 방법은 무엇일까요?
스마트폰에서 확인하세요.

개념 ① 관용 표현

① 둘 이상의 낱말이 합쳐져 그 낱말의 원래 뜻과는 다른 새로운 뜻으로 굳어져 쓰이는 표현입니다.
② 관용어와 속담 따위가 있습니다.

활동 관용어와 속담

관용어	둘 이상의 낱말로 이루어져 있으면서 특수한 뜻을 나타내는 표현
속담	예로부터 전해 오는 쉬운 격언이나 잠언으로, 우리 민족의 지혜와 해학, 생활 방식과 교훈이 담겨 있는 표현

개념 ② 관용 표현을 활용하면 좋은 점

① 전하고 싶은 말을 쉽게 표현할 수 있습니다.
② 재미있는 표현이어서 듣는 사람의 관심을 불러일으킬 수 있습니다.
③ 하려는 말을 상대가 쉽게 알아들을 수 있습니다.
④ 하고 싶은 말을 더 효과적으로 표현할 수 있습니다.

활동 관용 표현을 활용하여 말하기 예

"눈이 높다."는 '좋은 것을 찾는 능력이 좋다.'는 뜻의 관용 표현임.

개념 ③ 이야기를 듣고 말하는 사람의 의도 파악하기

① 말하는 사람은 듣는 사람이 자신의 이야기를 귀 기울여 듣고, 이야기에 흥미를 느끼게 하려는 의도로 관용 표현을 활용할 수 있습니다.
② 표현의 뜻을 추론하여 의도를 파악하는 과정

❶ 글 앞뒤에 있는 내용을 살펴보기
❷ 표현에 쓰인 낱말이 평소에 어떤 뜻으로 쓰이는지 생각하기
❸ 그러한 표현을 쓴 의도를 생각하기

지문 「도산 안창호 선생의 연설」에 사용된 표현의 뜻 추론하기

표현	뜻 추론하기
깃발 아래	하나의 목표를 품자는 뜻임.
한 가지만 알고 두 가지는 모르는	다른 사람의 의견에도 좋은 점이 있다는 것을 모른다는 뜻임.

개념 ④ 생각이 효과적으로 드러나는 표현을 활용해 말하기

① 말하는 상황과 말할 내용을 확인합니다.
② 관용 표현이 말할 상황과 어울리는지, 말할 내용을 적절하게 표현하는지 생각합니다.
③ 관용 표현을 먼저 말한 뒤에 그와 관련한 생각을 말하기도 하고, 생각을 먼저 말한 뒤에 그와 어울리는 관용 표현을 말하기도 합니다.

활동 관용 표현을 활용하여 생각을 표현하기 예

"발 없는 말이 천 리 간다."라는 말이 있듯이 다른 사람의 이야기를 함부로 하지 않으면 좋겠습니다.

수업 준비물을 잘 챙겨 와야겠습니다. 미리미리 준비를 잘하여 소 잃고 외양간 고치는 일이 없도록 합시다.

준비

가 남자아이: 정민아, 내일이 벌써 개학이야. 정말 시간이 빠르지 않니?
정민: 내일이 개학이라고? ㉠눈이 번쩍 뜨인다! 해야 할 일이 아직도 많은데 큰일이네.

나 남자아이: 소진아, 제주도에 다녀왔다며? 재미있었어?
소진: 제주도에 다녀온 것 말이야? 아까 민진이에게만 말했는데 넌 어떻게 알았어? 정말 ㉡발 없는 말이 천 리 가는구나.
→ "낮말은 새가 듣고 밤말은 쥐가 듣는다."라는 관용 표현과 바꾸어 쓸 수 있음.

다

너희는 네 명이 함께 그리는데도 문제가 전혀 없네.
너희는 역시 손발이 잘 맞아.
은수
영철

• **생각할 점:** 관용 표현이 쓰인 상황을 살펴보고 관용 표현의 뜻을 알아봅니다.

여러 가지 관용 표현

관용 표현	관용 표현을 활용하거나 들은 상황
발이 넓다	다른 학교에도 아는 사람이 많은 친구를 소개할 때
눈이 동그래지다	아주 놀라서 눈을 크게 뜬 것을 말할 때
말꼬리를 물고 늘어지다	친구가 내 말 가운데에서 꼬투리를 잡아 자꾸 따져서 왜 그러냐고 물을 때

1 **가에서 ㉠의 뜻으로 알맞은 것은 무엇인가요? (　　　)**
① 잠을 자다.
② 관심을 돌리다.
③ 정신이 갑자기 든다.
④ 두드러지게 드러나다.
⑤ 잊혀지지 않고 뚜렷하게 떠오르다.

교과서 문제

2 **나에서 ㉡의 뜻은 무엇인가요? (　　　)**
① 말을 시원스럽게 해야 한다.
② 말에 겉으로 드러나지 않은 속뜻이 있다.
③ 거짓말을 하지 말고 솔직하게 털어놓아라.
④ 행동으로 이어지지 않는 말은 다 할 수 있다.
⑤ 말은 비록 발이 없지만 천 리 밖까지도 순식간에 퍼진다.

3 **다의 은수와 영철이의 말 가운데에서 더 간단한 표현은 누구의 말인지 쓰세요.**
• (　　　　　　　　)(이)의 말

4 **다의 영철이의 말과 같은 표현에 대해서 알맞게 말한 사람의 이름을 쓰세요.**

> 소민: 일반적인 설명을 하였어.
> 정우: 한 번 더 생각하게 하는 표현이야.

(　　　　　　　　)

기본

가 **남매의 대화** 스마트폰으로 찍어 보아요! 듣기자료

동생: 오빠, 나도 이제 휴대 전화를 사 달라고 할 거야. ㉠쇠뿔도 단김에 빼라고 당장 구경해 보자.

오빠: 안 돼. 아직 부모님과 의논도 안 했잖아. 다음에 보자.

동생: 에이, 당장 어떤 걸로 할지 결정하고 싶었는데, 오빠 때문에 김이 식어 버렸잖아.
'재미나 의욕이 없어진다.'라는 뜻의 관용 표현

- **생각할 점**: 어떤 상황에서 쓰인 관용 표현인지 살펴보고 뜻을 파악합니다.

가 **지현이와 안나의 대화** 스마트폰으로 찍어 보아요! 듣기자료

지현: 안나야!

안나: 아이고, 깜짝이야! ㉡간 떨어질 뻔했잖니.

지현: 미안해. 문구점에 같이 가자! 내일 미술 시간에 필요한 준비물을 사야 하지? 일단 어떤 준비물이 있는지 확인해 보자. 난 색 도화지 두 장, 색종이 한 묶음, 딱풀을 사야겠다.

안나: 난 좀 넉넉하게 사야겠어. 색 도화지 열 장, 색종이 여덟 묶음, 딱풀이랑 물풀이랑……. → 안나가 준비물을 많이 사려고 함.

지현: 너 정말 [㉢]

2 단원

대화의 상황

가 「남매의 대화」	동생이 오빠에게 휴대 전화를 구경해 보자고 하는 상황
나 「지현이와 안나의 대화」	문구점에서 준비물을 사는 상황

의논(議 의논할 **의** 論 논할 **논**) 어떤 일에 대하여 서로 의견을 주고받음.
결정(決 결단할 **결** 定 정할 **정**) 행동이나 태도를 분명하게 정함. 또는 그렇게 정해진 내용.

5 **가는 어떤 상황을 보여 주는 대화인가요? (　　　)**

① 가족이 동생의 휴대 전화를 사러 왔다.
② 동생의 휴대 전화가 고장 나서 고치러 왔다.
③ 동생이 휴대 전화를 잃어버려서 오빠가 찾는다.
④ 동생이 휴대 전화를 구경하려고 하자 오빠가 말린다.
⑤ 휴대 전화 사용 방법에 대해 오빠가 동생에게 알려 준다.

교과서 문제

6 **㉠의 뜻으로 알맞은 것은 무엇인가요? (　　　)**

① 말한 보람이 없다.
② 일을 하는 방법이 서로 다르다.
③ 일을 잘 처리하지 못하고 미련하다.
④ 작은 잘못을 고치려다 도리어 전체를 망친다.
⑤ 어떤 일이든지 하려고 생각했으면 곧 행동으로 옮겨야 한다.

7 **㉡의 뜻으로 알맞은 것은 무엇인가요? (　　　)**

① 몹시 급하다.
② 매우 놀라다.
③ 몹시 화가 나다.
④ 매우 용기가 있다.
⑤ 매우 걱정되고 불안하다.

서술형·논술형 문제

8 **'손'이라는 낱말을 사용하여 [㉢]에 들어갈 관용 표현을 쓰세요.**

안나가 양을 많이 준비한다는 뜻을 나타내야 함.

(　　　　　　　　　　　　　　　　　　　　)

스마트폰으로 찍어 보아요! 듣기자료

꿈을 펼치는 길

• 생각할 점: 말하는 목적을 생각하며 말하는 사람이 의도를 효과적으로 드러내기 위해 어떤 관용 표현을 활용했는지 살펴봅니다.

저는 얼마 전부터 오늘을 ㉠손꼽아 기다렸습니다. 아마 여러분은 학교를 졸업하면 ㉡천하를 얻은 듯 신나서 바로 멋진 어른이 될 수 있으리라 생각할 것입니다. 하지만 자신의 꿈을 향해 달려가는 일은 결코 쉬운 일도, 마음대로 되는 일도 아니었습니다. 저는 여러분께 꿈을 펼치는 세 가지 방법을 말씀드리려고 합니다.

(말하는 목적)

첫째, 자신의 진짜 꿈을 찾으려고 노력합시다. 한때 의사를 주인공으로 한 드라마가 큰 인기를 얻자, 분위기에 휩쓸려 자신의 진로를 의사로 결정하는 사람이 많았습니다. 하지만 시간이 지나자 대부분은 자신이 정말 하고 싶은 일은 따로 있다는 사실을 깨닫고 후회했습니다. 저는 초등학생 때 꿈이 계속 바뀌었는데, 6학년 때 안전 교육을 해 주신 경찰을 직접 만나 여러 가지 이야기를 들으면서 경찰이 되고 싶다는 꿈을 키우기 시작했습니다. 경찰이라는 직업을 자세히 알아보고 제 능력과 흥미를 살펴보면서 제 진짜 꿈이 경찰이라는 확신이 들었습니다. 쉽게 미래를 결정하는 것보다 자신의 진짜 꿈을 찾는 노력을 꾸준히 하는 것이 중요합니다.

(진로: 앞으로 나아갈 길. / 확신: 굳게 믿는 마음.)

둘째, 자기 자신에게 자신감을 가집시다. 앞날에 대해 고민이 많고 꿈을 어떻게 이룰 것인지 걱정하고 계신가요? 만약 그렇다면 여러분은 꿈을 펼칠 준비가 된 것입니다. 꿈을 키워 나가는 일은 ㉢눈 깜짝할 사이에 이루어지지 않습니다. 저는 5학년 때까지 매우 허약한 체질이었지만, 경찰이 되려고 몇 년 동안 식습관을 바꾸고 체력을 길렀습니다. 당장은 실패하더라도 쉽게 포기하지 말고 꾸준히 노력해야 자신의 꿈을 찾을 수 있습니다. 그 과정에서 좌절하거나 힘들어하지 말고, 열심히 노력하는 자기 자신을 충분히 칭찬해 줍시다.

(→ 꿈을 키우는 일이 오래 걸림. / 좌절: 마음이나 기운이 꺾임.)

셋째, 구체적인 목표를 세웁시다. 여러분이 꿈을 결정한 뒤 구체적인 목표가 없다면 꿈을 이루려는 노력에 ㉣금이 가기 쉽습니다. 저는 경찰이 되려고 '하루 30분 운동, 한 분야 공부'처럼 쉬운 목표부터 시작해 운동하고 공부하는 시간과 양을 조금씩 늘려 나갔습니다. 초등학생 때 할 일, 중학생 때 할 일, 그리고 고등학생 때 할 일을 나누어 정하거나, 단계적으로 실천할 행동 목표를 정한다면 언젠가는 꿈꾸던 인생의 ㉤막을 열 수 있을 것입니다.

9 말하는 사람은 어떻게 경찰이 되려는 꿈을 꾸게 되었는지 쓰세요.

• 6학년 때 (   )을 해 주신 경찰을 직접 만나 여러 가지 이야기를 들으면서이다.

10 말하는 사람이 꿈을 펼치는 방법이라고 말한 것을 세 가지 고르세요. (,   ,   )

① 구체적인 목표를 세운다.
② 자기 자신에게 자신감을 가진다.
③ 자신의 진짜 꿈을 찾으려고 노력한다.
④ 자신이 즐거워하는 일을 꿈으로 삼는다.
⑤ 자신과 같은 꿈을 가진 사람들끼리 모임을 만든다.

교과서 문제

11 ㉠~㉢의 뜻을 보기 에서 찾아 각각 번호를 쓰세요.

보기
① 매우 짧은 순간.
② 매우 기쁘고 만족스러움.
③ 기대에 차 있거나 안타까운 마음으로 날짜를 꼽으며 기다리다.

(1) ㉠: (   ) (2) ㉡: (   ) (3) ㉢: (   )

12 ㉣과 ㉤을 사용하여 알맞게 말한 사람의 이름을 쓰세요.

서우: "금이 가다."라고 열심히 공부했으니까 시험에서 좋은 성적을 얻을 수 있을 거야.
나은: 힘찬 박수로 장기 자랑 대회의 막을 열었어.

(   )

기본

광고

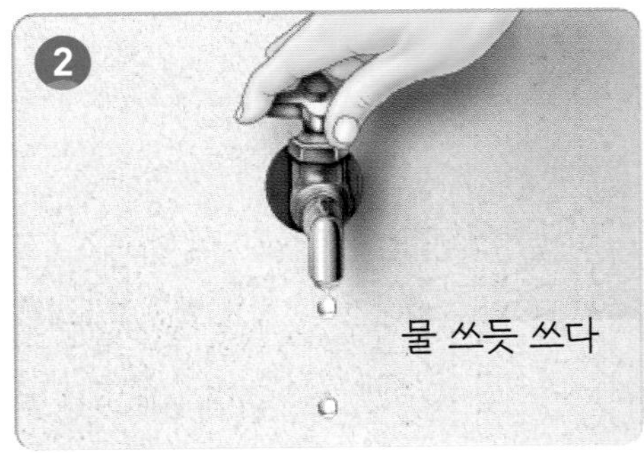

3
"물 쓰듯 쓰다"라는 말,
이제는 바뀌어야 합니다.

• **생각할 점:** 공익 광고에 활용된 관용 표현의 뜻을 파악하고 광고에서 하고 싶은 말이 무엇인지 생각해 봅니다.

공익 광고

뜻	• 나라와 국민 전체의 이익을 위하여 만든 광고 • 어떤 문제를 제시하고 이것을 해결하기 위한 방법을 알려 줌.
만드는 까닭	• 주장을 전달하기 위해서. • 공익 광고를 보거나 듣는 사람을 설득하기 위해서.

2 단원

진도 완료 체크

13 ❷는 어떤 장면을 보여 주나요? (　　　)

① 저금통에 물이 담겨 있다.
② 수도꼭지에서 물이 콸콸 쏟아지고 있다.
③ 수도꼭지에서 물 대신 돈이 쏟아지고 있다.
④ 한 방울의 물에 개미 여러 마리가 모여 있다.
⑤ 물이 콸콸 쏟아지는 수도꼭지를 잠그고 있다.

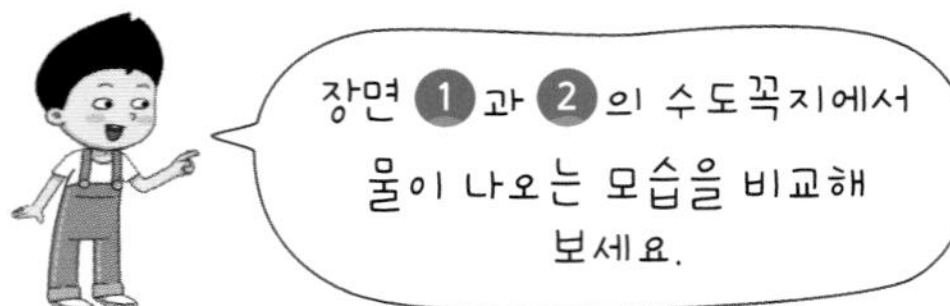

교과서 문제

14 '물 쓰듯'이라는 말은 어떤 뜻일까요? (　　　)

① 기운이 빠지다.
② 아주 헤프게 쓰다.
③ 사람을 하찮게 보다.
④ 서로 어울리지 못하다.
⑤ 여러 사람이 몹시 술렁거리다.

15 이 광고에서 하고 싶은 말은 무엇인가요? (　　　)

① 물을 아껴 쓰자.
② 물을 오염시키지 말자.
③ 물을 아프리카에 보내 주자.
④ 우리나라는 물 풍요 국가이다.
⑤ 나무를 심어서 물이 마르지 않게 하자.

16 이 광고에서 관용 표현을 활용한 까닭은 무엇인가요? (　　　)

① 문제점을 강조하기 위해서
② 광고를 길게 만들기 위해서
③ 많이 안다는 것을 자랑하기 위해서
④ 보는 사람에게 웃음을 주기 위해서
⑤ 보는 사람의 기분을 상하게 하기 위해서

스마트폰으로 찍어 보아요! 듣기자료

도산 안창호 선생의 연설

• **글의 종류:** 연설문
• **생각할 점:** 관용 표현의 뜻을 추론하여 보고, 연설 의도가 무엇인지 생각해 봅니다.

① 오늘날 우리가 임시 정부를 위한 독립운동 단체를 조직하려면 준비할 것이 셀 수 없이 많습니다. 특히 사람이 많이 모이도록 힘써야 할 것이외다. 그러나 어려운 점이 있습니다. 누구나 자기가 한 가지 생각을 하면 다른 이의 생각을 무엇이든지 반대한다는 것(문제 상황)입니다. 예를 들어 말하면 전쟁을 원하는(의견 ①) 자가 대화를 원하는(의견 ②) 자를 반대해 말하기를 "대화가 무엇이냐, 지금이 어느 때라고! 우리는 폭탄을 들고 나가야 한다."라고 떠듭니다. 또 대화를 원하는 자는 말하기를 "공연히 젊은 놈들이 애간장이 타서 당장 폭탄을 들고 나가면 우리 독립이 되는가?"라고 합니다. 우리가 서로 자기 생각만 옳은 줄 알고 그것만 해야 한다고 하는 것은 한 가지만 알고 두 가지는 모르는 까닭이외다.

중심 내용 1 독립운동 단체를 조직하려고 하는데 서로 의견이 다르다는 문제가 있습니다.

그러므로 이러한 마음을 꼭 고쳐야 하겠습니다. 독립운동은 할 일이 많고 복잡하므로 일을 나누어야 합니다. 우리는 서로 생각은 달라도 말없이 뜻을 함께하고 독립운동 단체를 조직하도록 합해야 하겠습니다. 각각 자신만의 주장은 버리고 전 민중을 끌어 통일한 방향으로 나아가야 할 것입니다. 이렇게 하려 함에는 대표적 인물이 있어야 하겠습니다. 나는 진정으로 우리를 붙들고 나갈 만한 대표자가 내일 올 듯 모레 올 듯 하다고 생각합니다.

② 오늘 이 자리에 모인 여러분, 우리는 이제부터 누구의 장단점을 말하지 말고 단결해 나갑시다. 모두 함께 독립운동을 할 배포를 기릅시다. 독립을 달성하려고 하루에도 열두 번 노력합시다. 독립운동가가 될 만한 여러분, 독립운동 단체를 조직할 준비를 할 날이 오늘이외다. 그런즉 나와 여러분은 독립운동 단체가 실현되도록 각각의 의견을 버리고 모두의 한 목표를 이루려고 민족적 정신으로 어금니를 악물고 나갑시다. 그래서 독립운동의 ㉠깃발 아래 우리의 뜻을 모아야 하겠습니다.

중심 내용 2 독립운동 단체를 조직하려면 의견을 하나로 모아야 합니다.

17 안창호 선생을 비롯한 사람들이 조직하려는 것은 무엇인지 쓰세요.

( ) 단체

18 관용 표현과 그 뜻을 알맞게 이으세요.

(1) 하루에도 열두 번 • • ① 매우 자주

(2) 애간장이 타다 • • ② 몹시 초조하고 안타까워서 속을 많이 태우다.

(3) 어금니를 악물다 • • ③ 고통이나 분노 따위를 참으려고 이를 악물어 굳은 의지를 나타내다.

19 ㉠의 뜻은 무엇일지 쓰세요.

• 하나의 [ ].

서술형·논술형 문제

20 다음은 연설 내용을 정리한 것입니다. [ ] 부분의 내용을 정리하여 쓰세요.

독립운동을 하려고 모인 사람들의 의견이 달라서 서로 다른 사람의 생각을 반대한다.

⬇

[ ]

⬇

열심히 노력해 독립운동의 깃발 아래 뜻을 모으자.

97, 99쪽 자습서

정답 8쪽

국어 교과서 97쪽

2. 「도산 안창호 선생의 연설」을 듣고 관용 표현의 뜻을 알아봅시다.

(2) 연설을 듣고 물음에 답해 보세요.

- 안창호 선생을 비롯한 사람들이 조직하려는 것은 무엇인가요?

예시 답안 독립운동 단체입니다.

- 안창호 선생의 연설을 들으러 모인 사람들 사이에는 어떤 문제가 있나요?

예시 답안 서로 의견이 다르다는 것입니다.

(3) 연설을 다시 듣고 연설에 활용된 여러 가지 관용 표현과 그 뜻을 알아보세요.

예시 답안

관용 표현	관용 표현의 뜻
애간장이 타다	몹시 초조하고 안타까워서 속을 많이 태우다.
하루에도 열두 번	매우 자주.
어금니를 악물다	고통이나 분노 따위를 참으려고 이를 악물어 굳은 의지를 나타내다.

국어 교과서 99쪽

3. 「도산 안창호 선생의 연설」에 활용된 표현의 뜻을 추론해 봅시다.

(2) 연설을 다시 듣고 연설에 활용된 '한 가지만 알고 두 가지는 모르는'의 뜻을 추론해 보세요.

예시 답안

먼저 앞뒤 내용을 살펴보자. "서로 자기 생각만 옳은 줄 알고"(이)라는 내용이 있네.
표현 자체에 쓰인 낱말도 살펴볼까? '한 가지'와 '두 가지'는 무엇을 의미할까?

또 "누구나 자기가 한 가지 생각을 하면 다른 이의 생각을 무엇이든지 반대한다."(이)라는 내용도 있네.
'한 가지만 알고'는 자기 생각만 고집한다는 뜻 같아.

결국 이 말은 다른 사람의 의견에도 좋은 점이 있다는 것을 모른다/서로의 의견을 합해야 좋다는 것을 모른다(이)라는 뜻일 거야.

자습서 확인 문제

1 다음 빈칸에 알맞은 낱말을 써넣으세요.

> 안창호 선생의 연설을 들으러 모인 사람들 사이에는 서로 [ ][ ]이 다르다는 문제가 있다.

2 '애간장이 타다'라는 표현을 쓸 수 있는 상황으로 알맞은 것에 ○표 하세요.

(1) 돈을 흥청망청 낭비할 때 ( )

(2) 키우던 강아지를 잃어버렸을 때 ( )

3 관용 표현을 활용하여 알맞게 말한 사람의 이름을 쓰세요.

> 유리: 너무 힘들어서 하루에도 열두 번 포기하고 싶었는데 꾹 참고 겨우 버텼어.
> 은성: 나는 어금니를 악물어서 우리 반 친구들뿐만 아니라 다른 반 친구들과도 두루 친하게 지내.

( )

4 「도산 안창호 선생의 연설」에 활용된 '한 가지만 알고 두 가지는 모르는'의 뜻을 추론한 것입니다. ( ) 안의 알맞은 낱말에 ○표 하세요.

> 자신의 의견만을 고집하고 더 많은 의견의 (단점 / 장점)을 알지 못한다는 뜻이다.

기본

정답 8쪽

친구들의 말

"가는 말이 고와야 오는 말이 곱다." 라는 말이 있습니다. 내가 남에게 말이나 행동을 좋게 해야 남도 나에게 좋게 한다는 뜻입니다. 우리 반 친구들도 고운 말을 사용하면 좋겠습니다.
우리 반 친구들이 고운 말을 사용하면 좋겠습니다.
고운
규영
우리 반 친구들이 고운 말을 사용하면 좋겠습니다. 친구에게 나쁜 말을 했다가 자신도 나쁜 말을 들은 경험, 반대로 친구를 칭찬하고 자신도 칭찬을 들은 경험이 있을 것입니다. 가는 말이 고와야 오는 말이 곱습니다.
혜선

• **생각할 점**: 관용 표현을 활용하지 않은 표현과 활용한 표현, 관용 표현을 활용한 순서 등을 살펴봅니다.

'우리 반을 행복하게 하려면 우리가 해야 할 일'을 떠올려 관용 표현을 활용해 말하기 예

주제	우리 반을 행복하게 하려면 우리가 해야 할 일
활용할 관용 표현	발 벗고 나서다.
하고 싶은 말	반의 일은 발 벗고 나서서 해야 한다고 생각한다.

가는 말이 고와야 오는 말이 곱다 자기가 남에게 말이나 행동을 좋게 하여야 남도 자기에게 좋게 한다는 뜻의 속담.

교과서 문제

21 친구들은 무엇을 말하고 있는지 쓰세요.

• (　　　　　　　　)을 사용하자는 것이다.

22 규영이, 고운이, 혜선이가 활용한 표현에 대한 설명으로 알맞지 않은 것은 무엇인가요? (　　　)

① 규영이는 관용 표현을 활용하지 않았다.
② 고운 말을 사용하자는 생각을 표현하였다.
③ 혜선이는 말을 끝낼 때 관용 표현을 활용하였다.
④ 고운이는 말을 시작할 때 관용 표현을 활용하였다.
⑤ 친구들이 활용한 관용 표현과 비슷한 뜻으로는 "구슬이 서 말이라도 꿰어야 보배."가 있다.

23 고운이처럼 말을 시작할 때 관용 표현을 활용하면 얻을 수 있는 효과는 무엇인지 기호를 쓰세요.

㉮ 지식을 자랑할 수 있다.
㉯ 듣는 사람의 관심을 끌 수 있다.

(　　　　　　　　)

24 '우리 반을 행복하게 하려면 우리가 해야 할 일'을 관용 표현을 활용해 알맞게 말한 사람의 이름을 쓰세요.

세아: 반의 중요한 일은 친구들이 머리를 맞대고 함께 의논해서 결정해야 한다고 생각해.
지민: "벼 이삭은 익을수록 고개를 숙인다."고 반의 일은 모두가 협동해서 해야 한다고 생각해.

(　　　　　　　　)

2 단원

1 다음 관용 표현 대신에 쓸 수 있는 관용 표현에 ○표 하시오.

> 발 없는 말이 천 리 가는구나.

(1) 발보다 발가락이 더 크다. (　　　)
(2) 낮말은 새가 듣고 밤말은 쥐가 듣는다. (　　　)

2 관용 표현에 대한 설명으로 알맞지 않은 것은 무엇입니까? (　　　)

① 표현에 재미가 있다.
② 비유적인 표현이 많다.
③ 관용어와 속담이 있다.
④ 관용 표현을 활용하면 복잡한 말로 생각을 표현할 수 있다.
⑤ 둘 이상의 낱말이 합쳐져 그 낱말의 원래 뜻과는 다른 새로운 뜻으로 굳어져 쓰이는 표현이다.

[3~4]

> 은수: 너희는 네 명이 함께 그리는데도 문제가 전혀 없네.
> 영철: 너희는 역시 손발이 잘 맞아.

3 은수와 영철이의 말 가운데에서 듣는 사람의 관심을 끌 수 있는 표현은 누구의 말인지 쓰시오.

• (　　　　　　　　)(이)의 말

서술형·논술형 문제

4 문제 3번의 답과 같이 생각한 까닭을 쓰시오.

[5~7] 가 남매의 대화 / 나 지현이와 안나의 대화

> 가 동생: 오빠, 나도 이제 휴대 전화를 사 달라고 할 거야. 쇠뿔도 단김에 빼라고 당장 구경해 보자.
> 오빠: 안 돼. 아직 부모님과 의논도 안 했잖아. 다음에 보자.
> 동생: 에이, 당장 어떤 걸로 할지 결정하고 싶었는데, 오빠 때문에 ㉠김이 식어 버렸잖아.
>
> 나 지현: 안나야!
> 안나: 아이고, 깜짝이야! ㉡간 떨어질 뻔했잖니.
> 지현: 미안해. 문구점에 같이 가자! (문구점에 도착함.)내일 미술 시간에 필요한 준비물을 사야 하지? 일단 어떤 준비물이 있는지 확인해 보자. 난 색 도화지 두 장, 색종이 한 묶음, 딱풀을 사야겠다.

5 ㉠의 뜻으로 알맞은 것은 무엇입니까? (　　　)

① 매우 쉽게
② 듣기 싫게
③ 재미나 의욕이 없어져
④ 매우 기쁘고 만족스럽게
⑤ 기대에 찬 마음으로 기다리게

6 나는 어떤 상황을 보여 주는 대화인지 쓰시오.

• 지현이와 안나가 (1) (　　　　　　　　)에서 (2) 필요한 (　　　　　　　　)을 사는 상황

7 ㉡에서 알 수 있는 안나의 생각이나 마음으로 알맞은 것은 무엇입니까? (　　　)

① 지현이를 만나서 반갑다.
② 겁이 많은 지현이가 안타깝다.
③ 지현이와 빨리 문구점에 가고 싶다.
④ 지현이가 갑자기 불러서 깜짝 놀랐다.
⑤ 문구점에 사려는 물건이 없을까 봐 불안하다.

[8~9] 꿈을 펼치는 길

구체적인 목표를 세웁시다. 여러분이 꿈을 결정한 뒤 구체적인 목표가 없다면 꿈을 이루려는 노력에 ㉠금이 가기 쉽습니다. 저는 경찰이 되려고 '하루 30분 운동, 한 분야 공부'처럼 쉬운 목표부터 시작해 운동하고 공부하는 시간과 양을 조금씩 늘려 나갔습니다. 초등학생 때 할 일, 중학생 때 할 일, 그리고 고등학생 때 할 일을 나누어 정하거나, 단계적으로 실천할 행동 목표를 정한다면 언젠가는 꿈꾸던 인생의 ㉡막을 열 수 있을 것입니다.

여러분, "㉢쇠뿔도 단김에 빼라."라는 말이 있습니다.

8 말하는 사람이 경찰이 되려고 정한 쉽고 구체적인 목표는 무엇인지 쓰시오.

• 하루 30분 (1) (　　　　), 한 분야 (2) (　　　　)

9 ㉠~㉢의 뜻을 알맞게 이으시오.

(1) ㉠ •　　• ① 생각했을 때 곧 행동에 옮겨라.

(2) ㉡ •　　• ② 무대의 공연이나 어떤 행사를 시작하다.

(3) ㉢ •　　• ③ 서로의 사이가 벌어지거나 틀어지다.

10 자신의 꿈에 대해 관용 표현을 활용해 알맞게 말한 사람의 이름을 쓰시오.

서연: 나는 간이 커서 도전하는 일에 관련된 것은 꿈이 되기 힘들 것 같아.
우진: 선생님께서 눈에 띄게 노래를 잘한다고 칭찬해 주셔서 가수가 되기로 했어.

(　　　　)

[11~13] 광고

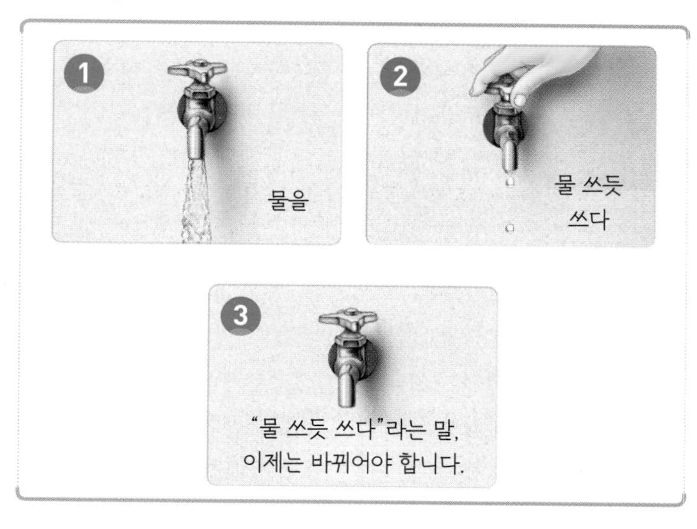

1
물을
2
물 쓰듯
쓰다
3
"물 쓰듯 쓰다"라는 말,
이제는 바뀌어야 합니다.

11 광고에서 찾을 수 있는 관용 표현을 쓰시오.

(　　　　)

12 문제 11번 답의 관용 표현 뜻으로 알맞은 것의 번호를 쓰시오.

① 떨어질 수 없는 관계이다.
② 따져 보지 않고 함부로 행동하다.
③ 물건을 헤프게 쓰거나 돈을 흥청망청 낭비하다.

(　　　　)

13 광고에서 하고 싶은 말은 무엇인지 쓰시오.

(　　　　)

14 관용 표현을 활용해 알맞게 말한 것의 기호를 쓰시오.

㉮ 이 일은 손에 익어서 계속 실수를 하게 된다.
㉯ 가는 날이 장날이라고 과일을 사러 시장에 갔는데 과일 가게가 문을 닫았다.

(　　　　)

단원 평가

2 단원

진도 완료 체크

[15~18] 도산 안창호 선생의 연설

가 어려운 점이 있습니다. 누구나 자기가 한 가지 생각을 하면 다른 이의 생각을 무엇이든지 반대한다는 것입니다. 예를 들어 말하면 전쟁을 원하는 자가 대화를 원하는 자를 반대해 말하기를 "대화가 무엇이냐, 지금이 어느 때라고! 우리는 폭탄을 들고 나가야 한다."라고 떠듭니다. 또 대화를 원하는 자는 말하기를 "공연히 젊은 놈들이 애간장이 타서 당장 폭탄을 들고 나가면 우리 독립이 되는가?"라고 합니다. 우리가 서로 자기 생각만 옳은 줄 알고 그것만 해야 한다고 하는 것은 ㉠ 한 가지만 알고 두 가지는 모르는 까닭이외다.

나 오늘 이 자리에 모인 여러분, 우리는 이제부터 누구의 장단점을 말하지 말고 단결해 나갑시다. 모두 함께 독립운동을 할 배포를 기릅시다. 독립을 달성하려고 ㉡하루에도 열두 번 노력합시다. 독립운동가가 될 만한 여러분, 독립운동 단체를 조직할 준비를 할 날이 오늘이외다. 그런즉 나와 여러분은 독립운동 단체가 실현되도록 각각의 의견을 버리고 모두의 한 목표를 이루려고 민족적 정신으로 어금니를 악물고 나갑시다. 그래서 독립운동의 깃발 아래 우리의 뜻을 모아야 하겠습니다.

15 현재 모인 사람들 사이에는 어떤 문제가 있는지 쓰시오.

• 서로 (　　　　　)이 다르다.

16 ㉠의 뜻으로 알맞은 것을 세 가지 고르시오.

(　　,　　,　　)

① 독립운동의 가장 효과적인 방법을 모른다.
② 서로의 의견을 합해야 좋다는 것을 모른다.
③ 미련한 사람은 독립운동의 지도자가 될 수 없다.
④ 다른 사람의 의견에도 좋은 점이 있다는 것을 모른다.
⑤ 자신의 의견만을 고집하고 더 많은 의견의 장점을 알지 못한다.

17 ㉡의 뜻은 무엇일지 쓰시오.

• 매우 (　　　　　　　　　).

서술형·논술형 문제

18 다음은 연설 내용을 정리한 것입니다. 나의 내용을 정리하여 쓰시오.

독립운동을 하려고 모인 사람들의 의견이 달라서 서로 다른 사람의 생각을 반대한다.

⬇

[19~20] 친구들의 말

"가는 말이 고와야 오는 말이 곱다."라는 말이 있습니다. 내가 남에게 말이나 행동을 좋게 해야 남도 나에게 좋게 한다는 뜻입니다. 우리 반 친구들도 고운 말을 사용하면 좋겠습니다.
고운
우리 반 친구들이 고운 말을 사용하면 좋겠습니다.
규영
우리 반 친구들이 고운 말을 사용하면 좋겠습니다. 친구에게 나쁜 말을 했다가 자신도 나쁜 말을 들은 경험, 반대로 친구를 칭찬하고 자신도 칭찬을 들은 경험이 있을 것입니다. 가는 말이 고와야 오는 말이 곱습니다.
혜선

19 혜선이처럼 말을 끝낼 때 관용 표현을 활용하면 얻을 수 있는 효과로 알맞은 것의 기호를 쓰시오.

㉮ 생각을 효과적으로 전달할 수 있다.
㉯ 문제가 일어난 원인을 밝힐 수 있다.

(　　　　　　)

20 다음은 대화에 활용된 관용 표현과 바꾸어 써도 뜻이 통하는 관용 표현입니다. (　) 안에 알맞은 말을 써넣으시오.

• 가는 (　　)이 있어야 오는 정이 있다.

3

타당한 근거로 글을 써요

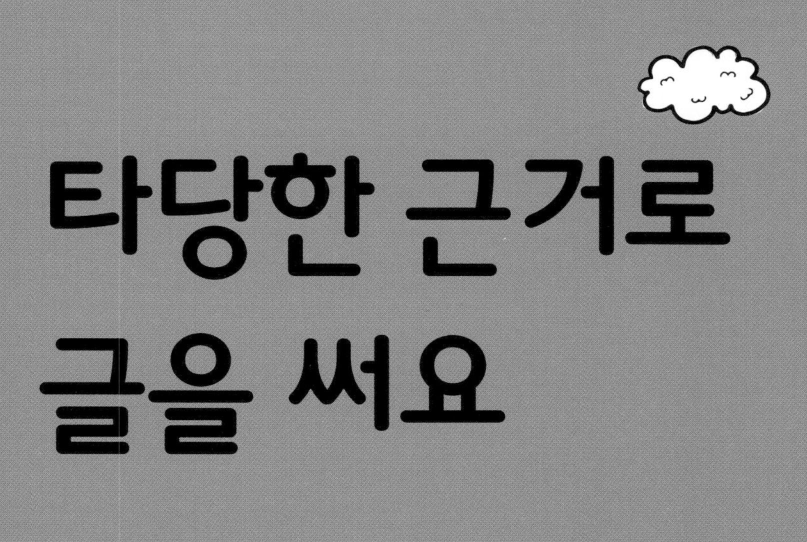

뭘 적는 거야?
역시 예지를 왕족으로 받아들일 수 없어.
쓱 쓱
내 의견을 주장하는 글을 쓸거야.
쓱 쓱
탁
예지를 왕족에서 파면해야 합니다.
왜냐하면 마음에 안 들기 때문입니다.
예지는 그냥 마음에 안 듭니다.
절대 왕족으로 인정하기 싫습니다.

개념 웹툰

민주는 논설문을 알맞게 썼을까요?
스마트폰에서 확인하세요!

교과서 개념

개념 1 글을 읽고 주장하는 내용 찾기

① 제목과 그림을 보고 내용을 짐작해 봅니다.
② 중심 내용을 간추리며 글을 읽어 봅니다.
③ 글에서 활용한 자료를 살펴봅니다.
④ 글쓴이의 주장을 생각해 봅니다.

지문 「'그냥'이 아니라 '왜'」에서 주장하는 내용 찾기

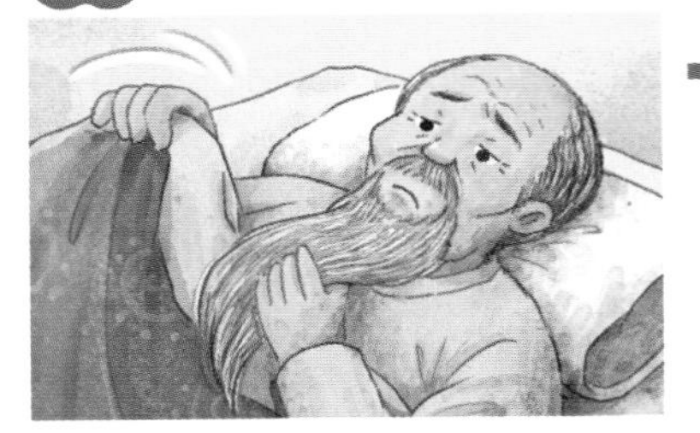

➡ 긴 수염 할아버지 이야기를 자료로 활용하여 '습관적으로 그냥 살지 말고 자기 안에 물음표를 가지고 살자.'라는 주장을 내세웠습니다.

개념 2 주장에 대한 근거가 적절한지 판단하며 글 읽기

① 근거가 주장과 관련되어 있는지 판단해 봅니다.
② 근거가 주장을 뒷받침하는지 판단해 봅니다.
③ 근거를 뒷받침하는 자료가 적절한지 판단해 봅니다.

지문 「공정 무역 제품을 사용합시다」에서 근거의 타당성을 판단하기 ㉮

주장	공정 무역 제품을 사용하자.
근거	공정 무역 인증 표시는 국제기구가 생산지에서 공정 무역의 주요 원칙이 잘 지켜졌는지를 점검한 물건들에 붙일 수 있다.

➡ 근거가 공정 무역 인증 표시에 대한 설명만 하고 있어서 주장을 직접적으로 뒷받침하지 못하기 때문에 타당하지 않습니다.

개념 3 자료의 적절성을 판단하는 방법

① 어떤 자료가 활용되었는지 찾아봅니다.
② 자료가 근거의 내용과 관련 있는지 살펴봅니다.
③ 출처를 보고 믿을 수 있는 자료인지 살펴봅니다.
④ 수를 제시할 때에는 정확한 숫자를 사용했는지 살펴봅니다.
⑤ 최신 자료를 사용했는지 살펴봅니다.

활동 자료의 적절성 판단하기 ㉮

내용	출처 / 알려 주는 것
○○ 신문 이산화 탄소 먹는 하마는 상수리나무 개인이 배출한 이산화 탄소를 흡수하려면 평생 나무를 심어야 할지도 모른다. 이산화 탄소를 특히 잘 흡수하는 것은 상수리나무이다. 많은 양의 이산화 탄소를 흡수하고 지구 온난화 예방에도 큰 역할을 하는 나무 심기에 관심을 가지자.(◇◇◇ 기자)	**출처**: 『○○ 신문』 20○○. ○○. ○○. **알려 주는 것**: 나무를 심으면 나무가 이산화 탄소를 흡수해 지구 온난화 예방에 도움이 된다.

➡ '숲은 지구 온난화를 막아 준다.'라는 근거를 뒷받침하는 자료로 적절합니다.

개념 4 상황에 알맞은 자료를 활용해 논설문 쓰기

① 문제 상황을 파악합니다.
② 자신의 주장과 주장을 뒷받침할 근거를 정합니다.
③ 근거를 뒷받침할 자료를 수집합니다.
④ 논설문의 짜임에 맞게 씁니다.
⑤ 내용의 타당성과 표현의 적절성을 점검해 보고, 부족한 부분을 고쳐 씁니다.

활동 친구들이 쓴 논설문을 읽고 평가하기 ㉮

이 글은 주장을 뒷받침하는 근거가 적절해요.
이 글은 최신 자료의 출처를 밝혀서 제시하고 있어요.
심사 위원
심사 위원

준비

'그냥'이 아니라 '왜'

• 글쓴이: 이어령
• 글의 특징: 긴 수염 할아버지 이야기를 자료로 활용하여 글쓴이의 주장을 담은 글입니다.

❶ 할아버지를 생각하면 긴 수염이 떠오르기도 하지? 정말 그렇게 수염을 길게 기른 할아버지 한 분이 마을 길을 걸어가고 있었단다. 그때 한 어린아이가 할아버지에게 다가왔어. 아이는 할아버지 가슴팍까지 내려온 하얗고 긴 수염을 신기한 눈으로 바라보았대. 그러고는 이렇게 물었지.

가슴팍: 가슴의 판판한 부분.

"할아버지! 할아버지는 주무실 때 그 수염을 이불 안에 넣나요, 아니면 꺼내 놓나요?"

할아버지는 "예끼! 이 버릇없는 놈." 하고 소리치려다가 문득 자기도 궁금해졌단다. 왜냐하면 수염을 기른 채 몇십 년 동안이나 살아왔지만, 그때까지 한 번도 그런 궁금증을 지녀 본 적이 없었거든.

'허허, 그러고 보니 내가 정말 수염을 꺼내 놓고 잤나, 넣고 잤나?' / 아무리 생각해 봐도 알쏭달쏭하기만 했지. 결국 할아버지는 난처한 얼굴을 하고는 아이에게 이렇게 말할 수밖에 없었단다.

난처한: 이럴 수도 없고 저럴 수도 없어 행동하기 곤란한.

"글쎄다. 허, 참. 이 녀석, 별걸 다 묻는구나. 정 궁금하다면 말이다, 오늘 밤에 한번 자 보고 내일 아침에 가르쳐 주마."

중심 내용 1 아이가 할아버지에게 주무실 때 수염을 이불 안에 넣는지, 아니면 꺼내 놓는지 물었다.

❷ 할아버지는 집에 돌아오기 무섭게 이부자리를 펴고 누웠지. 우선 이불 속에 수염을 넣고 말이야. 그런데 너무 갑갑하고 거북해서 아무래도 수염을 밖에 내놓고 자야 할 것 같았어.

'옳지! 수염을 이불 밖으로 꺼내 놓고 잔 게 분명해!'

할아버지는 얼른 수염을 이불 밖으로 꺼내 놓고 눈을 감아 봤어. 그런데 불편한 건 마찬가지였어. 이불 밖으로 내놓은 수염 때문에 왠지 허전하고 썰렁한 느낌이 들어서 마음이 편하지 않았던 거야. 아무리 자려고 해도 잠을 이룰 수가 없었지.

수염을 이불로 덮으니 갑갑하고, 이불 밖으로 꺼내 놓으면 허전하고…….

예끼 때릴 듯한 기세로 나무라거나 화가 났을 때 내는 소리. 주로 나이가 비슷한 사람이나 아랫사람에게 씀.

이부자리 이불과 요를 통틀어 이르는 말.

거북해서 마음이 어색하고 편하지 않아서.

1 아이는 할아버지에게 무엇을 물었나요? (　　　)

① 수염을 기른 까닭은 무엇인가요?
② 언제부터 수염을 기르기 시작했나요?
③ 수염이 있어서 불편한 점은 무엇인가요?
④ 평소에 수염을 관리하는 방법은 무엇인가요?
⑤ 주무실 때 수염을 이불 안에 넣나요, 꺼내 놓나요?

2 할아버지는 아이의 질문을 듣고 어떻게 했나요? (　　　)

① 아이에게 "예끼!" 하고 소리쳤다.
② 내일 아침에 대답해 주겠다고 말하였다.
③ 재미있는 질문이라고 소리 내어 웃었다.
④ 좋은 질문을 했다고 아이를 칭찬해 주었다.
⑤ 질문에 대한 답을 자세하게 설명해 주었다.

교과서 문제

3 할아버지가 2번 문제의 답과 같이 행동한 까닭은 무엇인가요? (　　　)

① 수염을 자랑하고 싶었기 때문에
② 아이가 귀여운 말투로 물었기 때문에
③ 수염을 기른 지 얼마 되지 않았기 때문에
④ 자신이 오랫동안 고민했던 문제이기 때문에
⑤ 한 번도 그런 궁금증을 지녀 본 적이 없기 때문에

4 할아버지는 어떻게 잤는지 알맞은 것에 ○표 하세요.

(1) 수염을 이불 밖으로 꺼내니 허전해서 이불 안에 넣고 잤다. (　　　)
(2) 수염을 이불로 덮으니 갑갑해서 이불 밖으로 꺼내 놓고 잤다. (　　　)
(3) 수염을 이불로 덮으니 갑갑하고, 밖으로 꺼내니 허전하여 잠을 자지 못했다. (　　　)

할아버지는 밤새도록 수염을 넣었다 꺼냈다 하느라고 한숨도 잘 수가 없었단다. 물론 할아버지는 다음 날 아침에 가르쳐 주겠노라고 했던 아이와의 약속도 지키지 못했지.

수염을 어떻게 하고 자는지 알려 주겠다는 약속

이상한 일 아니니? 분명 그건 할아버지 자신의 수염이고, 할아버지는 몇십 년 동안 하루도 빼놓지 않고 잠을 잤는데 말이야. 그런데도 아이가 묻기 전까지 그 수염을 어떻게 하고 잤는지 기억할 수가 없었던 거야.

그렇다고 다른 사람에게 물어볼 수도 없는 노릇이었어. 물어본다고 한들 누가 가르쳐 줄 수도 없는 문제잖아. 정말 답답하고 기막힌 일이었지. 그 뒤로 할아버지는 밤마다 수염 때문에 편안하게 잠을 잘 수가 없었대.

중심 내용 2 할아버지는 자신이 수염을 어떻게 하고 잤는지 기억할 수가 없었다.

3 재미있는 이야기라고 웃어넘길 일이 아니야. 가만히 생각해 보렴, 혹시 너에게도 그런 ㉠수염이 있는지 말이야. 아이들한테 무슨 수염이 있냐고? 아니야, 그렇지 않아. 너도 누가 질문을 할 때 가끔 '그냥'이라고 대답한 적이 있을 거야. 바로 그 '그냥'이라는 말이 너의 수염이란다. 아직도 잘 모르겠다고?

우리는 아무 생각 없이 '그냥' 지내는 날이 얼마나 많은지 몰라. 그냥 먹고, 그냥 자고, 그냥 노는 날 말이야. 어떤 때에는 봄이 와서 꽃이 피어도, 아침이 되어 찬란한 태양이 떠올라도 아무 느낌 없이 그냥 흘깃 보고 지나쳐 버리기도 하지. 새들이 어떻게 짝을 지어 날아가고, 구름이 어떻게 모였다가 흩어지는지 몇 번이나 눈여겨보았니? 자신에게 또는 남들에게 궁금한 일을 몇 번이나 질문해 보았니? 남들이 하니까 그냥 따라 하고, 어른들이 시키니까 그냥 했던 일은 없었니?

가볍게 한 번 흘겨보는 모양.

자기 안에 물음표가 없어서 아무것도 묻지 못하는 사람은 건전지를 넣고 단추를 누르면 그냥 북을 쳐 대는 곰 인형과 별로 다를 것이 없어. 아무 생각 없이 모든 순간을 습관적으로 기계적으로 살아가는 사람은 이야기 속 할아버지와 똑같아. 자기 것이지만 자기 것이 아닌 수염을 달고 있으니까 말이야.

'그냥 수염'

'그냥 수염'을 달고 있는 사람은 어느 날 누가 "왜?" 또는 "어떻게?" 하고 물으면 아무 대답도 하지 못해. 아무리 자기가 한 일을 뒤돌아보고 생각해 내려고 애써도 지나온 날들은 이미 멀리 사라져 버려서 흔적조차 찾을 길이 없기 때문이지. 어느 날엔가 너한테도 누군가가 물어 올지 몰라. 그때를 위해서라도 '그냥'이라는 대답이 아닌 무언가를 준비해야겠지?

중심 내용 3 습관적으로 그냥 살지 말고 자기 안에 물음표를 가지고 살자.

한숨 잠깐 동안의 휴식이나 잠.

찬란한 빛이 번쩍거리거나 그 빛이 매우 밝고 강렬한.

교과서 문제

5 우리에게 있는 ㉠'수염'은 무엇이라고 했는지 쓰세요.

- 누가 질문을 할 때 깊은 생각 없이 '(   )'이라고 대답하는 것

6 '그냥 수염'을 달지 않으려면 어떻게 해야 할까요? (   )

① 기계적으로 살아야 한다.
② 남들이 하는 것을 따라 해야 한다.
③ 자기 안에 물음표를 가지고 살아야 한다.
④ 어떤 행동을 할 때 습관적으로 해야 한다.
⑤ 다른 사람에게 '왜'라고 묻지 말아야 한다.

7 글쓴이의 주장은 무엇인가요? (   )

① 웃어른을 공경하자.
② 자연의 아름다움을 느끼면서 살자.
③ 다른 사람을 배려할 줄 아는 사람이 되자.
④ 다른 사람의 질문에 '그냥'이라고 대답하자.
⑤ 습관적으로 살지 말고 '왜' 또는 '어떻게'를 생각하자.

서술형·논술형 문제

8 글쓴이가 긴 수염 할아버지 이야기를 활용한 까닭은 무엇일지 쓰세요.

기본

1
옛날엔 태어날 때 신분이 정해졌어요. 상민으로 태어난 사람은 아무리 열심히 일하고 공부해도 양반이 되기 힘들었죠.
난 양반이라 일을 안 해도 되지.

2
지금도 비슷한 일들이 벌어지고 있어요. ㉠아무리 열심히 일해도 가난을 벗어날 수 없는 사람들이 있답니다.
난 일을 안 하고 돈을 벌지.

하루 종일 축구공을 만드는 아이의 임금은 고작 몇천 원이에요.
3
4
가난한 나라의 사람들은 아무리 열심히 일해도 자식들을 학교에 보내기도 어려워요.
휴대 전화 하나를 사려면 몇 달치 월급을 모아야 하죠.

5
일부 다국적 기업은 가난한 나라의 물건을 제값을 주지 않고 아주 싸게 산 뒤 비싸게 팔아 많은 돈을 벌어요.

6
여러분! 가난은 제 잘못인가요?

7
아니요! 공정한 거래만이 잘못된 경제 구조를 바로잡을 수 있어요.
공정 무역

• **만화의 특징:** 공정 무역이 필요한 까닭이 잘 나타나 있습니다.

이 만화에서 전하고자 하는 생각은 장면 7에 잘 나타나 있어요.

임금 일한 대가로 받는 돈이나 물건 따위.

다국적 기업 여러 나라에 회사를 거느리고 세계적 규모로 생산 · 판매하는 대기업.

공정한 공평하고 올바른.
예 축구 대회에서 공정한 경기를 하자고 약속했습니다.

3 단원

9 만화를 보고 알맞게 말한 사람은 누구인가요?

자원: 옛날과 오늘날의 생활 모습을 비교하여 설명하는 내용이야.
예나: 열심히 일해도 가난한 사람들이 있는 까닭과 해결 방법에 대한 내용이야.

( )

10 ㉠의 까닭은 무엇인가요? ( )

① 학교에 다니지 않아서
② 힘든 일을 하지 않아서
③ 공부를 열심히 하지 않아서
④ 일한 만큼 임금을 받지 못해서
⑤ 태어날 때 직업이 정해져 있어서

11 일부 다국적 기업이 돈을 버는 방법은 무엇이라고 하였나요? ( )

① 질이 좋은 물건을 싸게 많이 판다.
② 값이 싼 물건을 가난한 나라에 판다.
③ 사람 대신 기계를 이용해 물건을 만든다.
④ 가난한 나라의 물건을 비싸게 사서 다른 나라에 싸게 판다.
⑤ 가난한 나라의 물건을 제값을 주지 않고 싸게 산 뒤 비싸게 판다.

12 열심히 일하는 가난한 사람들을 도울 수 있는 방법은 무엇이라고 하였는지 네 글자의 말을 찾아 쓰세요.

( )

기본

공정 무역 제품을 사용합시다

• 글의 특징: 여러 가지 자료를 활용해 근거를 들어 공정 무역 제품을 사용하자고 주장하는 논설문입니다.

❶ '공정 무역 도시', '공정 무역 커피' 이런 말을 들어 본 적이 있나요? 2017년에 ○○광역시가 국내 최초로 '공정 무역 도시'로 공식 인정을 받았다는 신문 기사를 접할 수 있었습니다. 공정 무역이란 생산자의 노동에 정당한 대가를 지불해 생산자가 경제적 자립과 발전을 하도록 돕는 무역입니다. ○○광역시는 공정 무역 상품을 사용하고 공정 무역을 확산시키려는 활동을 지원해 실질적인 변화를 만들어 내는 도시가 되었습니다. 우리도 공정 무역 제품을 사용해 이러한 변화에 동참해야 합니다.

중심 내용 1 우리나라에도 공정 무역 도시가 생기는 변화에 동참해 우리도 공정 무역 제품을 사용하자.

❷ 공정 무역 제품을 사용해야 하는 까닭은 다음과 같습니다. 첫째, 생산자에게 돌아갈 정당한 이익을 지켜 줍니다. 흔히 볼 수 있는 과일 가운데 하나인 바나나의 경우, 우리가 3천 원짜리 바나나 한 송이를 산다면 약 45원만이 생산자인 농민에게 이익으로 돌아갑니다.(생산자의 이익이 적음.) 그 까닭은 바나나 생산국에서 우리 손에 오기까지 바나나 농장 주인, 수출하는 회사, 수입하는 회사, 슈퍼마켓 등이 총수익의 98.5퍼센트를 가져가기 때문입니다. 공정 무역에서는 생산자 조합과 공정 무역 회사를 만들어 이러한 중간 유통(상품이 생산자에게서 소비자에게 도달하기까지 여러 단계에서 교환되고 나뉘는 활동.) 단계를 줄이고 실제로 바나나를 재배하는 생산자의 이익을 보장해 주었습니다.

중심 내용 2 공정 무역 제품을 사용하면 생산자에게 돌아갈 정당한 이익을 지켜 준다.

❸ 둘째, 아이들을 위험에서 보호할 수 있습니다. 일부 다국적 기업들은 물건의 생산 비용을 낮추려고 임금이 상대적으로 낮은 어린이를 고용하기도 합니다. 예를 들어 우리가 좋아하는 초콜릿은 열대 과일인 카카오를 주재료로 해서 만듭니다. 카카오는 열대 지방에서만 자라는 식물로 아래의 「초콜릿 감옥」 동영상 자료에서처럼 그 지방 어린이들이 학교도 가지 못하고 카카오를 재배하고 수확하는 경우가 많습니다.(자료의 내용) 하지만 공정 무역은 "안전하고 노동력 착취(일한 결과를 아무런 대가나 보상 없이 자기 것으로 만들어 가짐. 또는 그런 일.) 없는 노동 환경이 유지되어야 한다."라는 조건을 지켜야 하기 때문에 아이들의 노동력 착취를 막을 수 있습니다.

중심 내용 3 공정 무역 제품을 사용하면 아이들을 위험에서 보호할 수 있다.

자립 (自 스스로 자 立 설 립) 남에게 의지하지 아니하고 스스로 섬.
확산 흩어져 널리 퍼짐. 예 가뭄 피해가 전국적으로 확산되었습니다.
조합 여러 가지 공동 목적을 이루기 위하여 일정한 자격이 있는 사람으로 이룬 단체.

교과서 문제

13 공정 무역이란 무엇인가요?

• ((1))의 노동에 정당한 대가를 지불해 생산자가 ((2)) 자립과 발전을 하도록 돕는 무역이다.

14 글에서 글쓴이가 주장하는 내용은 무엇인가요? ( )

① 자연 자원을 아끼자.
② 전통 음식을 사랑하자.
③ 공정 무역 제품을 사용하자.
④ 여러 도시를 고르게 발전시키자.
⑤ 우리나라에서 만든 제품을 사용하자.

15 일부 다국적 기업이 어린이를 고용하는 까닭을 알맞게 말한 사람은 누구인가요?

하린: 상대적으로 임금이 낮기 때문이야.
지민: 공정 무역은 "아이들을 무조건 고용해야 한다."라는 조건을 지켜야 하기 때문이야.

( )

16 공정 무역에서 중간 유통 단계를 줄이려는 까닭은 무엇인지 알맞은 말에 ○표 하세요.

• (기업 / 소비자 / 생산자)의 이익을 보장하기 위해서이다.

4 셋째, 자연을 보호하고 생산자의 건강을 지키는 방법이 됩니다. 공정 무역에서는 지구 환경을 보호하는 친환경 농사법을 권장합니다. 일반적으로 카카오나 바나나, 목화 같은 것은 재배할 때 많은 양을 싸고 빠르게 수확하려고 농약과 화학 비료를 사용합니다. 생산지에서는 농약 회사에서 권장하는 장갑과 마스크를 살 여유가 없기 때문에 해마다 가난한 나라의 농민 2만 명 이상이 작물 재배용 농약에 노출되어 여러 가지 질병을 앓고 있습니다. 『인간의 얼굴을 한 시장 경제, 공정 무역』이라는 책에 따르면 「바나나를 재배하는 대부분의 대농장은 원가를 절감하느라 위험한 농약을 대량으로 살포합니다. 대농장 가까이에 사는 노동자들의 음식과 식수는 이 독극물로 오염됩니다. 한 코스타리카 농장을 대상으로 한 연구에서 남성 노동자 가운데 20퍼센트가 그런 화학 물질을 다룬 뒤 불임이 되었다고 합니다. 또 바나나를 채취해서 나르는 여성 노동자들은 백혈병에 걸릴 확률이 평균 발병률보다 두 배나 높게 나타난다고 합니다.」 하지만 공정 무역은 농민들이 농약과 화학 비료를 적게 쓰고 유기농으로 농사를 짓게 하여 이러한 문제를 해결하려고 노력하고 있습니다.

절감: 아끼어 줄임.
불임: 임신하지 못하는 일.
「 」: 자료의 내용

중심 내용 **4** 공정 무역 제품을 사용하는 것은 자연을 보호하고 생산자의 건강을 지키는 방법이다.

5 넷째, 공정 무역 인증 표시는 국제기구가 생산지에서 공정 무역의 주요 원칙이 잘 지켜졌는지를 점검한 물건들에 붙일 수 있습니다. 국제공정무역기구의 조사원들은 농장과 관련 기관들을 찾아가서, 그들이 공정 무역의 규칙에 맞게 생산 활동을 하는지 평가합니다. 소비자들은 이 인증 표시를 보고 윤리적인 소비를 할 수 있습니다. 하지만 요즘은 공정 무역의 조건을 지키지 않고 공정 무역을 흉내 낸 인증 표시를 만들어 소비자들에게 혼란을 주는 기업들도 있습니다.

중심 내용 **5** 공정 무역 인증 표시는 국제기구가 생산지에서 공정 무역의 주요 원칙이 잘 지켜졌는지를 점검한 물건들에 붙일 수 있다.

6 여러분은 달콤한 초콜릿을 살 때 무엇을 보고 고르나요? 겉으로 보기에는 모두 똑같아 보이지만 그 초콜릿이 우리 손에 들어오기까지의 과정은 제품에 따라 매우 다를 수 있습니다. 그것을 만들려고 노력한 사람들이 학교도 못 다니고 음식도 제대로 먹지 못한, 여러분보다 어린 동생들이라면 그 초콜릿을 정말 맛있게 먹을 수 있을까요? 가난한 나라에 일시적인 원조를 제공하는 데 그치지 않고 자립하도록 도와주는 방법이자 우리 환경을 보호할 수 있는 공정 무역 제품, 이제는 우리가 관심을 기울이고 사용할 때입니다.

원조: 물품이나 돈 따위로 도와줌.

중심 내용 **6** 공정 무역에 관심을 기울이고 공정 무역 제품을 사용하자.

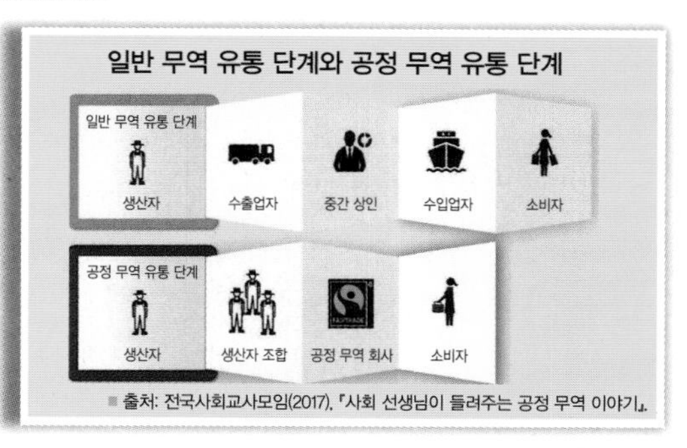

출처: 전국사회교사모임(2017), 『사회 선생님이 들려주는 공정 무역 이야기』

17 공정 무역에서는 유기농으로 농사를 지어 어떤 문제를 해결하려고 하나요? (　　　)

① 음식과 식수가 부족한 문제
② 농사지을 사람이 부족한 문제
③ 바나나 수확량이 많지 않은 문제
④ 장갑과 마스크 등의 가격이 비싼 문제
⑤ 농약으로 생산자가 질병에 걸리는 문제

글쓴이가 제시한 자료의 내용을 다시 읽고 문제의 답을 천천히 생각해 봅시다.

18 이 글에 나타난 근거 중 타당하지 않은 근거는 무엇인지 쓰고, 그렇게 생각한 까닭을 쓰세요.

• 글 (　　　　　　)의 근거가 타당하지 않다.

왜냐하면 ____________________

____

____

____

3 단원

정답 10쪽

국어 교과서 123쪽

3.「공정 무역 제품을 사용합시다」를 읽고 물음에 답해 봅시다.

(1) **공정 무역이란 무엇인가요?**

예시 답안 생산자의 노동에 정당한 대가를 지불해 생산자가 경제적 자립과 발전을 하도록 돕는 무역입니다.

(2) **공정 무역 제품을 사용하면 생산지의 아이들을 보호할 수 있는 까닭은 무엇인가요?**

예시 답안 공정 무역은 "안전하고 노동력 착취 없는 노동 환경이 유지되어야 한다."라는 조건을 지켜야 하기 때문입니다.

4.「공정 무역 제품을 사용합시다」의 내용을 논설문의 짜임에 맞게 정리해 봅시다.

(1) **논설문의 짜임에 맞게 정리해 보세요.**

예시 답안

서론	우리나라에도 공정 무역 도시가 생기는 변화에 동참해 우리도 공정 무역 제품을 사용하자.
본론	• 근거 1: 생산자에게 돌아갈 정당한 이익을 지켜 준다.
	• 근거 2: 아이들을 위험에서 보호할 수 있다.
	• 근거 3: 자연을 보호하고 생산자의 건강을 지키는 방법이 된다.
	• 근거 4: 공정 무역 인증 표시는 국제기구가 생산지에서 공정 무역의 주요 원칙이 잘 지켜졌는지를 점검한 물건들에 붙일 수 있다.
결론	우리가 공정 무역에 관심을 기울이고 공정 무역 제품을 사용하자.

국어 교과서 125쪽

6.「공정 무역 제품을 사용합시다」에서 근거를 뒷받침하려고 알맞은 자료를 활용했는지 알아봅시다.

(2) **자료가 근거를 잘 뒷받침하는지 판단하는 방법을 친구들과 이야기해 보세요.**

예시 답안

- 자료가 근거의 내용과 관련 있어야 한다.
- 믿을 수 있는 자료를 활용해야 한다.
- 수를 제시할 때에는 정확한 숫자를 사용해야 한다.
- 최신 자료를 사용해야 한다.
- 자료의 출처가 분명한지 확인한다.

자습서 확인 문제

1 다음은 공정 무역 제품을 사용하면 생산지의 아이들을 보호할 수 있는 까닭입니다. 빈칸에 알맞은 말을 써넣으세요.

> 공정 무역은
> "□□□□ 노동력 착취 없는 노동 환경이 유지되어야 한다."라는 조건을 지켜야 하기 때문입니다.

2「공정 무역 제품을 사용합시다」에 나타난 글쓴이의 주장에 타당하지 않은 근거를 찾아 기호를 쓰세요.

> ㉠ 아이들을 위험에서 보호할 수 있다.
> ㉡ 생산자에게 돌아갈 정당한 이익을 지켜준다.
> ㉢ 자연을 보호하고 생산자의 건강을 지킬 수 있다.
> ㉣ 공정 무역 인증 표시는 국제기구가 생산지에서 공정 무역의 주요 원칙이 잘 지켜졌는지를 점검한 물건들에 붙일 수 있다.

(　　　)

3 자료가 근거를 잘 뒷받침하는지 판단하는 방법으로 알맞은 않은 것에 × 표 하세요.

(1) 최신 자료를 사용했는지 살펴본다. (　　)

(2) 자료가 근거의 내용과 관련 있는지 살펴본다. (　　)

(3) 자료의 수가 근거의 수보다 많은지 살펴본다. (　　)

(4) 수를 제시할 때에는 정확한 숫자를 사용했는지 살펴본다. (　　)

3 단원

진도 완료 체크

기본

가 환경 사랑 동아리에서 수집한 자료 살펴보기

그림 자료

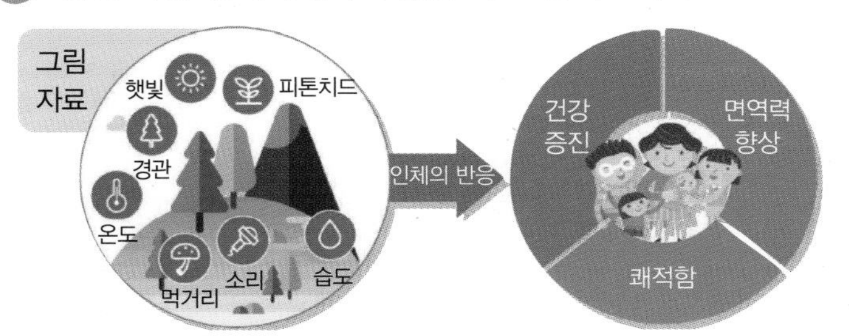

포스터 자료

동영상 자료

나 논설문의 주장과 근거 알기

주장	㉠
근거	① 숲은 미세 먼지를 잡아 주어 공기를 깨끗하게 해 준다.
	② 숲은 홍수와 산사태를 막아 준다.
	③ 숲은 지구 온난화를 막아 준다.
	④ 숲은 소중한 자원을 제공해 준다.

다 근거를 뒷받침하는 자료 수집 계획 세우기

근거	수집할 자료 내용
①	숲이 미세 먼지를 잡아 주는 증거
②	㉡
③	㉢
④	숲이 제공해 주는 자원

3 단원

19 가에서 수집한 자료의 내용으로 알맞지 않은 것은 어느 것인가요? (　　　)

① 숲은 이상 기후를 막는 데 도움이 된다.
② 요즈음 여가를 보내는 방법이 다양해지고 있다.
③ 숲에서 나오는 여러 가지가 사람의 건강에 좋다.
④ 숲에서는 일상에서 탈출해 휴식을 취할 수 있다.
⑤ 숲에서 나오는 여러 가지가 사람에게 쾌적함을 준다.

교과서 문제

20 나의 ㉠에 들어갈 주장으로 알맞은 것은 어느 것인가요? (　　　)

① 숲을 보호하자.
② 멸종 위기의 동물을 보호하자.
③ 건강을 위해 꾸준히 운동하자.
④ 숲에 사는 동물들을 위해 생태 다리를 만들자.
⑤ 위급 상황에 안전하게 대피하는 방법을 알아 두자.

21 나에서 정한 내용으로 다에서 자료 수집 계획을 세울 때 ㉡과 ㉢에 들어갈 내용을 알맞게 이으세요.

(1) ㉡ • 　　• ① 숲이 지구 온난화 예방에 도움이 된다는 증거

(2) ㉢ • 　　• ② 숲이 홍수와 산사태를 막아 주는 사진

22 다음 자료는 어떤 근거를 뒷받침하는지 번호를 쓰세요.

○○ 신문

이산화 탄소 먹는 하마는 상수리나무

개인이 배출한 이산화 탄소를 흡수하려면 평생 나무를 심어야 할지도 모른다. 이산화 탄소를 특히 잘 흡수하는 것은 상수리나무이다.
많은 양의 이산화 탄소를 흡수하고 지구 온난화 예방에도 큰 역할을 하는 나무 심기에 관심을 가지자.
(◇◇◇ 기자)

근거 (　　　　　　　　　　)

기본

소희네 가족 단체 대화방

소희네 가족 단체 대화방

엄마: 오늘은 다들 얼굴 볼 시간도 없이 바쁘구나. 오늘 저녁은 외식하려고 하는데 먹고 싶은 거 있니?

나: 짜장면요.

엄마: 이웃집 아주머니가 △△식당의 짜장면이 맛있다고 추천하던데 거기 갈래?

오빠: 에이, 거기 식당 사장님은 불친절하고 음식 맛도 이상하대요.

나: 그래? 어떻게 알았어?

오빠: 누리 소통망에서 그 가게를 이용한 손님이 쓴 글을 읽었지.

아빠: 음식점을 직접 이용한 손님이 쓴 정보를 쉽게 얻을 수 있으니 참 편하구나.

엄마: 이상하네. 그 식당은 깨끗하고 사장님도 친절하다고 동네에서 칭찬이 자자하던데.

나: 정말요? 누구 말을 믿어야 하지요?

• **그림의 내용:** 소희네 가족이 단체 대화방에서 저녁 먹을 곳을 정하고 있습니다.

누리 소통망은
'소셜 네트워크 서비스[SNS]'를
다듬은 말로, 온라인에서
자유롭게 글이나 사진 따위를
올리거나 나누는 것을
말해요.

3 단원

23 소희 오빠는 무엇을 통해 △△식당에 대한 정보를 얻었나요? (　　　)

① 혼자서 상상해 보았다.
② 직접 식당을 이용해 보았다.
③ 식당 사장님에게 물어보았다.
④ 식당을 이용해 본 친구에게 들었다.
⑤ 누리 소통망에 손님이 쓴 글을 읽었다.

24 소희 엄마와 소희 오빠는 △△식당에 대하여 어떤 정보를 알고 있는지 알맞은 말에 ○표 하세요.

(1) 소희 엄마: 사장님이 (친절하고 / 불친절하고) 음식 맛이 (좋다 / 이상하다).
(2) 소희 오빠: 사장님이 (친절하고 / 불친절하고) 음식 맛이 (좋다 / 이상하다).

25 소희 아빠는 누리 소통망의 어떤 점이 편하다고 하였나요?

• 다른 사람이 쓴 정보를 (　　　　　　　　) 얻을 수 있는 점

26 이 글을 읽고 알맞게 말하지 <u>못한</u> 사람은 누구인가요?

우성: 누리 소통망의 장점과 단점을 모두 알 수 있는 대화야.
윤서: 누리 소통망을 통해 정확한 정보를 얻을 수 있다는 장점이 나타나 있어.
지민: 실제로 만나지 않고 단체 대화방을 이용해 대화할 수 있는 것은 누리 소통망의 장점이야.

(　　　　　　　　)

제발 저희 가게를 도와주세요

• 글의 내용: 성민이가 자신이 겪은 일을 알리기 위해 누리 소통망에 쓴 글입니다.

얼마 전, 누리 소통망에 퍼진 「△△식당 불매 운동」이라는 글을 보신 적이 있나요? 그 가게는 바로 저희 어머니께서 운영하시는 식당입니다. 하지만 누리 소통망에 실린 이야기는 사실과 다릅니다.

(불매: 상품 따위를 사지 않음.)

저도 기억합니다. 손님이 몰려들기 시작하는 토요일 점심시간에 한 손님께서 짜장면을 주문해서 드시고 계셨습니다. 그러다 곧 주문을 담당한 직원을 화난 표정으로 부르시더군요.

"여기 짜장면 맛이 왜 이래? 빨리 사장 나오라고 해!"

어머니께서 나오셔서 맛을 확인하고도 이상한 점을 발견하지 못해 갸우뚱하셨지만 손님께 짜장면을 새로 가져다드렸습니다. 하지만 손님께서는 새로 가져다드린 짜장면도 이상하다며 배상을 하라고 계속 소란을 피우셨습니다. 결국 저희는 음식값을 받지도 않고 연신 죄송하다고 사과하며 손님을 보내 드렸습니다.

(배상: 손해를 물어 주는 일.)

며칠 뒤, 친구에게 연락이 왔습니다. 걱정스러운 목소리로 "성민아, 인터넷 누리 소통망에 너희 가게 이야기가 있는데, 너도 한번 보는 게 좋을 것 같아."라며 인터넷 글을 보내 주더군요. 그 글에는 며칠 전 있었던 일이 사실과는 다르게 적혀 있었습니다.

△△식당에서 짜장면을 먹었는데 맛이 이상한 짜장면을 그냥 먹으라고 하고 사과는커녕 자신을 밀치며 불친절하게 말했다는 겁니다. 사람들은 댓글에 모두 저희 가게를 욕하며 불매 운동을 벌이고 있었습니다. 게다가 저를 아는 누군가가 제 이름과 다니는 학교까지 인터넷에 올리는 바람에 학교에도 소문이 났습니다. 그리고 그 사건 뒤 저희 가게에는 정말 손님이 뚝 끊겨 저희 가족은 힘든 나날을 보내고 있습니다.

인터넷에 떠도는 소문이 아닌 제 말을 믿어 주시고, 이 글을 널리 퍼뜨려 주세요. 저희 가게를 도와주세요.

27 성민이가 글을 쓴 까닭은 무엇인가요? (　　　)

① 맛이 좋은 식당을 추천하려고
② 다른 식당 불매 운동을 벌이려고
③ 어머니께서 운영하시는 식당을 홍보하려고
④ 어머니 가게에서 소란을 피운 손님을 찾으려고
⑤ 누리 소통망에 퍼진 「△△식당 불매 운동」 글은 사실이 아니라는 것을 알리려고

28 이 글을 통해 알 수 있는 누리 소통망의 장점과 단점을 골라 번호를 쓰세요.

① 개인 정보가 유출되기 쉽다.
② 잘못된 정보가 쉽게 퍼질 수 있다.
③ 다른 사람이 쓴 정보를 쉽게 접할 수 있다.
④ 많은 사람에게 정보를 쉽게 전달할 수 있다.

(1) 장점	
(2) 단점	

29 이 글을 보고 논설문을 쓸 때 주장으로 알맞은 것은 어느 것인가요? (　　　)

① 깨끗한 식당을 이용하자.
② 다른 사람에게 친절하게 대하자.
③ 누리 소통망에 댓글을 쓰지 말자.
④ 누리 소통망을 올바르게 사용하자.
⑤ 누리 소통망에 정보를 올리지 말자.

30 29번 문제에서 답한 주장에 대하여 다음 근거를 제시할 때 활용할 수 있는 자료로 알맞은 것에 ○표 하세요.

근거	잘못된 정보가 쉽게 퍼진다.

(1) 누리 소통망의 종류를 정리한 표 (　　　)
(2) 누리 소통망에 글을 올리는 방법을 정리한 사진 (　　　)
(3) 누리 소통망으로 잘못된 정보가 퍼진 사례를 다룬 기사 (　　　)

3 단원

가 공모 포스터

더 좋은 우리 동네 만들기

더 좋은 우리 동네를 만들려는 첫 번째 노력! 우리 동네의 문제점을 해결하는 내용으로 논설문을 써서 보내 주세요.

- 공모 주제: 더 좋은 우리 동네 만들기
- 참가 대상: 개인
- 제출 사항: 논설문 한 편
- 제출 방법: ① 우편 ② ○○ 동네 누리집 게시판
- 심사 기준: ① 더 좋은 동네를 만들기 위해 실천할 수 있는 주장인가?
  ② 근거가 주장을 뒷받침하는가?
  ③ 자료가 내용을 뒷받침하는가?
  ④ 믿을 만한 자료를 활용했는가?
  ⑤ 사용한 표현이 적절한가?

○○구 ○○동장

나 우리 동네의 문제점

우리 동네의 문제점

공모 널리 공개하여 모집함.
예 나라 사랑 글짓기 공모에서 상을 받았습니다.

제출 문서나 의견 등을 냄.
예 다음 국어 시간까지 논설문을 제출해야 합니다.

3 단원

31 가의 공모 포스터의 목적은 무엇인지 빈칸에 알맞게 써넣으세요.

- 더 좋은 ((1)   )를 만들기 위해 문제점을 해결하는 내용으로 ((2)   )을 공모하는 것이다.

어떤 주제의 작품을 공모하고 있는지 살펴보아요.

32 가의 공모에 참가할 때 주의할 점으로 알맞지 않은 것은 어느 것인가요? (   )

① 꾸며 주는 말을 많이 쓴다.
② 믿을 만한 자료를 활용한다.
③ 실천할 수 있는 주장을 쓴다.
④ 주장을 잘 뒷받침하는 근거를 든다.
⑤ 근거를 뒷받침할 수 있는 자료를 활용한다.

33 나의 1~3에서 떠올린 우리 동네의 문제점이 아닌 것을 두 가지 고르세요. (,   )

① 길거리에서 담배를 피운다.
② 자동차를 인도에 주차한다.
③ 쓰레기를 아무 곳에나 버린다.
④ 이웃을 생각하지 않고 소음을 낸다.
⑤ 아파트 화단의 꽃을 함부로 꺾는다.

서술형·논술형 문제

34 나의 4에서 다음 문제점을 떠올리고 논설문을 쓰려고 할 때 알맞은 주장과 근거를 쓰세요.

문제점	불법 주차된 차가 많다.

(1) 주장	
(2) 근거	

[1~5] '그냥'이 아니라 '왜'

가 아이는 할아버지 가슴팍까지 내려온 하얗고 긴 수염을 신기한 눈으로 바라보았대. 그러고는 이렇게 물었지.

"할아버지! 할아버지는 주무실 때 그 수염을 이불 안에 넣나요, 아니면 꺼내 놓나요?"

할아버지는 "예끼! 이 버릇없는 놈." 하고 소리치려다가 문득 자기도 궁금해졌단다. 왜냐하면 수염을 기른 채 몇십 년 동안이나 살아왔지만, 그때까지 한 번도 그런 ㉠궁금증을 지녀 본 적이 없었거든.

나 할아버지는 집에 돌아오기 무섭게 이부자리를 펴고 누웠지. 우선 이불 속에 수염을 넣고 말이야. 그런데 너무 갑갑하고 거북해서 아무래도 수염을 밖에 내놓고 자야 할 것 같았어.

'옳지! 수염을 이불 밖으로 꺼내 놓고 잔 게 분명해!'

할아버지는 얼른 수염을 이불 밖으로 꺼내 놓고 눈을 감아 봤어. 그런데 불편한 건 마찬가지였어.

다 이상한 일 아니니? 분명 그건 할아버지 자신의 수염이고, 할아버지는 몇십 년 동안 하루도 빼놓지 않고 잠을 잤는데 말이야. 그런데도 아이가 묻기 전까지 그 수염을 어떻게 하고 잤는지 기억할 수가 없었던 거야.

라 가만히 생각해 보렴, 혹시 너에게도 그런 수염이 있는지 말이야. 아이들한테 무슨 수염이 있냐고? 아니야, 그렇지 않아. 너도 누가 질문을 할 때 가끔 '[㉡]'이라고 대답한 적이 있을 거야. 바로 그 '[㉡]'이라는 말이 너의 수염이란다.

마 '그냥 수염'을 달고 있는 사람은 어느 날 누가 "왜?" 또는 "어떻게?" 하고 물으면 아무 대답도 하지 못해. 아무리 자기가 한 일을 뒤돌아보고 생각해 내려고 애써도 지나온 날들은 이미 멀리 사라져 버려서 흔적조차 찾을 길이 없기 때문이지.

1 글 가에서 아이의 질문에 대한 할아버지의 대답은 무엇일지 ○표 하시오.

(1) 이불 안에 넣고 잔단다. ( )

(2) 이불 밖으로 꺼내 놓고 잔단다. ( )

(3) 잘 모르겠으니 오늘 밤에 자 보고 가르쳐 주마. ( )

2 ㉠은 어떤 궁금증입니까? ( )

① 수염을 왜 길렀나?

② 수염을 자를까, 계속 기를까?

③ 수염을 언제까지 기를 것인가?

④ 수염을 꺼내 놓고 잤나, 넣고 잤나?

⑤ 수염을 기르는 것이 좋은가, 나쁜가?

3 단원

3 [㉡]에 들어갈 말로 알맞은 것에 ○표 하시오.

(왜 / 그냥 / 어떻게)

4 이 글의 글쓴이는 주장을 뒷받침하기 위해 어떻게 하였습니까? ( )

① 이야기를 자료로 활용하였다.

② 어려운 낱말을 많이 사용하였다.

③ 꾸며 주는 말을 많이 사용하였다.

④ 전문가의 의견을 자료로 활용하였다.

⑤ 글의 처음에 주장을 반복해서 말하였다.

서술형·논술형 문제

5 이 글의 글쓴이가 주장하는 것은 무엇인지 쓰시오.

3 단원

[6~10] 공정 무역 제품을 사용합시다

가 공정 무역이란 생산자의 노동에 정당한 대가를 지불해 생산자가 경제적 자립과 발전을 하도록 돕는 무역입니다. ○○광역시는 공정 무역 상품을 사용하고 공정 무역을 확산시키려는 활동을 지원해 실질적인 변화를 만들어 내는 도시가 되었습니다. 우리도 공정 무역 제품을 사용해 이러한 변화에 동참해야 합니다.

나 공정 무역 제품을 사용해야 하는 까닭은 다음과 같습니다. 첫째, ㉠생산자에게 돌아갈 정당한 이익을 지켜 줍니다. 흔히 볼 수 있는 과일 가운데 하나인 바나나의 경우, 우리가 3천 원짜리 바나나 한 송이를 산다면 약 45원만이 생산자인 농민에게 이익으로 돌아갑니다. 그 까닭은 바나나 생산국에서 우리 손에 오기까지 바나나 농장 주인, 수출하는 회사, 수입하는 회사, 슈퍼마켓 등이 총수익의 98.5퍼센트를 가져가기 때문입니다. 공정 무역에서는 생산자 조합과 공정 무역 회사를 만들어 이러한 중간 유통 단계를 줄이고 실제로 바나나를 재배하는 생산자의 이익을 보장해 주었습니다.

다 ㉡아이들을 위험에서 보호할 수 있습니다. 일부 다국적 기업들은 물건의 생산 비용을 낮추려고 임금이 상대적으로 낮은 어린이를 고용하기도 합니다. 예를 들어 우리가 좋아하는 초콜릿은 열대 과일인 카카오를 주재료로 해서 만듭니다. 카카오는 열대 지방에서만 자라는 식물로 아래의 「초콜릿 감옥」 동영상 자료에서처럼 그 지방 어린이들이 학교도 가지 못하고 카카오를 재배하고 수확하는 경우가 많습니다.

초콜릿 감옥

하루 10시간 이상 일하는
카카오 농장 아이들

■ 출처: 한국교육방송공사, 2012.

라 ㉢공정 무역 인증 표시는 국제기구가 생산지에서 공정 무역의 주요 원칙이 잘 지켜졌는지를 점검한 물건들에 붙일 수 있습니다. 국제공정무역기구의 조사원들은 농장과 관련 기관들을 찾아가서, 그들이 공정 무역의 규칙에 맞게 생산 활동을 하는지 평가합니다.

6 글 가는 논설문의 서론, 본론, 결론 중에서 무엇에 해당합니까?

( )

7 공정 무역에서 생산자의 이익을 보장하기 위해 어떻게 한다고 하였습니까? ( )

① 상품의 가격을 높인다.
② 중간 유통 단계를 줄인다.
③ 상품의 수확량을 제한한다.
④ 임금이 낮은 어린이를 고용한다.
⑤ 수익이 많이 나는 상품을 재배하도록 한다.

8 글 다에서 활용한 자료의 종류는 무엇인지 ○표 하시오.

(책 / 동영상 / 신문 기사)

9 ㉠~㉢ 중 타당하지 않은 근거는 무엇입니까?

( )

10 9번의 답과 같이 생각한 까닭을 알맞게 말한 사람은 누구입니까?

해미: 주장보다 길이가 더 길기 때문이야.
연서: 사실이 아닌 내용을 담고 있기 때문이야.
재윤: 주장을 직접적으로 뒷받침하지 못하기 때문이야.

( )

[11~15]

「소희네 가족 단체 대화방」

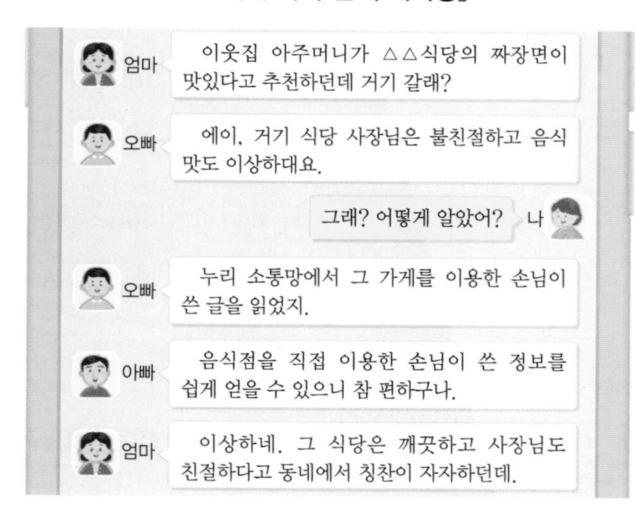

엄마
이웃집 아주머니가 △△식당의 짜장면이 맛있다고 추천하던데 거기 갈래?
오빠
에이, 거기 식당 사장님은 불친절하고 음식 맛도 이상하대요.
그래? 어떻게 알았어?
나
오빠
누리 소통망에서 그 가게를 이용한 손님이 쓴 글을 읽었지.
아빠
음식점을 직접 이용한 손님이 쓴 정보를 쉽게 얻을 수 있으니 참 편하구나.
엄마
이상하네. 그 식당은 깨끗하고 사장님도 친절하다고 동네에서 칭찬이 자자하던데.

「제발 저희 가게를 도와주세요」

가 얼마 전, 누리 소통망에 퍼진 「△△식당 불매 운동」이라는 글을 보신 적이 있나요? 그 가게는 바로 저희 어머니께서 운영하시는 식당입니다.

나 친구에게 연락이 왔습니다. 걱정스러운 목소리로 "성민아, 인터넷 누리 소통망에 너희 가게 이야기가 있는데, 너도 한번 보는 게 좋을 것 같아."라며 인터넷 글을 보내 주더군요. 그 글에는 며칠 전 있었던 일이 사실과는 다르게 적혀 있었습니다.

△△식당에서 짜장면을 먹었는데 맛이 이상한 짜장면을 그냥 먹으라고 하고 사과는커녕 자신을 밀치며 불친절하게 말했다는 겁니다. 사람들은 댓글에 모두 저희 가게를 욕하며 불매 운동을 벌이고 있었습니다. 게다가 저를 아는 누군가가 제 이름과 다니는 학교까지 인터넷에 올리는 바람에 학교에도 소문이 났습니다.

다 인터넷에 떠도는 소문이 아닌 제 말을 믿어 주시고, 이 글을 널리 퍼뜨려 주세요. 저희 가게를 도와주세요.

11 소희 아빠의 말을 통해 알 수 있는 누리 소통망의 좋은 점은 무엇입니까? (　　　)

① 정확한 정보를 얻을 수 있다.
② 다른 사람이 쓴 정보를 쉽게 접할 수 있다.
③ 음식점에 가지 않고도 음식을 맛볼 수 있다.
④ 가족끼리 만나지 않고도 의견을 나눌 수 있다.
⑤ 동영상이나 그림 등의 자료를 활용할 수 있다.

12 나에서 알 수 있는 누리 소통망의 단점을 두 가지 고르시오. (　　,　　)

① 개인 정보가 유출되기 쉽다.
② 잘못된 정보가 퍼질 수 있다.
③ 한번 글을 쓰면 수정하기 어렵다.
④ 글을 올릴 때 글자 수에 제한이 있다.
⑤ 특정 사람들에게만 정보를 전할 수 있다.

13 성민이가 「제발 저희 가게를 도와주세요」를 누리 소통망에 쓴 까닭을 알맞게 말한 사람은 누구입니까?

진서: 반 친구들에게만 전하고 싶었기 때문이야.
지웅: 자신의 의견을 짧게 쓰고 싶었기 때문이야.
재희: 정보를 많은 사람에게 쉽게 전할 수 있기 때문이야.

(　　　　　　　　)

14 이 글을 보고 누리 소통망 이용과 관련한 논설문을 쓸 때, 주장을 완성하시오.

• 누리 소통망을 (　　　　　　　　　　)

서술형·논술형 문제

15 14번 문제에서 답한 주장에 대한 근거를 한 가지 쓰시오.

3 단원

[16~17]

가

더 좋은 우리 동네 만들기

더 좋은 우리 동네를 만들려는 첫 번째 노력! 우리 동네의 문제점을 해결하는 내용으로 논설문을 써서 보내 주세요.

- **공모 주제:** 더 좋은 우리 동네 만들기
- **참가 대상:** 개인 ■ **제출 사항:** 논설문 한 편
- **제출 방법:** ① 우편 ② ○○ 동네 누리집 게시판
- **심사 기준:** ① 더 좋은 동네를 만들기 위해 실천할 수 있는 주장인가?
  ② 근거가 주장을 뒷받침하는가?
  ③ 자료가 내용을 뒷받침하는가?
  ④ 믿을 만한 자료를 활용했는가?
  ⑤ 사용한 표현이 적절한가?

○○구 ○○동장

나

16 ㉮ 공모 포스터를 통해 알 수 있는 내용이 아닌 것은 무엇입니까? (   )

① 논설문 한 편을 제출하는 공모이다.
② 공모 주제는 '더 좋은 우리 동네 만들기'이다.
③ 여러 명이 모여 팀을 구성하면 참가할 수 있다.
④ 논설문을 쓸 때, 실제로 실천할 수 있는 주장을 써야 한다.
⑤ 논설문은 우편이나 ○○ 동네 누리집 게시판을 통해 제출해야 한다.

17 ㉯에서 알 수 있는 우리 동네의 문제점은 무엇입니까? (   )

① 너무 이른 시간에 악기를 연주합니다.
② 길거리에 불법 주차된 차가 많습니다.
③ 쓰레기를 함부로 버리는 사람이 많습니다.
④ 아이들이 있는데도 길에서 담배를 피우는 사람이 있습니다.
⑤ 밤늦게 아파트 공원에서 시끄럽게 하는 사람들이 있습니다.

18 다음 주장을 뒷받침하는 근거로 알맞지 않은 것의 기호를 쓰시오.

주장	숲을 보호하자.

㉠ 숲은 야생 동물의 서식지이다.
㉡ 숲은 사람들의 휴식처가 된다.
㉢ 숲은 공기를 깨끗하게 해 준다.
㉣ 숲을 개발하면 토지 부족 문제를 해결할 수 있다.

(   )

19 근거를 뒷받침하기 위한 자료를 수집하는 방법으로 알맞지 않은 것은 어느 것입니까? (   )

① 다양한 종류의 자료를 수집한다.
② 컴퓨터로 자료를 찾을 수도 있다.
③ 뉴스나 영상을 활용할 수도 있다.
④ 믿을 만한 자료를 사용하는 것이 좋다.
⑤ 무조건 많은 자료를 활용하는 것이 좋다.

20 친구가 쓴 논설문을 평가할 때 평가 기준으로 알맞지 않은 것은 어느 것입니까? (   )

① 사용된 표현이 적절한가?
② 내가 좋아하는 내용인가?
③ 실천할 수 있는 주장인가?
④ 자료가 내용을 뒷받침하는가?
⑤ 믿을 만한 자료를 활용했는가?

3 단원

진도 완료 체크

4

효과적으로 발표해요

일주일 후
영상과 사진 등의 자료를 보아 예절이 부족한 것은 사실이지만 노력하고 있다는 것이 확인되어 20시간의 추가 예절 교육을 명한다.
또한 바쁜 위원회에게 이렇게 글의 짜임에 맞지 않은 글을 올린 사람에게 40시간의 추가 글쓰기 교육을 명한다.
아빠, 너무해.

개념 웹툰

친구들은 어떤 매체 자료를 활용하였을까요?
스마트폰에서 확인하세요!

교과서 개념

개념 ① 매체 자료 활용의 효과

① 매체 자료를 활용하면 발표 내용을 이해하기 쉽게 전달할 수 있습니다.
② 발표 내용과 발표를 듣는 대상의 특성, 발표 상황에 맞는 매체 자료를 알맞게 활용하면 발표 효과를 높일 수 있습니다.

활동 매체 자료의 종류와 효과

매체 자료의 종류	매체 자료를 활용해 얻을 수 있는 효과
영상	움직임을 생생하게 전달하거나 음악이나 자막을 넣어 분위기를 잘 전달할 수 있습니다.
사진	대상의 정확한 모습을 알 수 있고, 대상을 한눈에 보여 줄 수 있습니다.
표	자료의 수를 정확히 나타내거나 많은 양의 자료를 간단히 나타낼 수 있습니다.
도표	수량의 변화 정도를 알 수 있고, 정확한 수치를 나타낼 수 있습니다.

개념 ② 주제에 맞는 매체 자료 찾기

① 전하려는 주제를 찾아봅니다.
② 매체 자료의 종류를 살펴봅니다.
③ 매체 자료가 전하는 내용을 살펴봅니다.
④ 매체 자료가 주제를 효과적으로 전하기 위해 어떤 표현을 사용했는지 살펴봅니다.

활동 주제에 맞는 매체 자료 살펴보기 예

잡고 있습니까?
잡혀 있습니까?

- 매체 자료의 종류: 공익 광고 사진
- 전하고자 하는 주제: 휴대 전화에 중독되지 않도록 알맞게 사용하자.
- 표현 방법: 휴대 전화가 사람을 꽉 붙잡고 있는 모습을 잘 표현했다.

개념 ③ 매체 자료의 효과적 표현 방법

① 도표로 수치의 변화를 표현하면 더욱 실감 납니다.
② 비유적 표현을 사용하면 느낌이 더 와닿습니다.
③ 일상생활에 일어날 수 있는 일을 영상으로 보여 주면 내 생활과 비교할 수 있습니다.

활동 「온라인 언어폭력: 능력자」의 표현 방법 살펴보기 예

1
당신은
능력자입니다

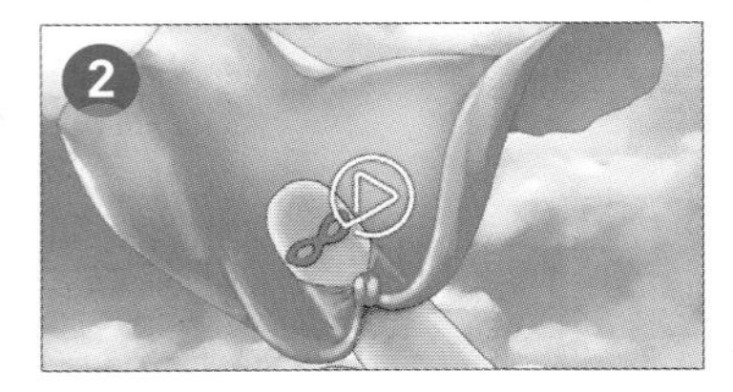
2

➡ 나쁜 댓글, 좋은 댓글이 끼치는 영향을 알려 주려고 대조적인 색깔로 표현했습니다.

개념 ④ 발표 상황에 맞는 영상 자료를 만드는 방법

① 발표 상황 파악하기 ➡ ② 주제 정하기 ➡ ③ 내용 정하기 ➡ ④ 장면 정하기 ➡ ⑤ 촬영 계획 세우기 ➡ ⑥ 촬영하기 ➡ ⑦ 편집하기 ➡ ⑧ 발표하기

활동 영상 자료를 만들어서 발표하기 예

우리 모둠은 요리사를 소개하는 영상을 제작했습니다.
사람을 행복하게 하는 요리사

➡ 발표 전이나 발표 뒤에 할 소개나 부탁 내용을 다양한 방법으로 준비할 수 있습니다.

준비

1
학습 발표회에서 독도의 날 기념 율동을 하면 어떨까?
마침 독도의 날이 다가오니까 좋은 생각이야. 그런데 세미야, 어떤 동작들을 하는지 궁금해.
세미
태민
2
그럼 사진 말고 영상을 보여 줄게. 인터넷에 있는 율동이야.
아하! 간단하고 재미있네. 우리도 해 보자.

• **그림의 내용**: 세미가 태민이에게 여러 가지 매체 자료를 보여 주며 말하고 있습니다.

어떤 사실이나 정보, 의견을 담아서 듣는 사람에게 전하려고 매체 자료를 활용할 수 있어요. 매체 자료에는 영상, 사진, 표, 지도, 도표, 그림, 소리, 음악 따위가 있어요.

1 세미와 태민이는 무엇을 이야기하고 있나요? (　　　)

① 학습 발표회의 무대 배경
② 학습 발표회의 마무리 영상
③ 학습 발표회에서 사회자의 역할
④ 학습 발표회에서 가장 인기 있었던 무대
⑤ 학습 발표회에서 할 독도의 날 기념 율동

2 대화 ❶과 ❷에서 세미가 태민이에게 보여 주고 있는 매체 자료의 종류는 각각 무엇인가지 쓰세요.

(1) 대화 ❶		(2) 대화 ❷	

3 대화 ❶과 ❷ 중 태민이가 더 잘 이해할 수 있는 것은 어느 것일지 번호를 쓰세요.

대화 (　　　　　　)

4 3번 문제에서 답한 대화에서 태민이가 더 이해하기 쉬운 까닭은 무엇인가요?

• 율동 동작을 더 (　　　　　　　　　) 볼 수 있기 때문이다.

교과서 문제

5 다음 빈칸에 들어갈 매체 자료의 종류는 무엇인가요?

(　　　)

방학 때 제주도에서 봤던 주상 절리의 기이한 모습을 말로만 설명할 때에는 친구가 이해하기 어려워했는데, (　　　　)을/를 보여 주었더니 금세 이해했어.

① 표　② 도표　③ 지도
④ 사진　⑤ 음악

4 단원

준비

가
주요 농작물 주산지 이동 변화
1970~2015년 농림 어업 총조사
사과
복숭아
포도
단감
인삼
감귤
우리나라 기후가 점점 아열대화되면서 농산물 주산지가 바뀌고 있습니다. 이 지도를 보면 제주도에서만 재배되던 감귤이 이제 내륙에서도 재배된다는 것을 쉽게 알 수 있습니다.
■ 출처: 통계청, 2018.
한결

나 다른 나라의 문화를 친구들에게 소개하기

폴란드의 민속춤을 소개할 때 영상을 보여 줘야지.
베트남의 전통 의상을 소개하고 싶어. 베트남의 옷 사진을 찾아봐야겠어.
진아
별이

4 단원

기후 어떤 장소에서 오랜 기간 동안 나타난 강수량, 기온, 바람 등을 평균한 것.
아열대 열대와 온대의 중간 지대로 기온은 높으나 비가 적게 오는 지역이 많음.
주산지 어떤 물건이 주로 생산되는 지역.
재배 식물을 심어 가꿈. 예 엄마의 취미는 상추를 재배하는 것입니다.
내륙 바다에서 멀리 떨어져 있는 육지.
민속춤 옛날부터 일반 백성들 사이에 전하여 내려오는 춤.

6 가를 보고 알맞게 말하지 못한 것은 어느 것인가요? ( )

① 자료의 출처는 통계청이다.
② 주요 농산물의 주산지가 바뀌고 있다.
③ 우리나라 기후가 점점 아열대화되고 있다.
④ 제주도에서만 재배되던 감귤이 이제 내륙에서도 재배된다.
⑤ 주요 농산물 주산지의 변화는 기후보다 토양과 관련이 있다.

교과서 문제

7 가에서 한결이가 그림지도를 매체 자료로 활용한 까닭을 알맞게 말한 사람의 이름을 쓰세요.

민우: 발표를 짧게 할 수 있기 때문이다.
지유: 듣는 사람에게 정확한 숫자를 보여 줄 수 있기 때문이다.
제인: 듣는 사람이 발표하는 내용을 한눈에 알아볼 수 있기 때문이다.

( )

8 나에서 진아와 별이가 활용하려는 매체 자료의 효과를 알맞게 이으세요.

(1) 진아 • • ① 대상의 정확한 모습을 알 수 있다.
(2) 별이 • • ② 움직임을 생생하게 파악할 수 있다.

9 나의 친구들과 같이 다른 나라의 문화를 소개할 때 알맞지 않은 것에 ×표 하세요.

(1) 멕시코의 전통 음식을 소개할 때 도표를 활용할 거야. ( )
(2) 일본의 축제를 소개할 때 직접 찍은 영상을 보여 줄 거야. ( )
(3) 나는 아프리카 원주민의 의식주 문화를 소개할 때 책에 있는 사진과 설명을 보여 줄 거야. ( )

기본

1. '휴대 전화 사용 습관'에 대한 매체 자료 찾아보기

가

나 〈휴대 전화 관련 교통사고 발생〉

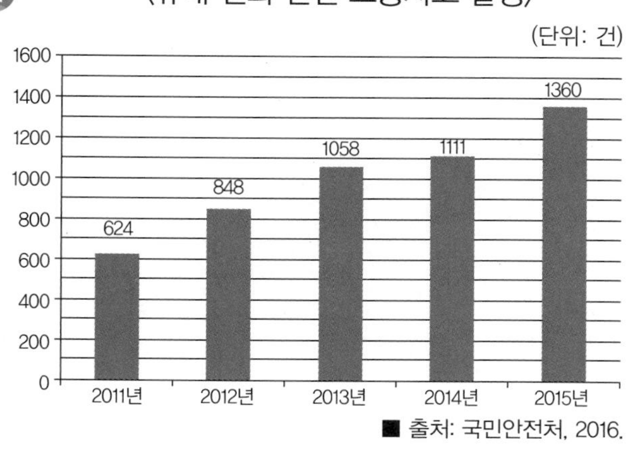

■ 출처: 국민안전처, 2016.

2. 「온라인 언어폭력: 능력자」 영상

당신은 능력자입니다.
손가락만 까딱하면 누군가를 울릴 수도, 아프게 할 수도, 포기하게 할 수도 있습니다.

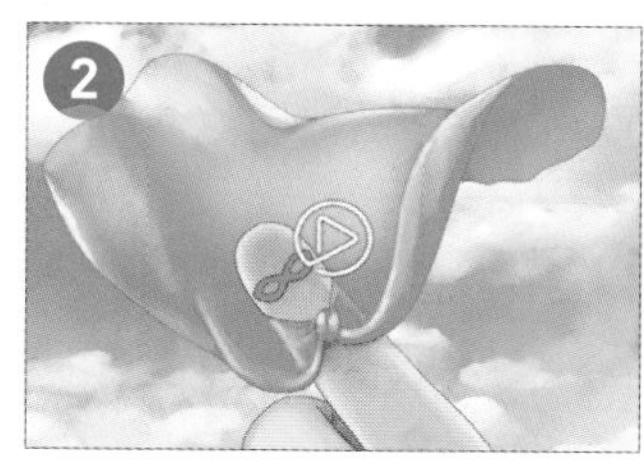

하지만 당신은 누군가를 기쁘게 할 수도, 행복하게 할 수도 있으며,

다시 뛰게 할 수도 있습니다. 손가락만 까딱하면.

온라인 댓글, 당신은 어떻게 쓰시겠습니까?

교과서 문제

10 1의 매체 자료 ㉮와 ㉯에서 전하려는 주제를 알맞게 이으세요.

(1) ㉮ • • ㉠ 휴대 전화에 중독된 사람이 많다.

(2) ㉯ • • ㉡ 걸을 때나 운전할 때 휴대 전화를 사용하면 위험하다.

11 다음은 1의 매체 자료 ㉮와 ㉯ 중 무엇에 대한 설명인지 기호를 쓰세요.

- 한눈에 실태를 파악할 수 있다.
- 수치의 변화를 한눈에 알 수 있다.
- 정확한 수치를 넣어 통계를 더 잘 알 수 있다.

매체 자료 (　　　　　　　　　　)

12 2의 장면 ❶과 ❷에 대하여 알맞게 말하지 못한 사람은 누구인가요?

연서: 댓글을 다는 손가락을 악마와 천사의 모습으로 비유해서 나타냈어.
재호: 다른 사람에게 끼치는 영향력을 손가락의 크기를 다르게 하여 표현했어.
은채: 나쁜 댓글, 좋은 댓글이 끼치는 영향을 알려 주려고 대조적인 색깔을 사용했어.

(　　　　　　　　　　)

서술형·논술형 문제

13 2의 매체 자료를 통해 전하려는 주제는 무엇인지 쓰세요.

____

____

4 단원

152~153쪽 자습서

정답 12쪽

국어 교과서 152쪽

2. **유환이가 어떤 주제를 전하려고 영상을 발표 자료로 활용했습니다. 영상을 보고 물음에 답해 봅시다.**

(1) **가장 인상 깊은 장면은 무엇인가요?**

예시 답안 손가락이 악마도 되고 천사도 되는 장면 / 좋은 댓글을 보고 사람들이 밝게 웃는 장면 / "온라인 댓글, 당신은 어떻게 쓰시겠습니까?"로 끝나는 장면

(2) **어떤 주제를 전하고 싶었을까요?**

예시 답안 온라인 언어폭력을 하지 맙시다. / 읽는 사람을 배려하면서 온라인 댓글을 씁시다. / 온라인 댓글을 긍정적으로 씁시다.

풀이 영상의 내용을 살펴보고 어떤 주제를 전하려고 하는지 생각해 봅시다.

4 단원

진도 완료 체크

국어 교과서 153쪽

(3) **영상 자료를 다시 보면서 주제를 효과적으로 표현하려고 어떤 방법을 사용했는지 살펴보세요.**

장면 구성	• 학생의 표정이나 행동을 대조되는 장면으로 구성했다.   • 예시 답안 손가락에 검정 망토, 푸른 망토를 둘러 어떤 댓글을 쓰는지에 따라 손가락의 능력이 달라짐을 나타냈다.  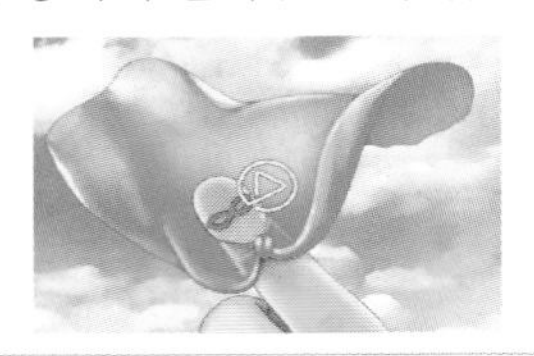
음악, 소리	예시 답안 • 나쁜 댓글을 쓰는 장면은 장면은 배경이 어둡고 배경 음악이 무섭다. • 좋은 댓글을 쓰는 장면은 장면은 배경이 밝고 배경 음악이 경쾌하다.
비유적 표현	• 당신은 누군가를 아프게도 하고 기쁘게도 하는 예시 답안 능력자(이)라고 비유했다. • 상대에게 영향을 주는 댓글을 다는 예시 답안 손가락을/를 악마 또는 천사의 모습으로 비유했다.
자막, 해설	예시 답안 • 해설자의 해설로 내용을 더 잘 이해할 수 있다. • 마지막 장면에서 질문을 자막으로 넣어 영상을 보는 사람이 스스로를 돌아보게 했다.

자습서 확인 문제

1 **「온라인 언어폭력: 능력자」 영상에 나타난 주제를 찾아 기호를 쓰세요.**

㉠ 스마트폰 과몰입을 예방하자.
㉡ 보행 중 휴대 전화 사용을 하지 말자.
㉢ 읽는 사람을 배려하면서 온라인 댓글을 쓰자.

( )

2 **「온라인 언어폭력: 능력자」 영상에서 사용한 비유적 표현으로 알맞지 않은 것에 ×표 하세요.**

(1) 긍정적인 댓글을 쓰는 사람을 꽃을 심는 모습으로 비유했다. ( )

(2) 당신은 누군가를 아프게도 하고 기쁘게도 하는 능력자라고 비유했다. ( )

(3) 상대에게 영향을 주는 댓글을 다는 손가락을 악마 또는 천사의 모습으로 비유했다. ( )

3 **영상에서 주제를 효과적으로 표현하는 방법을 알맞게 말하지 못한 사람의 이름을 쓰세요.**

성규: 영상에서 음악이나 소리가 나오지 않으면 더 실감 나.
지은: 비유적 표현을 사용하면 느낌을 더 잘 표현할 수 있어.
예진: 해설자의 해설을 넣으면 내용을 더 잘 이해할 수 있어.

( )

기본

〈영상 자료를 제작하고 발표하는 과정〉

1. 발표 상황 파악하기

학교 방송국에서
'건강 주간'을 맞아 건강을 주제로
한 매체 자료를 공모합니다. 뽑힌 작품은
전교생에게 발표할 예정입니다.
많이 참여해 주세요.

2. 주제 정하기

'맨발 걷기'가 새로운
주제라서 흥미롭다는 의견이
많았습니다. 따라서 우리 반은
맨발 걷기를 주제로 영상 자료를
만들어 봅시다.

3. 내용 정하기

맨발 걷기가
건강에 좋은 점을
효과적으로 알릴 수
있는 내용을 생각해
보자.

요즘 맨발 걷기를
하는 사람이 많다는 것을
먼저 알려 주자.

㉠

4. 장면 정하기

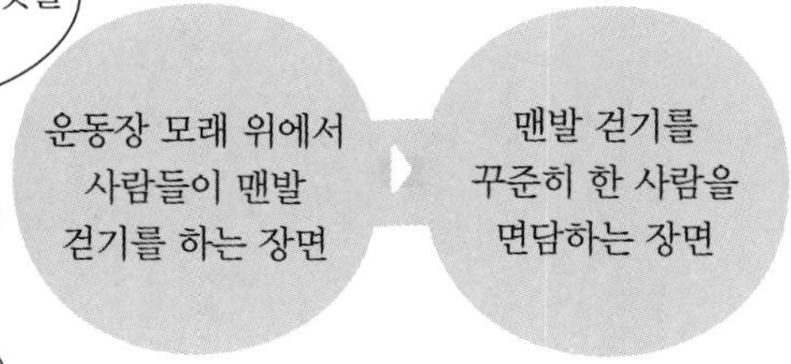

운동장 모래 위에서
사람들이 맨발
걷기를 하는 장면

맨발 걷기를
꾸준히 한 사람을
면담하는 장면

5. 촬영 계획 세우기

• 역할 정하기
• 촬영 일시와 장소 정하기

장면 번호	촬영 내용	촬영 일시와 장소	준비물
1	운동장 모래 위에서 맨발 걷기를 하는 사람들	○○월 ○○일 ○○시 학교 운동장	휴대 전화(캠코더)
2	맨발 걷기를 꾸준히 한 사람과 면담	○○월 ○○일 ○○시 학교 운동장	휴대 전화(캠코더), 수첩

6. 촬영하기

계획에 따라
촬영하고 보완할
점을 점검해요.

7. 편집하기

제목을
무엇으로 하면
주제가 잘
드러날까?

맨발 걷기 장면에
경쾌한 느낌의 배경 음악을
넣자.

'○○초등학교의
맨발 걷기'
신문 기사를 넣고
자료 출처는
자막으로 넣자.

8. 발표하기

14 이 모둠에서 정한 발표 주제는 무엇인가요?

( )

15 '내용 정하기' 과정에서 ㉠에 들어갈 내용으로 알맞은 것에 ○표 하세요.

(1) 우리 중에 발이 가장 큰 사람을 뽑자. ( )
(2) 맨발 걷기를 하는 사람과 면담을 하자. ( )
(3) 좋은 운동화를 고르는 방법을 알려 주자. ( )

16 '편집하기' 과정에서 할 일로 알맞지 않은 것은 어느 것인가요? ( )

① 촬영할 내용 선정하기
② 제목, 자막, 배경 음악 넣기
③ 장면을 차례에 맞게 편집하기
④ 촬영한 영상에서 발표에 사용할 장면 고르기
⑤ 발표 효과를 높이는 다른 매체 자료 활용하기

교과서 문제

17 '발표하기' 과정에서 효과적으로 발표하는 방법을 알맞게 말하지 못한 사람의 이름을 쓰세요.

형우: 발표를 할 때 집중해야 해.
민구: 무조건 큰 목소리로 발표해야 해.
성일: 발표 전이나 발표 뒤에 소개나 부탁 내용을 말할 수 있어.

( )

4 단원

[18~24] 다음 그림을 보고 물음에 답하세요.

18 발표 상황은 어떠한가요?

• (　　　　　　　　　　　)에서 주변 인물 탐구 영상을 발표한다.

교과서 문제

19 그림의 발표 상황에 따라 촬영하고 발표할 때 고려할 점으로 알맞은 것을 두 가지 고르세요. (　　　,　　　)

① 매체 자료는 사진만 활용한다.
② 주제는 마음대로 바꾸어도 상관이 없다.
③ 6학년 친구들이 관심 있어 할 사람을 정한다.
④ 발표 시간이 5분인 것을 고려해 촬영 분량을 정한다.
⑤ 듣는 사람이 6학년 친구들이므로 비속어나 은어를 사용한다.

서술형·논술형 문제

20 다음과 같이 인물을 정했을 때 전하고 싶은 주제는 무엇일지 쓰세요.

우리 모둠이 정한 인물	친구 박지윤	이 인물을 정한 까닭	꿈을 가지고 악기 연주 연습을 열심히 하기 때문이다.
전하고 싶은 주제			

21 20번 문제에서 정한 인물과 주제로 영상을 제작할 때 촬영할 장면으로 알맞지 않은 것은 어느 것인가요? (　　　)

① 친구의 연주회 사진
② 친구와 면담하는 장면
③ 친구가 떡볶이를 먹는 장면
④ 친구가 악기 연주를 하는 사진
⑤ 가족들이 친구를 응원하는 장면

22 친구를 면담할 때 고려해야 할 점으로 알맞은 것은 어느 것인가요? (　　　)

① 대답하기 곤란한 질문을 먼저 한다.
② 면담 주제를 밝히지 않고 질문한다.
③ 말하기 쉬운 편안한 분위기에서 면담한다.
④ 녹음기에 녹음만 하고 메모는 하지 않는다.
⑤ 미리 준비하지 않고 생각나는 대로 질문한다.

23 영상을 촬영할 때 주의할 점으로 알맞지 않은 것은 어느 것인가요? (　　　)

① 촬영 장소를 미리 찾아본다.
② 필요할 경우 재촬영을 할 수 있다.
③ 모둠 친구들이 협력하여 촬영한다.
④ 촬영 대상자에게 미리 동의를 구하지 않아도 된다.
⑤ 촬영하는 과정에서 수정하거나 보완할 점을 점검한다.

24 모둠이 제작한 영상을 점검하며 알맞게 말하지 못한 사람은 누구인지 쓰세요.

민채: 면담에서 주제와 관련 있는 것을 물은 점이 잘 된 것 같아.
지율: 친구가 피아노 연습을 꾸준히 하는 장면이 주제를 잘 드러내.
은호: 장면이 잘 안 보이더라도 자막을 더 많이 넣는 것이 더 좋을 것 같아.

(　　　　　　　)

[25~30] 다음 그림을 보고 물음에 답하세요.

우리 모둠은 요리사를 소개하는 영상을 제작했습니다. 영상 제목은 「사람을 행복하게 하는 요리사」입니다. 방송에서 유명 요리사가 요리하는 장면, 요리사와 직접 면담한 내용, 다양한 요리 분야를 조사한 내용을 넣었습니다.
사람을 행복하게 하는 요리사
지민

25 지민이네 모둠은 무엇에 대한 내용을 제작하고 발표하였나요?

• (   )를 소개하는 영상

26 지민이네 모둠의 발표 내용으로 알맞지 않은 것을 두 가지 고르세요. (,   )

① 요리사와 직접 면담한 내용
② 다양한 요리 분야를 조사한 내용
③ 모둠 친구들이 직접 요리하는 장면
④ 요리사가 꿈인 친구를 면담한 내용
⑤ 방송에서 유명 요리사가 요리하는 장면

27 지민이네 모둠이 영상을 보여 주기 전에 하면 좋은 활동으로 알맞은 것에 ○표 하세요.

(1) 소개할 인물에 대해 최대한 자세하게 소개하고 설명한다. (   )
(2) 소개할 인물에 대한 다섯 고개 문제를 내서 듣는 사람의 관심을 불러일으킨다. (   )
(3) 소개할 인물과 관련이 없는 내용을 말하여 듣는 사람이 주제를 예상하지 못하도록 한다. (   )

28 지민이네 모둠이 영상을 보여 준 뒤 할 수 있는 활동으로 알맞지 않은 것은 어느 것인가요? (   )

① 영상에 대한 질문을 받는다.
② 다른 모둠이 잘못한 점을 말한다.
③ 영상을 촬영하면서 겪은 일을 말해 준다.
④ 영상을 촬영하면서 느낀 점을 말해 준다.
⑤ 영상에서 인상 깊은 장면이 무엇인지 물어본다.

교과서 문제

29 지민이네 모둠의 발표를 들을 때 주의할 점을 알맞게 말하지 못한 사람은 누구인가요?

정하: 촬영이나 편집에서 효과적인 부분을 찾으며 들어야 해.
태일: 발표 내용에 대하여 짝과 이야기를 나누며 듣는 것이 좋아.
미래: 지민이네 모둠이 전하고자 하는 주제를 파악하며 들어야 해.

(   )

서술형·논술형 문제

30 지민이네 모둠의 발표를 듣고 질문을 하려고 할 때 다음을 참고하여 질문을 만들어 쓰세요.

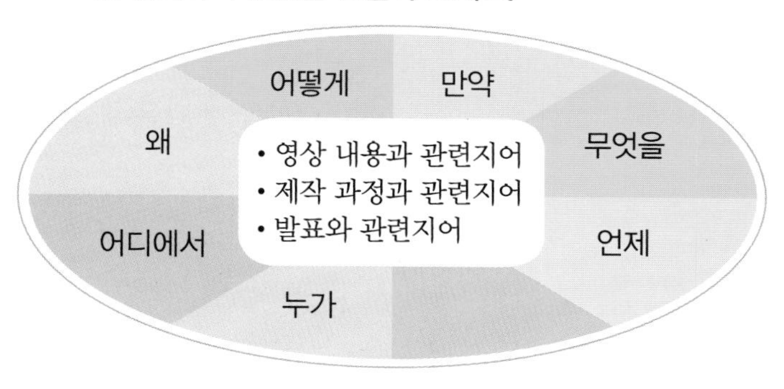

____

____

4 단원

[1~3]

1
학습 발표회에서 독도의 날 기념 율동을 하면 어떨까?
마침 독도의 날이 다가오니까 좋은 생각이야. 그런데 세미야. (㉠)
세미
태민
2
그럼 사진 말고 (㉡)을 보여 줄게. 인터넷에 있는 율동이야.
아하! 간단하고 재미있네. 우리도 해 보자.

1 대화 ❶에서 세미는 어떤 매체 자료를 보여 주며 말하였습니까?

( )

2 대화 ❶의 ㉠에서 태민이가 매체 자료를 보고 했을 말로 가장 알맞은 것에 ○표 하시오.

(1) 이 음악은 좀 별로인 것 같아. ( )
(2) 어떤 동작들을 하는지 궁금해. ( )
(3) 이 동작은 우리가 하기에 어려울 것 같은데? ( )

3 대화 ❷에서 세미는 어떤 매체 자료를 보여 주었을지 ㉡에 들어갈 매체 자료의 종류를 쓰시오.

( )

[4~5]

폴란드의 민속춤을 소개할 때 (㉠)을/를 보여 줘야지.
베트남의 전통 의상을 소개하고 싶어. 베트남의 옷 (㉡)을/를 찾아봐야겠어.
진아
별이

4 진아와 별이가 소개하려는 내용은 각각 무엇입니까?

(1) 진아: ( )
(2) 별이: ( )

5 ㉠과 ㉡에 들어갈 매체 자료의 종류를 알맞게 짝 지은 것은 어느 것입니까? ( )

① ㉠: 표, ㉡: 사진
② ㉠: 영상, ㉡: 도표
③ ㉠: 지도, ㉡: 사진
④ ㉠: 영상, ㉡: 사진
⑤ ㉠: 지도, ㉡: 영상

6 매체 자료를 어떻게 활용해야 효과적일지 알맞게 말하지 못한 사람의 이름을 쓰시오.

> 미리: 발표 상황에 맞는 매체 자료를 활용해야 해.
> 인서: 발표를 듣는 대상의 특성을 생각해서 매체 자료를 활용해야 해.
> 지예: 발표 내용과 관련이 없어도 재미있는 매체 자료를 활용하는 것이 좋아.

( )

[7~10]

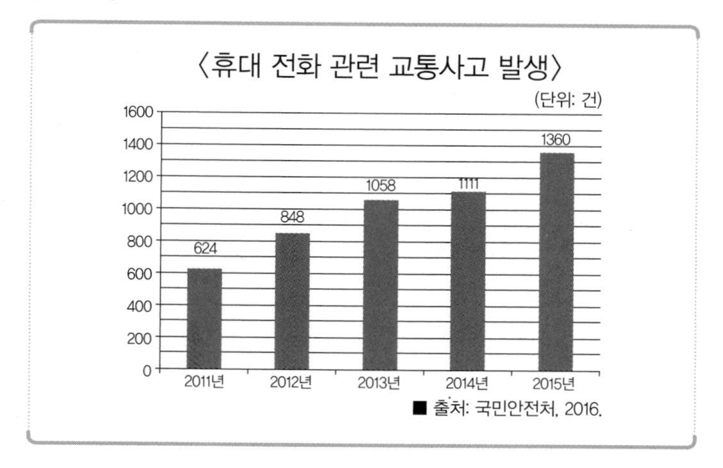

7 이 매체 자료의 종류는 무엇인지 ○표 하시오.

(도표 / 그림지도)

8 매체 자료의 내용으로 빈칸에 알맞은 말을 쓰시오.

- 휴대 전화 관련 교통사고가 점점 (   ).

9 이 매체 자료를 활용하여 전하려는 주제로 알맞은 것은 어느 것입니까? (   )

① 휴대 전화 사용 요금이 비싸다.
② 바른 자세로 휴대 전화를 사용해야 한다.
③ 휴대 전화를 오래 사용하면 시력이 나빠진다.
④ 어린 학생들의 휴대 전화 사용량이 늘어난다.
⑤ 걸을 때나 운전할 때 휴대 전화를 사용하면 위험하다.

10 이 매체 자료와 같은 종류의 매체 자료를 활용하면 좋은 점은 무엇입니까? (   )

① 자유롭게 상상할 수 있다.
② 기분을 잘 나타낼 수 있다.
③ 장면을 생생하게 알 수 있다.
④ 더 정확한 통계를 알 수 있다.
⑤ 움직임을 자세히 파악할 수 있다.

[11~13] 온라인 언어폭력: 능력자

당신은 능력자입니다.
손가락만 까딱하면 누군가를 울릴 수도, 아프게 할 수도, 포기하게 할 수도 있습니다.

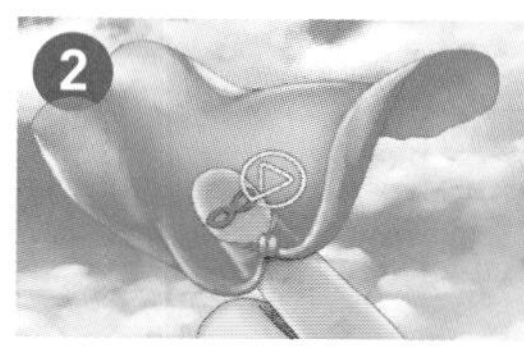

하지만 당신은 누군가를 기쁘게 할 수도, 행복하게 할 수도 있으며,

다시 뛰게 할 수도 있습니다. 손가락만 까딱하면.

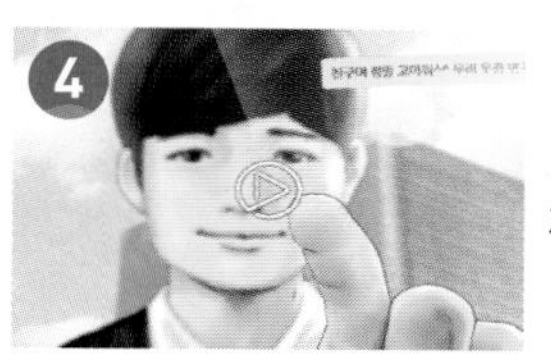

온라인 댓글, 당신은 어떻게 쓰시겠습니까?

11 이 매체 자료에 대하여 알맞게 말하지 <u>못한</u> 사람은 누구입니까?

> 은지: 나쁜 댓글의 예를 구체적으로 보여 줬어.
> 동민: 장면에 따라 배경 색깔을 대조하여 표현했어.
> 시훈: 마지막에 질문을 하여 스스로를 돌아보게 했어.

(   )

12 이 매체 자료의 주제는 무엇입니까? (   )

① 여러 가지 경험을 쌓자.
② 온라인 언어폭력을 하지 말자.
③ 자신의 능력을 기르기 위해 노력하자.
④ 정해진 시간 동안만 인터넷을 사용하자.
⑤ 댓글로 자신의 의견을 자유롭게 표현하자.

서술형·논술형 문제

13 이 매체 자료에서 주제를 효과적으로 표현하려고 사용한 비유적 표현은 무엇인지 쓰시오.

[14~18]

〈영상 자료를 제작하고 발표하는 과정〉

1. 발표 상황 파악하기 ➡ 2. 주제 정하기 ➡ 3. ㉠ ➡ 4. 장면 정하기 ➡ 5. 촬영 계획 세우기 ➡ 6. 촬영하기 ➡ 7. 편집하기 ➡ 8. 발표하기

14 다음은 어느 과정에서 해야 할 일인지 알맞은 것에 ○표 하시오.

- 발표 목적을 확인한다.
- 듣는 사람을 확인한다.

(1) 발표 상황 파악하기 ( )
(2) 장면 정하기 ( )
(3) 촬영 계획 세우기 ( )

15 ㉠에 들어갈 과정은 무엇인지 쓰시오.

( )

서술형·논술형 문제

16 과정 2에서 주제를 '맨발 걷기'로 정했을 때 과정 4에서 다음 빈칸에 들어갈 내용을 한 가지 쓰시오.

운동장 모래 위에서 사람들이 맨발 걷기를 하는 장면	맨발 걷기를 꾸준히 한 사람을 면담하는 장면	

17 과정 5와 6에서 할 일로 알맞지 않은 것은 어느 것입니까? ( )

① 역할을 정한다.
② 촬영 내용을 미리 생각한다.
③ 촬영 일시와 장소를 미리 알린다.
④ 한 명이 한 가지 역할만 담당한다.
⑤ 촬영을 할 때 밝은 표정으로 눈을 맞추며 질문한다.

18 과정 7에서 편집하는 방법을 알맞게 말한 사람은 누구입니까?

나연: 자막은 많이 넣을수록 좋아.
은찬: 알맞은 제목을 만들어서 넣으면 좋아.
고은: 발표에 방해가 되기 때문에 배경 음악을 넣으면 안 돼.

( )

19 영상 자료를 만들어서 인터넷에 올릴 때 주의할 점으로 알맞지 않은 것은 어느 것입니까? ( )

① 유행하는 말을 많이 사용한다.
② 비속어나 은어를 사용하지 않는다.
③ 영상에 나오는 사람의 동의를 얻는다.
④ 영상에 넣은 매체 자료의 출처를 밝힌다.
⑤ 보는 사람들에게 좋은 영향을 주는 자료일지 생각한다.

20 영상을 제작한 후에 생각할 점으로 알맞지 않은 것에 ×표 하시오.

(1) 잘된 점은 무엇인가? ( )
(2) 더 보완할 점은 무엇인가? ( )
(3) 자신의 의견이 얼마나 반영되었나? ( )
(4) 주제가 잘 전달되는 부분은 어디인가? ( )

4 단원
진도 완료 체크

5

글에 담긴 생각과 비교해요

개념 웹툰

글쓴이의 생각은 어떻게 찾을까요? 스마트폰에서 확인하세요!

5 단원

개념 ① 글쓴이의 생각을 파악하며 글을 읽어야 하는 까닭

① 글의 내용을 좀 더 깊이 있게 이해할 수 있기 때문입니다.
② 글쓴이가 글을 쓴 의도나 목적을 알 수 있기 때문입니다.
③ 글의 주제를 쉽게 파악할 수 있기 때문입니다.

활동 글 내용만 이해하고 글을 읽을 때와 글쓴이의 생각을 파악하며 읽을 때를 비교하기

글 내용만 이해하고 읽으면 제목을 그렇게 정한 까닭을 알기 어려워.

글쓴이의 생각을 파악하며 읽으면 글의 주제를 찾을 수 있어.

개념 ② 글을 읽고 글쓴이의 생각 파악하기

① 글의 제목과 글에 사용한 표현을 보면 글쓴이의 관점을 알 수 있습니다.
② 글의 내용을 파악하면 글쓴이가 알려 주고 싶은 생각을 찾을 수 있습니다.
③ 예상 독자가 누구일지 생각해 봅니다.
④ 글에 포함된 그림이나 사진을 살펴봅니다.
⑤ 글쓴이가 글을 쓴 의도와 목적을 생각해 봅니다.

활동 글쓴이의 생각 파악하기 예

글의 제목	「로봇세를 도입해야 한다」	「로봇세 도입을 늦추어야 한다」
글에 나온 표현	• 인간과 로봇이 함께 살아가는 방법 • 소득을 재분배	• 부담 / 걸림돌 • 막대한 특허 사용료를 외국에 지급
글쓴이의 생각	예 로봇세를 빨리 도입해야 한다.	예 아직 로봇세를 도입하면 안 된다.

개념 ③ 글쓴이의 생각과 자신의 생각을 비교하며 글 읽기

① 글의 제목, 낱말이나 표현, 글쓴이가 예상한 독자, 글쓴이의 의도와 목적 등을 살피며 글쓴이의 생각을 찾습니다.
② 글쓴이의 생각과 자신의 생각을 비교하며 같은 점과 다른 점을 이야기해 봅니다.
③ 글을 읽고 자신의 생각이 바뀌었다면 그 까닭을 이야기해 봅니다.

지문 「기와 조각과 똥 덩어리」를 쓴 글쓴이의 의도나 목적 짐작하기 예

“깨진 기와 조각도 알뜰하게 사용했기에 천하의 고운 빛깔을 다 낼 수 있었던 것이다.”
“똥과 기와 조각은 사람의 손길에 따라 쓰임새가 정해지기도 하고, 버려지기도 하는 거다.”

⬇

신분 제도나 사물의 가치에 대해 다른 관점으로도 생각할 수 있게 하려고 이 글을 썼을 것입니다.

개념 ④ 자신의 생각과 상대의 생각을 비교하며 토론하기

① 토론 주제를 확인하고 자신의 생각을 정합니다.
② 주장을 뒷받침할 근거와 자료를 마련하고 반론을 예상해 봅니다.
③ 토론을 위한 효과적인 표현을 정하고, 찬반 토론을 합니다.

활동 ‘착한 사마리아인의 법’이 있어야 하는지에 대해 생각 정하기 예

법으로 정해야 해. 당연히 지켜야 할 도덕적 의무이니 따르지 않는다면 법으로 처벌하는 게 옳아.

법으로 정하지 않아도 돼. 도덕까지 법으로 규제하는 것은 강압에 가까워.

무엇으로 보이십니까?

혹시 알파벳 'E'로 보시지 않으셨습니까?
많은 분들이 우리말의 'ㅌ'보다는
알파벳의 'E'라고 생각하셨을 것입니다.
→ 영어에 더 익숙하기 때문에
지금 우리의 아이들은 우리말의 'ㅌ'보다
알파벳의 'E'를 먼저 배우고 있습니다.
아이에서부터 어른에 이르기까지 국어보다
영어에 익숙해진 우리들.

자랑스러운 우리말은 우리 민족의 정신입니다.
광고를 만든 사람의 생각
우리말을 사랑합시다.

사물이나 현상을 관찰할 때 그 사람이 바라보는 태도나 방향 또는 처지를 '관점'이라고 해요.

관점에 따라 같은 사물이나 현상을 다르게 볼 수 있지요.

사람마다 관점이 다른 까닭

가 사람에 따라 모두 다르기 때문에 관점이 다를 수 있음.

교과서 문제

1 이 광고에서 다루고 있는 문제를 두 가지 고르세요. (　　,　　)

① 사람들의 생각이 모두 똑같다.
② 아이들이 영어보다 우리말을 먼저 배운다.
③ 우리의 말과 글이 점점 파괴되어 가고 있다.
④ 우리말보다 영어에 익숙해진 사람들이 많다.
⑤ 글자를 보고 우리말보다 알파벳을 먼저 떠올린다.

2 사람들이 같은 글자를 서로 다르게 보는 까닭은 무엇일까요?

• 사람마다 (　　　　　　　　)이 달라서 서로 다르게 생각했기 때문이다.

3 문제 2의 정답이 사람마다 다른 까닭을 생각하며 빈칸에 들어갈 말을 두 가지 고르세요. (　　,　　)

사람마다 [　　　]이/가 다르기 때문이다.

① 이름　② 얼굴　③ 생일
④ 경험　⑤ 문화

4 이 광고를 만든 사람이 광고를 통해 하고 싶은 말은 무엇일까요? (　　　)

① 독서를 열심히 하자.
② 음식물 쓰레기를 줄여야 한다.
③ 자랑스러운 우리말을 사랑하자.
④ 건강을 위해 꾸준히 운동을 하자.
⑤ 스마트폰을 너무 많이 사용하지 말자.

5 이 광고를 보고 더 생각할 내용으로 알맞은 것의 기호를 쓰세요.

㉮ 우리말을 사랑하려면 어떻게 해야 할까?
㉯ 영어를 쉽게 배울 수 있는 방법이 있을까?
㉰ 우리말을 배우는 외국인들은 얼마나 있을까?
㉱ 한글과 비슷한 다른 나라의 글자가 더 있을까?
㉲ 우리말이나 알파벳보다 숫자를 먼저 배우는 아이들은 없을까?

(　　　　　　　　)

준비

내가 원하는 우리나라

• 글쓴이: 김구
• 생각할 점: 글쓴이가 전하려는 생각을 찾으면서 읽어 봅니다.

5 단원

1 나는 우리나라가 세계에서 가장 아름다운 나라가 되기를 원한다. 가장 부강한 나라가 되기를 원하는 것은 아니다. 내가 남의 침략에 가슴이 아팠으니, 내 나라가 남을 침략하는 것을 원치 아니한다. 우리의 부는 우리 생활을 풍족히 할 만하고, 우리의 힘은 남의 침략을 막을 만하면 족하다. 오직 한없이 가지고 싶은 것은 높은 문화의 힘이다. 문화의 힘은 우리 자신을 행복하게 하고, 나아가서 남에게도 행복을 주기 때문이다.(글쓴이가 높은 문화의 힘을 바라는 까닭) 지금 인류에게 부족한 것은 무력도 아니요, 경제력도 아니다. 자연 과학의 힘은 아무리 많아도 좋으나, 인류 전체로 보면 현재의 자연 과학만 가지고도 편안히 살아가기에 넉넉하다.

중심 내용 1 나는 우리나라가 세계에서 가장 아름다운 나라가 되기를 원한다.

2 인류가 현재에 불행한 근본 이유는 인의가 부족하고, 자비가 부족하고, 사랑이 부족한 때문이다. 이 마음만 발달이 되면, 현재의 물질력으로 인류 20억이 다 편안히 살아갈 수 있을 것이다. 인류에게 이 정신을 배양하는 것은 오직 문화이다. 나는 우리나라가 남의 것을 모방하는 나라가 되지 말고, 이러한 높고 새로운 문화의 근원이 되고, 목표가 되고, 모범이 되기를 원한다. 그래서 진정한 세계의 평화가 우리나라에서, 우리나라로 말미암아 세계에 실현되기를 원한다.

홍익인간(널리 인간을 이롭게 한다.)이라는 우리 국조 단군의 이상이 이것이라고 믿는다. 또 우리 민족의 재주와 정신과 과거의 단련이 이 사명을 달성하기에 넉넉하고, 국토의 위치와 기타의 지리적 조건이 그러하며, 또 제1차 · 제2차 세계 대전을 치른 인류의 요구가 그러하며, 새로 나라를 고쳐 세우는 우리가 서 있는 시기가 그러하다고 믿는다. 우리 민족이 주연 배우로 세계의 무대에 등장할 날이 눈앞에 보이지 아니하는가.

이 일을 하기 위하여 우리가 할 일은 사상의 자유를 확보하는 정치 양식의 건립과 국민 교육의 완비이다. 내가 위에서 자유의 나라를 강조하고, 교육의 중요성을 말한 것도 이 때문이다. 최고의 문화를 건설하는 사명을 달성할 민족은 한마디로 말하면 국민 모두를 성인으로 만드는 데 있다. 대한 사람이라면 간 데마다 신용을 받고 대접을 받아야 한다.

중심 내용 2 나는 우리나라로 말미암아 세계 평화가 이루어지기를 바란다.

인의(仁 어질 **인** 義 의로울 **의**) 어질고 의로운 마음.
자비(慈 사랑 **자** 悲 슬플 **비**) 남을 깊이 사랑하고 가엾게 여김.
사명(使 부릴 **사** 命 목숨 **명**) 맡겨진 임무.
예 이순신 장군은 마지막까지 사명을 다하였습니다.

교과서 문제

6 **글쓴이가 원하는 것은 무엇인가요? (   )**

① 우리나라가 전쟁에서 이기는 것
② 세계 모든 나라가 평화로워지는 것
③ 다른 나라가 우리나라를 도와주는 것
④ 우리나라가 일본으로부터 독립하는 것
⑤ 우리나라가 세계에서 가장 아름다운 나라가 되는 것

7 **글쓴이는 인류에게 무엇이 부족해서 불행하다고 하였는지 세 가지를 고르세요. (,   ,   )**

① 인의 ② 인내 ③ 자비
④ 사랑 ⑤ 성실

교과서 문제

8 **글쓴이가 글의 제목을 「내가 원하는 우리나라」라고 지은 까닭은 무엇일지 모두 ○표 하세요.**

(1) 글의 내용이 잘 나타나는 제목이어서 (   )
(2) 독자의 관심을 끌기 어려운 제목이어서 (   )
(3) 글쓴이의 생각을 잘 드러낼 수 있는 제목이어서 (   )

9 **글쓴이는 우리나라가 문화의 힘을 높이려면 무엇을 해야 한다고 하였나요?**

• 국민 [   ]을 완비하고, 사상의 자유를 확보하는 정치 양식을 건립해야 한다.

3 ㉠우리의 적이 우리를 누르고 있을 때에는 미워하고 분해하는 살벌 투쟁의 정신을 길렀지만, 적은 이미 물러갔으니 우리는 증오의 투쟁을 버리고 화합의 건설을 일삼을 때다. 집안이 불화하면 망하듯, 나라 안이 갈려서 싸우면 망한다. 동포 간의 증오와 투쟁은 망할 징조이다. 우리의 용모에서는 화기가 빛나야 한다. 우리 국토 안에는 언제나 봄바람이 가득해야 한다. 이것은 우리 국민 각자가 한번 마음을 고쳐먹음으로써 가능하게 되고, 그러한 정신(증오와 투쟁을 버리고 화합하는 정신)을 교육함으로 영원히 이어질 것이다.

최고의 문화로 인류의 모범이 되는 것을 사명으로 삼는 우리 민족의 개개인은 이기적 개인주의자가 되어서는 안 된다. 우리는 개인의 자유를 극도로 주장하되, 그것은 저 짐승들과 같이 저마다 제 배를 채우기에 쓰는 자유가 아니요, 제 가족을, 제 이웃을, 제 국민을 잘 살게 하는 데 쓰이는 자유이다.(글쓴이가 추구하는 자유) 공원의 꽃을 꺾는 자유가 아니라 공원에 꽃을 심는 자유이다. 우리는 남의 것을 빼앗거나 남의 덕을 보려는 사람이 아니라 가족에게, 이웃에게, 동포에게 주는 것을 즐거움으로 삼는 사람이다. 이것이 우리말에 이른바 선비요 점잖은 사람이다.

그러므로 우리는 게으르지 아니하고 부지런하다. 사랑하는 처자를 가진 가장은 부지런할 수밖에 없다. 한없이 주기 위함이다. 힘든 일은 내가 앞서 하니 사랑하는 동포를 아낌이요, 즐거운 것은 남에게 권하니 사랑하는 자를 위하기 때문이다. 이것이 우리 조상들이 좋아하던 인자하고 어진 덕이다.

이러함으로써 우리나라 산에는 삼림이 무성하고, 들에는 오곡백과가 풍성하며, 촌락과 도시는 깨끗하고 풍성하고 화평할 것이다. 그리하여 우리 동포, 즉 대한 사람은 남자나 여자나 얼굴에는 항상 화기가 있고, 몸에서는 어진 향기를 발할 것이다. ㉡이러한 나라는 불행하려 해도 불행할 수 없고, 망하려 해도 망할 수 없는 것이다. 민족의 행복은 결코 계급 투쟁에서 오는 것이 아니요, 개인의 행복이 이기심에서 오는 것도 아니다. 계급 투쟁은 끝없는 계급 투쟁을 낳아서 국토에 피가 마를 날 없고, 내가 이기심으로 남을 해하면 천하가 이기심으로 나를 해할 것이니, 이것은 조금 얻고 많이 빼앗기는 것이다. 일본이 이번 전쟁에 패해 보복당한 것은 국제적 · 민족적으로 그것을 증명하는 가장 좋은 실례다.

중심 내용 3 나는 우리나라가 인자하고 어진 덕을 가진 나라가 되길 원한다.

화기(和 화합할 **화** 氣 기운 **기**) 온화한 기색이나 화목한 분위기.
개인주의자 여럿의 이익보다 자신만의 이익을 더 위하는 사람.
실례(實 열매 **실** 例 사례 **례**) 구체적인 실제의 예.
예 실례를 들어서 설명을 해야 더 설득력이 높습니다.

10 ㉠으로 보아, 글쓴이가 이 글을 쓴 때는 언제일지 기호로 쓰세요.

㉮ 조선 초기	㉯ 조선 후기
㉰ 일제 강점기	㉱ 광복 이후

( )

11 글쓴이는 우리 민족이 어떤 사람이 되기를 바라고 있는지 두 가지를 골라 ○표 하세요.

(1) 게으른 사람 ( )
(2) 부지런한 사람 ( )
(3) 증오와 투쟁을 버린 사람 ( )

교과서 문제

12 글쓴이는 우리나라 사람들이 어떤 마음을 갖기를 바랄까요?

• (1) ( )하고 어진 (2) ( )

13 ㉡이 나타내는 모습으로 보기 어려운 것은 무엇인가요? ( )

① 도시가 깨끗한 나라
② 촌락이 깨끗한 나라
③ 삼림이 무성한 나라
④ 누구나 투쟁하는 나라
⑤ 오곡백과가 풍성한 나라

4 이상에 말한 것은 내가 바라는 새 나라의 용모의 일단을 그린 것이다. 동포 여러분! 이러한 나라가 된다면 얼마나 좋겠는가. 우리 자손에게 이러한 나라를 남기고 가면 얼마나 만족하겠는가. 옛날 한나라 지역의 기자가 우리나라를 사모하여 왔고, 공자께서도 우리 민족이 사는 데 오고 싶다고 하셨으며 우리 민족을 인을 좋아하는 민족이라 하였다. 옛날에도 그러하였거니와, 앞으로 세계 인류가 모두, 우리 민족의 문화를 이렇게 사모하도록 하지 아니하려는가. 나는 우리의 힘으로, 특히 교육의 힘으로 반드시 이 일이 이루어질 것이라고 믿는다. 우리나라의 젊은 남녀가 다 이 마음을 가진다면 아니 이루어지고 어찌하랴!

(내가 바라는 새 나라: 높은 문화의 힘을 가진 아름다운 나라)
(이 일: 우리나라가 아름다운 나라가 되는 것)

나도 일찍이 황해도에서 교육에 종사하였거니와, 내가 교육에서 바라던 것이 이것이었다. 내 나이 이제 일흔이 넘었으니 직접 국민 교육에 종사할 시일이 넉넉지 못하지만, 나는 천하의 교육자와 남녀 학도들이 한번 크게 마음을 고쳐먹기를 빌지 아니할 수 없다.

1947년 / 새문 밖에서

(새문: 돈의문, '서대문'에 해당함)

중심 내용 **4** 나는 교육의 힘으로 내 소망이 이루어지리라 믿는다.

글쓴이의 생각

- 1945년 8월 15일 광복을 맞음.
- 1947년, 어떤 나라가 되어야 할 것인가에 대해 많은 사람들의 생각이 달랐음.

백범 김구 선생께서는 대한민국의 독립을 위해 많은 노력을 하셨던 분이에요.

그래서 광복 이후에 우리나라가 어떤 나라가 되어야 하는지 자신의 생각을 써서 많은 사람이 읽기를 바라셨을 거예요.

1	나는 우리나라가 높은 문화의 힘을 가진 아름다운 나라가 되기를 원한다.
2	사상의 자유를 확보하는 정치 양식을 건립하고 국민 교육을 완비해야 한다.
3	우리는 이기적 개인주의자가 되지 말고, 인자하고 어진 덕을 가져야 한다.
4	나는 교육의 힘을 통해 나의 바람이 이루어질 것이라고 믿는다.

일단(一 하나 **일** 端 끝 **단**) 어떤 것의 한 부분.
사모(思 생각 **사** 慕 사모할 **모**) 애틋하게 생각하고 그리워함.
종사(從 좇을 **종** 事 일 **사**) 어떤 일에 마음과 힘을 다함.
예 할아버지께서는 평생 동안 학문에 종사하셨습니다.

14 글쓴이는 무엇을 통해 자신이 바라는 점이 이루어질 것이라고 하였나요? (　　　)

① 돈의 힘　② 교육의 힘
③ 장사의 힘　④ 노력의 힘
⑤ 조상들의 힘

15 글쓴이의 생각으로 보기 어려운 것은 무엇인가요? (　　　)

① 직접 교육에 참여하고 싶지는 않다.
② 우리 자손에게 훌륭한 나라를 남기고 싶다.
③ 많은 교육자들이 마음을 고쳐먹기를 바란다.
④ 세계 모두가 우리 문화를 사랑하게 만들고 싶다.
⑤ 젊은 남녀가 모두 한 마음을 가진다면 내 소망이 이루어질 것이다.

서술형·논술형 문제

16 글쓴이의 생각이 잘 드러나는 글의 제목을 새롭게 지어 쓰세요.

____

____

17 이와 같은 글을 읽을 때 글쓴이의 생각을 파악하며 읽어야 하는 까닭에 모두 ○표 하세요.

(1) 글을 읽는 시간이 길어지기 때문이다. (　　　)
(2) 좀 더 깊이 있게 이해할 수 있기 때문이다. (　　　)
(3) 글쓴이의 의도나 목적을 알 수 있기 때문이다. (　　　)

218~219쪽 자습서

정답 15쪽

국어 교과서 218쪽

3. 「내가 원하는 우리나라」를 읽고 질문을 만들어 친구들과 묻고 답해 봅시다.

질문	백범 김구 선생은 어떤 나라를 원한다고 했나요?
답	예시 답안 세계에서 가장 아름다운 나라입니다.
질문	예시 답안 백범 김구 선생이 우리나라의 젊은 남녀가 가지기를 바라는 마음은 무엇이라고 생각하나요?
답	예시 답안 인자하고 어진 덕이라고 생각합니다.

풀이 글에 담긴 내용을 묻고 답합니다. 글에 나타난 표현이나 인상 깊은 부분을 묻는 것도 좋은 방법입니다.

4. 백범 김구 선생이 「내가 원하는 우리나라」라고 글 제목을 정한 까닭은 무엇인지 생각해 봅시다.

예시 답안 글 내용을 잘 설명할 수 있는 제목이기 때문입니다. / 읽는 사람의 관심을 끌 수 있는 제목이기 때문입니다. / 백범 김구 선생의 생각을 잘 드러낼 수 있는 제목이기 때문입니다.

풀이 제목은 글쓴이의 생각을 잘 드러낼 수 있어야 합니다.

5. 「내가 원하는 우리나라」에 드러난 글쓴이의 생각은 무엇인지 친구들과 이야기해 봅시다.

예시 답안 글쓴이는 우리나라가 세계에서 가장 아름다운 나라가 되기를 원한다고 하였습니다.

풀이 글쓴이의 생각을 파악할 때에는 글의 제목, 낱말이나 문장 같은 표현, 글 내용 등을 살펴봅니다.

국어 교과서 219쪽

7. 글쓴이의 생각을 파악하며 글을 읽어야 하는 까닭을 말해 봅시다.

- 글 내용을 좀 더 깊이 있게 이해할 수 있다.
- 예시 답안 글쓴이가 글을 쓴 의도와 목적을 알 수 있다.

풀이 글에는 글쓴이의 생각이 담겨 있습니다. 글쓴이의 생각을 파악하며 글을 읽으면 글의 주제를 쉽게 파악할 수 있습니다.

자습서 확인 문제

1 「내가 원하는 우리나라」에 나타난 글쓴이의 생각으로 알맞은 것을 찾아 기호를 쓰세요.

㉠ 글쓴이는 우리나라가 전쟁에서 이기는 것을 원한다.
㉡ 글쓴이는 다른 나라가 우리나라를 도와주는 것을 원한다.
㉢ 글쓴이는 우리나라가 세계에서 가장 아름다운 나라가 되기를 원한다.

( )

2 백범 김구 선생이 「내가 원하는 우리나라」라고 글 제목을 정한 까닭으로 알맞지 않은 것에 ×표 하세요.

(1) 우리나라의 역사를 알 수 있는 제목이기 때문이다. ( )
(2) 읽는 사람의 관심을 끌 수 있는 제목이기 때문이다. ( )
(3) 백범 김구 선생의 생각을 잘 드러낼 수 있는 제목이기 때문이다. ( )

3 글쓴이의 생각을 파악하며 글을 읽어야 하는 까닭은 무엇인가요?

- 글쓴이가 글을 쓴 □□와 목적을 알 수 있기 때문입니다.

5 단원

가 로봇세를 도입해야 한다

1 인공 지능 기술이 발전하면서 로봇이 사람을 대신해 일하는 영역이 늘어나고, 그 규모도 커지고 있다. 이에 따라 외국에서는 로봇을 소유한 기업이나 로봇에게 세금을 부과하자는 주장이 나오고 있다. 우리도 로봇세를 도입하여 인간과 로봇이 함께 살아가는 방법을 찾아야 한다.

중심 내용 1 우리도 로봇세를 도입해야 한다.

2 세계 경제 포럼은 로봇이나 인공 지능이 이끄는 4차 산업 혁명으로 수많은 사람이 일자리를 잃을 것이라고 전망했다. 로봇 때문에 일자리를 잃고 소득을 얻지 못하는 사람들은 새로운 일자리를 찾기 위해 재교육을 받아야 한다. 로봇세를 도입하면 그 세금으로 일자리를 잃은 사람들에게 진로 상담이나 적성 검사, 기술 교육 등을 할 수 있다.(로봇세를 거두면 좋은 점 ①) 또 로봇세를 활용하면 일자리를 잃은 사람들이 재교육을 받고 새로운 일자리를 찾는 데 도움을 줄 수 있다.(로봇세를 거두면 좋은 점 ②)

중심 내용 2 로봇세를 활용하면 실직자들을 도울 수 있다.

3 미래 사회에는 소수의 사람이 로봇으로 소득을 독점할 수 있다. 로봇을 소유하고 이용하는 사람이나 로봇에게 세금을 부과하면 소득의 독점을 막을 수 있다. 그런데 로봇에게 세금을 부과하려면 법적 근거를 마련해야 한다. 법적인 의미에서 자연인과 법인에게만 세금을 부과할 수 있다. 현행법으로는 기계인 로봇에게 세금을 부과할 수 없다. 그래서 2017년에 유럽 의회는 장기적으로 로봇에게 '특수한 권리와 의무를 가진 전자 인간'으로 법적 지위를 부여하는 입법을 집행 위원회가 추진하도록 결의했다. 이는 로봇을 소유하고 이용하는 사람뿐만 아니라 로봇에게도 세금을 부과할 수 있는 근거가 된다. 또 로봇세를 활용하면 소득을 재분배함으로써 국민의 복지 향상에 도움을 줄 수 있다.

중심 내용 3 로봇세를 도입할 법적 근거를 마련해야 한다.

4 최근 과학의 발달에서 로봇의 변화는 눈부시다. 우리나라도 이미 2008년에 「지능형 로봇 개발 및 보급 촉진법」을 제정해 로봇 산업의 법적 기반을 마련했다. 인간과 로봇이 공존하는 방법을 찾을 수 있도록 지금이라도 로봇세를 도입해야 한다.

중심 내용 4 지금이라도 로봇세를 도입해야 한다.

로봇세 로봇이 노동으로 생산하는 경제적 가치에 부과하는 세금.
자연인 사회에서 법적으로 권리와 의무를 가지는 주체로서의 사람.
법인 법적으로 인정되는 단체로, 사람처럼 권리와 의무를 가지게 됨.

서술형·논술형 문제

18 글의 제목으로 보아, 글 가의 글쓴이가 전하려는 생각은 무엇인지 쓰세요.

19 로봇세를 거두면 좋은 점으로 알맞지 않은 것에 ×표 하세요.

(1) 더 많은 특허 사용료를 외국에 지급할 수 있다. ( )

(2) 일자리를 잃은 사람들에게 재교육 비용으로 사용할 수 있다. ( )

20 2017년 유럽 의회에서 집행 위원회가 추진하도록 결의한 내용은 무엇인가요?

로봇에게 '특수한 (1) ( )와 의무를 가진 (2) ( )'으로 법적 지위를 부여하는 입법.

21 글 가에서 글쓴이의 생각이 드러나는 표현이 아닌 것은 어느 것인가요? ( )

① 인공 지능이 이끄는 4차 산업 혁명
② 인간과 로봇이 함께 살아가는 방법
③ 지금이라도 로봇세를 도입해야 한다.
④ 새로운 일자리를 찾는 데 도움을 줄 수 있다.
⑤ 인간과 로봇이 공존하는 방법을 찾을 수 있도록

㉯ 로봇세 도입을 늦추어야 한다

❶ 로봇을 소유한 기업이나 로봇에게 세금을 부과하자는 주장이 나오고 있다. 로봇이 인간의 일거리를 대신 맡아 할 수 있기 때문에 인간에게 필요한 비용을 로봇세로 보충하려는 것이다. 하지만 로봇세 도입은 로봇 산업의 발전과 국가의 미래 경쟁력에 부정적인 영향을 끼칠 수 있다.

중심 내용 1 로봇세 도입은 부정적인 영향을 끼칠 수 있다.

❷ 로봇 산업이 본격적으로 발전하면 로봇은 인간을 대신하여 일을 하게 된다. 이럴 경우에 인간은 위험하거나 단순한 일, 반복적인 일에서 해방될 수 있다. 그런데 인간을 대신하여 일을 할 로봇에게 성급하게 세금을 부과한다면 로봇 산업 발전을 더디게 할 것이다. 특히 로봇 개발자는 개발 비용에 세금까지 더하여 마음의 부담을 느낄 수 있다. 로봇 개발자가 느끼는 마음의 부담은 로봇을 개발하는 과정에서 혁신적인 생각을 발전시키거나 과감한 투자를 하는 데에 걸림돌이 될 수 있다. 로봇세는 이제 발전하려는 로봇 산업에 방해가 된다.

(부담: 글쓴이의 생각이 드러나는 표현 ①, 걸림돌: 글쓴이의 생각이 드러나는 표현 ②)

중심 내용 2 로봇세는 로봇 산업에 방해가 된다.

❸ 로봇세를 부과하는 근거가 명확하지 않기 때문에 세계의 모든 국가가 동시에 로봇세를 도입하기 어렵다. 서둘러 로봇세를 도입한 국가가 다른 국가에 비해 미래 경쟁력에서 뒤처질 수 있다. 지금도 로봇 기술은 외국의 대기업들이 독차지하고 있다. 그래서 우리의 기술 없이 로봇을 만들면 막대한 특허 사용료를 외국에 지급해야 한다. 그렇게 될 경우 로봇세를 도입한 국가는 다른 국가에 비해 기술 개발이 늦어질 수 있다. 국가의 미래 경쟁력을 기르려면 로봇 기술의 개발이 먼저 이루어져야 한다.

(막대한 특허 사용료를 외국에 지급해야: 글쓴이의 생각이 드러나는 표현 ③)

중심 내용 3 지금은 로봇 기술의 개발이 먼저 이루어져야 한다.

❹ 지금은 로봇 산업 발전에 투자해야 할 때이다. 특히 로봇 개발에 필요한 원천 기술에 더 집중해야 한다. 그래야 우리나라의 재산을 지키고 국내 로봇 산업을 이끌 수 있는 힘을 기를 수 있다. 따라서 우리나라의 미래 경쟁력인 로봇 산업을 키울 수 있도록 로봇세 도입을 늦추어야 한다.

중심 내용 4 로봇 산업이 기술 개발에 집중할 수 있도록 로봇세를 도입하지 말아야 한다.

해방(解 풀 해 放 놓을 방) 어떤 부담에서 벗어나게 함.
독차지 혼자서 모두 자기 몫으로 가짐.
원천 기술 어떤 분야에서 가장 근본적으로 쓰이는 기술.

5 단원
진도 완료 체크

22 '로봇세'란 무엇인지 알맞은 설명에 ○표 하세요.

(1) 로봇을 구경할 때마다 내는 세금 ( )
(2) 로봇을 망가뜨릴 때마다 내는 세금 ( )
(3) 로봇을 소유한 기업이나 로봇에게 부과하는 세금 ( )

23 글쓴이가 전하려는 생각은 무엇인가요? ( )

① 로봇세를 빨리 도입해야 한다.
② 지금은 로봇세를 도입할 시기가 아니다.
③ 로봇에 절대 인공 지능을 탑재해서는 안 된다.
④ 로봇에도 사람처럼 기본적인 권리를 주어야 한다.
⑤ 로봇세를 내지 않은 사람들은 부끄러운 줄을 알아야 한다.

24 글 ㉯의 글쓴이가 자신의 생각을 뒷받침하기 위해 제시한 내용을 두 가지 골라 기호로 쓰세요.

㉠ 지금은 로봇 기술 개발에 더 집중해야 할 때이기 때문이다.
㉡ 로봇세는 로봇 산업 발전을 더디게 할 뿐이며, 로봇 산업 발전에 도움이 되지 않는다.
㉢ 로봇세를 거둬서, 로봇 때문에 일자리를 잃은 사람들에게 기본 소득을 지급할 수 있다.

(,)

25 글쓴이가 이 글을 쓴 의도나 목적은 무엇인가요?

• [ ] 도입이 필요하다고 생각하는 사람들에게 다른 관점을 제시하려고 이 글을 썼을 것이다.

기본

『열하일기』 소개

- **글**: 강민경
- **글의 특징**: 박지원이 어떤 과정을 거쳐서 「열하일기」를 썼는지 알 수 있습니다.

5 단원

『열하일기』는 조선 후기의 실학자 연암 박지원이 중국에 다녀와서 쓴 여행기입니다.

당시 중국은 아무나 갈 수 있는 곳이 아니었습니다. 그만한 자격과 능력이 요구되었지요. 그러나 반대로 중국을 가려고 굳이 나서는 사람도 없었습니다. 몇 달간 누런 모래바람을 뒤집어써야 하는 험난한 여행길을 누가 선뜻 나서겠습니까. 하지만 박지원은 호기심이 많고 모험 정신이 가득한 사람이었습니다.

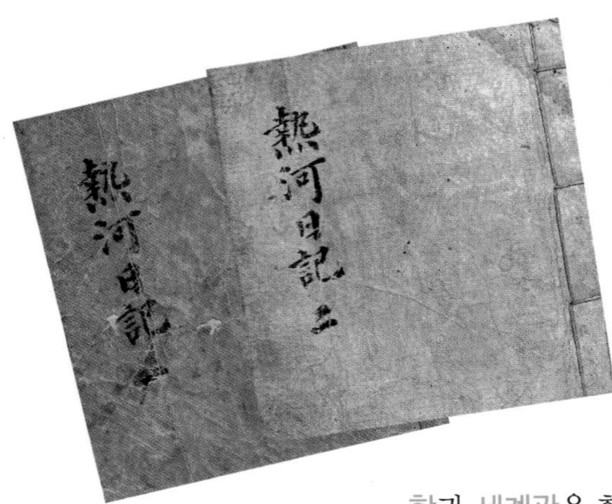

중국에 갔다가 무사히 고국으로 돌아온 박지원은 3년 동안 정성을 쏟아『열하일기』를 썼습니다. 자신이 느낀 바를 진솔하게 기록했기에 책 이름에 '일기'라는 말을 붙였습니다. 그러나 사실『열하일기』는 개인의 감상을 늘어놓은 것이 아닙니다. 시대를 앞서가는 연암의 생각과 기억, 철학과 세계관을 한데 모은 지식의 저장소입니다.

연암 박지원(1737~1805)

- 조선 정조 때의 실학자.
- 상품의 유통이나 생산 수단의 발전을 주장했던 '북학론'을 추구함.
- 도구를 편리하게 쓰고 먹을 것과 입을 것을 넉넉하게 하여, 국민의 생활을 나아지게 한다는 '이용후생'을 강조함.

이 글 다음에 나오는「기와 조각과 똥 덩어리」는『열하일기』 안에 실린 짧은 이야기랍니다.

진솔하게　진실을 담아 솔직하게.
철학(哲 생각할 **철** 學 배울 **학**)　인간과 세계에 대한 근본 원리와 삶의 본질을 연구하는 학문.
세계관　세상에서 살아가는 인생의 의미나 가치에 대한 관점.

26 연암 박지원이 중국에 다녀와서 쓴 여행기는 무엇인가요? (　　　)

① 『난중일기』　② 『열하일기』
③ 『무진기행』　④ 『동방견문록』
⑤ 『왕오천축국전』

27 박지원이 살던 당시, 중국에 가려고 나서는 사람이 없었던 까닭을 찾아 기호로 쓰세요.

㉠ 배를 타고 바다를 건너기가 위험했기 때문이다. ㉡ 중국어를 할 줄 아는 사람이 거의 없었기 때문이다. ㉢ 중국에 도착할 때까지 수많은 산적을 피해야 했기 때문이다. ㉣ 몇 달간 모래바람을 뚫고 가야 하는 험난한 길이었기 때문이다.

(　　　　　　　　　　　)

28 이 글의 글쓴이는 박지원이 어떤 성격을 가졌다고 하였나요? (　　　,　　　)

① 호기심이 많다.
② 모험 정신이 가득하다.
③ 돈에 대한 욕심이 많다.
④ 벼슬에 대한 욕심이 많다.
⑤ 언제나 안전을 중요하게 여긴다.

29 박지원이 중국에 다녀와서 쓴 여행기에 대한 설명으로 알맞은 것은 어느 것인가요? (　　　)

① 개인의 감상만 편하게 적은 글이다.
② 박지원이 4년 동안 정성을 쏟아 쓴 글이다.
③ 시대를 앞서가는 박지원의 생각을 모은 책이다.
④ 박지원의 철학과 세계관은 거의 드러나지 않는다.
⑤ 박지원 자신이 중국에서 매일 겪은 일을 일정한 형식에 따라 썼기 때문에 책 이름에 '일기'라는 말을 붙였다.

기본

기와 조각과 똥 덩어리

• **원작:** 박지원 • **글쓴이:** 강민경
• **글의 특징:** 나리의 말을 통해 박지원의 생각을 드러내고 있습니다.

1 나리는 일행보다 서둘러 새벽같이 길을 떠났다. 나리의 부지런함 때문에 말은 히힝 울고 잠이 덜 깬 장복이는 툴툴거렸지만, 창대는 그런 나리가 좋았다. 나리 덕분에 창대는 이번 사행길이 흙먼지만 먹고 가는 마부의 길이 아니라 자기 자신을 찾는 여행처럼 느껴졌다.

"창대야, 장복아! 우리나라 선비들이 연경에서 돌아온 사람을 만나면 반드시 물어보는 말이 있다. 그게 무엇인지 아느냐?"

나리의 질문에 창대가 미처 생각할 겨를도 없이, 장복이가 대답을 툭 뱉었다.

"뭘 먹고 왔냐는 거 아니겠습니까요? 이 나라 사람들(청나라 사람들)은 책상다리 빼놓고 다 먹는다 하지 않습니까요."

장복이의 대답에 나리가 껄껄 웃으며 고개를 저었다.

"이번 여행에서 제일가는 경치가 뭐였는지 하나만 짚으라는 거다."

"한마디로 제일 눈 호강을 시킨 게 뭐였는가 묻는 것이지요?"

창대가 제법 아는 척을 하며 말하자, 나리가 얼른 고개를 끄덕였다. 창대는 나리를 좇아 이곳저곳 눈에 담기는 했지만 딱히 제일가는 경치가 뭐였는지 꼽아 볼 생각은 못 했었다. 나리 뒤에서 흘깃흘깃 곁눈질을 했을 뿐이어서 창대는 스스로 감탄한 경관이 무엇이었는지 생각이 나지 않았다. 창대는 묵묵히 나리의 말을 기다렸다.

"어떤 이는 요동 천 리 넓은 들판을 꼽고, 어떤 이는 구요동의 백탑을 꼽기도 하지. 큰 길가의 저자('시장'을 예스럽게 이르는 말.)와 점포, 계문의 안개 낀 숲, 노구교, 산해관, 동악묘, 북진묘 등 대답이 분분하여 참으로 어떤 것이 진짜 장관인가 싶기도 하고, 중국의 거대함에 혀를 내두르기도 하지."

㉠나리가 말한 것 중에는 아직 창대가 보지 못한 것도 있지만, 이미 본 것도 있었다. 하지만 창대는 뚜렷이 기억나는 것이 별로 없었다. 여기가 거기 같고, 거기가 여기 같았다. 제대로 알고 본 것이 없어, 조선이나 중국이나 동악묘나 북진묘나 다 거기서 거기였다.

호강 호화롭고 편안한 삶을 누림. 또는 그런 생활.
예 부모님을 호강시켜 드리기 위해 노력했습니다.

장관(壯 씩씩할 장 觀 볼 관) 훌륭하고 멋진 광경.
예 단풍이 물든 설악산의 풍경은 정말 장관이었습니다.

30 이 이야기에 나오는 인물을 셋 고르세요. (, ,)

① 나리 ② 창대
③ 장복 ④ 나리의 아들
⑤ 나리의 부인

31 당시 선비들이 연경에서 돌아온 사람을 만나면 어떤 질문을 한다고 하였나요? ( )

① 뭘 먹고 왔냐는 질문
② 무엇을 사 왔냐는 질문
③ 다음에는 언제 가냐는 질문
④ 제일가는 경치가 뭐였냐는 질문
⑤ 여행에서 돈은 얼마나 들었냐는 질문

32 창대가 중국에서 감탄한 경관이 무엇이었는지 생각나지 않았던 까닭은 무엇인가요? ( )

① 중국을 싫어했기 때문에
② 장복이와 장난만 쳤기 때문에
③ 나리 심부름을 하느라 바빴기 때문에
④ 나리 뒤에서 곁눈질로만 보았기 때문에
⑤ 서둘러 걷느라 제대로 못 보았기 때문에

33 ㉠에 해당하지 않는 것은 어느 것인가요? ( )

① 구요동의 백탑
② 동악묘와 북진묘
③ 노구교와 산해관
④ 계문의 안개 낀 숲
⑤ 금강산의 일만 이천 봉우리들

"그러나 일류 선비는 뭐라고 말하는 줄 아느냐? 얼굴에 웃음기를 거두고 진지하고 근엄하게 말하곤 하지. '중국엔 도무지 볼 것이라곤 없습니다.' 사람들이 놀라 물으면, 일류 선비는 이렇게 대답할 것이다. '황제는 물론 장상과 대신 등 모든 관원과 백성이 머리를 깎았으니 오랑캐요, 오랑캐의 나라에서 볼 게 뭐가 있겠습니까?'"

나리의 말에 장복이가 무릎을 치며 깔깔 웃었다.

"진짜 일류 선비가 맞는뎁쇼. 어쩜 그리 내 속을 시원하게 알아준단 말입니까? 암, 맞지요. 중국(당시의 중국: 청나라)은 오랑캐의 나라인데, 볼거리가 뭐가 있겠습니까?"

나리는 장복이의 말에 대꾸 없이 말을 이었다.

"이류 선비들은 또 이렇게 말할 것이다. '성곽은 만리장성을 본받았고, 궁실은 아방궁을 흉내 냈을 뿐입니다. 선비와 백성은 위나라, 진나라 때처럼 겉만 화려한 기풍을 좇고, 풍속은 온갖 사치에 빠져 있습니다. 10만 대군을 얻어 산해관으로 쳐들어가, 만주족 오랑캐들을 소탕한 뒤라야 비로소 경치를 이야기할 수 있을 겁니다.'"

장복이는 아까보다 더 좋아하며 배를 잡고 낄낄거렸다.

"저는 이류 선비가 더 좋습니다요. 과연 맞는 말이지요. 10만 대군으로 오랑캐를 쳐부수면 얼마나 속이 시원하겠습니까?"

장복이뿐 아니라 조선의 백성이라면 지금의 중국인 청나라를 다 오랑캐의 나라로 여겼다. 청나라나 왜적이 조선에 쳐들어왔을 때, 명나라가 도와준 고마움을 오랫동안 잊지 않은 까닭도 있었다.

창대는 나리의 생각이 궁금했다.

"나리는 어떻게 생각하시는지요? 역시 오랑캐의 나라라 볼 게 없다고 여기시는지요?"

창대의 질문에 나리는 기다렸다는 듯이 대답했다.

"나는 시골의 삼류 선비지만, 중국의 제일가는 경치는 저 기와 조각과 똥 덩어리라고 말하고 싶구나."

나리의 말에 장복이가 이번엔 아예 배를 잡고 대굴대굴 굴렀다.

근엄하게 점잖고 엄숙하게.
예 할아버지께서 근엄하게 꾸중을 하셨다.

오랑캐 예전에 두만강 일대에 살던 여진족을 낮추어 부르는 말.
예 청나라는 오랑캐의 나라이므로 친하게 지낼 수 없다.

34 일류 선비는 중국의 제일가는 경치를 무엇이라고 답한다고 하였는지 ○표 하세요.

(1) 중국엔 볼 것이 없다. ( )

(2) 중국의 제일가는 경치는 요동의 넓은 들판이다. ( )

(3) 중국의 제일가는 경치는 계문의 안개 낀 숲이다. ( )

35 일류 선비가 문제 34의 정답과 같이 생각하는 까닭은 무엇인가요? ( )

① 중국은 오랑캐의 나라이기 때문이다.
② 중국에는 사막이 너무 많기 때문이다.
③ 중국에는 관광지가 한 곳도 없기 때문이다.
④ 어디를 다녀도 비슷한 모습만 있기 때문이다.
⑤ 중국에는 사람들이 너무 많이 살기 때문이다.

36 청나라에 대한 이류 선비들의 생각이 아닌 것은 무엇인가요? ( )

① 성곽은 만리장성을 본받았다.
② 풍속은 온갖 사치에 빠져 있다.
③ 궁실은 아방궁을 흉내 냈을 뿐이다.
④ 선비들은 매우 훌륭하여 본받고 싶다.
⑤ 백성들은 겉만 화려한 기풍을 좇는다.

교과서 문제

37 나리는 중국의 제일가는 경치에 대해 무엇이라고 대답하였나요?

• (1) ( )과 (2) ( ) 덩어리가 중국의 제일가는 경치라고 말하고 싶다.

"이히히, 기와 조각요? 똥, 똥 덩어리랍쇼? 개똥요? 소똥요? 우헤헤, 그럼 똥을 조선까지 고이고이 가져 갈깝쇼?"

창대는 장복이처럼 웃지는 않았지만, 나리의 말을 이해할 수 없기는 마찬가지였다. 나리가 창대와 장복이를 상대로 말장난을 하는 것 같기도 했고, 더위에 지쳐 헛소리를 하는 것 같기도 했다. 창대가 슬쩍 나리의 표정을 살폈지만, 나리는 장난을 치는 것 같지도, 헛소리를 하는 것 같지도 않았다. 나리의 표정은 어느 때보다도 진지했다.

"대개 ㉠백성을 위해 일하는 자는 백성과 나라에 도움이 될 일이라면 그 법이 비록 오랑캐에서 나온 것이라 해도, 마땅히 이를 배우고 본받아야 할 것이니라. 그래야 오랑캐를 물리칠 수 있는 법이다. 저들의 것을 다 익히고, 저들보다 낫게 되어야 비로소 ㉮'중국에는 볼만한 것이 없다'고 말할 수 있는 거다."

"그게 기와 조각이랑 똥 덩어리랑 무슨 상관이란 말씀입니까?"

장복이가 얼굴에 웃음기를 거두지 않고 물었다.

"㉡깨진 기와 조각은 천하에 쓸모없는 물건이다. 그러나 백성들의 집에 담을 쌓을 때 깨진 기와 조각을 둘씩 짝을 지어 물결무늬를 만들기도 하고, 혹은 네 조각을 모아 쇠사슬 모양이나 엽전 모양을 만들지 않느냐? ㉢깨진 기와 조각도 알뜰하게 사용했기에 천하의 고운 빛깔을 다 낼 수 있었던 것이다."

그러고 보니, 창대도 중국에서 뜰 앞에 벽돌을 깔 형편이 안 되는 가난한 집들도 여러 빛깔의 유리 기와 조각과 둥근 조약돌을 주워다가 꽃, 나무, 새, 동물 모양 등을 아로새겨 깔아 놓은 것을 본 적이 있었다. 이는 예쁘기도 했지만, 비 올 때 흙이 진창이 되는 것을 막아 주기도 했다.

"똥오줌을 생각해 보아라. 세상에 둘도 없이 더러운 것들이다. 하지만 거름으로 쓸 때는 한 덩어리라도 흘릴까 하여 조심하고, 말똥을 모으려 삼태기를 들고 말 꽁무니를 따라다니기도 하지 않느냐. 똥을 모아 그냥 두는 법도 없다. 네모반듯하게 쌓거나 팔각, 육각 등의 누각으로 쌓아 올려 똥거름 또한 모양을 만들어 두지 않았느냐. 그러니 나는 저 깨진 기와 조각과 똥 덩어리야말로 가장 볼만한 것이라 꼽을 것이다. 높디높은 성곽이나 궁실, 웅장한 사찰과 광활한 벌판보다 이것들이 더 아름답다 하지 않겠느냐."

(기와 조각과 똥 덩어리)
중심 내용 1 나리는 깨진 기와 조각과 똥 덩어리야말로 중국에서 가장 볼만한 것이라고 하였다.

고이고이 매우 소중하게 또는 정성을 다하여.
예 준비한 선물을 예쁜 포장지로 고이고이 싸 놓았습니다.

삼태기 흙이나 쓰레기, 거름 등을 담아 나를 때 쓰는 기구. 주로 가는 싸리나무 줄기나 지푸라기를 엮어서 만듦.

38 나리는 깨진 기와 조각에 어떤 쓰임이 있다고 하였나요?

• 백성들의 집에 담을 쌓을 때 [ ] 를 만든다.

서술형·논술형 문제

39 나리는 누가 ㉮처럼 말할 수 있다고 생각하는지 쓰세요.

____

______________________________ 사람

40 ㉠~㉢ 중, 글쓴이가 이 글을 통해 전하려는 생각이 드러나는 표현을 두 가지 찾아 기호를 쓰세요.

(,)

41 '똥 덩어리'에 대한 나리의 생각은 어떠한가요? ( )

① 아무짝에도 쓸모가 없다.
② 세상에서 가장 깨끗한 것이다.
③ 세상에서 가장 희귀한 것이다.
④ 냄새가 고약하고 보기에 흉하다.
⑤ 쓸 만한 거름이니 볼만한 것이다.

5 단원

2 말을 마친 나리는 흐뭇한 표정으로 주위를 둘러보았다. 창대도 나리를 따라 주위를 둘러보았다. 저 멀리 똥 누각이 보였다. 그전까진 멀리서 보기만 해도 냄새가 날까 코를 막고 고개를 돌렸던 똥 누각이 나리의 말씀에 오늘은 달리 보였다. 무심코 보아 넘겼던 깨진 기와 조각들이 오늘은 그보다 아름다울 수 없게 느껴졌다.

창대의 머릿속에 불현듯 스치는 생각이 있었다. 깨진 기와 조각을 눈여겨보는 나리라면, 똥오줌을 아름답다 하는 나리라면 혹시.
(남다른 생각을 가진)

"나리! 저 같은 천민도 저런 똥오줌이나 깨진 기와 조각처럼 쓸모가 있을깝쇼?"

창대보다 먼저 입을 연 건 장복이었다. 자신의 생각과 비슷한 장복이의 말에 창대는 깜짝 놀라 장복이를 건너다보았다. 낄낄거리며 웃던 장복이의 얼굴에 어느새 장난기와 웃음기가 싹 걷혀 있었다. 나리에게 묻는 장복이의 말투도 사뭇 가라앉아 있었다. 나리는 대답 대신 장복이를 잠시 말없이 내려다보았다. 눈빛이 따뜻한 것 같기도 하고, 흔들리는 것 같기도 했다. 창대는 나리의 대답이 너무나 궁금했다. 혹여 똥오줌보다 못할까, 깨진 기와 조각보다 쓸모가 없을까 가슴이 조마조마했다. 창대가 느끼기엔 한 식경 같은 시간이 지나갔다.
(식경: 밥을 먹을 동안. 잠깐 동안을 이르는 말.)

"똥과 기와 조각은 사람의 손길에 따라 쓰임새가 정해지기도 하고, 버려지기도 하는 거다. 사람으로 태어나서 어찌 다른 사람의 손길만 기다리겠느냐? 스스로 쓰임새를 찾는다면 어찌 똥오줌이나 깨진 기와 조각의 쓰임새에 비하겠으며, 그렇지 못하다면 그야말로 길거리에 굴러다니는 개똥보다 못할 것이니라."
(글쓴이의 생각이 드러나는 표현)

"에이, 그게 뭡니까요? 맞으면 맞는다, 아니면 아니다 명확히 대답을 해 주셔야지요."

장복이의 응석에 나리는 다시 한번 꼬집어 말하였다.

"스스로의 가치는 스스로가 매기는 거야. 다른 사람에게 맡길 것이 아닌 거야."

그 이후로 장복이가 아무리 아양을 떨고 투정을 부려도 나리는 입을 열지 않았다. 창대는 나리의 말을 씹고 또 곱씹어 보았다. 스스로의 쓰임새를 스스로가 찾지 않으면 똥오줌, 깨진 기와 조각보다 못하다는 말은 창대의 가슴을 아프게 했다. / '나의 쓰임새는 과연 무엇인가?'
(글쓴이의 생각)

말고삐를 잡고 흙먼지를 마시는 것밖에 세상에서 창대가 할 수 있는 일은 없어 보였다. 장복이는 그새 진지함은 게 눈 감추듯 하고, 흥얼흥얼 콧노래를 부르고 있었다.
(게 눈 감추듯: 금방 사라진 것을 표현하는 말)

창대는 저 멀리 서 있는 똥 누각이 차라리 부러웠다.

중심 내용 2 장복이가 나리에게 자신과 같은 천민도 쓸모가 있는지 묻자 나리는 스스로의 가치는 스스로 정하는 것이라고 대답하였다.

42 장복이가 나리에게 묻자, 창대의 마음은 어떠하였나요? (　　)

① 우스웠다.
② 재미있었다.
③ 답답하였다.
④ 짜증이 났다.
⑤ 조마조마하였다.

43 글쓴이의 생각이 담긴 표현에 ○표 하세요.

(1) 저 멀리 똥 누각이 보였다. (　　)
(2) 나리는 흐뭇한 표정으로 주위를 둘러보았다. (　　)
(3) 스스로의 가치는 스스로가 매기는 거야. 다른 사람에게 맡길 것이 아닌 거야. (　　)

44 글쓴이는 이 글을 어떤 사람이 읽을 것이라고 생각했을지 두 가지를 찾아 기호로 쓰세요. (　　,　　)

㉠ 조선의 선비
㉡ 조선의 양반
㉢ 청나라 백성
㉣ 청나라 관리

45 글쓴이가 이 글을 쓴 의도와 목적에 대하여 알맞게 설명한 친구는 누구인가요?

영현: 중국에서 본 가장 훌륭한 것을 자랑하기 위해서 이 글을 썼을 거야.
진우: 신분 제도나 사물의 가치에 대해 다른 관점으로도 생각할 수 있게 하려고 이 글을 썼을 거야.

(　　)

1
1928년 미국의 한 부둣가
산책하던 중 실수로 바다에 빠진 남자

"살려 주세요."
"살려 주세요."

다급한 구조 요청에도 무관심

5
젊은이를 상대로 소송을 낸 익사자 가족
"그때 도와줬다면 내 아들은 죽지 않았어요."

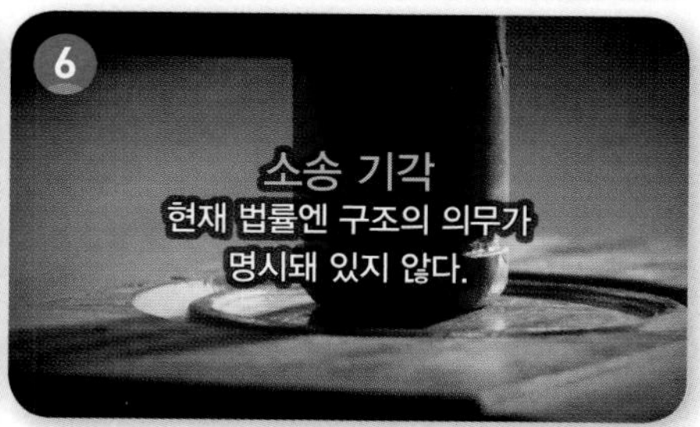

6
소송 기각
현재 법률엔 구조의 의무가
명시돼 있지 않다.

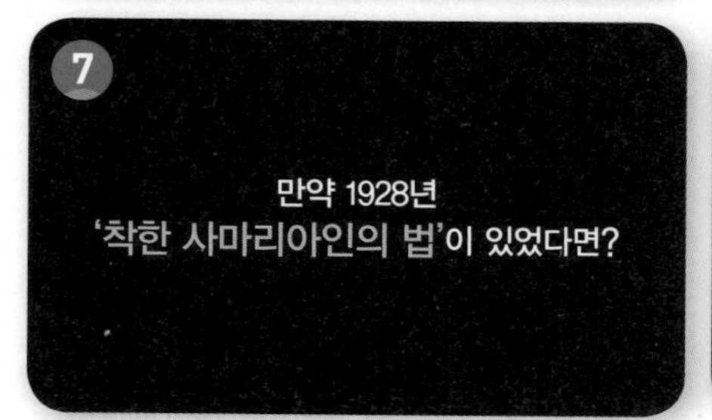

8
착한 사마리아인의 법:
위험에 처한 사람을 돕지 않으면
처벌할 수 있는 법 제도

법이 필요한지
그렇지 않은지

서술형·논술형 문제

46 '착한 사마리아인의 법'의 내용을 쓰세요.

____

____

47 ❻에서 젊은이에 대한 소송이 기각된 까닭은 무엇인가요? (   )

① 젊은이에게 구조를 요청한 것이 아니어서
② 젊은이가 착한 사마리아인의 법을 지켜서
③ 젊은이가 구조하는 모습을 봤다는 증인이 있어서
④ 젊은이가 구조할 마음은 있었던 것으로 밝혀져서
⑤ 당시의 법률에는 구조 의무가 명시돼 있지 않아서

48 1928년에 '착한 사마리아인의 법'이 있었다면 어떤 결과가 나타났을지 잘못 설명한 친구는 누구인가요?

> 세영: 젊은이가 바다에 빠진 남자를 구했을 거예요.
> 우진: 산책을 하던 남자가 바다에 빠지지 않았을 것 같아요.
> 은채: 바다에 빠진 남자를 구하지 않은 젊은이가 처벌을 받았을 거예요.

(   )

49 다음 주장은 '착한 사마리아인의 법'에 찬성하는 내용인지 반대하는 내용인지 구별하여 쓰세요.

> 당연히 지켜야 할 도덕적 의무이니 따르지 않는다면 법으로 처벌하는 게 옳습니다.

(   )하는 내용

[1~2] 무엇으로 보이십니까?

혹시 알파벳 'E'로 보시지 않으셨습니까?
많은 분이 우리말의 'ㅌ'보다는
알파벳의 'E'라고 생각하셨을 것입니다.

지금 우리의 아이들은 우리말의 'ㅌ'보다
알파벳의 'E'를 먼저 배우고 있습니다.
아이에서부터 어른에 이르기까지 국어보다
영어에 익숙해진 우리들.

자랑스러운 우리말은 우리 민족의 정신입니다.
우리말을 사랑합시다.

1 이 글의 종류는 무엇입니까? (　　　　)

① 시　② 편지　③ 이야기
④ 공익 광고　⑤ 독서 감상문

2 글쓴이가 전하려는 생각은 무엇이겠습니까?

• (　　　　　　　　　　)을 사랑합시다.

[3~7] 내가 원하는 우리나라

가 나는 우리나라가 세계에서 가장 아름다운 나라가 되기를 원한다. 가장 부강한 나라가 되기를 원하는 것은 아니다. 내가 남의 침략에 가슴이 아팠으니, 내 나라가 남을 침략하는 것을 원치 아니한다. 우리의 부는 우리 생활을 풍족히 할 만하고, 우리의 힘은 남의 침략을 막을 만하면 족하다. 오직 한없이 가지고 싶은 것은 높은 문화의 힘이다. 문화의 힘은 우리 자신을 행복하게 하고, 나아가서 남에게도 행복을 주기 때문이다.

나 최고의 문화로 인류의 모범이 되는 것을 사명으로 삼는 우리 민족의 개개인은 이기적 개인주의자가 되어서는 안 된다. 우리는 개인의 자유를 극도로 주장하되, 그것은 저 짐승들과 같이 저마다 제 배를 채우기에 쓰는 자유가 아니요, 제 가족을, 제 이웃을, 제 국민을 잘 살게 하는 데 쓰이는 자유이다.

3 글쓴이의 생각으로 알맞은 것에 ○표 하시오.

(1) 우리나라가 독립했으면 좋겠다. (　　)
(2) 우리나라가 부유해졌으면 좋겠다. (　　)
(3) 우리나라가 세계에서 가장 아름다운 나라가 되기를 원한다. (　　)

4 글쓴이는 우리나라가 어느 정도의 부를 가지면 된다고 하였습니까?

• 우리 (1)(　　　　　)을 (2)(　　　　　) 할 만 하면 된다고 하였다.

5 글쓴이는 우리나라가 어떤 힘을 한없이 가지기를 바랐습니까? (　　　　)

① 군대의 힘　② 외교의 힘
③ 협력하는 힘　④ 생각하는 힘
⑤ 높은 문화의 힘

6 글쓴이가 문제 5에서 답한 힘을 가지고 싶어 한 까닭을 두 가지 고르시오. (　　,　　)

① 남에게 행복을 주기 때문에
② 우리 자신을 행복하게 하기 때문에
③ 다른 나라를 침략할 수 있기 때문에
④ 우리의 생활을 풍족하게 하기 때문에
⑤ 다른 나라의 침략을 막을 수 있기 때문에

서술형·논술형 문제

7 글쓴이는 우리나라가 어떤 자유를 추구해야 한다고 하였는지 쓰시오.

____

______________________ 추구해야 한다.

[8~10] 로봇세를 도입해야 한다

가 로봇세를 도입하면 그 세금으로 일자리를 잃은 사람들에게 진로 상담이나 적성 검사, 기술 교육 등을 할 수 있다. 또 로봇세를 활용하면 일자리를 잃은 사람들이 재교육을 받고 새로운 일자리를 찾는 데 도움을 줄 수 있다.

나 로봇에게 세금을 부과하려면 법적 근거를 마련해야 한다. 법적인 의미에서 자연인과 법인에게만 세금을 부과할 수 있다. 현행법으로는 기계인 로봇에게 세금을 부과할 수 없다. 그래서 2017년에 유럽 의회는 장기적으로 로봇에게 '특수한 권리와 의무를 가진 전자 인간'으로 법적 지위를 부여하는 입법을 집행 위원회가 추진하도록 결의했다.

8 우리나라의 현행법으로는 로봇에게 세금을 부과할 수 없는 까닭은 무엇입니까?

• 로봇은 자연인이나 법인이 아닌 (　　　　　)이기 때문이다.

9 글쓴이는 이 글을 누가 읽을 것이라고 생각했을지 모두 고르시오. (　　,　　,　　)

① 로봇에 관심을 가진 학생들
② 로봇 산업에서 일하는 사람들
③ 로봇세 도입에 반대하는 관계자들
④ 여러 공장에서 쓰이고 있는 로봇들
⑤ 이제 한글을 처음 배우기 시작한 어린이들

10 글쓴이가 글 나에서 말한 내용은 무엇입니까? (　　　)

① 로봇세 부과는 아직 이르다.
② 로봇에 인공 지능을 탑재하면 안 된다.
③ 로봇 때문에 다치는 사람이 생겨서는 안 된다.
④ 인간과 로봇이 함께 살아가는 방법을 찾아야 한다.
⑤ 로봇에게 세금을 부과할 수 있는 법적 근거를 마련해야 한다.

[11~14] [㉠]

가 로봇을 소유한 기업이나 로봇에게 세금을 부과하자는 주장이 나오고 있다. 로봇이 인간의 일거리를 대신 할 수 있기 때문에 인간에게 필요한 비용을 로봇세로 보충하려는 것이다. 하지만 로봇세 도입은 로봇 산업의 발전과 국가의 미래 경쟁력에 부정적인 영향을 끼칠 수 있다.

나 로봇에게 성급하게 세금을 부과한다면 로봇 산업 발전을 더디게 할 것이다. 특히 로봇 개발자는 개발 비용에 세금까지 더하여 마음의 부담을 느낄 수 있다.

11 로봇세를 부과하는 대상을 두 가지 고르시오. (　　,　　)

① 군인
② 로봇
③ 로봇을 소유한 기업
④ 로봇을 설계하는 사람
⑤ 인공 지능이 내장된 컴퓨터

12 보기 에서 글쓴이의 생각이 드러난 표현을 찾아 ○표 하시오.

보기
보충　　로봇 산업　　부담

서술형·논술형 문제

13 [㉠]에 들어갈 이 글의 제목을 지어 쓰시오.

14 글쓴이는 어떤 생각을 갖고 있습니까? (　　　)

① 로봇을 사적으로 가지면 안 된다.
② 로봇 사용을 점차 줄여 가야 한다.
③ 로봇세를 거두어 쓸모 있게 써야 한다.
④ 로봇에게도 사람처럼 권리를 주어야 한다.
⑤ 로봇세는 로봇 산업 발전을 더디게 할 수 있다.

진도 완료 체크

15 빈칸에 알맞은 말을 써넣으시오.

- 글쓴이의 생각을 파악하려면, 글의 제목과 글에 나온 표현을 살펴보면서 글쓴이의 (　　　　　)을/를 짐작해 보아야 합니다.

[16~20] 기와 조각과 똥 덩어리

가 "나리는 어떻게 생각하시는지요? 역시 오랑캐의 나라라 볼 게 없다고 여기시는지요?"
창대의 질문에 나리는 기다렸다는 듯이 대답했다.
"나는 시골의 삼류 선비지만, 중국의 제일가는 경치는 저 기와 조각과 똥 덩어리라고 말하고 싶구나."

나 "깨진 기와 조각은 천하에 쓸모없는 물건이다. 그러나 백성들의 집에 담을 쌓을 때 깨진 기와 조각을 둘씩 짝을 지어 물결무늬를 만들기도 하고, 혹은 네 조각을 모아 쇠사슬 모양이나 엽전 모양을 만들지 않느냐? 깨진 기와 조각도 알뜰하게 사용했기에 천하의 고운 빛깔을 다 낼 수 있었던 것이다."

다 "㉠똥오줌을 생각해 보아라. 세상에 둘도 없이 더러운 것들이다. 하지만 거름으로 쓸 때는 한 덩어리라도 흘릴까 하여 조심하고, 말똥을 모으려 삼태기를 들고 말 꽁무니를 따라다니기도 하지 않느냐."

라 "㉡똥과 기와 조각은 사람의 손길에 따라 쓰임새가 정해지기도 하고, 버려지기도 하는 거다. 사람으로 태어나서 어찌 다른 사람의 손길만 기다리겠느냐? 스스로 쓰임새를 찾는다면 어찌 똥오줌이나 깨진 기와 조각의 쓰임새에 비하겠으며, 그렇지 못하다면 그야말로 길거리에 굴러다니는 개똥보다 못할 것이니라."

마 장복이의 응석에 나리는 다시 한번 꼬집어 말하였다.
"㉢스스로의 가치는 스스로가 매기는 거야. 다른 사람에게 맡길 것이 아닌 거야."

16 나리는 중국의 제일가는 경치를 무엇과 무엇이라고 하였습니까? (　　　,　　　)

① 나뭇가지　② 말 꽁무니　③ 기와 조각
④ 똥 덩어리　⑤ 만리장성의 끝

17 나리가 기와 조각을 중국의 제일가는 경치 중 하나라고 꼽은 까닭은 무엇입니까? (　　　)

① 그냥 봐도 아름답기 때문에
② 길거리에 흔하게 널려 있기 때문에
③ 거름으로는 아주 쓸모가 많기 때문에
④ 알뜰하게 사용하면 쓸모가 있기 때문에
⑤ 깨져도 아무 문제없이 지붕에 올릴 수 있기 때문에

서술형·논술형 문제

18 나리가 '똥 덩어리'를 중국의 제일가는 경치 중 하나라고 꼽은 까닭을 쓰시오.

19 선생님께서 이 글을 읽고 글쓴이의 의도를 짐작했습니다. 빈칸에 들어갈 말은 무엇입니까? (　　　)

> 선생님: 연암 박지원은 조선 시대 사람들에게 신분 제도나 사물의 [　　] 에 대해 다른 관점으로도 생각할 수 있게 하려고 이 글을 썼을 것입니다.

① 종류　② 모양　③ 가치
④ 가격　⑤ 색깔

20 ㉠~㉢ 중, 글쓴이의 생각이 드러나는 표현으로 보기 어려운 것은 어느 것입니까?

(　　　　　)

6
정보와 표현 판단하기

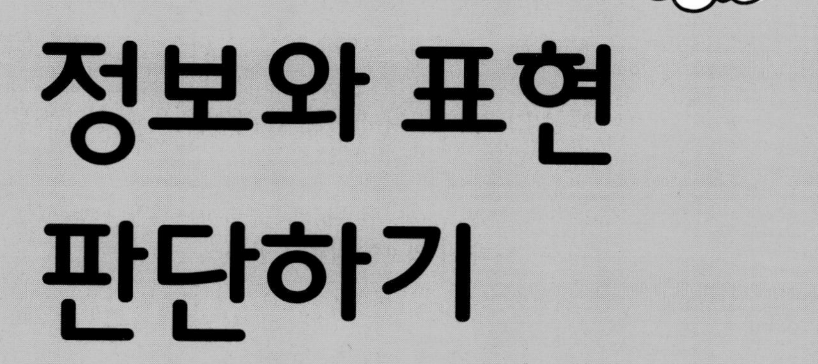

뉴스가 타당한지 살펴보자! 가치 있고 중요한 뉴스인지, 관점과 보도 내용이 서로 관련 있는지, 자료가 뉴스 관점을 뒷받침하는지, 자료 출처가 명확한지 살펴봐야지.

맞아. 뉴스에도 나왔잖아.

안타깝기는 하지만 왕실의 비리도 사실인걸?

정신 차려! 지금 친구가 위험에 처했는데 왕위 서열 따질 때야?

개념 웹툰

뉴스의 타당성을 어떻게 판단할까요?
스마트폰에서 확인하세요!

개념 ① 뉴스가 우리 생활에 미치는 영향

① 사람들에게 새로운 정보를 알려 줍니다.
② 어떤 일을 긍정적이거나 비판적인 시각으로 보게 합니다.
③ 여러 사람의 생각에 영향을 주어 여론을 형성합니다.

여론: 사회 속 많은 사람들의 공통된 의견.

활동 뉴스가 미치는 영향 알아보기 예

뉴스의 내용	뉴스를 본 사람의 반응	뉴스가 미치는 영향
파리 기후 협약 체결	우리가 실천할 수 있는 방법을 찾아봐야겠어요.	➡ 뉴스를 본 사람의 생각에 영향을 주어 여론을 형성함.

개념 ② 광고에 나타난 표현의 적절성 살펴보기

① 광고를 보며 다음 표현의 특성을 떠올립니다.

> 사진, 글, 소리, 글씨체, 글씨 크기와 말

② 광고에서 과장하거나 감추는 내용이 무엇인지 살피며 비판적으로 바라봅니다.
③ 광고 내용을 그대로 믿고 물건을 사면 피해를 볼 수 있으므로 주의합니다.

활동 '깃털 책가방' 광고를 보고 표현의 적절성 살펴보기 예

광고 문구	과장하거나 감추는 내용
이보다 가벼울 수는 없다!	더 가벼운 책가방이 있을 수 있기 때문에 과장된 표현임.
해외로 수출하는 우수 제품입니다.	어떤 나라로 수출하는지와 관련 있는 자세한 정보를 감추고 있음.

개념 ③ 뉴스에 나타난 정보의 타당성 알아보기

① 사람들에게 중요하거나 흥미로운 사건을 때에 알맞게 보도하는 것을 뉴스라고 합니다.
② 가치 있고 중요한 뉴스인지 살핍니다.
③ 뉴스의 관점과 보도 내용이 서로 관련이 있는지 살핍니다.
④ 활용한 자료들이 뉴스의 관점을 뒷받침하는지 살핍니다.
⑤ 자료의 출처가 명확한지 살핍니다.

활동 「스마트 기부 확산」 뉴스의 타당성 판단하기 예

이 뉴스는 스마트 기부가 우리 사회에서 가치 있고 중요하기 때문에 이를 보도 내용으로 다루었어. ➡ 가치 있고 중요한 뉴스인지 판단함.

스마트 기부를 하는 사람들의 동기를 분석한 통계 자료의 출처를 정확히 밝히고 있어. ➡ 자료의 출처가 명확한지 살핌.

개념 ④ 관심 있는 내용으로 뉴스 원고 쓰기

① 어떤 내용을 보도할지 회의합니다.
② 뉴스로 알리려는 내용을 취재합니다.
③ 취재한 내용을 바탕으로 뉴스 원고를 씁니다.
④ 뉴스에 쓸 영상을 편집하여 만듭니다.
⑤ 완성된 뉴스를 보도합니다.

활동 뉴스를 만드는 과정

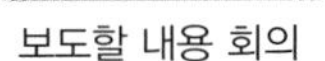
보도할 내용 회의

➡

뉴스 내용 취재

➡

뉴스 원고 작성

영상 제작 및 편집

➡

완성된 뉴스 보도

1 '파리 기후 협약'에 대한 설명으로 알맞지 않은 것을 두 가지 고르세요. (　　　,　　　)

① 기온 상승 폭을 2도로 제한하기로 하였다.
② 우리나라에는 아무런 영향을 미치지 못한다.
③ 온실가스 배출 규정에 대한 내용도 포함한다.
④ 지구 온난화를 막기 위한 협약으로 볼 수 있다.
⑤ 가난한 나라를 돕기 위해 여러 나라가 체결한 것이다.

2 ㉠과 ㉡을 통해 알 수 있는 점은 어느 것인지 기호를 쓰세요.

> ㉮ 뉴스는 여론을 형성하는 힘이 있다.
> ㉯ 뉴스는 사람들에게 새로운 정보를 전달해 준다.
> ㉰ 뉴스는 사람들에게 어떤 일을 비판적인 시각으로 보게 해 준다.

(　　　　　　　　　　)

교과서 문제

3 뉴스가 미치는 영향 중, ㉢과 ㉣을 보고 알 수 있는 것을 알맞게 설명한 친구는 누구인가요?

> 재훈: 뉴스는 너무 많은 정보를 전달합니다.
> 예영: 뉴스는 사람들에게 걱정거리만 생기게 합니다.
> 우진: 뉴스는 사람들의 생각에 영향을 주어 여론을 형성합니다.

(　　　　　　　　　　)

4 영민이가 다음을 보고 공익 광고가 사람들에게 미치는 영향을 떠올려 썼습니다. (　　) 안의 알맞은 말에 ○표 하세요.

일회용품 숟가락이 바닷속에 버려져 산호처럼 모여 있는 모습이구나.

영민: 사람들은 공익 광고를 보고 세계에서 일어나는 여러 문제를 (토의 / 무시)할 수 있습니다.

기본

중형차 백만 대를 버렸다

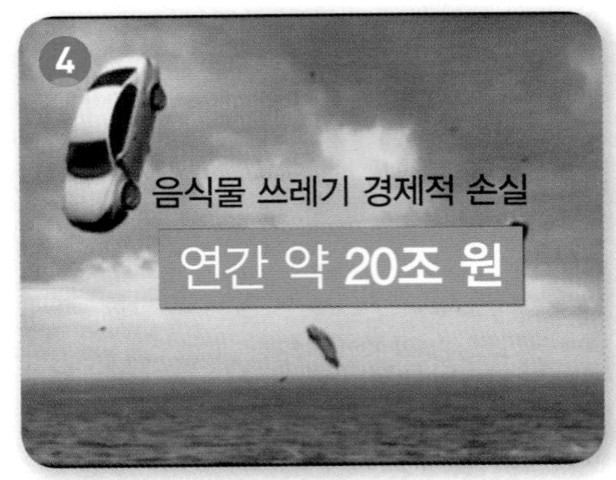

교과서 문제

5 빈칸에 들어갈 알맞은 말은 무엇인가요? (　　　　)

> 이 광고에서는 [　　　　　　] 을/를 중형차 100만 대와 비교하여 보여 주고 있습니다.

① 하루 동안 필요한 전기의 양
② 한 주 동안 만들어지는 물건의 양
③ 한 달 동안 수입하는 에너지의 양
④ 한 해에 버리는 재활용 쓰레기로 생기는 손해
⑤ 한 해에 버리는 음식물 쓰레기로 생기는 손해

교과서 문제

6 이 광고에서 자동차가 바다에 떨어지는 장면을 보여 준 까닭을 찾아 기호를 쓰세요.

> ㉠ 음식물 쓰레기의 양이 줄어들고 있기 때문에
> ㉡ 음식물 쓰레기를 버리는 장면과 비슷하기 때문에
> ㉢ 많은 양의 음식물 쓰레기를 구하기 어렵기 때문에

(　　　　　　　　　　)

7 이 광고에서 사람들에게 말하고자 하는 내용을 두 가지 고르세요. (　　　,　　　)

① 잘못된 음식 문화를 고쳐야 합니다.
② 짠 음식을 먹으면 건강에 좋지 않습니다.
③ 교통사고를 막기 위해 안전하게 운전합시다.
④ 우리의 후손을 위하여 에너지를 절약합시다.
⑤ 음식물 쓰레기로 인한 경제적 손실이 큽니다.

8 이 광고에서 다음과 같은 표현 특성이 나타난 부분의 번호를 쓰세요.

> 중요한 글자의 배경을 붉은 느낌의 색으로 표시하고 글자도 더 크게 강조하였습니다.

장면 (　　　　　　　　　　)

- **제재의 종류**: 광고
- **제재의 특징**: 상품을 널리 알리고 사람들이 상품을 선택하도록 설득하려는 목적을 가지고 있습니다.

과장 광고와 허위 광고

과장 광고	상품이 잘 팔리게 하려고 실제보다 부풀리는 광고.
허위 광고	있지도 않은 기능을 있는 것처럼 설명하는 광고.

과장 광고나 허위 광고는 소비자에게 피해를 줄 수 있어요.

6 단원

9 광고에 대한 설명으로 알맞지 않은 것은 무엇인가요? (　　)

① 강조하고 싶은 글자를 붉은색으로 표현했다.
② '신바람'이라는 표현을 반복해서 나타내고 있다.
③ 신바람 자전거를 타지 않는 일상은 지루한 것처럼 표현했다.
④ 신바람 자전거를 타고 있는 사람들이 즐거워하는 모습을 보여 주었다.
⑤ 신바람 자전거 이외에도 건강해질 수 있는 방법이 많다는 것을 표현했다.

서술형·논술형 문제

10 광고에서 보여 주는 물건이 소비자 만족도 1위인 까닭을 찾아 쓰세요.

____

____

교과서 문제

11 광고에 대한 비판으로 알맞은 것을 골라 기호를 쓰세요.

㉠ 제품의 사용법을 제대로 알 수 없어.
㉡ 어떤 조사에서 소비자 만족도 1위를 했는지 감추고 있어.

(　　　　　)

12 광고에서 다음 부분을 비판적으로 보아야 하는 까닭은 무엇인지 쓰세요.

기분 최고, 건강 최고, 기술력 최고!

• 기분, 건강, 기술력 모든 면에서 '(　　　　　)'라는 표현은 과장된 표현이기 때문이다.

13 위와 같은 광고를 볼 때 비판적으로 살펴보아야 하는 표현이 아닌 것은 어느 것인가요? (　　)

① 최고　② 무조건
③ 절대로　④ 디자인
⑤ 100퍼센트

광고의 표현 살펴보기

광고 문구	과장하거나 감추는 내용
이보다 가벼울 수는 없다!	더 가벼운 책가방이 없다는 것은 과장된 표현임.
교과서를 모두 넣어도 찢어질 염려 없는	교과서를 모두 넣을 때 무거우면 찢어질 수 있기 때문에 과장된 표현임.
거품 없는 가격	가격이 정확히 얼마인지는 감추고 있음.
최고의 품질	'최고'는 과장된 표현임.

교과서 문제

14 ㉠에 대한 설명으로 알맞은 것은 무엇인가요? (　　　)

① 책가방에 대한 정확한 설명이다.
② 책가방의 재료를 설명하는 부분이다.
③ 책가방의 가격을 설명하는 부분이다.
④ 더 무거운 책가방은 없기 때문에 사실이다.
⑤ 더 가벼운 책가방이 있을 수도 있기 때문에 과장된 표현이다.

15 광고를 읽고 알 수 있는 것으로 알맞은 것의 기호를 쓰세요.

㉮ 책가방의 재질
㉯ 책가방의 가격
㉰ 책가방의 무게
㉱ 책가방을 만든 나라

(　　　)

16 ㉡에 대한 설명으로 알맞은 것에 ○표 하세요.

(1) 수출량을 지나치게 과장한 표현이다. (　　　)
(2) 실제로 수출을 하지 않았으므로 거짓이다. (　　　)
(3) 어떤 나라로 수출하는지와 관련 있는 정보가 감추어져 있다. (　　　)

17 위와 같은 광고를 그대로 믿으면 어떤 문제가 생길 수 있는지 기호를 쓰세요.

㉮ 이미 샀던 물건을 또 사게 될 수 있다.
㉯ 광고에 나오는 물건을 싼값에 살 수 있다.
㉰ 구입한 물건이 광고와 달라서 피해를 입을 수 있다.

(　　　)

스마트 기부 확산

진행자의 도입

즐거운 성탄절이지만 어려움 속에서 도움을 기다리는 곳도 적지 않습니다. 다행히 기부가 늘어나고 있는데요. 올해 구세군에 모금된 금액은 44억 원으로 지난해보다 4억 원이 많아졌습니다. 사랑의 열매에는 1700억 원 넘게 모여서 목표액의 절반 이상을 채웠고 사랑의 온도 탑도 수은주가 50도를 넘어섰습니다. 어려운 경기 속에서도 이렇게 기부가 늘어난 데는 재미와 감동이 함께하는 이른바 '스마트 기부'가 한몫을 하고 있습니다. ○○○ 기자가 전해 드립니다.

기자의 보도

거리에 등장한 자선냄비가 뭔가 색다릅니다. 한 시민이 돼지 저금통을 갈라 모금함에 돈을 넣는가 했더니, 먼저 주사위를 모니터 위에 놓습니다. 선택한 것은 여성과 다문화, 기부 대상을 직접 고를 수 있는 스마트 자선냄비입니다.

〈면담〉 ○○○(서울시 용산구)

"자기가 마음 가는 단체에 기부할 수 있어서 편리한 것 같습니다. 좋은 것 같습니다."

기부 자판기도 새로 등장했습니다. 메뉴판엔 물이나 신발, 약이 있고 2천5백 원부터 만 원까지 금액도 있어, 원하는 것을 고르면 지구 반대편 어린이에게 그대로 전달됩니다.

이렇게 걷는 것만으로도 기부할 수 있는 스마트폰 앱도 있습니다. 100미터에 10원씩 기부금이 쌓이는 동안 건강까지 챙길 수 있습니다.

게임을 하고 광고 동영상을 시청하면서 기부할 수 있는 앱도 등장했습니다.

〈면담〉 ○○○(△△△병원 정신건강의학과 교수)

"기부에 있어서 마일리지나 포인트 등을 이용할 수 있게 유도한다는 것은 조금 더 사람들이 기부에 손쉽게 다가갈 수 있는 방법 중 하나입니다."

이타적인 동정심으로 기부를 결심하기도 하지만, 기부하면서 느끼는 재미와 보람 같은 개인적 욕구를 채워 주는 점이 요즘 기부의 특징입니다.

기자의 마무리

디지털 기술의 진화가 이웃 사랑을 실천하는 촉매제가 되고 있습니다. KBS 뉴스 ○○○입니다.

18 이 뉴스에서 보도하는 내용으로 알맞은 것은 무엇인가요? (　　　)

① 스마트폰의 가격이 점점 비싸지고 있다.
② 스마트폰을 쓰지 않는 사람들이 늘고 있다.
③ 스마트폰 때문에 일어나는 화재가 늘고 있다.
④ 스마트폰을 이용한 스마트 기부가 늘어나고 있다.
⑤ 스마트폰으로 여가 시간을 보내는 사람이 많아졌다.

교과서 문제

19 뉴스에서 면담이나 통계 자료를 보여 주는 까닭이 아닌 것의 기호를 쓰세요.

㉠ 사람들의 이해를 돕기 위해서이다.
㉡ 취재한 내용이 부족하기 때문이다.
㉢ 내용을 체계적으로 보여 줄 수 있기 때문이다.

(　　　　　　　　　)

6 단원

정답 18쪽

국어 교과서 260쪽

4. 「스마트 기부 확산」을 다시 보고 뉴스의 짜임에 알맞은 내용을 **보기** 에서 찾아 써 봅시다.

보기
- 시청자의 이해를 도우려고 면담 자료나 통계 자료로 설명하기
- 전체 내용을 요약하거나 핵심 내용 강조하기
- 뉴스에서 보도할 내용을 유도하거나 전체를 요약해 안내하기

예시 답안

 진행자의 도입	뉴스에서 보도할 내용을 유도하거나 전체를 요약해 안내하기
  기자의 보도	시청자의 이해를 도우려고 면담 자료나 통계 자료로 설명하기
 기자의 마무리	전체 내용을 요약하거나 핵심 내용 강조하기

국어 교과서 261쪽

5. 「스마트 기부 확산」을 보고 뉴스의 타당성을 판단하는 방법을 이야기해 봅시다.

(1) 뉴스의 타당성을 판단하는 방법을 **보기** 에서 찾아 써 보세요.

보기
- 자료의 출처가 명확한지 살피기
- 가치 있고 중요한 뉴스인지 살피기
- 뉴스의 관점과 보도 내용이 서로 관련 있는지 살피기

예시 답안

이 뉴스는 스마트 기부가 우리 사회에서 가치 있고 중요하기 때문에 이를 보도 내용으로 다루었어.	가치 있고 중요한 뉴스인지 살피기
뉴스의 관점에 맞게 스마트 기부의 종류를 소개하고, 스마트 기부의 장점과 특징을 소개했어.	뉴스의 관점과 보도 내용이 서로 관련 있는지 살피기
스마트 기부를 하는 사람들의 동기를 분석한 통계 자료의 출처를 정확히 밝혔어.	자료의 출처가 명확한지 살피기

자습서 확인 문제

1 다음 중 면담 자료나 통계 자료에 대하여 알맞게 말한 사람은 누구인가요?

우빈: 뉴스에 전문가의 면담 자료를 활용하면 사람들의 이해를 도울 수 있어.
예진: 뉴스에 통계 자료를 활용하면 분량이 많아져서 사람들이 내용을 이해하기 어려워져.

( )

2 다음 중 뉴스의 타당성을 판단할 때 생각할 것으로 알맞지 않은 것의 기호를 쓰세요.

㉠ 활용된 자료의 양이 많은가?
㉡ 내용이 가치 있고 중요한가?
㉢ 자료의 출처를 명확하게 밝혔는가?

( )

3 뉴스에서 다음 관점을 뒷받침하기 위하여 사용할 수 있는 자료로 알맞지 않은 것의 기호를 쓰세요.

스마트 기부가 늘어나고 있다.

㉠ 스마트 기부 증가를 보여 주는 표
㉡ 스마트 기부를 하는 시민 면담 자료
㉢ 스마트폰 사용량 증가를 보여 주는 표

( )

'30초의 기적' …… 올바른 손 씻기 방법은?

진행자의 도입

독감 때문에 요즘 감염 걱정이 많죠? 하지만 '30초 손 씻기'만 제대로 실천해도 웬만한 감염병은 막을 수 있다고 합니다. '30초의 기적'이라고까지 하는 올바른 손 씻기 방법을 이선주 기자가 알려 드립니다.

기자의 보도

하루에도 몇 번씩 씻는 손, 손을 씻는 방법은 제각각입니다.

면담 박윤철 6학년 1반 학생

"평소에는 그냥 물로 씻는 편이에요."

면담 금성혜 6학년 3반 학생

"그냥 물휴지 정도로 닦는 편이에요."

손을 어떻게 씻어야 손에 번식하는 세균을 없앨 수 있을지 알아보려고 손에 형광 물질을 바르고 실험했습니다. 10초 동안 비누로 손바닥과 손가락을 비벼 가며 열심히 씻는 것이 중요합니다. 이렇게 수시로 30초 동안 손을 씻으면 감염병의 70퍼센트는 예방할 수 있습니다.
올바른 손 씻기의 효과

면담 하영은 보건 선생님

㉮"감기를 비롯해 장염, 식중독 따위도 모두 손을 깨끗이 씻으면 예방할 수 있습니다."

기자의 마무리

특히 중요한 것은 손으로 얼굴을 자주 만지지 않는 것입니다. 우리는 평균 한 시간에 3.6회나 얼굴을 만진다는 연구 결과도 있는데요, 이렇게 자주 얼굴을 만지면 눈, 코, 입으로 세균이 들어가 감염되기 쉽습니다. △△△ 뉴스 이선주입니다.

감염(感 느낄 감 染 물들일 염) 병을 일으키는 미생물이 동물이나 식물의 몸에 들어가 늘어나는 일.
웬만한 정도나 형편이 보통이거나 나은. [주의] 왠만한(×)
번식(繁 많을 번 殖 번성할 식) 붇고 늘어서 많이 퍼짐.
예 버려진 집에서 번식하는 쥐들이 늘고 있습니다.
형광 물질 특정한 빛을 받으면 밝게 빛나는 물질.

교과서 문제

20 이 뉴스를 보고 알 수 있는 내용은 무엇인가요? ( )
① 비누의 종류
② 올바른 손 씻기 방법
③ 최근 유행하는 목욕 방법
④ 손 씻기로도 막을 수 없는 질병
⑤ 발 크기에 알맞은 신발을 신어야 하는 까닭

21 ㉮ 부분은 어떤 자료에 해당하나요? ( )
① 관련 실험
② 기자의 경험
③ 외국의 사례
④ 전문가와의 면담
⑤ 주제와 관련한 연구 결과

22 기자가 손으로 얼굴을 만지지 말아야 한다고 강조한 까닭에 ○표 하세요.
(1) 얼굴의 세균이 손으로 옮겨 가기 때문에 ( )
(2) 얼굴을 자주 만지면 눈, 코, 입으로 세균이 들어가 감염되기 쉽기 때문에 ( )

서술형·논술형 문제

23 다음 기준에 따라 이 뉴스가 타당한지 판단하여 쓰세요.

자료의 출처가 명확한가?

1

어떤 내용을 보도할지 회의한다.

2

알리려는 내용을 취재한다.

3

4

취재한 내용을 효과적으로 알릴 수 있게 뉴스 [　　]을 제작하고 편집한다.

5

사람들에게 전하고 싶은 내용을 뉴스로 보도한다.

취재할 만한 내용 선정

① 우리 주변에서 일어나는 일들을 살펴봅니다.

② 친구들에게 알려 주기에 가치 있는 내용을 떠올립니다.

취재 계획 세우기

취재 기간, 면담 대상, 면담 질문, 촬영 장면, 준비물 등을 미리 계획하고 준비.

⬇

면담 질문은 '구체적인 사실, 생각이나 느낌, 앞으로의 계획이나 당부' 등으로 구체적으로 계획.

⬇

면담 대상과 만날 시간과 장소 등을 취재하기 전에 미리 정함.

24 텔레비전 뉴스를 만들 때 가장 먼저 해야 하는 일은 무엇인가요? (　　　)

① 뉴스 영상 제작 및 편집
② 보도할 내용에 대한 회의
③ 텔레비전 뉴스 원고 작성
④ 뉴스에 사용할 면담 영상 촬영
⑤ 뉴스에 활용할 통계 자료 조사

25 그림 ③에 들어갈 내용은 무엇인가요? (　　　)

① 영상을 편집한다.
② 뉴스 원고를 쓴다.
③ 면담 준비를 한다.
④ 뉴스 영상을 본다.
⑤ 취재한 내용을 정리한다.

26 그림 ④의 빈칸에 들어갈 말로 알맞은 것은 무엇인가요? (　　　)

① 글　② 그림　③ 사진
④ 영상　⑤ 포스터

27 다음 상황에 알맞은 뉴스의 주제에 ○표 하세요.

> 소현: 차들이 너무 빨리 달려서 횡단보도를 건너기가 무서워.
> 대진: 등하굣길을 안전하게 다닐 수 있으면 좋을 텐데.

(1) 초등학생 등하굣길 군것질 실태 (　　　)
(2) 학교 운동장에서 안전하게 노는 방법 (　　　)
(3) 안전한 등하교를 위해 모두가 지켜야 할 일 (　　　)

[1~4]

1
파리 기후 협약 체결,
기온 상승 폭 2도 제한

5
지금은 힘들겠지만 다음 세대를 위해 환경을 보전하는 일은 꼭 필요해요.
그럼요. ㉠우리가 실천할 수 있는 방법을 찾아봐야겠어요.

1 ❶~❹에 대한 설명으로 알맞지 않은 것은 무엇입니까? (　　　)

① '뉴스'의 장면들이다.
② ❶에 뉴스의 진행자가 나타나 있다.
③ ❷는 협약이 체결되는 모습에 해당한다.
④ ❸의 모습은 뉴스의 내용과 관련이 있다.
⑤ ❹는 뉴스와 아무런 관련이 없는 장면이다.

2 그림 ❶~❹에서 전하고 있는 소식은 무엇입니까?

• 파리에서 (1) (　　　　　　　　)이 체결되어 기온 상승 폭을 (2) (　　　　　　　　)로 제한하게 되었다.

3 그림 ❺를 통해 알 수 있는 내용을 찾아 기호를 쓰시오.

㉮ 뉴스는 사람들을 재미있게 해 준다.
㉯ 뉴스는 어떤 일을 비판적으로 바라보게 한다.
㉰ 뉴스는 여러 사람의 생각에 영향을 주어 여론을 형성한다.

(　　　　　　　　　　)

4 ㉠의 예를 잘못 말한 친구는 누구입니까?

경훈: 일회용 종이컵 대신에 계속 씻어서 쓸 수 있는 나만의 컵을 씁니다.
성채: 대기 오염을 막기 위해 모든 자동차를 없애고 자전거를 타고 다닙니다.
미나: 에너지를 절약하기 위해 쓰지 않는 전기 제품은 플러그를 뽑아 놓습니다.

(　　　　　　　　　　)

5 [　　　]에 들어갈 알맞은 말은 무엇입니까? (　　　)

일회용품 플라스틱 숟가락이 바닷속에 마구 버려져 있어서 마치 산호처럼 모여 있는 것을 보여 주는 [　　　　　　]

① 편지　② 속담
③ 공익 광고　④ 주장하는 글
⑤ 사용 설명서

6 단원

6 단원

[6~7] 중형차 백만 대를 버렸다

6 음식물 쓰레기로 인한 경제적 손실이 어느 정도라고 하였는지 두 가지 고르시오. (　　　,　　　)

① 1년에 약 20억 원이다.
② 1년에 약 20조 원이다.
③ 경차 100만 대를 버리는 것과 같다.
④ 중형차 100만 대를 버리는 것과 같다.
⑤ 음식물 쓰레기로 인한 경제적 손실은 거의 없다.

7 다음 부분은 어디에 해당하는지 번호를 쓰시오.

> 음식을 지나치게 많이 준비하여 대부분 남기는 잘못된 음식 문화의 예를 사진으로 한눈에 알 수 있게 제시하였다.

장면 (　　　　　　　　)

[8~10] 자전거 광고

8 광고하는 물건의 이름은 무엇입니까? (　　　　)

① 씽씽 자전거
② 건강 자전거
③ 최고의 자전거
④ 신바람 자전거
⑤ 신나는 자전거

9 ㉠~㉣ 중, 과장하는 표현은 어느 것입니까?

(　　　　　　　　　　)

서술형·논술형 문제

10 민수처럼 이 광고를 그대로 믿으면 어떤 결과가 나타날지 쓰시오.

> 민수: 이 자전거를 사면 기분도 최고로 좋아지고, 건강도 최고로 좋아지겠는걸!

[11~12]

이보다 가벼울 수는 없다! 초경량 책가방
교과서를 모두 넣어도 찢어질 염려 없는 튼튼한 재질
거품 없는 가격과 최고의 품질
한국에서 직접 디자인하고 직접 만든 책가방
멘 듯 안 멘 듯 깃털처럼 가벼운 깃털 책가방

책가방을 살 때에는 깃털 책가방을 사세요.
세련된 디자인과 특수한 가공으로 품질을 인정받아
㉠해외로 수출하는 우수 제품입니다.
깃털 책가방 회사

11 누가 무엇에 대하여 광고하는 글입니까?

• (1)(　　　　　　)에서 (2)(　　　　　　)을 팔기 위해 만든 광고입니다.

서술형·논술형 문제

12 ㉠에서 과장하거나 감추는 내용은 무엇인지 쓰시오.

____

____

13 다음과 같은 광고를 무엇이라고 합니까? (　　　)

있지도 않은 상품 기능을 있는 것처럼 설명하는 광고

① 공익 광고　② 과장 광고
③ 신문 광고　④ 허위 광고
⑤ 인터넷 광고

[14~16] 스마트 기부 확산

14 뉴스의 ❶ 부분과 같은 '진행자의 도입'은 어떤 역할을 합니까? (　　　)

① 진행자의 마음을 간단하게 정리한다.
② 뉴스를 만든 사람이 누구인지 알린다.
③ 뉴스 전체의 내용을 요약해서 안내한다.
④ 면담을 허락해 준 전문가의 이름을 알려 준다.
⑤ 뉴스의 관점을 뒷받침하는 통계 자료를 소개한다.

15 ❸에서 활용된 자료의 종류는 무엇입니까? (　　　)

① 스마트 기부를 해 본 시민 면담 자료
② 스마트 기부의 역사를 담은 도서 자료
③ 스마트 기부를 많이 하는 지역의 지도 자료
④ 스마트 기부 현상에 대한 전문가 면담 자료
⑤ 스마트 기부를 하는 사람들의 동기를 분석한 통계 자료

16 이와 같은 뉴스에서 '기자의 마무리' 부분에는 어떤 내용이 들어가는지 ○표 하시오.

(1) 뉴스 진행자의 인사　(　　)
(2) 뉴스를 뒷받침하는 자료　(　　)
(3) 뉴스의 핵심 부분을 강조하는 내용　(　　)

6 단원

6 단원

[17~18] '30초의 기적'……올바른 손 씻기 방법은?

가 독감 때문에 요즘 감염 걱정이 많죠? 하지만 '30초 손 씻기'만 제대로 실천해도 웬만한 감염병은 막을 수 있다고 합니다. '30초의 기적'이라고까지 하는 올바른 손 씻기 방법을 이선주 기자가 알려 드립니다.

나 하루에도 몇 번씩 씻는 손, 손을 씻는 방법은 제각각입니다.

〈면담〉 [박윤철 / 6학년 1반 학생]
"평소에는 그냥 물로 씻는 편이에요."
〈면담〉 [금성혜 / 6학년 3반 학생]
"그냥 물휴지 정도로 닦는 편이에요."

손을 어떻게 씻어야 손에 번식하는 세균을 없앨 수 있을지 알아보려고 손에 형광 물질을 바르고 실험했습니다. 10초 동안 비누로 손바닥과 손가락을 비벼 가며 열심히 씻는 것이 중요합니다. 이렇게 수시로 30초 동안 손을 씻으면 감염병의 70퍼센트는 예방할 수 있습니다.

〈면담〉 [하영은 / 보건 선생님]
"감기를 비롯해 장염, 식중독 따위도 모두 손을 깨끗이 씻으면 예방할 수 있습니다."

다 특히 중요한 것은 손으로 얼굴을 자주 만지지 않는 것입니다. 우리는 평균 한 시간에 3.6회나 얼굴을 만진다는 연구 결과도 있는데요, 이렇게 자주 얼굴을 만지면 눈, 코, 입으로 세균이 들어가 감염되기 쉽습니다. △△△ 뉴스 이선주입니다.

17 글 가~다 중, '기자의 마무리' 부분은 어느 것입니까?
( )

18 민규는 어떤 기준으로 이 뉴스의 타당성을 판단하였습니까? ( )

> 민규: 전문가 면담을 제시할 때 전문가의 이름과 직책을 명확히 밝히고 있어.

① 자료의 출처는 명확한가?
② 가치 있고 중요한 뉴스인가?
③ 참신하고 재미있는 뉴스인가?
④ 뉴스 관점과 보도 내용이 서로 관련 있는가?
⑤ 활용한 자료들이 뉴스의 관점을 뒷받침하는가?

19 ❶의 과정에서 생각해야 할 점은 무엇입니까? ( )

① 가장 취재하기 편한 일은 무엇인가?
② 취재를 하러 나갈 때 무엇을 입을 것인가?
③ 가장 짧게 보도할 수 있는 내용은 무엇인가?
④ 취재를 끝내고 구경할 만한 장소는 어디인가?
⑤ 우리 주변에서 일어난 일 중 알릴 만한 가치가 있는 것은 무엇인가?

20 다음 상황에 알맞은 뉴스의 주제는 어느 것입니까?
( )

운동장에서 안전하게 노는 방법을 알려 주면 좋겠어.

① 운동으로 살 빼는 방법
② 안전한 운동장 놀이 방법
③ 등하교를 안전하게 하는 방법
④ 독서를 즐겁게 할 수 있는 방법
⑤ 줄넘기를 금방 익힐 수 있는 방법

7

글 고쳐 쓰기

민주야, 뭐 해?

자기소개서가 주인 닮아 아주 엉망이야. 그래서 고쳐 쓰고 있어.

주제와 관련이 없는 부분은 삭제하고, 더 필요한 내용은 추가해야지.

설마 예지의 자기소개서에 나쁜 말을 써넣는 건 아니겠지?

뭐라고?

개념 웹툰

글을 고쳐 쓰면 좋은 점은 무엇일까요?
스마트폰에서 확인하세요!

교과서 개념

개념 ① 글을 고쳐 쓰는 방법

글 수준	• 글쓴이가 글을 쓴 목적과 제목 생각해 보기 • 글에서 더하거나 뺄 내용이 있는지 살펴보기
문단 수준	• 글의 흐름에 맞게 문단의 차례 정하기 • 중심 문장을 뒷받침 문장들과 어울리게 고쳐 쓰기
문장 수준	• 문장 호응이 이루어지지 않은 문장 고쳐 쓰기 • 표현이 적절하지 않은 문장 고쳐 쓰기
낱말 수준	• 알맞은 낱말을 추가하거나 어색한 낱말 고쳐 쓰기

활동 글을 고칠 때 사용하는 교정 부호

교정 부호	쓰임	교정 부호	쓰임
∨	띄어 쓸 때	⊔	여러 글자를 고칠 때
⌒	붙여 쓸 때	ℓ	글자를 뺄 때
σ	한 글자를 고칠 때	Y	글의 내용을 추가할 때

교정 부호를 사용하여 글을 고쳐 쓰면 시간을 절약할 수 있습니다.

개념 ② 자료를 활용해 글 쓰기

① 문제와 관련해 자신의 생각을 정합니다.
② 자료를 읽고 자신의 생각을 쓸 때 활용할 수 있는 내용을 찾아봅니다.
③ 자료를 활용해 쓸 내용을 정리합니다.
④ 친구들과 토의해 뒷받침 자료를 추가합니다.
⑤ 주장하는 글의 짜임을 생각하며 자신의 생각을 글로 씁니다.

활동 자료 1 과 자료 2 를 활용한 글 쓰기 예

자료 1

의약품 따위를 만드는 실험으로 전 세계에서 해마다 약 6억 마리의 동물이 희생되고 있다.

많은 동물이 고통받고 있기 때문에 동물 실험에 반대하는 글을 쓸 수 있습니다.

자료 2

동물 실험 대체 방법을 개발하는 데 6년 이상의 시간과 약 400억 원 이상의 비용이 필요하다.

동물 실험 대체 방법 개발이 쉽지 않다는 것을 밝히며 동물 실험을 없애기 어렵다는 글을 쓸 수 있습니다.

개념 ③ 자신이 쓴 글을 고쳐 쓰고 공유하기

① 글 수준, 문단 수준, 문장과 낱말 수준에서 점검할 내용을 넣은 점검 기준표를 만들고 자신이 쓴 글에서 고쳐 쓸 점을 점검해 봅니다.
② 점검한 결과를 바탕으로 하여 고쳐 쓸 점을 정리해 자신이 쓴 글을 고쳐 써 봅니다.
③ 고쳐 쓴 글을 친구들과 바꾸어 읽고 의견을 나누어 봅니다.
④ 친구들의 의견을 듣고 자신의 생각이나 느낌을 말해 봅니다

활동 친구들의 의견을 듣고 글 고쳐 쓰기 예

○○(이)가 낱말을 바꾸어 썼으면 좋겠다는 의견을 주어서 '걱정'을 '두려움'으로 바꾸었습니다.

준비

📍 지혜의 동생 도현이가 글을 쓰게 된 과정

불량 식품을 먹으면 안 된다고 말하고 싶어.
도현
불량 식품을 먹으면 아플 수도 있어.

불량 식품을 먹고 쓰레기를 함부로 버리는구나.
불량 식품을 먹지 말자는 주장을 글로 쓰고 싶어.

불량 식품에는 유통 기한도 적혀 있지 않구나.

내가 본 내용과 찾아본 내용을 바탕으로 하여 글을 써야지.

📍 도현이가 쓴 글

> ㉠쓰레기가 되는 불량 식품
>
> 여러분, 불량 식품을 먹지 맙시다. ㉡불량 식품을 먹고 나서 쓰레기를 버리는 사람이 많습니다. 그렇게 버린 쓰레기들이 우리 학교 주변을 더럽혀 보기에도 좋지 않고, 악취도 납니다. 불량 식품에는 무엇이 들어갔는지, 그리고 유통 기한은 언제까지인지 정확히 적혀 있지 않습니다. 불량 식품을 먹으면 ㉢해로운 물질이 몸에 들어가 병에 걸리기 쉽습니다. 불량 식품은 ㉣아무리 맛있어서 먹으면 안 됩니다.

📍 도현이를 도와 지혜가 고쳐 쓴 글

> 건강을 해치는 불량 식품
>
> 여러분, 불량 식품을 먹지 맙시다. 불량 식품에는 무엇이 들어갔는지, 그리고 유통 기한은 언제까지인지 정확히 적혀 있지 않습니다. 불량 식품을 먹으면 해로운 물질이 몸에 들어가 병에 걸리기 쉽습니다. 그리고 유통 기한을 알 수 없어 신선하지 않은 식품을 먹게 될 수도 있습니다. 불량 식품은 아무리 맛있어도 먹지 말아야 합니다.
>
> ↳ 앞 문장을 더 자세히 설명해 주는 내용이 추가됨.

1 도현이는 어떤 주장을 글로 쓰고 싶어 하나요? (　　　)

① 불량 식품을 먹지 말자.
② 불량 식품에 유통 기한을 적자.
③ 불량 식품을 먹으면 아플 수 있다.
④ 학교 앞에서 불량 식품을 사지 말자.
⑤ 불량 식품을 먹고 쓰레기를 함부로 버리지 말자.

교과서 문제

2 지혜가 고쳐 쓴 글에서 ㉠을 「건강을 해치는 불량 식품」으로 바꾸어 쓴 까닭에 ○표 하세요.

(1) ㉠이 너무 길어서 (　　　)
(2) ㉠이 주제를 잘 드러내는 제목이 아니어서 (　　　)
(3) ㉠이 글쓴이의 생각을 강요하는 느낌이 들어서 (　　　)

3 지혜가 고쳐 쓴 글에서 ㉡을 삭제한 까닭은 무엇일지 쓰세요.

• [　　　　　　] 와 관련 없는 내용이기 때문이다.

4 ㉢, ㉣ 중 문장 호응에 맞지 않아 고쳐 써야 하는 문장의 기호를 쓰세요.

(　　　　　　　　)

5 글을 고쳐 쓰면 좋은 점이 아닌 것은 어느 것인가요? (　　　)

① 내용이 풍부한 글이 된다.
② 항상 더 짧은 글을 쓸 수 있다.
③ 하고 싶은 말이 글에 잘 드러난다.
④ 읽는 사람이 글을 더 이해하기 쉽다.
⑤ 자신의 생각을 더 잘 전달할 수 있다.

기본

다른 사람을 존중하자

❶ 요즘 많은 어린이가 이야기할 때 은어나 비속어를 ㉠사용했다. 국립국어원 조사에 따르면 조사 대상 초등학생의 93퍼센트가 비속어를 사용한 적이 있다고 한다. 만약 학생 열 명이 ㉡있기 때문에 적어도 아홉 명은 비속어를 사용한 적이 있는 것이다. → 문제 상황
비속어가 아닌 고운 말을 사용해야 하는 까닭은 무엇일까?

❷ 고운 말을 사용하면 서로 존중하는 마음을 전할 수 있다. (→ 근거 ①) 흔히 말이 눈에 보이지 않는 마음임을 표현할 때 "말은 마음의 거울"이라는 격언을 사용한다. 고운 말을 사용해야 하는 것은 어린이만이 아니다. (고쳐쓰기 ①: 중심 문장과 관련 없는 내용 삭제하기) 존중하는 마음이 없다면 고운 말도 나오지 않는다.

❸ 고운 말은 다른 사람을 존중하는 마음을 전할 수 있게 하고, (고쳐쓰기 ②: 한다. 그리고) 다른 사람과 대화를 원활하게 할 수 있게 한다. 또 무조건 고운 말을 사용하는 것만이 우리말을 아름답게 가꾸고 지키는 일이다. (고쳐쓰기 ③: 고운 말을 사용하는 것은 우리말을 아름답게 가꾸고 지키는 일이다.) 이제라도 고운 말을 사용하는 바른 언어 습관을 기르려고 노력하면 좋을 수도 있다. → 주장 (고쳐쓰기 ④: 노력하자.)

❹ 고운 말을 사용하면 다른 사람과 원활하게 대화할 수 있다. (→ 근거 ②) 은어나 비속어는 대화를 어렵게 하고 오해를 불러일으킨다. (고쳐쓰기 ⑤: '대화를' 앞에 '원활한'을 넣음.) 단순히 재미있으려고 은어나 비속어를 사용했다가 친구들끼리 투쟁으로 (고쳐쓰기 ⑥: 싸움) 이어지는 경우도 있고, 어른과 어린이의 일상적인 대화가 어려워지는 경우도 있다.

❺ 고운 말을 사용하면 친구 관계가 좋아진다. (고쳐쓰기 ⑦: 고운 말을 사용하는 것은 우리말을 지키는 것과 같다.) (→ 근거 ③) 말은 우리 민족의 혼이 담긴 소중한 문화유산이다. 은어나 비속어를 사용한다면 그것이 우리 후손에게 그대로 전해질 것이다. 고운 말을 사용해 아름다운 우리말을 지켜야 한다.

글을 고쳐 쓰는 방법 알아보기

글 수준에서 고쳐 쓰기
• 글 제목 바꾸어 쓰기 • 더하거나 뺄 내용 생각해 보기
문단 수준에서 고쳐 쓰기
• 중심 문장의 내용과 관련 없는 문장 삭제하기 → 고쳐쓰기 ① • 중심 문장을 뒷받침 문장들과 어울리게 고쳐 쓰기 → 고쳐쓰기 ⑦
문장 수준에서 고쳐 쓰기
• 지나치게 단정적인 표현 고쳐 쓰기 → 고쳐쓰기 ③ • 불확실한 표현 고쳐 쓰기 → 고쳐쓰기 ④ • 긴 문장을 두 문장으로 나누어 고쳐 쓰기 → 고쳐쓰기 ②
낱말 수준에서 고쳐 쓰기
• 알맞은 낱말 추가하기 → 고쳐쓰기 ⑤ • 어색한 낱말 고쳐 쓰기 → 고쳐쓰기 ⑥

6 글쓴이가 이 글을 쓴 목적은 무엇일까요? (　　　)

① 고운 말의 종류를 알려 주려고
② 고운 말을 사용해야 한다고 주장하려고
③ 은어나 비속어의 해로움을 알려 주려고
④ 다른 사람을 존중해야 한다고 주장하려고
⑤ 어떤 사람을 존중해야 하는지 알려 주려고

교과서 문제

7 글의 흐름에 맞게 문단 ❶~❺의 차례를 정해 번호를 쓰세요.

(　　　) → ❷ → (　　　) → ❺ → (　　　)

8 ㉠, ㉡을 바르게 고쳐 쓰세요.

(1) ㉠: '사용했다' → [　　　]

(2) ㉡: '있기 때문에' → [　　　]

서술형·논술형 문제

9 제목을 바꾸어 쓰고, 그렇게 바꾸어 쓴 까닭도 쓰세요.

(1) 제목	(2) 그렇게 생각한 까닭

7 단원

279~281쪽 자습서

다른 사람을 존중하자

국어 교과서 279쪽

2. 1의 글을 읽고 글 수준에서 고쳐 쓰는 방법을 알아봅시다.

(3) 글에서 더하거나 뺄 내용을 써 보세요.

예시 답안

- 인터넷 매체에서 비속어를 사용하는 학생들의 실태 추가하기
- 고운 말을 사용해야 하는 근거가 아닌 내용 빼기
- 고운 말을 사용하면 좋은 점 추가하기 / 고운 말을 사용해야 하는 근거 추가하기

풀이 주장에 알맞은 근거를 들어 글을 쓰면 글의 설득력을 높일 수 있습니다. 따라서 글의 주장이 무엇인지 먼저 파악한 후 글을 고쳐 써야 합니다.

국어 교과서 280쪽

3. 1의 글을 읽고 문단 수준에서 고쳐 쓰는 방법을 알아봅시다.

(2) 문단 ❷에서 필요 없는 문장을 찾아 밑줄을 그어 보세요.

예시 답안

> ❷ 고운 말을 사용하면 서로 존중하는 마음을 전할 수 있다. 흔히 말이 눈에 보이지 않는 마음임을 표현할 때 "말은 마음의 거울"이라는 격언을 사용한다. <u>고운 말을 사용해야 하는 것은 어린이만이 아니다.</u> 존중하는 마음이 없다면 고운 말도 나오지 않는다.

풀이 문단 수준에서 글을 고쳐 쓸 때는 중심 문장이 문단을 대표하는 내용인지, 뒷받침 문장의 내용이 중심 문장과 관련이 있는지 살펴보아야 합니다.

국어 교과서 281쪽

4. 1의 글을 읽고 문장 수준에서 고쳐 쓰는 방법을 알아봅시다.

(1) 밑줄 그은 부분에 주의하며 문단 ❶의 다음 문장을 바르게 고쳐 써 보세요.

예시 답안

- <u>요즘</u> 많은 어린이가 이야기할 때 은어나 비속어를 <u>사용했다</u>.
  ➡ 요즘 많은 어린이가 이야기할 때 은어나 비속어를 사용한다.
- <u>만약</u> 학생 열 명이 <u>있기 때문에</u> 적어도 아홉 명은 비속어를 사용한 적이 있는 것이다.
  ➡ 만약 학생 열 명이 있다면 적어도 아홉 명은 비속어를 사용한 적이 있는 것이다.

풀이 '요즘'은 현재를 나타내는 말이므로 '사용했다'와 어울리지 않습니다. '만약'은 '~면'과 함께 쓰이는 말입니다.

정답 20쪽

자습서 확인 문제

1 다음 중 고운 말을 사용하자는 주장의 글에 들어갈 내용으로 알맞지 <u>않은</u> 것을 골라 기호를 쓰세요.

> ㉠ 고운 말을 쓰면 좋은 점
> ㉡ 비속어를 사용하는 학생들의 실태
> ㉢ 고운 말을 사용하면 생기는 문제점

(　　　　　　　　)

2 다음에서 민아는 글을 어떤 수준에서 고쳐 썼는지 에서 찾아 쓰세요.

> 민아: 문단의 중심 문장과 어울리지 않는 문장을 찾아 지웠어.

보기

> 글　　문단　　문장　　낱말

(　　　　　　　　)

3 밑줄 친 부분의 호응이 알맞게 이루어진 문장을 찾아 기호를 쓰세요.

> ㉠ <u>요즘</u> 우리 반 친구들은 점심 먹고 축구를 <u>한다</u>.
> ㉡ <u>만약</u> 날씨가 <u>쌀쌀해지기 때문에</u> 감기에 걸리는 학생들이 많아질 것이다.

(　　　　　　　　)

7 단원

글을 고칠 때 사용하는 교정 부호

교정 부호	쓰임	사용한 예
∨	띄어 쓸 때	기분 좋은하루
⌒	붙여 쓸 때	사랑 하는 사람을
(한 글자 고침 부호)	한 글자를 고칠 때	마나러 간다. (만)
(여러 글자 고침 부호)	여러 글자를 고칠 때	온 가족이 모여서 마신게 먹었다. (맛있게)
(뺌 부호)	글자를 뺄 때	가족과 함께 저녁 음식을 먹었다.
Y	글의 내용을 추가할 때	내가 사랑하는 사람은 가족이다. (바로)

교정 부호를 사용해 고쳐 쓰기

아침밥의 중요성

하루 세끼 가운데에서 가장 중요한것이 아침밥이다. 부모님께서는 건강하려면 아침밥을 먹어야 한다고 말씀하신다. 비록 한 끼라서 아침밥을 거르거나 대충 때우면 하루 온종일 열량과 영양소가 부족해 건강을 잃게 된다. 아침밥을 거르면 영양소가 부족 해 몸도 마음도 힘들어진다. 그렇다면 아침밥을 먹어야 하는 까닥은 무엇일까?

(일지라도) (부모님의 말씀) (닭)

아침밥은 장수의 필수 조건이다. 날마다 아침밥을 거르면 밤새 분비된 위산이 중화되지 않아 위가 ㉠불편해졌다. 이런 습관이 ㉡오래지속되면 위염이나 위궤양으로 진행될 수 있다. 또 밤새 써 버린 수분을 물을 보충하기 어렵고 체내에 저장해 두었던 영양소가 소모된다. 그래서 피부는 ㉢푸석 푸석해지고 주름에 빈혈까지 생겨 건강이 나빠진다. / 아침밥을 먹으면 몸도 건강해지고 하루를 활기차게 시작할 수 있다. 우리 모두 아침밥을 거르지 말고 꼭 먹자.

(글쓴이의 주장)

교정 부호를 사용하면 좋은 점

- 시간을 절약할 수 있습니다.
- 여러 번 옮겨 쓸 필요가 없습니다.

교정 부호 더 알아보기

교정 부호	쓰임	사용한 예
(줄 바꿈 부호)	줄을 바꿀 때	준호가 말한다.“연희야, 안녕.”
(줄 이음 부호)	줄을 이을 때	준호는 잘 생겼다. 또 키가 크기도 하다.

장수(長 길 장 壽 목숨 수) 오래도록 삶.

중화(中 가운데 중 和 화할 화)되지 서로 다른 성질을 가진 것이 섞여 각각의 성질을 잃게 되거나 그 중간의 성질을 띠게 되지.

소모(消 꺼질 소 耗 빌 모)된다 쓰여 없어진다.

예 계단을 오르면 많은 열량이 소모된다.

10 교정 부호를 사용하면 좋은 점을 두 가지 고르세요. (,)

① 시간을 절약할 수 있다.
② 글을 빨리 읽을 수 있다.
③ 글씨를 더 예쁘게 쓸 수 있다.
④ 글을 여러 번 옮겨 쓸 필요가 없다.
⑤ 읽는 사람에 따라 글의 내용이 달라질 수 있다.

11 ㉠을 교정 부호를 사용해 알맞게 고쳐 쓰세요.

- ㉠ → 불편해졌다

12 ㉡‘오래지속되면’을 알맞게 고쳐 쓴 것은 어느 것인가요? ( )

① 오 래지속되면 ② 오래 지속되면
③ 오래지속 되면 ④ 오래 지속 되면
⑤ 오 래 지속 되면

13 ㉢을 교정 부호를 사용해 알맞게 고쳐 쓰세요.

- ㉢ → 푸석 푸석해지고

기본

자료 1 동물의 희생, 동물 실험을 반대한다

의약품 따위를 만드는 실험으로 전 세계에서 해마다 약 6억 마리의 동물이 희생되고 있다. 개발한 약품을 사람에게 바로 사용하지 않고 동물을 대상으로 먼저 실험해 보기 때문이다. 예를 들면 피부에 사용하는 약품을 개발할 때 토끼의 눈에 화학 물질을 넣어 부작용이 생기는지 확인한다. 토끼는 눈 깜빡임과 눈물이 적어 실험 결과를 오래 관찰할 수 있기 때문이다. 눈에 화학 물질이 들어간 토끼는 눈에서 피가 나기도 하고 심한 경우 눈이 멀기도 한다.

동물 실험을 반대하는 사람들이 늘어나고 있다. 사람과 동물의 몸은 차이가 크기 때문에 이러한 동물 실험은 소용이 없다고 주장한다. 실제로 동물 실험을 통과한 신약 후보 열 개 가운데 아홉 개는 사람에게 효과가 없거나 부작용을 일으킨다고 한다.

사람과 동물의 몸은 차이가 크기 때문에

동물 실험을 다른 방법으로 대체해야 한다는 목소리도 높다. 한 국민 의식 조사에 따르면 동물 실험을 대체할 수 있도록 사회적 지원을 하는 데 응답자 대부분이 찬성했다. 특히 동물 실험을 대체하는 연구에 자신이 내는 세금을 사용할 수 있도록 하는 데 85퍼센트가 동의했다.

자료 2 동물 실험을 없애도 괜찮을까

최근 미국 ○○대학교 연구진은 전 세계적으로 680여 명이 희생된 중동호흡기증후군[메르스]의 백신을 개발했다. 연구진이 동물 실험으로 그 효과를 확인하려고 백신을 원숭이에게 투여했다. 그리고 이 백신이 중동호흡기증후군[메르스]을 예방할 수 있다는 확신을 가졌다. 이렇게 동물 실험은 새로운 약 개발에 중요한 역할을 한다.

투여했다: 약 따위를 환자에게 복용시키거나 주사했다.

동물 실험은 새로운 약 개발에 중요한 역할을 한다: 중동호흡기증후군의 백신을 원숭이에게 투여한 일을 예로 든 까닭

동물 실험도 하지 않고 개발한 약을 사람들에게 사용하면 부작용이 발생할 수 있다. 1937년에 한 제약 회사에서 술파닐아미드라는 약을 새롭게 개발했다. 그런데 동물 실험을 거치지 않고 사람들에게 이 약을 판매했다. 그 결과, 이 약을 복용한 많은 사람이 부작용으로 사망하는 불행한 일이 일어났다.

일부 사람들은 동물 실험을 당장 다른 방법으로 대체해야 한다고 주장한다. 그러나 대체 방법을 개발하는 데 6년 이상의 시간과 약 400억 원 이상의 비용이 필요하다. 이처럼 오랜 개발 기간과 막대한 비용 때문에 빠른 시일 안에 동물 실험을 대체하기는 어렵다.

신약(新 새로울 신 藥 약 약) 새로 발명한 약.
제약 회사(製 지을 제 藥 약 약 會 모일 회 社 모일 사) 약을 만드는 회사.

14 **자료 1** 에서 알 수 있는 사실을 두 가지 고르세요. (,)

① 인간의 생명이 가장 소중하다.
② 동물 실험에 쓰이는 토끼가 부족하다.
③ 많은 사람이 신약의 부작용으로 힘들어한다.
④ 해마다 실험으로 수많은 동물이 희생되고 있다.
⑤ 동물 실험을 다른 방법으로 대체해야 한다는 목소리가 높다.

7 단원

진도 완료 체크

15 동물 실험 대체 방법 개발이 쉽지 않다는 것을 말하기 위해 사용한 자료의 기호를 쓰세요.

> ㉮ 전 세계에서 해마다 약 6억 마리의 동물이 희생되고 있다.
> ㉯ 동물 실험을 거치지 않은 술파닐아미드의 부작용으로 많은 사람이 사망했다.
> ㉰ 대체 방법을 개발하는 데 6년 이상의 시간과 약 400억 원 이상의 비용이 필요하다.

( )

16 이 글을 읽고 주장하는 글을 쓰기 위해 추가할 뒷받침 자료로 알맞지 않은 것은 어느 것인가요? ( )

① 동물 실험을 거쳐 개발된 약들
② 화장품 개발을 위한 동물 실험을 금지하는 법
③ 사람과 가장 비슷한 원숭이가 동물 실험에 사용된 예
④ 잘못된 동물 실험으로 사람들의 건강이 안 좋아진 예
⑤ 털을 사용하기 위해 마구잡이로 담비를 사냥하는 현장 사진

점검 기준표를 만들고 자신이 쓴 글에서 고쳐 쓸 점을 생각해 보기

1 글 수준에서 점검할 내용을 쓰고 자신이 쓴 글 점검해 보기

점검 내용	점검 질문	점검 결과 (○/×)
글	무엇을 쓴 글인지 알 수 있는가?	
	읽는 사람을 고려했는가?	
	㉠	

2 문단 수준에서 점검할 내용을 쓰고 자신이 쓴 글 점검해 보기

점검 내용	점검 질문	점검 결과 (○/×)
문단	한 문단에 ㉡ 의 중심 생각만 있는가?	
	㉢	

3 문장과 낱말 수준에서 점검할 내용을 쓰고 자신이 쓴 글 점검해 보기

점검 내용	점검 질문	점검 결과 (○/×)
문장과 낱말	문장 호응이 잘 이루어지는가?	
	㉣	

문장 호응이 잘 이루어지지 않는 부분이 있는지 확인해야 해.
분명하지 않거나 지나치게 단호한 표현은 없는지도 확인하면 좋겠어.

교과서 문제

17 ㉠에 알맞은 글 수준의 점검 질문이 아닌 것은 어느 것인가요? (　　　)

① 제목이 글 내용에 어울리는가?
② 지나치게 단정적인 표현은 없는가?
③ 글 전체의 주제가 잘 드러나 있는가?
④ 글의 목적에 맞는 내용으로 되어 있는가?
⑤ 서론, 본론, 결론에 알맞은 내용이 들어갔는가?

18 ㉡ 에 알맞은 말을 보기 에서 찾아 쓰세요.

보기: 하나　　두 개　　여러 개

(　　　　　　　　)

19 ㉢에 알맞은 문단 수준의 점검 질문으로 알맞지 않은 것은 어느 것인가요? (　　　)

① 문단 차례가 자연스러운가?
② 타당한 근거를 들어 썼는가?
③ 어색한 낱말을 사용하지는 않았는가?
④ 문단의 중심 생각이 잘 나타나 있는가?
⑤ 중심 문장과 뒷받침 문장이 자연스럽게 연결되어 있는가?

서술형·논술형 문제

20 ㉣에 알맞은 점검 질문을 쓰세요.

21 고쳐 쓴 글을 친구들과 바꾸어 읽고 의견을 나눌 때 칭찬할 점을 쓴 친구의 이름을 쓰세요.

태영: 제목을 바꾸니 어떤 내용인지 한눈에 알 수 있어서 좋았어.
미나: 두 번째 문단에서 주제와 관련 없는 문장을 빼면 더 좋은 글이 될 것 같아.

(　　　　　　　　)

7 단원

[22~26] 다음 만화를 보고 물음에 답하세요.

환경 만화를 보고 인간과 자연이 조화를 이루며 발전하려면 우리가 어떻게 해야 할지 생각해 보기

1

2

하천(河 강물 하 川 내 천) 강과 시내를 아울러 이르는 말.
예 하천만 건너면 할머니가 사시는 마을입니다.
생활 하수(生 날 생 活 살 활 下 아래 하 水 물 수) 일상생활을 하는 데에 쓰이고 난 뒤 하천으로 내려오는 물.
악취(惡 악할 악 臭 냄새 취) 나쁜 냄새.
복원(復 돌아올 복 原 근원 원)하고 원래대로 회복하고.

22 만화에 나타난, 인간과 자연이 조화를 이루며 발전할 수 있는 실천 방안을 두 가지 고르세요. (,)
① 숲으로 야영을 간다.
② 강에서 낚시를 한다.
③ 강가에 산책로를 만든다.
④ 내복을 입어 에너지 사용을 줄인다.
⑤ 콘크리트로 덮여 있던 하천을 복원한다.

23 만화를 읽고 인간과 자연이 조화를 이루며 발전하기 위한 실천 방안을 글로 쓸 때 알맞은 제목을 쓰세요.
( )

24 인간과 자연이 조화를 이루며 발전해야 하는 까닭으로 알맞은 것을 두 가지 고르세요. (,)
① 지구는 인간만의 것이기 때문이다.
② 인간이 행복해야 동물도 행복하기 때문이다.
③ 동물에게도 행복하게 살 권리가 있기 때문이다.
④ 지구에서 오래 살 수 있는 것은 인간이 아니기 때문이다.
⑤ 깨끗한 자연 속에서 인간이 행복하게 살 수 있기 때문이다.

25 인간과 자연이 조화를 이루며 발전하기 위해 우리가 할 수 있는 실천 방안이 아닌 것은 어느 것인가요? ( )
① 장바구니를 사용한다.
② 친환경 제품을 사용한다.
③ 가까운 거리는 걸어 다닌다.
④ 동물들의 삶의 터전을 보전한다.
⑤ 숲에 사는 동물에게 먹이를 가져다준다.

교과서 문제

26 인간과 자연이 조화를 이루며 발전하기 위한 실천 방안을 글로 쓸 때 글에 활용할 수 있는 자료를 세 가지 골라 기호를 쓰세요.

㉮ 친환경 제품의 예
㉯ 내복을 만드는 과정
㉰ 숲에 사는 동물의 종류
㉱ 내복을 입어 절약할 수 있는 에너지의 양
㉲ 인간과 자연이 조화를 이루며 발전한 나라의 예

(, ,)

[1~3] 도현이가 글을 쓰게 된 과정

불량 식품을 먹으면 안 된다고 말하고 싶어.
불량 식품을 먹으면 아플 수도 있어.
도현
불량 식품을 먹고 쓰레기를 함부로 버리는구나.
불량 식품에는 유통 기한도 적혀 있지 않구나.

1 도현이가 본 모습이 아닌 것을 골라 기호를 쓰시오.

> ㉠ 친구들이 불량 식품을 먹는 모습
> ㉡ 다른 친구의 과자를 빼앗아 먹는 모습
> ㉢ 불량 식품을 먹은 친구가 아파하는 모습

( )

2 ❹에서 도현이가 찾아본 내용에 ○표 하시오.

(1) 불량 식품에는 제조 일자가 없다는 것 ( )
(2) 불량 식품에는 유통 기한이 적혀 있지 않다는 것 ( )

3 그림의 상황을 바탕으로 글을 쓸 때 도현이의 주장은 무엇일지 쓰시오.

• 불량 식품을 [ ].

[4~8] 도현이가 쓴 글

> ㉠쓰레기가 되는 불량 식품
>
> 여러분, 불량 식품을 먹지 맙시다. ㉡불량 식품을 먹고 나서 쓰레기를 버리는 사람이 많습니다. 그렇게 버린 쓰레기들이 우리 학교 주변을 더럽혀 보기에도 좋지 않고, 악취도 납니다. 불량 식품에는 무엇이 들어갔는지, 그리고 유통 기한은 언제까지인지 정확히 적혀 있지 않습니다. 불량 식품을 먹으면 해로운 물질이 몸에 들어가 병에 걸리기 쉽습니다. 불량 식품은 ㉢아무리 맛있어서 먹으면 안 됩니다.

4 이 글의 주제는 무엇입니까? ( )

① 불량 식품을 먹지 말자.
② 제철 음식을 먹어야 한다.
③ 쓰레기를 함부로 버리지 말자.
④ 불량 식품도 맛있는 것이 있다.
⑤ 학교 주변이 쓰레기로 더럽혀져 지저분하다.

서술형·논술형 문제

5 ㉠을 알맞게 바꾸어 쓰고, 그와 같이 바꾸어 쓴 까닭은 무엇인지 쓰시오.

(1) 제목	(2) 까닭

6 ㉡을 고쳐 쓰는 방법으로 알맞은 것은 어느 것입니까? ( )

① 문장 호응에 맞지 않기 때문에 낱말을 바꾸어 쓴다.
② 글의 주제와 관련 없는 내용이기 때문에 삭제한다.
③ 문장이 너무 길어 이해하기 어렵기 때문에 두 문장으로 나눈다.
④ 지나치게 단정적인 내용으로 거부감을 주기 때문에 문장을 바꾸어 쓴다.
⑤ 불확실한 표현을 사용해 설득력이 떨어지기 때문에 문장을 바꾸어 쓴다.

7 ㉢을 다음으로 바꾸어 쓴 까닭은 무엇입니까? ( )

> 아무리 맛있어도 먹지 말아야 합니다.

① 문장 호응에 맞지 않기 때문이다.
② 글의 주제와 관련 없는 내용이기 때문이다.
③ 너무 단정적인 표현은 거부감을 주기 때문이다.
④ 앞 문장에 대한 자세한 설명이 부족하기 때문이다.
⑤ 불확실한 표현을 사용하면 설득력이 떨어지기 때문이다.

8 다음 중 이 글에 추가할 문장으로 알맞은 것을 골라 ○표 하시오.

(1) 친구와 함께 불량 식품을 나누어 먹으면 사이가 좋아질 수 있습니다. ( )
(2) 유통 기한을 알 수 없어 신선하지 않은 식품을 먹게 될 수도 있습니다. ( )

[9~10] 다른 사람을 존중하자

> 가 ㉠요즘 많은 어린이가 이야기할 때 은어나 비속어를 사용했다. 국립국어원 조사에 따르면 조사 대상 초등학생의 93퍼센트가 비속어를 사용한 적이 있다고 한다. 만약 학생 열 명이 있기 때문에 적어도 아홉 명은 비속어를 사용한 적이 있는 것이다. 비속어가 아닌 고운 말을 사용해야 하는 까닭은 무엇일까?
> 나 고운 말을 사용하면 서로 존중하는 마음을 전할 수 있다. 흔히 말이 눈에 보이지 않는 마음임을 표현할 때 "말은 마음의 거울"이라는 격언을 사용한다. 고운 말을 사용해야 하는 것은 어린이만이 아니다. 존중하는 마음이 없다면 고운 말도 나오지 않는다.

9 이 글에 대해 잘못 말한 것은 어느 것입니까? ( )

① 글 가에 문제 상황이 드러나 있다.
② 고운 말을 사용하자는 주장을 하기 위해 쓴 글이다.
③ 글 가에 문장 호응이 잘 이루어지지 않은 문장이 있다.
④ 글 나의 중심 문장은 "존중하는 마음이 없다면 고운 말도 나오지 않는다."이다.
⑤ 글 나의 "고운 말을 사용해야 하는 것은 어린이만이 아니다."는 중심 문장과 관계없는 내용이다.

10 ㉠을 고쳐 써야 하는 까닭으로 알맞은 것을 골라 번호를 쓰시오.

> ① 문장의 길이가 너무 길어서
> ② 비속어는 많은 어린이가 사용하는 말이므로 '사용한다'를 써야 해서
> ③ '요즘'은 현재를 나타내는 말인데 '사용했다'는 과거를 나타내는 말이므로 어울리지 않아서

( )

[11~13] 다른 사람을 존중하자

> 가 고운 말을 사용하면 다른 사람과 원활하게 대화할 수 있다. 은어나 비속어는 [㉠] 대화를 어렵게 하고 오해를 불러일으킨다. ㉡단순히 재미있으려고 은어나 비속어를 사용했다가 친구들끼리 투쟁으로 이어지는 경우도 있고, 어른과 어린이의 일상적인 대화가 어려워지는 경우도 있다.
> 나 ㉢고운 말은 다른 사람을 존중하는 마음을 전할 수 있게 하고, 다른 사람과 대화를 원활하게 할 수 있게 한다. 또 고운 말을 사용하는 것은 우리말을 아름답게 가꾸고 지키는 일이다. 이제라도 고운 말을 사용하는 바른 언어 습관을 기르려고 노력하자.

11 [㉠]에 알맞은 말은 어느 것입니까? ( )

① 독특한 ② 지나친 ③ 원활한
④ 기름진 ⑤ 보기 싫은

12 ㉡에서 어색한 낱말을 찾아 바르게 고쳐 쓰시오.

• ( ) → ( )

서술형·논술형 문제

13 ㉢을 다음과 같이 고쳐 쓴 까닭은 무엇일지 쓰시오.

> 고운 말은 다른 사람을 존중하는 마음을 전할 수 있게 한다. 그리고 다른 사람과 대화를 원활하게 할 수 있게 한다.

7 단원

[14~16] 아침밥의 중요성

가 하루 세끼 가운데에서 가장 ㉠중요한것이 아침밥이다. 부모님께서는 건강하려면 아침밥을 먹어야 한다고 말씀하신다. 비록 ㉡한 끼라서 아침밥을 거르거나 대충 때우면 온종일 열량과 영양소가 부족해 건강을 잃게 된다.

나 아침밥은 장수의 필수 조건이다. 날마다 ㉮아침밥을 거르면 밤새 분비된 위산이 ㉯중화되지 않아 위가 ㉰불편해졌다. 이런 습관이 ㉱오래지속되면 위염이나 위궤양으로 진행될 수 있다. 또 밤새 써 버린 수분을 보충하기 어렵고 체내에 저장해 두었던 영양소가 ㉲소모된다.

14 아침밥을 거르면 생기는 현상으로, (　　) 안에 알맞은 낱말을 쓰시오.

• 밤새 써 버린 (　　　　　)을 보충하기 어렵다.

15 ㉮~㉲ 중 ㉠을 고쳐 쓸 때 사용하는 교정 부호로 고쳐 써야 하는 것의 기호를 쓰시오.

(　　　　　　　　)

16 ㉡을 교정 부호를 사용해 알맞게 고쳐 쓰시오.

• ㉡ → 한 끼라서

[17~19] 동물 실험에 대한 자료 1, 자료 2

자료 1 의약품 따위를 만드는 실험으로 전 세계에서 해마다 약 6억 마리의 동물이 희생되고 있다. 개발한 약품을 사람에게 바로 사용하지 않고 동물을 대상으로 먼저 실험해 보기 때문이다. 예를 들면 피부에 사용하는 약품을 개발할 때 토끼의 눈에 화학 물질을 넣어 부작용이 생기는지 확인한다. 토끼는 눈 깜빡임과 눈물이 적어 실험 결과를 오래 관찰할 수 있기 때문이다. 눈에 화학 물질이 들어간 토끼는 눈에서 피가 나기도 하고 심한 경우 눈이 멀기도 한다.

자료 2 동물 실험도 하지 않고 개발한 약을 사람들에게 사용하면 부작용이 발생할 수 있다. 1937년에 한 제약회사에서 술파닐아미드라는 약을 새롭게 개발했다. 그런데 동물 실험을 거치지 않고 사람들에게 이 약을 판매했다. 그 결과, 이 약을 복용한 많은 사람이 부작용으로 사망하는 불행한 일이 일어났다.

17 다음은 자료 1 과 자료 2 중 어느 것의 주장인지 쓰시오.

동물 실험을 해서는 안 된다.

(　　　　　　　　)

18 다음 중 자료 1 의 주장으로 글을 쓸 때 활용할 수 있는 내용을 골라 기호를 쓰시오.

㉠ 오랜 개발 기간과 막대한 비용 때문에 동물 실험을 다른 방법으로 대체하기는 어렵다.
㉡ 한 국민 의식 조사에 따르면 응답자 대부분이 동물 실험을 다른 방법으로 대체하는 데 찬성했다.

(　　　　　　　　)

19 자료 2 에서 알 수 있는 사실을 골라 기호를 쓰시오.

㉠ 동물 실험이 금지되어 심각한 부작용을 가진 약이 많아졌다.
㉡ 동물 실험을 거치지 않고 사용한 약의 부작용으로 많은 사람이 사망했다.

(　　　　　　　　)

20 자신의 글을 점검할 때 점검 질문이 문단 수준이면 '문단', 문장과 낱말 수준이면 '문장과 낱말'이라고 쓰시오.

(1) 문장 호응이 잘 이루어지는가?
(　　　　　　　　)
(2) 중심 문장과 뒷받침 문장이 자연스럽게 연결되는가?
(　　　　　　　　)

8 작품으로 경험하기

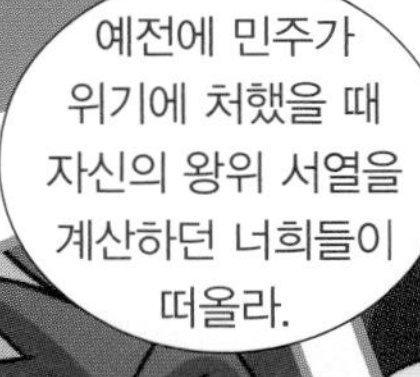

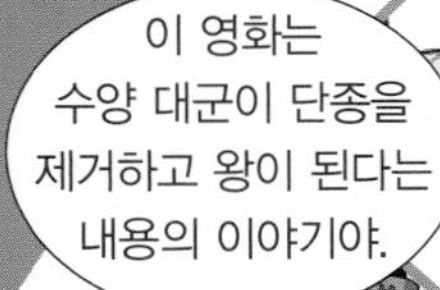

이 영화는 수양 대군이 단종을 제거하고 왕이 된다는 내용의 이야기야.

예전에 민주가 위기에 처했을 때 자신의 왕위 서열을 계산하던 너희들이 떠올라.

수양 대군은 자신의 뜻을 이루기 위해 무슨 일이든 하는 독한 성격이지.

헉!!

개념 웹툰

아이들은 민주네 집에서 나와 어디로 갔을까요?
스마트폰에서 확인하세요!

개념 ① 여행 계획 세우기

① 여행 가고 싶은 곳과 그 까닭을 써 봅니다.
② 여행 가고 싶은 곳의 자료를 찾아봅니다.
③ 찾은 자료를 활용해 여행 계획을 세웁니다.
④ 세운 여행 계획으로 여행 기간과 장소, 같이 가고 싶은 사람과 준비할 일, 여행 일정, 여행 비용 등을 넣은 '여행 계획서'를 씁니다.

활동 여행 가고 싶은 곳과 까닭 떠올리기 예

여행 가고 싶은 곳	그 까닭
평창	동계 올림픽의 영광스러운 모습이 생각나기 때문입니다.
지리산	중학생이 되기 전에 지리산에 한번 올라가 보고 싶어서입니다.

개념 ② 영화 감상문 쓰는 방법

① 영화를 보게 된 까닭과 영화 줄거리를 씁니다.
② 영화 속 내용과 비슷한 자신의 경험을 떠올려 씁니다.
③ 자신이 본 영화나 책 내용을 함께 떠올려 씁니다.
④ 영화를 본 뒤의 전체적인 느낌이나 주제를 씁니다.
⑤ 감상문의 내용을 잘 드러내거나 읽는 사람의 관심을 끌 수 있는 제목을 씁니다.

활동 영화 「피부 색깔 = 꿀색」을 보고 감상하는 방법 이야기하기 예

흑백처럼 표현한 만화를 보며 인물이 겪은 시대의 모습을 더 잘 이해할 수 있어.

이 영화는 만화와 촬영한 영상을 함께 사용해서 과거와 현재의 모습을 비교할 수 있도록 구성했어.

8 단원

개념 ③ 자신의 경험을 떠올리며 작품 감상하기

① 인물이 겪는 일을 상상하며 작품을 읽습니다.
② 작품 속 내용과 비슷한 자신의 경험을 떠올려 봅니다.
③ 작품 속 인물의 말이나 행동, 줄거리, 작품과 관련 있는 경험, 작품과 비슷한 영화나 책 내용, 작품을 보고 난 느낌 등을 넣어 독서 감상문을 씁니다.

활동 이야기 「대상주 홍라」를 읽고 인상 깊은 장면과 자신의 경험 떠올려 쓰기 예

인상 깊은 장면	자신의 경험
빚쟁이들이 알까 봐 집안 일꾼들 몰래 교역을 떠날 준비를 하는 장면	내가 밖에 나가면 동생이 따라와서 동생 몰래 살금살금 나갈 때가 떠오른다.

개념 ④ 경험한 내용을 영화로 만들기

① 경험을 떠올려 영화로 만들고 싶은 주제를 정합니다.
② 주제에 맞는 사진이나 그림, 영상 등의 자료를 수집합니다.
③ 문구를 기록하고 사진이나 영상을 넣습니다.
④ 음악과 자막을 넣습니다.
⑤ 만든 영화를 보면서 부족한 부분을 보완합니다.

활동 경험한 내용을 바탕으로 영화를 만들 때 자료 찾기 예

주제	6학년 축구 시합
수집할 자료	• 축구 시합에 나갈 인원을 모집하고 역할을 정했던 회의 사진 • 운동장에서 축구 시합을 하고 있는 영상 • 우승 팀에게 상장이 수여되는 모습을 담은 사진

준비 

1

나의 여행

3
여행은 단순한 장소의 이동이 아니라
자신이 쌓아 온 생각의 성을
벗어나는 것이다.

→ 여행과 관련된 격언

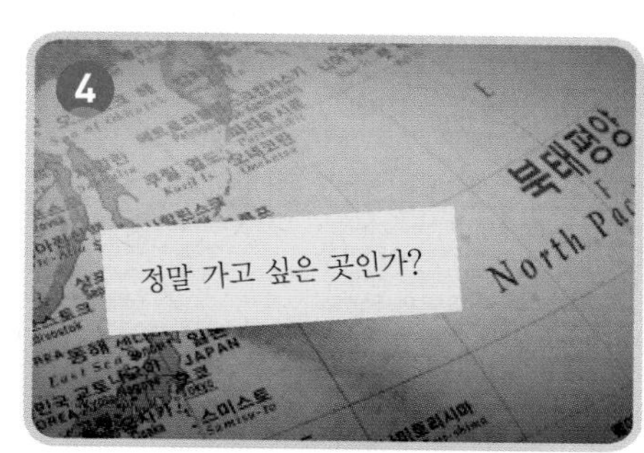

6
다시 돌아온 삶의 자리에서
오래도록 힘이 되어 주는

- **제재의 특징:** 여행을 하면서 다른 문화를 체험하고 그 지역 경제에 도움을 주는 공정한 여행에 대해 생각해 볼 수 있는 영상입니다.

공정한 여행에 대해 알아보기

- 지역 경제에 도움이 되고 현지인의 인권을 존중하기
- 동물을 학대하는 쇼나 여행에 참여하지 않기
- 지구를 아끼고 돌보기
- 그 지역의 문화나 종교 존중하기
- 사진을 찍을 때는 허락을 구하기

1 「나의 여행」에서 다음 설명에 알맞은 장면을 찾아 번호를 쓰세요.

(1) 여행 중 찍은 사진을 보며 지난 여행을 떠올리고 있다. (　　)

(2) 여행을 가기 전에 여행 가려고 하는 곳이 정말 가고 싶은 곳인지 생각하고 있다. (　　)

2 「나의 여행」에서 알 수 있는 공정한 여행에 대한 설명으로 알맞은 것은 어느 것인가요? (　　)

① 그 지역에서 유명한 동물 쇼를 본다.
② 그 지역 주민들의 사진을 많이 찍는다.
③ 여행을 가기 전에 여행지에 대해 알아본다.
④ 종교 건물에 들어가서 마음대로 사진을 찍는다.
⑤ 그 지역 문화를 체험하고 사람이나 자연을 배려한다.

서술형·논술형 문제

3 자신이 갔던 여행과 「나의 여행」에서의 여행을 비교하여 쓰세요.

교과서 문제

4 다음에 알맞은 여행 가고 싶은 곳은 어디인가요? (　　)

까닭: 2018 동계 올림픽의 영광스러운 모습이 생각나기도 하고, 동계 올림픽이 끝난 뒤 경기장이 어떻게 변했는지 궁금하기 때문이다.

① 평창　② 인천　③ 대전
④ 경주　⑤ 제주

8 단원

기본

피부 색깔=꿀색

1 융이 입양되기 전 고아원에서 지냄.

2 양아버지가 융에게 자전거 타는 법을 가르쳐 줌.

3 융은 친부모님을 그리워하는 마음을 혼자 그림을 그리고 산책하며 달램.

꼬맹이 하나가 또 생겼네.

4 융은 한국에서 입양되어 온 여자아이를 싫어함.

썩은 사과 같으니.

5 융의 거짓말에 화가 난 양어머니가 심한 말을 함.

6 융은 양어머니의 사랑을 깨달음.

• **제재의 특징:** 다섯 살에 한국에서 벨기에로 입양된 감독이 실제 자신의 이야기를 영화로 만든 것으로, 만화와 촬영한 영상을 함께 사용해서 표현했습니다.

영화 「피부 색깔=꿀색」의 내용과 특징

내용	고아원에서 생활하던 융은 벨기에로 입양되어 양부모 품에서 자라게 됩니다. 그러나 자신과 가족의 피부색이 다르다는 것에서부터 정체성에 혼란을 겪으며 방황도 하게 됩니다.
특징	촬영한 영상과 만화 영상이 번갈아 가며 등장해 내용이 허구가 아니라 사실이라는 것이 잘 드러납니다.

5 영화를 감상하는 방법으로 알맞지 않은 것은 어느 것인가요? (　　　)

① 영화 줄거리를 이해한다.
② 인물의 성격을 파악한다.
③ 인물들의 관계를 이해한다.
④ 등장하는 인물의 수를 세어 본다.
⑤ 영화를 표현하는 영상의 특성을 살펴본다.

6 「피부 색깔=꿀색」에서 주인공인 융에 대해 알맞게 말한 것에 ○표 하세요.

(1) 융은 친부모님을 그리워했다. (　　　)
(2) 융은 엄마와 함께 살다가 입양되었다. (　　　)
(3) 친아버지가 융에게 자전거 타는 법을 가르쳐 주었다. (　　　)

7 ❹에서 융의 마음은 어떠할까요? (　　　)

① 쉬고 싶다.　② 기분이 좋다.
③ 외로움을 느낀다.　④ 안타까움을 느낀다.
⑤ 미안한 마음이 든다.

교과서 문제

8 이 영화를 보고 생각이나 느낌을 알맞게 말한 사람의 이름을 쓰세요.

미리: 융이 입양되기 전에 고아원에 있는 모습에 안타까운 마음이 느껴졌어.
혜인: ❺의 양어머니 말에서 잘못한 융을 격려해 주고 싶어 하는 마음이 느껴졌어.

(　　　　　)

8 단원

서로를 따뜻하게 감싸 안는 대한민국이 되자

• 글의 종류: 영화 감상문
• 글의 특징: 영화 「피부 색깔=꿀색」을 보고 영화 줄거리와 자신의 경험, 영화를 본 느낌 등을 쓴 영화 감상문입니다.

❶ 「피부 색깔=꿀색」이라는 영화를 보았다. 제목부터가 뭔가 전하고 싶은 이야기가 많은 영화라고 생각했다. 이 영화는 벨기에에 입양된 우리 동포 융이라는 사람이 어린 시절을 회상하며 이야기가 시작된다.

중심 내용 1 「피부 색깔=꿀색」이라는 영화는 벨기에에 입양된 융이라는 사람이 어린 시절을 회상하는 이야기입니다.

❷ 융은 다섯 살에 해외로 입양된다. 하지만 융은 벨기에의 가족과 자신의 피부색이 다르다는 사실과 한국에 친부모가 있을지도 모른다는 생각에 잘 적응하지 못하고 힘들어한다. 게다가 융의 가족은 한국에서 여자아이를 한 명 더 입양한다. 융은 한국에서 새로 입양된 여동생과 자신이 닮았다는 말을 듣기 싫어하며 동생과 가족을 멀리한다. 그리고 융은 학교에서 말썽을 일으키고 집에서 거짓말까지 하면서 점점 더 엇나가는 행동을 한다.

중심 내용 2 융은 다섯 살에 해외로 입양되었는데 잘 적응하지 못하고 정체성에 혼란을 겪습니다.

❸ 융의 장난만큼은 아니지만 나도 가끔은 친구나 동생에게 심한 장난을 한다. 하지만 융의 행동이 주위의 관심과 사랑을 받고 싶고 자신이 누구인지를 찾으려는 몸부림이라는 것을 알았을 때 마음이 많이 아팠다. 자신이 누구인지 알 수 없어 방황하던 융은 영화의 마지막에 이렇게 말한다. "엄마, 누가 내 고향을 물으면 여기도 되고 거기도 된다고 하세요." 나는 융의 말을 모두 이해할 수는 없지만 '꿀색'이라는 말이 따뜻하게 느껴졌다.

중심 내용 3 융의 개구쟁이 모습이 '나'가 장난치는 모습과 비슷하다고 생각했습니다.

❹ 예전에 「국가 대표」라는 영화를 보았다. 그 영화에서 주인공은 엄마를 찾으려고 국가 대표가 되려고 했다.(영화 「국가 대표」의 내용) 해외 입양 문제는 우리나라의 아픈 역사를 보여 주는 한 부분이다.

중심 내용 4 이 영화를 보면서 「국가 대표」라는 영화가 떠올랐습니다.

❺ 이 영화를 보면서 나는 융이라는 사람에게 이런 말을 해 주고 싶었다. "비록 우리나라의 아픈 역사 때문에 벨기에에서 살지만 우리는 똑같은 한국인입니다."(글쓴이가 주인공인 융에게 해 주고 싶은 말)라고 말이다. 영화를 보는 내내 나는 입양된 사람들이 우리 역사에서 겪은 아픔을 생각했다. 본인의 의지와 상관없이 다른 나라에서 살아야 하는 사람들, 그리고 우리나라에 온 사람들까지. 나는 우리가 지금 서로를 따뜻하게 감싸 안아야 할 때라고 생각한다.

중심 내용 5 입양된 사람들이나 우리나라에 온 사람들 모두 우리가 따뜻하게 감싸 안아야 할 때입니다.

8 단원

진도 완료 체크

9 글 ❶에서 알 수 있는 내용이 아닌 것은 어느 것인가요? (　　　)

① 영화 제목　② 영화를 본 까닭
③ 주인공 이름　④ 등장인물들의 관계
⑤ 영화의 대강의 줄거리

10 융이 입양을 가서 잘 적응하지 못한 까닭을 두 가지 고르세요. (　　,　　)

① 가족과 다른 피부색 때문에
② 친부모님에 대한 생각 때문에
③ 새로운 형제들과의 갈등 때문에
④ 친구들의 따돌림과 괴롭힘 때문에
⑤ 낯선 자연환경에 대한 두려움 때문에

11 글 ❸과 ❹의 내용은 무엇인지 선으로 이으세요.

(1) ❸ •　　• ㉮ 예전에 보았던 영화

(2) ❹ •　　• ㉯ 영화 속 내용과 비슷한 자신의 경험

서술형·논술형 문제

12 이 영화 감상문의 주제는 무엇인지 쓰세요.

기본

대상주 홍라

• 글의 종류: 이야기 • 글쓴이: 이현
• 글의 내용: 어머니의 실종으로 대상주가 된 홍라는 빚을 갚고 어머니를 찾기 위해 장안으로 교역을 떠날 준비를 몰래 해 나갑니다.

1~2 홍라는 지도를 보며 장안으로 교역을 하러 갈 결심을 합니다.

3 홍라는 자신과 친샤, 월보, 비녕자 네 명으로 상단을 꾸렸습니다.

4 홍라는 집안 일꾼들 모르게 조용히 교역을 떠날 준비를 했습니다.

5 모든 준비를 마친 홍라는 소동인과 열쇠 두 개를 목에 걸었습니다.

8 단원

앞부분 이야기

열세 살인 홍라는 금씨 상단 대상주의 딸이다. 대상주인 어머니를 따라 일본으로 교역을 갔다가 바다에서 풍랑을 만난다. 그래서 홍라는 어머니와 헤어지고 겨우 살아남아 집으로 돌아온다. 상단으로 돌아온 홍라에게 남은 건 교역의 실패로 생긴 엄청난 빚뿐이다. 홍라는 아무것도 할 수 없다고 생각한다. 그러다가 위급할 때 열어 보라고 어머니께서 주신 묘원의 열쇠를 기억한다. 묘원에는 숨겨 둔 소그드의 은화가 있었다. 이제 홍라는 솔빈으로 가서 그 은화를 바꾸어 이문을 남길 수 있는 교역을 하려고 한다.

(솔빈: 발해의 지방 이름. / 소그드: 옛날 이란 사람들을 말함.)

1 홍라는 탁자 위에 지도를 펼쳤다. 오래된 가죽 냄새를 맡으니 어머니에 대한 그리움이 밀려들었다. 어머니는 지도를 펼치는 것으로 하루를 시작했다. 어머니의 손길로 반들반들해진 지도였다. 지도에 새겨진 길을 손끝으로 더듬자 어머니의 목소리가 들려오는 것 같았다.

보아라, 길이다. 세상 모든 곳으로 통하는 길이다.

돈피 지도의 윗부분에는 금씨 상단이라는 네 글자와 목단꽃 그림이 새겨져 있었다. 그 아래에는 발해에서 사방으로 뻗어 나가는 교역로가 있었다.

(돈피: 돼지가죽.)

상경에서 동경을 거쳐 뱃길로 가는 일본도, 상경에서 서쪽으로 곧장 뻗어 나가는 거란도, 상경에서 동경을 거쳐 해안을 따라 남하하는 신라도, 그리고 상경에서 출발하여 서경을 지나 압록강 하구의 박작구에서 배를 타고 등주를 거쳐 장안으로 가는 압록도, 상경에서 거란의 영주를 거쳐 육로를 통해 장안으로 가는 영주도가 있었다.

상경성에서 북상한 다음 서쪽으로 사마르칸트까지 가는 길은 담비의 길이라고 했다. 서역 상인들이 초피를 사러 오는 길이라서 그렇게 부르는 것이다. 솔빈도 그 담비의 길 위에 있었다.

(초피: 담비 종류 동물의 모피.)

중심 내용 1 홍라는 지도를 펼쳐 보며 어머니를 그리워했습니다.

2 홍라는 소그드의 은화를 가만히 들여다보았다. 그러다 다시 지도로 눈길을 돌렸다.

솔빈으로 가서 은화를 팔고……. 그래! 솔빈의 말을 사자!

솔빈의 말은 당나라까지 널리 알려진 명마다. 솔빈의 말을 장안으로 가져가면 비싼 값에 팔 수 있다. 그리고 장안에서 비단을 싸게 사서 온다면……. 가만히 앉아 있으면 묘원의 은화는 비단 오백 필 값. 그러나 길을 나선다면 천 필, 아니 이천 필 값이 될 수 있다.

상단 무역을 하기 위해 만든 사람들의 단체.
이문(利 이로울 이 文 글월 문) 이익이 남는 돈.

교과서 문제

13 지도를 보면서 홍라가 어머니를 그리워한 까닭에 ○표 하세요.

(1) 어머니가 직접 만든 지도여서 ( )
(2) 어머니가 항상 보던 지도여서 ( )
(3) 어머니가 가 본 길을 직접 표시한 지도여서 ( )

14 홍라는 지도와 소그드의 은화를 보며 어떤 생각을 했나요?

• 솔빈으로 가서 은화를 팔고 [ ]을 산 뒤 장안으로 가서 팔아 [ ]을 싸게 사서 오자.

가자. 교역을 하러 가자. 어머니가 돌아오기 전에 빚을 갚는 거야. 상단을 지키는 거야. 대상주 금기옥의 딸답게.

홍라는 눈물을 닦았다. 언제부터인가 울고 있었던 것이다. 하지만 이제는 울지 않을 생각이었다. 상단을 이끌고 교역을 떠나야 했다. 상단을 지켜야 했다.

따로 상단의 일을 배운 적은 없지만, 상단의 딸이다. 나면서부터 교역에 대해 보고 들었다. 어떻게 해야 하는지 알 수 있었다.

중심 내용 2 홍라는 어머니가 돌아오기 전에 빚을 갚고 상단을 지키기 위해 교역을 떠나기로 마음먹었습니다.

3 "친샤!"

홍라가 부르자 곧 친샤가 검으로 마루를 툭툭 쳐서 기척을 보냈다. 홍라는 밖으로 나갔다.

"월보는 떠났어?"

상단의 믿음직한 일꾼들은 지난 풍랑으로 거의 잃었다. 상단에 남아 있던 일꾼들은 대상주를 찾기 위해 동경에 가 있었다. 그러고도 남아 있는 일꾼들은 나이가 많거나 혹은 너무 어렸다. 그렇다고 표 나게 사람을 모을 수는 없었다. 빚쟁이들의 눈총이 무서웠다.

다행히 친샤가 고개 저으며 바깥채를 가리켰다.(월보가 바깥채에 있다는 뜻) 월보는 아직 금씨 상단에 머무르고 있는 모양이다. 그리고 친샤는 다시 바깥채를 가리키며 손가락을 하나 더 폈다.(월보 말고 한 명 더 있다는 뜻) 월보 말고 또 다른 누군가가 있다는 뜻이다.

곧 친샤가 월보와 어느 소년을 데리고 왔다.

홍라는 소년을 보고서 미간을 찌푸리며 기억을 더듬었다. 분명 낯익은 얼굴인데, 누구인지 잘 기억나지 않았다.

월보가 소년을 소개했다.

"아가씨, 비녕자이옵니다. 동경의 해안에서 우리를 구해 주었던……."

"아!"

홍라는 그제야 기억이 났다. 비녕자. 말값으로 금가락지를 주고 떠나며 금씨 상단으로 찾아오라 했다. 목숨 구해 준 값도 후하게 치르겠다고 약속했다.

"그런데 우리가 떠나고 얼마 되지 않아 비녕자의 아비와 어미가 그만 세상을 버렸다고 합니다. 작은 고깃배를 타고 바다에 나갔다가 풍랑에 휩쓸려서 그만……. 그래서 금씨 상단에 의지하고 지낼 수 있을까 해서 왔다고 합니다."

후하게 마음 씀씀이나 태도가 너그럽게.

세상을 버렸다고 죽었다고.

15 홍라가 상단을 이끌고 교역을 떠나려는 까닭은 무엇인가요? (　　　)

① 어머니를 찾으려고
② 더 넓은 세상을 경험하려고
③ 빚을 갚고 상단을 지키려고
④ 비녕자의 마음을 알아보려고
⑤ 당나라에서 말을 싸게 사서 솔빈에서 팔려고

교과서 문제

16 홍라가 표 나게 사람을 모을 수 없던 까닭에 ○표 하세요.

(1) 빚쟁이들의 눈총이 무서워서 (　　　)
(2) 교역에 성공할 자신이 없어서 (　　　)
(3) 홍라가 어리다고 사람들이 무시해서 (　　　)

17 비녕자에 대한 설명으로 알맞지 않은 것의 기호를 쓰세요.

㉠ 홍라에게 말값으로 금가락지를 받았다.
㉡ 동경의 해안에서 홍라 일행을 구해 주었다.
㉢ 작은 고깃배를 타고 나가 풍랑에 휩쓸렸다.

(　　　　　　)

18 이 글과 관련된 자신의 경험을 떠올려 알맞게 말한 사람의 이름을 쓰세요.

수호: 친구에게 섭섭한 말을 듣고 삐쳐서 한동안 그 친구와 대화를 하지 않았어.
진아: 동생과 싸우고 엄마한테 꾸중을 들은 뒤 기분이 좋지 않아 밖으로 나간 적이 있어.
정석: 나 때문에 옆 반과의 축구 시합에서 져서 속상했지만 다음 시합에서 잘하기 위해 열심히 연습했어.

(　　　　　　)

8 단원

언제든 찾아오라고 큰소리쳤다. 더구나 지금은 한 사람이 아쉬운 상황이었다. ㉠비녕자는 소리 소문 없이 데려가기에 적당한 일꾼이었다. 망설일 이유가 없었다.

"장안으로 교역을 나설 거야. 월보, 비녕자, 같이 갈 수 있지?"

선심 쓰는 듯 말했지만, 속으로 좀 걱정이 되었다. 월보에게도 아직 품삯을 주지 못했다. 상단이 망해 간다는 소문이 파다한데, 월보가 따라나서 줄지 걱정이었다. 비녕자의 불만에 찬 표정도 마음에 걸렸다.

하지만 월보는 반색해 주었다.

"자, 장안이라고요? 네! 네, 갈게요. 가겠습니다!"

비녕자는 여전히 뚱한 얼굴이지만 그래도 고개를 끄덕였다.

반가워서 손이라도 잡아 주고 싶었다. 하지만 대상주답게 굴어야 했다. 홍라는 애써 엄한 표정을 지었다.

"수선 피우지 마. 요란하게 떠날 입장이 아니야. 그러니 출발할 때까지 입조심해. 교역에 성공하면 둘 다 크게 한몫 챙겨 줄게."

그렇게 교역을 떠날 상단이 꾸려졌다. 대상주의 자격으로 상단을 이끄는 홍라, 무사 친샤, 천문생 월보, 일꾼 비녕자. (홍라가 꾸린 상단) 초라하기 그지없지만, 중요한 임무를 띠고 있었다. 금씨 상단을 지키기 위한 마지막 기회인지도 몰랐다.

중심 내용 3 홍라는 친샤, 월보, 비녕자로 교역을 떠날 상단을 꾸렸습니다.

4 이틀 동안 길 떠날 준비를 했다. 준비랄 것도 없었다. 집안 일꾼들 모르게 몇 가지를 챙기는 게 전부였다. 창고 점검을 한다는 핑계로 말린 고기며 곡식 가루를 좀 챙겼다. 노숙(바깥에서 자는 잠.)을 해야 할지도 모르니 음식을 조리할 도구도 필요했다. 집에 있는 걸 가져가려니 일꾼들이 알아챌까 걱정스러웠다. 결국 친샤가 시장에서 몇 가지를 사 왔다. 그리고 돈피도 몇 장 챙겼다.

말은 모두 다섯 마리를 준비했다. 홍라와 친샤의 말에 월보와 비녕자가 탈 말도 필요했다. 짐 실을 말도 한 마리 있어야 했다.

8 단원

선심(善 착할 선 心 마음 심) 남에게 베푸는 후한 마음.
예 선심 써서 친구에게 준비물을 나누어 주었습니다.

품삯 일을 한 값.
예 일꾼의 하루치 품삯에 해당하는 가격이었습니다.

19 홍라가 ㉠과 같이 생각한 까닭은 무엇일까요? (   )

① 비녕자가 월보와 잘 알기 때문이다.
② 비녕자가 솔빈에 대해 잘 알기 때문이다.
③ 비녕자가 부모가 없이 혼자이기 때문이다.
④ 비녕자가 장안으로 가는 길을 잘 알기 때문이다.
⑤ 비녕자가 말을 많이 하지 않는 사람이기 때문이다.

교과서 문제

20 비녕자가 교역을 함께 간다고 하자 홍라는 왜 애써 엄한 표정을 지었나요? (   )

① 대상주로서의 위엄을 갖추고자 해서
② 비녕자가 가고 싶어 하지 않으면서 허락해서
③ 비녕자와 함께 교역을 가게 된 것이 불안해서
④ 비녕자의 재미있는 표정 때문에 웃음이 나와서
⑤ 상단 일을 전혀 알지 못하는 비녕자가 걱정되어서

21 홍라가 꾸린 상단에 대한 설명으로 알맞지 않은 것을 골라 기호를 쓰세요.

㉮ 장안으로 교역을 떠날 것이다.
㉯ 짐을 실을 말까지 다섯 마리의 말을 준비했다.
㉰ 먼 길을 갈 준비를 하면서 음식을 풍족하게 사들였다.

(   )

서술형·논술형 문제

22 작품에서 인상 깊은 장면과 그렇게 생각하는 까닭을 쓰세요.

㉠홍라는 하인들에게 말을 팔 거라는 핑계를 대고 세 마리를 미리 빼돌렸다. 출발하는 날 아침에 조용히 집을 나서려고 미리 준비해 둔 것이다. 월보가 말들을 성문 근처의 객줏집에 맡겨 두었다. 홍라의 말 하늬와 친샤의 말은, 팔 거라는 핑계를 댈 수 없으니 그냥 집에 두었다.

홍라와 친샤의 말을 그냥 집에 둔 까닭

홍라는 월보를 은밀히 불렀다.

"내일 새벽, 성문을 여는 북소리가 울릴 때 만나자. 말을 맡겨 둔 객줏집에서."

비녕자와 월보는 그 객줏집에서 밤을 보내기로 했다.

중심 내용 4 홍라는 집안 일꾼들 모르게 교역을 떠날 준비를 했습니다.

5 모든 준비를 마친 뒤, 홍라는 방으로 들어왔다. 탁자 앞에 앉아 옥상자를 열었다. 어머니가 남겨 준 열쇠, 그리고 아버지의 선물인 소동인이 있었다.

홍라는 소동인과 열쇠 두 개를 가죽끈에 꿰어 목에 걸었다. 이제 먼 길을 가는 내내 어머니, 아버지가 함께해 줄 것이다.

드디어 떠난다. 홍라의 가슴이 세차게 고동쳤다. 대상주가 되어 교역을 떠난다. 빚을 갚고 상단을 구할 것이다. 걱정거리가 없지 않지만, 다 이겨 낼 수 있을 것만 같았다. 이겨 내야만 했다.

교역을 떠나는 홍라의 각오

홍라가 어머니를 따라 먼 교역길에 나서 본 게 세 번이었다. 신라, 일본, 그리고 당나라의 장안이었다.

서라벌에 갔던 건 너무 어려서라 기억에 남아 있는 게 없었다. 다만 그때 어머니가 사 준 신라 모전이 아직도 홍라 침상에 깔려 있었다. 그리고 이번에 일본에 다녀왔고, 이 년 전에는 장안에 간 적이 있었다.

모전: 짐승의 털로 짠 두툼한 요.

장안. 당나라 황제의 대명궁이 있는 장안은 인구 백 만이 넘는 대도시로 비단처럼 화려한 빛깔로 눈부셨다. 푸른 하늘로 날아오를 듯 맵시 있는 기와지붕들이 물결치며 이어졌고, 밤이면 색색의 등불이 별빛보다 더 아름답게 반짝였다. 온갖 나라의 사람들이 저마다의 멋을 뽐내며 거리거리를 수놓았다. 동방의 상인들이 장사하는 동부 시장도 그랬지만, 서역 상인들의 서부 시장은 더욱 경이로웠다. 소그드 상인은 물론이고 페르시아나 로마에서 온 상인들도 진귀한 물건을 내놓고 팔았다. 장안은 세계적인 교역 도시였다.

홍라는 장안을 떠나며 언젠가 자신의 상단을 이끌고 다시 오겠다고 다짐했다. 장안까지, 아니 세상의 끝까지 가 보고 싶었다. 그 누구의 발도 닿지 않은 새로운 길로 떠나고 싶었다.

그런 날이 생각보다 빨리 왔다. 생각했던 것과는 달리 너무도 초라한 출발이었다. 그러나 반드시 금씨 상단에 걸맞은 모습으로 돌아오리라. 홍라는 목에 건 소동인과 열쇠를 꼭 쥐었다. 쿵쿵쿵쿵. 힘차게 뛰는 심장 박동이 느껴졌다. 아버지와 어머니가 보내는 응원의 소리인지도 몰랐다.

중심 내용 5 홍라는 교역에 대한 기대와 걱정으로 심장이 뛰었습니다.

8 단원

23 홍라가 ㉠과 같이 한 까닭에 ○표 하세요.

(1) 말을 빨리 팔려고 ( )
(2) 조용히 교역을 떠나려고 ( )
(3) 집안 일꾼들 몰래 말을 팔려고 ( )

교과서 문제

24 홍라가 본 장안의 모습이 아닌 것의 기호를 쓰세요.

㉮ 동부 시장과 서부 시장이 있다.
㉯ 밤이면 색색의 등불이 반짝였다.
㉰ 초가지붕이 줄을 지어 늘어서 있다.

( )

25 이 글을 읽고 느낌을 알맞게 말한 사람은 누구인가요?

대희: 장안은 인구 백 만이 넘는 대도시야.
민서: 홍라가 교역에 성공해서 상단을 지키기를 바라는 마음이 들었어.

( )

26 독서 감상문에 쓰지 않아도 될 내용은 어느 것인가요? ( )

① 작품 줄거리 ② 작품을 보고 난 느낌
③ 가장 흥미로운 사건 ④ 작품과 관련 있는 경험
⑤ 모든 등장인물의 이름

경험한 내용을 영화로 만드는 방법과 차례

❶ 주제 정하기

자신의 ㉠ 을/를 떠올려 주제를 정한다.

❷ 자료를 수집하고 정리하기

정한 주제에 맞는 사진이나 그림, 영상을 수집해 영화 장면의 차례대로 나열한다.

❸ 설명할 ㉡ 정하기

사진이나 그림, 영상에 어울리는 설명을 간단히 기록한다.

❹ 사진이나 영상 넣기

편집 프로그램을 활용해 사진이나 그림, 영상을 넣는다.

❺ 음악과 자막 넣기

편집 프로그램을 활용해 음악과 자막을 넣는다.

❻ 보완하기

만든 영화를 보면서 부족한 부분을 찾아 보완해 완성한다.

영화로 만들 내용과 장면 정리하기 ㉔

• 영화 제목과 주제 정하기

제목	즐거운 현장 체험학습
특징	산에 가서 나무에 대해 배우고 단풍잎을 모음.

• 영화 장면을 그리고 줄거리 정리하기

장면	
줄거리	우리 반은 단풍이 물든 산에 가서 나무에 대해 배웠습니다.

⬇

장면	
줄거리	각자 단풍잎을 주워서 누구의 것이 더 예쁜지 서로 대보았습니다.

8 단원

27 ㉠ 에 알맞은 말은 어느 것인가요? (　　　)

① 경험　② 모양　③ 위치
④ 물건들　⑤ 줄거리

28 다음과 같은 주제로 영화를 만들 때 수집할 자료에 ○표 하세요.

> 학교 체육 대회에서 우리 반이 피구 경기 우승을 한 것

(1) 학급 회의를 준비하는 모습 (　　)
(2) 동생에게 피구에 대해 설명하는 모습 (　　)
(3) 피구 경기에서 우승해 상을 받는 모습 (　　)

29 ㉡ 에 알맞은 말은 어느 것인가요? (　　　)

① 크기　② 내용　③ 추억
④ 글쓴이　⑤ 느낀 점

30 ❺에서 주의할 점이 아닌 것은 무엇인가요? (　　　)

① 각 장면에 알맞은 자막을 넣는다.
② 장면과 잘 어울리는 음악을 넣는다.
③ 글자를 화면의 절반 크기로 넣는다.
④ 내용을 잘 표현할 수 있는 자막을 생각해 넣는다.
⑤ 자막의 색은 자막 내용이나 영상의 색을 고려해 정한다.

[1~3] 나의 여행

1
정말 가고 싶은 곳인가?
북태평양
North Pac

2
다른 문화를 존중하고
배려하는 서로 공정한 여행

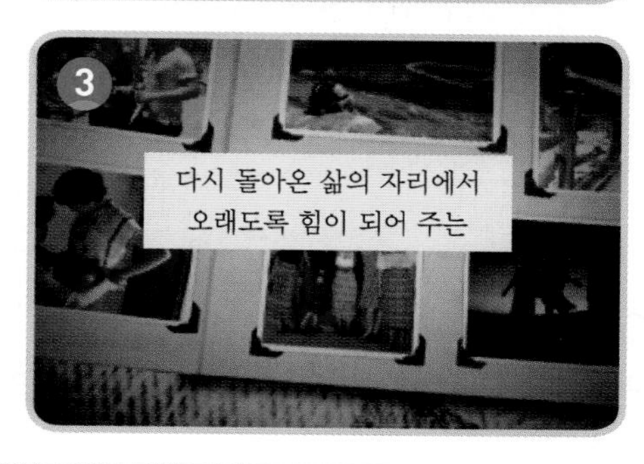
3
다시 돌아온 삶의 자리에서
오래도록 힘이 되어 주는

1 ❶~❸에서 여행을 가기 전에 알아보아야 하는 내용을 알 수 있는 영상은 어느 것인지 번호를 쓰시오.

( )

2 「나의 여행」에서 알 수 있는 여행의 효과는 무엇입니까? ( )

① 경치 좋은 곳을 구경할 수 있다.
② 살아가면서 오래도록 힘이 된다.
③ 많은 사람과 다양한 이야기를 나눌 수 있다.
④ 세상에는 다양한 인종이 산다는 것을 알 수 있다.
⑤ 다른 사람은 나와 생각이 다르다는 것을 알 수 있다.

3 다음에서 설명하는 것은 무엇인지 찾아 쓰시오.

지역 경제에 도움이 되고, 현지인의 인권과 문화, 종교를 존중하고 배려하는 여행이다.

( )

4 다음 여행 가고 싶은 곳과 까닭을 알맞게 선으로 이으시오.

(1) 대관령 • • ㉮ 우리나라 최대의 섬으로 육지와는 다른 자연 경관을 볼 수 있어서 외국에 간 기분을 느낄 수 있기 때문이다.

(2) 제주도 • • ㉯ 소나 양을 키우는 넓은 목장들이 있어서 양 떼를 구경할 수 있고, 겨울에는 눈꽃 축제가 열리기 때문이다.

5 다음은 여행 계획서의 어느 부분을 쓸 때 도움을 주는 말인지 보기 에서 찾아 기호를 쓰시오.

보기
㉮ 여행 기간과 장소
㉯ 같이 가고 싶은 사람과 준비할 일
㉰ 여행 일정
㉱ 여행 비용

(1) 날마다 몇 시쯤, 어디에서 무엇을 할 것인지 써야 해.

( )

(2) 여행 가기 전에 누구와 함께 가고, 무엇을 준비해야 할지 알아야 해.

( )

8 단원

[6~10] 피부 색깔=꿀색

○ 융이 입양되기 전 고아원에서 지냄.

○ 양아버지가 융에게 자전거 타는 법을 가르쳐 줌.

○ 융은 친부모님을 그리워하는 마음을 혼자 그림을 그리고 산책하며 달램.

4
꼬맹이 하나가 또 생겼네.

○ 융은 한국에서 입양되어 온 여자아이를 싫어함.

5
썩은 사과 같으니.

○ 융의 거짓말에 화가 난 양어머니가 심한 말을 함.

○ 융은 양어머니의 사랑을 깨달음.

6 ❶의 배경은 어디입니까? (　　　　)

① 학교
② 고아원
③ 양로원
④ 경찰서
⑤ 입양 간 집

7 ❶을 보고 느낌을 알맞게 말한 사람의 이름을 쓰시오.

은재: 먹을 것은 어디에나 있어서 걱정이 없다는 생각이 들어.
가영: 어두운 색으로 표현한 것을 보니 입양되기 전에 무척 어려웠다는 것이 느껴져.
선우: 전체적인 색은 어두운데 인물의 표정에서 앞날에 대한 희망과 기대를 느낄 수 있어.

(　　　　　　　　)

8 ❸의 영상에 자막을 넣는다면 어떤 내용이 가장 알맞겠습니까? (　　　　)

① 활기찬 거리의 풍경
② 친부모님은 어떤 분이셨을까?
③ 어머니와의 만남은 늘 설렌다.
④ 사람들의 관심에 느껴지는 부담
⑤ 오늘은 어디에서 맛있는 음식을 먹을까?

서술형·논술형 문제

9 ❺에서 융의 마음은 어떠할지 쓰고, 그렇게 생각한 까닭은 무엇인지도 쓰시오.

(1) 융의 마음	(2) 까닭

10 이 영상에 대해 잘못 말한 것은 어느 것입니까? (　　　　)

① ❷의 배경은 입양된 가정이다.
② 융은 가끔 혼자 지내기도 한다.
③ 융의 새 가족은 융에게 관심을 갖지 않았다.
④ 가족은 한국에서 여자아이를 새로 더 입양했다.
⑤ 융은 한국에서 입양되어 온 여자아이를 좋아하지 않는다.

[11~15] 「피부 색깔=꿀색」의 영화 감상문

서로를 따뜻하게 감싸 안는 대한민국이 되자

가 「피부 색깔=꿀색」이라는 영화를 보았다. 제목부터가 뭔가 전하고 싶은 이야기가 많은 영화라고 생각했다. 이 영화는 벨기에에 입양된 우리 동포 융이라는 사람이 어린 시절을 회상하며 이야기가 시작된다.

나 융은 다섯 살에 해외로 입양된다. 하지만 융은 벨기에의 가족과 자신의 피부색이 다르다는 사실과 한국에 친부모가 있을지도 모른다는 생각에 잘 적응하지 못하고 힘들어한다. 게다가 융의 가족은 한국에서 여자아이를 한 명 더 입양한다. 융은 한국에서 새로 입양된 여동생과 자신이 닮았다는 말을 듣기 싫어하며 동생과 가족을 멀리한다. 그리고 융은 학교에서 말썽을 일으키고 집에서 거짓말까지 하면서 점점 더 엇나가는 행동을 한다.

다 융의 장난만큼은 아니지만 나도 가끔은 친구나 동생에게 심한 장난을 한다. 하지만 융의 행동이 주위의 관심과 사랑을 받고 싶고 자신이 누구인지를 찾으려는 몸부림이라는 것을 알았을 때 마음이 많이 아팠다.

라 예전에 「국가 대표」라는 영화를 보았다. 그 영화에서 주인공은 엄마를 찾으려고 국가 대표가 되려고 했다. 해외 입양 문제는 우리나라의 아픈 역사를 보여 주는 한 부분이다.

마 이 영화를 보면서 나는 융이라는 사람에게 이런 말을 해 주고 싶었다. "비록 우리나라의 아픈 역사 때문에 벨기에에서 살지만 우리는 똑같은 한국인입니다."라고 말이다. 영화를 보는 내내 나는 입양된 사람들이 우리 역사에서 겪은 아픔을 생각했다. 본인의 의지와 상관없이 다른 나라에서 살아야 하는 사람들, 그리고 우리나라에 온 사람들까지. 나는 우리가 지금 서로를 따뜻하게 감싸 안아야 할 때라고 생각한다.

11 글을 읽고 알 수 있는 융의 엇나간 행동이 아닌 것은 무엇입니까? (　　　)

① 동생을 멀리한다.
② 가족을 멀리한다.
③ 집에서 거짓말을 한다.
④ 학교에서 말썽을 일으킨다.
⑤ 한국으로 돌려보내 달라고 한다.

12 글쓴이가 「피부 색깔=꿀색」을 보고 「국가 대표」라는 영화를 떠올린 까닭은 무엇이겠습니까? (　　　)

① 해외 입양아에 대한 내용이 있어서
② 국내 입양아가 자신의 부모를 애타게 찾아서
③ 문제아가 바르게 성장해 좋은 일을 많이 해서
④ 해외 입양아가 자신이 태어난 나라를 거부해서
⑤ 해외로 이민을 갔던 사람이 자신이 태어난 나라로 돌아와 살게 되어서

13 글 마를 읽고 알 수 있는 내용을 두 가지 고르시오.

(　　,　　)

① 영화 감상문의 주제
② 주인공의 성장 배경
③ 영화를 보게 된 까닭
④ 영화를 본 느낌과 감상
⑤ 영화에서 가장 흥미로운 사건

8 단원

서술형·논술형 문제

14 글쓴이는 「피부 색깔=꿀색」을 보는 내내 무엇에 대하여 생각하였는지 쓰시오.

____

____

15 글쓴이가 이 감상문에 쓰지 않은 내용은 무엇인지 찾아 기호를 쓰시오.

㉠ 영화 줄거리
㉡ 영화 감상문의 주제
㉢ 예전에 보았던 영화
㉣ 영화에서 영상의 특성
㉤ 영화 속 내용과 비슷한 자신의 경험
㉥ 영화 감상문 내용을 잘 드러낼 수 있는 제목

(　　　　　　　)

단원 평가

[16~19] 대상주 홍라

가 홍라는 소그드의 은화를 가만히 들여다보았다. 그러다 다시 지도로 눈길을 돌렸다.

솔빈으로 가서 은화를 팔고……. 그래! 솔빈의 말을 사자!

솔빈의 말은 당나라까지 널리 알려진 명마다. 솔빈의 말을 장안으로 가져가면 비싼 값에 팔 수 있다. 그리고 장안에서 비단을 싸게 사서 온다면……. 가만히 앉아 있으면 묘원의 은화는 비단 오백 필 값. 그러나 길을 나선다면 천 필, 아니 이천 필 값이 될 수 있다.

가자. 교역을 하러 가자. 어머니가 돌아오기 전에 빚을 갚는 거야. 상단을 지키는 거야. 대상주 금기옥의 딸답게.

홍라는 눈물을 닦았다. 언제부터인가 울고 있었던 것이다. 하지만 이제는 울지 않을 생각이었다. 상단을 이끌고 교역을 떠나야 했다. 상단을 지켜야 했다.

따로 상단의 일을 배운 적은 없지만, 상단의 딸이다. 나면서부터 교역에 대해 보고 들었다. 어떻게 해야 하는지 알 수 있었다.

나 홍라는 밖으로 나갔다. / "월보는 떠났어?"

상단의 믿음직한 일꾼들은 지난 풍랑으로 거의 잃었다. 상단에 남아 있던 일꾼들은 대상주를 찾기 위해 동경에 가 있었다. 그러고도 남아 있는 일꾼들은 나이가 많거나 혹은 너무 어렸다. 그렇다고 표 나게 사람을 모을 수는 없었다. 빚쟁이들의 눈총이 무서웠다.

다 모든 준비를 마친 뒤, 홍라는 방으로 들어왔다. 탁자 앞에 앉아 옥상자를 열었다. 어머니가 남겨 준 열쇠, 그리고 아버지의 선물인 소동인이 있었다.

홍라는 소동인과 열쇠 두 개를 가죽끈에 꿰어 목에 걸었다. 이제 먼 길을 가는 내내 어머니, 아버지가 함께 해 줄 것이다.

드디어 떠난다. 홍라의 가슴이 세차게 고동쳤다. 대상주가 되어 교역을 떠난다. 빚을 갚고 상단을 구할 것이다. 걱정거리가 없지 않지만, 다 이겨 낼 수 있을 것만 같았다. 이겨 내야만 했다.

16 홍라가 교역을 가려고 하는 곳을 순서대로 쓰시오.

(　　　　　　) → (　　　　　　) → 발해

17 홍라가 처한 상황으로 알맞지 않은 것은 어느 것입니까? (　　　)

① 빚쟁이들에게 쫓기고 있다.
② 상단을 맡아 꾸려 나가야 한다.
③ 빚쟁이들의 눈치를 보아야 한다.
④ 상단을 이끌고 교역을 가야 한다.
⑤ 교역을 갈 일꾼을 드러내 놓고 모으기 어렵다.

18 글 가에서 홍라가 이제는 울지 않겠다고 생각한 까닭은 무엇이겠습니까? (　　　)

① 상단을 지켜야 하기 때문이다.
② 어머니를 만날 수 있기 때문이다.
③ 빚쟁이들과 싸워야 하기 때문이다.
④ 빚쟁이들이 상단에 자리 잡고 있기 때문이다.
⑤ 어머니가 빚쟁이들 때문에 돌아오지 못하기 때문이다.

19 홍라에 대하여 알맞게 말하지 못한 사람의 이름을 쓰시오.

세희: 홍라는 솔빈을 거쳐 장안으로 교역을 갈 계획을 세웠어.
연우: 홍라는 교역에 대하여 아는 것이 전혀 없어 두려웠지만 용기를 냈어.
선호: 홍라는 상단을 지키기 위해서 어머니 없이 교역을 떠날 준비를 했어.

(　　　　　　)

20 경험한 내용을 영화로 만드는 방법과 차례에 맞게 기호를 쓰시오.

㉮ 보완하기
㉯ 주제 정하기
㉰ 음악과 자막 넣기
㉱ 설명할 내용 정하기
㉲ 사진이나 영상 넣기
㉳ 자료를 수집하고 정리하기

(　　) → (　　) → ㉱ → ㉲ → ㉰ → (　　)

8 단원

진도 완료 체크

온라인 학습북 포인트 3가지

- 「**개념 동영상 강의**」로 교과서 핵심만 정리!
- 「**서술형 문제 강의**」로 사고력도 향상!
- 「**온라인 성적 피드백**」으로 단원별로 내가 부족한 부분 꼼꼼하게 체크!

우등생 온라인 학습북 활용법

온라인 강의

개념 / 서술형 · 논술형 평가 / 단원평가

온라인 학습 스케줄 관리

맞춤형 홈스쿨링 스케줄표 제공

온라인 채점과 성적 피드백

정답을 입력하면 채점과 성적 분석까지

단원평가의 답을 입력하여 제출하면
틀린 문제에 대한 피드백과 동영상 강의 제공!

우등생 국어 6-2

홈스쿨링 스피드 스케줄표(8회)

스피드 스케줄표는 온라인 학습북을 8회로 나누어
빠르게 공부하는 학습 진도표입니다.

1. 작품 속 인물과 나	2. 관용 표현을 활용해요	3. 타당한 근거로 글을 써요
1회 온라인 학습북 4~10쪽	2회 온라인 학습북 11~16쪽	3회 온라인 학습북 17~22쪽
월 일	월 일	월 일

4. 효과적으로 발표해요	5. 글에 담긴 생각과 비교해요	6. 정보와 표현 판단하기
4회 온라인 학습북 23~29쪽	5회 온라인 학습북 30~36쪽	6회 온라인 학습북 37~42쪽
월 일	월 일	월 일

7. 글 고쳐 쓰기	8. 작품으로 경험하기
7회 온라인 학습북 43~49쪽	8회 온라인 학습북 50~56쪽
월 일	월 일

온라인 학습북

온라인 개념 강의

개념 강의

✳ 강의를 들으며 중요한 내용을 메모하세요!

- 인물이 추구하는 삶을 파악하는 방법은?
- 인물의 삶과 자신의 삶을 관련지어 말하는 방법은?
- 인물의 삶과 자신의 삶을 비교하는 방법은?

개념 확인하기

정답에 ✓표를 하시오.

정답 25쪽

1 다음에서 밑줄 그은 부분은 어떤 가치를 강조한 말이겠습니까?

> "붓을 천 개쯤은 뭉뚝하게 만들어 봐야 그림이 뭔가를 알게 될 걸세."

㉠ 노력 ☐ ㉡ 재능 ☐

2 인물이 추구하는 삶을 파악할 때 살펴보아야 할 것은 무엇입니까?

㉠ 글에 나타난 비유하는 표현을 찾아본다. ☐

㉡ 인물이 처한 상황에서 한 말이나 행동을 알아본다. ☐

3 인물의 삶과 자신의 삶을 관련지을 때 생각할 것은 무엇입니까?

㉠ 인물의 직업과 부모님의 직업 ☐

㉡ 인물의 삶과 관련 있는 자신의 경험 ☐

4 인물의 삶과 자신의 삶을 비교하는 방법으로 알맞은 것은 무엇입니까?

㉠ 인물의 삶에서 비판할 점만 생각한다. ☐

㉡ 만약 인물과 같은 상황이라면 자신은 어떻게 할지 떠올린다. ☐

1 단원

연습 도움말을 참고하여 내 생각을 차근차근 써 보세요.

1 인물의 삶을 살펴보며 「의병장 윤희순」을 읽고 물음에 답하시오. [10점]

가 항일 의병 운동의 자금을 지원하려고 숯을 구워서 팔던 윤희순은 독립운동에 남녀 구분이 없음을 알리려고 「안사람 의병가」를 만든다. 어느 날 윤희순은 숯 굽는 일을 도와주는 옆집 처녀 담비가 「안사람 의병가」를 흥얼거리는 것을 듣고, 사람들에게 그 노래를 가르쳐 주라고 담비에게 부탁한다.

나 마을 아낙네들의 눈길이 모두 윤희순에게 쏠렸다.

"여태껏 우리 여자들은 집안을 돌보는 데 온 힘을 다 해 왔습니다. 하지만 이제 왜놈들이 이 나라를 집어삼키려는 마당에 우리가 가만히 집 안에만 틀어박혀 있을 순 없는 노릇입니다. 그러니 우리도 사내들처럼 다 함께 의병 운동에 나서야 할 것입니다."

그때 누군가가 말꼬리를 걸고 나섰다.

"아니, 조정 대신이란 놈들이 나라를 팔아먹으려 드는데 우리 같은 여자들이 나선다고 뭐가 달라지겠소? 자칫 괜한 목숨만 버릴 뿐이오."

(1) 글 가에서 알 수 있는 시대적 배경을 쓰시오. [4점]

윤희순이 한 일과 관련지어 생각해 보세요.

• (①)을 구워 팔았다는 것을 보니 의병 운동에 (②)이 많이 부족했다는 것을 알 수 있다.

(2) 다음 보기에서 윤희순이 삶에서 추구한 가치와 관련 있는 낱말을 고르고 그 까닭을 쓰시오. [6점]

보기
도전 정의 열정 용기 봉사

2 인물이 추구하는 삶을 생각하며 「구멍 난 벼루」를 읽고 물음에 답하시오. [10점]

가 한양의 월성위궁(추사 선생의 집)에서 만난 추사 선생은 허련의 그림을 보고 견문이 부족하다고 혹평한다.

나 허련은 월성위궁을 떠날 생각은 완전히 접고 아예 추사 선생의 자잘한 시중을 맡아 했다. 새벽에 일어나 마당을 쓸고, 서재를 활짝 열어 신선한 공기를 넣었다. 그러면 허련의 새 하루도 시작되었다. 사랑채를 청소하고 추사 선생의 붓을 씻어 말리고 먹을 갈았다.

다 "자네의 정신이 거기 있는가?"

"……."

"나무와 바위 말고 뭐가 있는가?"

'뭐가 있나'라니? 허련이 미처 질문의 뜻을 생각하기도 전에 추사 선생은 돌아서 가 버렸다.

라 '내 내면을 깊고 그윽한 무엇으로 채우지 않고서는 제대로 된 그림을 그릴 수 없겠구나.'

허련은 그림보다 책을 더 많이 읽었다. 그리는 시간보다 생각하는 시간이 더 많아졌다.

'나는 나무에 어떤 의식을 넣어 내 나무로 그릴 것인가? 어떻게 내 바위를 그릴 것인가?'

(1) 허련이 처한 상황과 그 상황에서 허련이 한 말이나 행동을 쓰시오. [4점]

허련이 처한 상황	허련이 한 말이나 행동
추사 김정희가 제자로 받아 주지 않은 상황	① 월성위궁을 떠나지 않고 추사 김정희의 ( )을 맡아 했다.
자신의 그림에 정신이 들어 있지 않다는 말을 들은 상황	② 기법이 아닌 정신을 채우려고 책을 읽고 ( )을 많이 했다.

(2) 허련이 추구하는 삶은 무엇인지 쓰시오. [6점]

[1~4] 다음 글을 읽고 물음에 답하시오.

가 항일 의병 운동의 자금을 지원하려고 숯을 구워서 팔던 윤희순은 독립운동에 남녀 구분이 없음을 알리려고 「안사람 의병가」를 만든다.

나 담비가 마을 아낙네들한테 「안사람 의병가」를 가르친 보람은 생각보다 크게 나타났다. 노래 하나가 사람들의 마음을 한 덩어리로 모았을 뿐만 아니라 전에 없던 용기마저 불끈 솟아나게 했던 것이다.

다 마을 아낙네들의 눈길이 모두 윤희순에게 쏠렸다.
"여태껏 우리 여자들은 집안을 돌보는 데 온 힘을 다해 왔습니다. 하지만 이제 왜놈들이 이 나라를 집어삼키려는 마당에 우리가 가만히 집 안에만 틀어박혀 있을 순 없는 노릇입니다. 그러니 우리도 사내들처럼 다 함께 의병 운동에 나서야 할 것입니다."
그때 누군가가 말꼬리를 걸고 나섰다.
"아니, 조정 대신이란 놈들이 나라를 팔아먹으려 드는데 우리 같은 여자들이 나선다고 뭐가 달라지겠소? 자칫 괜한 목숨만 버릴 뿐이오."

라 노래(「안사람 의병가」)는 흩어졌던 마음을 다시 하나로 모았다. 마침내 윤희순은 마을 아낙네들을 끌어모아 안사람 의병대를 만들었다.
"의병을 도와 나라를 구합시다."
맨 먼저 안사람 의병대는 집집마다 찾아다니며 모금을 했다.
"왜놈들이 우리나라를 집어삼키려 합니다. 의병을 도와주십시오."
안사람 의병대의 눈물 어린 하소연은 많은 사람의 마음을 움직였다. 어떤 사람은 무기를 만들 수 있는 놋쇠와 구리를 내놓았고, 어떤 사람은 가진 돈을 몽땅 내놓기도 했다.
"우린 고구마밖에 없는데 괜찮다면 이거라도 내놓겠네."
살림살이가 어려운 사람들도 의병을 돕겠다고 발 벗고 나섰다. 안사람 의병대가 밤낮없이 애쓴 덕분에 춘천 의병 부대는 날로 힘이 세졌다. 덩달아 의병들의 사기도 부쩍 드높아졌다.

1 글에서 알 수 있는 윤희순이 살아가며 겪는 문제로 알맞지 않은 것은 무엇입니까? (　　　　)

① 나라가 일제의 침략을 받았다.
② 의병 운동에 자금이 많이 부족했다.
③ 중국으로 망명하려고 했지만 어려움이 많았다.
④ 의병 운동에 많은 사람을 참여시키고 싶지만 반대하는 사람이 있다.
⑤ 여자는 집안일을 해야 한다고 생각하던 시대라 의병 운동을 하기 어렵다.

2 윤희순이 만든 「안사람 의병가」는 사람들에게 어떤 영향을 주었습니까? (　　　　)

① 사람들이 숯을 많이 사 가게 했다.
② 독립운동가를 양성하는 학교를 세우게 했다.
③ 「안사람 의병가」를 학교에서도 배우게 되었다.
④ 머리카락을 잘라 팔아서 의병 운동의 자금을 내놓게 했다.
⑤ 마을 아낙네들이 마음을 모으고 용기를 내어 의병 운동에 참여하게 했다.

3 글에서 알 수 있는 시대적 배경으로 알맞지 않은 것은 무엇입니까? (　　　　)

① 남녀 차별이 있던 시대였다.
② 을사늑약이 강제로 체결된 뒤였다.
③ 일제의 침략으로 우리나라 사람들의 경제 상황이 어려웠다.
④ 항일 의병 운동에 대한 양반과 상민의 생각이 달라서 갈등이 있었다.
⑤ 의병 운동이 어려워져서 남자든 여자든 힘을 모아야 하는 상황이었다.

4 윤희순이 만든 안사람 의병대가 한 일로 알맞지 않은 것은 무엇입니까? (　　　　)

① 집집마다 찾아다니며 모금을 했다.
② 춘천 의병 부대의 힘이 세지게 했다.
③ 의병들이 중국의 땅을 개척하게 했다.
④ 의병들의 사기가 부쩍 드높아지게 했다.
⑤ 많은 사람의 마음을 움직여 살림살이가 어려운 사람들도 의병을 돕겠다고 발 벗고 나서게 했다.

[5~8] 다음 글을 읽고 물음에 답하시오.

가 허련은 월성위궁을 떠날 생각은 완전히 접고 아예 추사 선생의 자잘한 시중을 맡아 했다. 새벽에 일어나 마당을 쓸고, 서재를 활짝 열어 신선한 공기를 넣었다. 그러면 허련의 새 하루도 시작되었다. 사랑채를 청소하고 추사 선생의 붓을 씻어 말리고 먹을 갈았다. 얼마 안 가서 하인이 아예 허련에게 일을 미루어 버렸다. 추사 선생도 언제부턴가 허련이 월성위궁에 머무는 걸 당연하게 여겼다.

나 추사 선생의 독서량과 연습량은 실로 엄청났다. 부지런하고 열성적인 것으로는 누구에게 뒤져 본 적이 없던 허련이지만 잠깐의 시간도 허투루 쓰지 않는 추사 선생의 근면함에는 혀를 내둘렀다.

다 추사 선생은 무심한 듯이 책이나 화첩을 허련에게 건네주기도 했다. 허련은 그것을 황송하게 받아 꼼꼼히 읽고 살폈다. 그러면 그것이 그때 자신에게 꼭 필요한 것임을 알 수 있었다. 그러나 그뿐, 추사 선생은 손님 누구에게도 허련을 제자라고 소개하지는 않았다. 허련은 혼자 있는 시간은 한 시각도 아껴서 책을 읽고, 화첩을 보고, 그림을 그렸다.

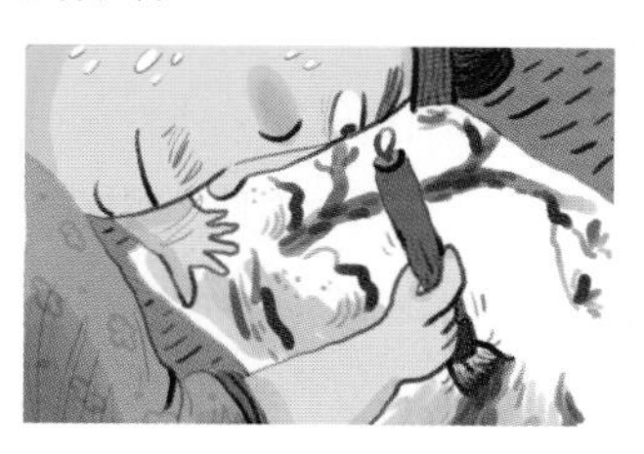

라 허련은 하릴없이 그림을 내려다보았다. 공들인 붓질이었다. 그러나 기법만 있고 이야기가 없었다. 추사 선생의 그림처럼 그리는 사람의 이상이나 소망 같은 것이 없었다. 허련은 맥이 빠졌다. 나무나 바위가 아무리 진짜 같아도, 붓질이 아무리 펄펄 살아 있어도 눈에 보이는 것만으로는 안 되는 거였다. 정신이라는 것은 붓끝의 교묘함에서 나오는 게 아니었다.

5 이 글의 내용으로 알맞은 것은 무엇입니까? (　　　)

① 허련은 도중에 그림 공부를 포기하였다.
② 허련은 자신의 그림을 보고 맥이 빠졌다.
③ 추사 선생은 허련에게 어떠한 도움도 주지 않았다.
④ 추사 선생은 손님에게 허련을 자신의 제자라고 소개했다.
⑤ 허련은 허드렛일은 하지 않고 자신의 그림 공부에만 열중하였다.

6 추사 김정희가 처한 상황으로 알맞은 것은 무엇입니까? (　　　)

① 허련이 스스로 길을 찾기를 바란다.
② 남들에게 허련을 제자라고 자랑하였다.
③ 허드렛일을 하며 매일 마음을 다잡는다.
④ 제자가 자신보다 뛰어난 것을 두려워하였다.
⑤ 남들에게 인정받기 위해 뭇 명필들과 겨루었다.

7 추사 김정희가 추구하는 삶과 관련 있는 가치로 알맞지 않은 것은 무엇입니까? (　　　)

① 열중하여 연습하는 열정이 있다.
② 이미 뛰어난 그림 실력이 있는데도 계속 노력한다.
③ 진심으로 노력하는 사람에게 도움을 주고 싶어 한다.
④ 재주가 없는 사람에게 포기를 빨리 알려 주는 단호함이 있다.
⑤ 자신의 일을 스스로 해결해 가는 '자주정신'을 가르치려고 한다.

8 가~다에 나타난 허련의 행동에서 허련이 추구하는 삶과 관련 있는 가치는 무엇입니까? (　　　)

① 절약　② 애국　③ 배려
④ 끈기　⑤ 즐거움

[9~10] 다음 글을 읽고 물음에 답하시오.

가 허련은 추사 선생이 없는 동안 서재에서 추사 선생의 글씨와 그림들을 다시 살폈다. 전에는 안 보이던 게 보였다. 추사 선생은 풍경을 그려도 단순히 실제 모습을 그리는 게 아니었다.

마음속에 꿈꾸는 이상과 의지, 세상에 대한 생각들을 그림에 담아냈다. 성근 나무 숲 아래 띠풀로 지붕을 엮은 고적한 정자와 조용히 흐르는 강물을 그리고, 그 뒤로 먼 산을 은은하게 그리면 놀랍게도 그 속에서 세상을 떠나 자연 속에 묻혀 살고자 하는 선비의 소망이 읽혔다.

나 "이게 바로 초묵법이구나."

"초묵법요?"

"마르고 건조한데 윤기가 있어 보이는 붓질. 오랫동안 풀지 못한 것을 오늘 자네한테 배우는구나."

추사 선생의 얼굴에 환희가 차올랐다. 초묵법. 허련은 자기가 먹을 쓴 방법이 그것인 줄 몰랐다. 추사 선생이 기뻐하는 것을 보고 그저 어리둥절할 뿐이었다. 그 뒤로 추사 선생은 산수화를 그릴 때에 이런 붓질법을 즐겨 사용했다.

9 추사 선생이 없는 동안 추사의 그림을 보고 허련에게 생긴 일은 무엇입니까? (　　　)

① 전에는 안 보이던 게 보였다.
② 전에 보던 것과 똑같이 보였다.
③ 추사 선생의 그림을 없애 버리고픈 생각이 들었다.
④ 추사의 그림과 똑같이 그리고자 하는 마음이 생겼다.
⑤ 자신의 그림이 추사의 그림보다 더 뛰어나다고 생각했다.

10 나에서 추사 김정희가 추구하는 삶과 관련 있는 가치는 무엇입니까? (　　　)

① 남을 위해 자신을 희생하려는 마음
② 제자인 허련에게서도 배우는 겸손함
③ 자신의 이름을 널리 드러내려는 마음
④ 어려운 일을 힘을 합쳐 해결하려는 협동심
⑤ 우리나라의 그림을 세계에 널리 알리려는 마음

[11~12] 다음 글을 읽고 물음에 답하시오.

가 어머니와 경민이는 살그머니 집을 나섰다.

"쉬는 날이면 놀아 주지도 않고 낮잠만 주무시는 아버지가 야속하고 밉니?"

"아니에요. 전 아무래도 괜찮다니까요!"

대답은 그렇게 했지만 아무래도 경민이의 대답에는 뾰로통한 기색이 담겨 있었다.

아들의 손을 끌어 길가의 벤치에 앉힌 어머니는 경민이의 어깨를 끌어안았다.

나 너는 잘 몰랐을 테지만, 아버지는 어제 두 차례나 화재 현장에 출동하셨다가 새벽녘에나 집에 들어오셨단다.

얼마나 힘들었던지 집에 와서도 영 마음이 가라앉지 않는다며, 여간해서 말을 안 하시는 화재 현장의 이야기를 하시더구나. 예고도 없이 닥치는 일, 사납게 일렁이는 불 속에 갇힌 사람을 구해 내는 일이 얼마나 위험하고 힘든지는 너도 알잖아.

11 어머니께서 경민이에게 들려주신 이야기는 무엇입니까? (　　　)

① 화재 현장을 구경한 일
② 화재 현장에서 구조되었던 일
③ 소방관 가족들이 모임을 가진 일
④ 어렸을 때 동생과 숨바꼭질하던 일
⑤ 어제 화재 현장에서 아버지에게 있었던 일

12 어젯밤에 경민이 아버지에게 생긴 일이 아닌 것은 무엇입니까? (　　　)

① 화재 현장에서 부상을 당했다.
② 두 차례나 화재 현장에 출동했다.
③ 화재 현장에 대해 이야기를 해 주셨다.
④ 집에 들어온 다음에도 마음이 가라앉지 않으셨다.
⑤ 화재 현장에 출동하는 바람에 새벽에 집에 들어오셨다.

[13~14] 다음 글을 읽고 물음에 답하시오.

가 "위험해, 더는 도저히 안 되겠어!"
소방관들은 구조를 중단하고 온몸이 오그라드는 듯한 열기 속에서 빠져나오기 시작했대.
"먼저 나가. 내가 한 번만 더……."
그때 ㉠말릴 새도 없이 깨진 창문 사이로 뛰어 들어간 한 사람의 구조 대원이 있었단다.
나 네 아버지가 빠져나오고 뒤를 돌아보았을 때, 불길에 무너지는 커다란 기둥이 그 구조 대원의 몸을 휩싸 안고 바닥으로 꺼져 버렸단다.
자기 목숨보다 남의 목숨을 먼저 생각한 용감한 소방관 아저씨의 최후…….
그 이야기를 하시면서 아버지는 정말 뜨거운 눈물을 쏟으셨단다.

13 ㉠의 소방관이 추구하는 삶으로 알맞은 것은 무엇입니까? (　　　　)

① 자연환경을 보호하기 위해 노력하는 삶
② 어릴 때부터의 꿈을 이루기 위해 노력하는 삶
③ 우리나라 고유의 문화를 지키려고 노력하는 삶
④ 자신의 안전보다 남을 위해 희생하고 배려하는 삶
⑤ 차별이 없는 평등한 사회를 이루려고 노력하는 삶

14 나에서 느낄 수 있는 아버지의 삶과 관련 있는 가치는 무엇입니까? (　　　　)

① 어려운 일을 극복하는 용기
② 올바른 사람이 되려는 노력
③ 생명 존중과 동료에 대한 사랑
④ 좌절하지 않고 다시 일어서는 도전
⑤ 꿈을 향하여 꾸준히 나아가는 끈기

[15~16] 다음 글을 읽고 물음에 답하시오.

진진이 어기의 하얀 깃을 어루만지며 물었다.
"어기, 힘들지? 그래도 기운 내."
어기는 고개를 가로저으며 씩씩하게 되물었다.
"하나도 안 힘들어. 꿈꾸는 게 왜 힘드니?"
"그래도 날마다 그렇게 열심히 연습했는데, 못 날면 속상하잖아."
"아니, 속상하지 않아. 난 늘 즐거워. 만약 꿈꾸는 동안 즐겁지 않다면 그게 무슨 꿈이니?"
어기는 물을 다 마시고 날개를 푸드덕푸드덕 힘차게 털어 냈다.
"자, 쉬었으니 또 신나게 날아오르러 가 볼까?"

15 어기가 추구하는 삶은 무엇입니까? (　　　　)

① 다른 사람을 위해 베푸는 삶
② 자신의 이익만을 생각하는 삶
③ 희망을 가지고 즐겁게 도전하는 삶
④ 자연환경을 보호하기 위해 노력하는 삶
⑤ 전쟁을 없애고 평화를 이루기 위해 노력하는 삶

16 진진의 성격으로 알맞은 것은 무엇입니까? (　　　　)

① 버려진 물건들을 아낀다.
② 못된 사람을 놀리는 지혜가 있다.
③ 옳지 않은 일에 당당하게 맞선다.
④ 자기 것을 모두 나누어 줄 정도로 욕심이 없다.
⑤ 힘들어 보이는 친구를 위로하는 배려심이 있다.

[17~18] 다음 글을 읽고 물음에 답하시오.

상수리는 바구니를 들여다보며 엷은 웃음을 지었다.
"예전엔 내 피아노와 함께 꿈꾸는 게 참 즐거웠는데, 어느 순간부터는 그게 너무 힘든 일이 되어 버렸어. 아마 꿈을 꾸는 것보다 꿈을 이루고 싶은 마음이 더 커서 그랬나 봐. 꿈을 이루어야만 행복해지는 줄 알았는데, 꿈은 이루기 위해 있는 게 아니구나. 왜 그걸 미처 몰랐을까?"
진진과 상수리는 바구니를 들고 노란 대문 집으로 갔다. 방으로 들어가 피아노 건반을 하나씩 맞춰 끼웠다. 깨끗하게 씻은 건반들을 다시 갖춘 피아노는 기분이 좋아 보였다.
상수리는 피아노 건반을 살포시 어루만졌다.
"피아노야, 넌 내가 훌륭한 피아니스트가 되길 바란 게 아니었지? 넌 아마 내가 행복한 피아니스트가 되길 꿈꾸었을 거야. 근데 나는 그것도 모르고 너와 함께하는 시간이 지긋지긋해지도록 연습만 하는 게 최선인 줄 알았으니……. 그동안 네가 얼마나 힘들었을까? 미안해. 정말 미안해."

17 피아노가 되어 상수리에게 해 주고 싶은 말로 알맞지 않은 것은 무엇입니까? (　　　)

① "나는 네가 행복한 피아니스트가 되었으면 좋겠어."
② "피아니스트라는 꿈을 꼭 이루어야 행복해질 수 있어."
③ "나와 함께 꿈꾸는 즐거움을 다시 깨닫게 되어서 좋아."
④ "다시 나와 함께 연주하는 행복을 알게 되어서 정말 기뻐."
⑤ "꿈을 이루는 것도 중요하지만 즐겁게 꿈꾸며 연주하는 네가 되었으면 좋겠어."

18 이 글의 내용으로 보아 상수리의 피아노가 추구하는 삶과 관련 있는 낱말은 무엇입니까? (　　　)

① 사랑　② 희망　③ 끈기
④ 행복　⑤ 희생

[19~20] 다음 글을 읽고 물음에 답하시오.

"퐁, 넌 나중에 뭐가 되고 싶니?"
"되고 싶은 거 없는데."
"되고 싶은 게 없어? 그럼 꿈이 없단 말이야?"
"꿈이야 있지. 근데 꿈이란 게 꼭 뭐가 되어야 하는 거야? 뭐가 안 되면 어때? 그냥 하면 되지. 내 꿈은 춤추는 거지. 신나게 춤추는 것. 그게 내 꿈이야."
퐁은 진진의 물음에 꼬박꼬박 대답하면서도 허리를 흔들며 춤을 췄다. 퐁의 몸짓을 따라 물결이 찰랑찰랑 일었다. 진진은 그런 퐁을 잠시 지켜보다 다시 물었다.
"넌 이미 충분히 즐겁게 춤추고 있잖아?"
"오늘보다 내일은 더 즐겁게, 내일보다 모레는 더, 더 즐겁게. 모레보다 글피는 더, 더, 더 즐겁게, 글피보다 그글피는 더, 더, 더, 더 즐겁게. 내 꿈은 절대로 끝나지 않지."
퐁은 진진을 올려다보며 오페라의 한 소절처럼 대답을 했다.

19 퐁의 꿈은 무엇입니까? (　　　)

① 하늘을 나는 것
② 물을 많이 긷는 것
③ 날마다 신나게 춤추는 것
④ 우물이 마르지 않게 하는 것
⑤ 더러운 것을 깨끗하게 하는 것

20 퐁이 추구하는 삶은 무엇입니까? (　　　)

① 가족을 위하여 희생하는 삶
② 많은 사람들의 이익과 행복을 추구하는 삶
③ 어떤 고난도 포기하지 않고 극복하려는 삶
④ 자신이 좋아하는 사람을 위해 진심을 다하는 삶
⑤ 자신이 하고 싶은 일을 행복하게 열정적으로 하는 삶

· 답안 입력하기　· 평가 분석표 받기

온라인 개념 강의

개념 강의

관용 표현을 활용하여 말하기

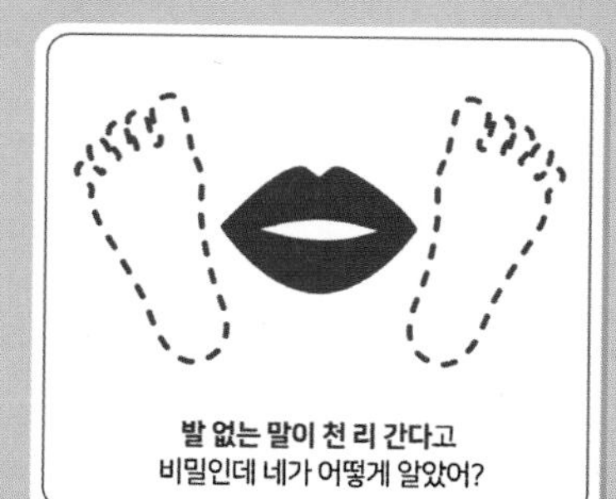

발 없는 말이 천 리 간다고
비밀인데 네가 어떻게 알았어?

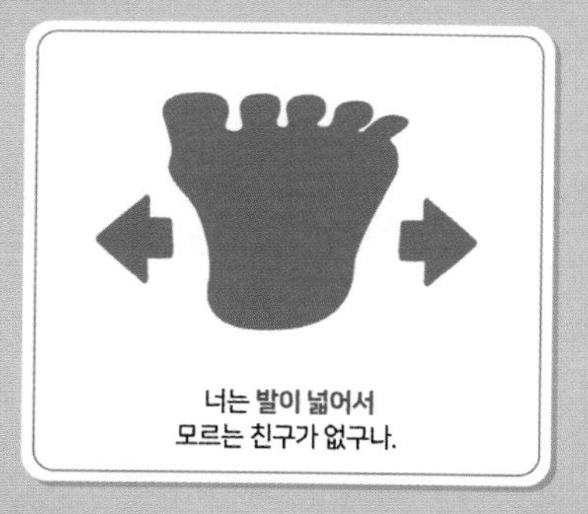

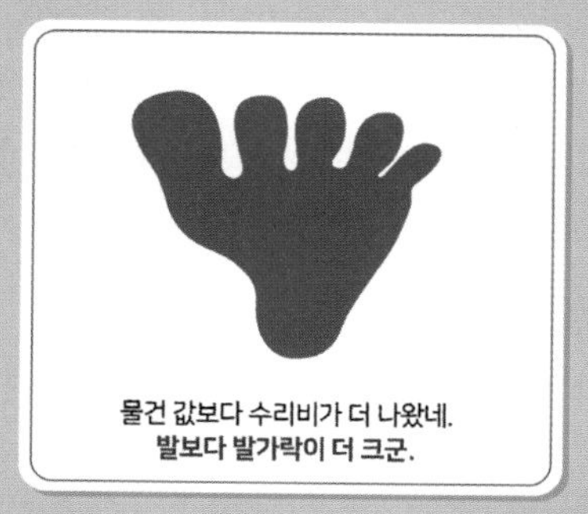

물건 값보다 수리비가 더 나왔네.
발보다 발가락이 더 크군.

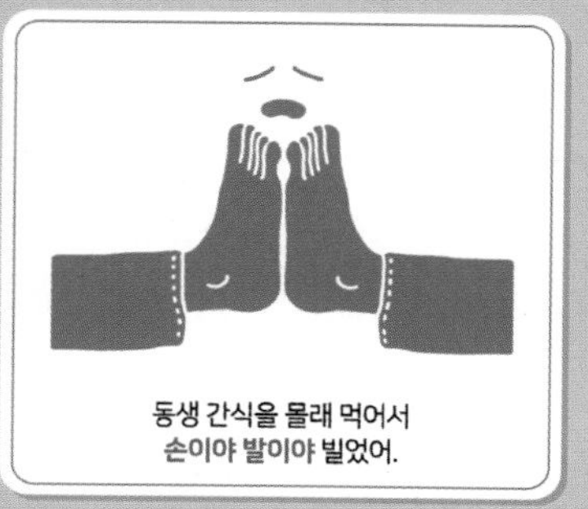

동생 간식을 몰래 먹어서
손이야 발이야 빌었어.

✳ 강의를 들으며 중요한 내용을 메모하세요!

● 관용 표현이란?

● 관용 표현을 활용하면 좋은 점은?

● 여러 관용 표현의 뜻은?

개념 확인하기

정답에 ✓표를 하시오.

정답 27쪽

1 다음에서 설명하는 표현을 무엇이라고 합니까?

> 둘 이상의 낱말이 합쳐져 그 낱말의 원래 뜻과는 다른 새로운 뜻으로 굳어져 쓰이는 표현

㉠ 관용 표현 ☐　　㉡ 비유하는 표현 ☐

2 관용 표현을 활용하면 좋은 점으로 알맞지 않은 것은 무엇입니까?

㉠ 전하려는 말을 길게 표현할 수 있다. ☐

㉡ 듣는 사람의 관심을 불러일으킬 수 있다. ☐

㉢ 하고 싶은 말을 더 효과적으로 표현할 수 있다. ☐

3 다음 관용 표현의 뜻으로 알맞은 것은 무엇입니까?

> 금이 가다

㉠ 한도나 한계선을 정하다. ☐

㉡ 서로의 사이가 벌어지거나 틀어지다. ☐

4 관용 표현을 활용하여 알맞게 말한 것은 무엇입니까?

㉠ "학생들이 즐거운 학교 생활을 할 수 있도록 발 벗고 나서겠다." ☐

㉡ "우리의 재능을 잘 보여 줄 수 있는 종목을 머리 위에 앉아서 함께 정하자." ☐

연습 도움말을 참고하여 내 생각을 차근차근 써 보세요.

1 글에 활용된 여러 가지 관용 표현과 그 뜻을 알아보며 물음에 답하시오. [25점]

가 저는 얼마 전부터 오늘을 손꼽아 기다렸습니다. 아마 여러분은 학교를 졸업하면 천하를 얻은 듯 신나서 바로 멋진 어른이 될 수 있으리라 생각할 것입니다.

나 자기 자신에게 자신감을 가집시다. 앞날에 대해 고민이 많고 꿈을 어떻게 이룰 것인지 걱정하고 계신가요? 만약 그렇다면 여러분은 꿈을 펼칠 준비가 된 것입니다. 꿈을 키워 나가는 일은 눈 깜짝할 사이에 이루어지지 않습니다. 저는 5학년 때까지 매우 허약한 체질이었지만, 경찰이 되려고 몇 년 동안 식습관을 바꾸고 체력을 길렀습니다. 당장은 실패하더라도 쉽게 포기하지 말고 꾸준히 노력해야 자신의 꿈을 찾을 수 있습니다.

(1) 관용 표현의 뜻을 쓰시오. [각 5점]

관용 표현	관용 표현의 뜻
천하를 얻은 듯	①
눈 깜짝할 사이	②

(2) **보기** 와 같이 자신의 꿈을 말할 때 활용할 관용 표현을 찾아 문장을 만들어 쓰시오. [각 5점]

관용 표현	관용 표현의 뜻	말할 문장
보기 콩 심은 데 콩 나고 팥 심은 데 팥 난다.	모든 일은 원인에 따라 거기에 걸맞은 결과가 나타난다.	콩 심은 데 콩 나고 팥 심은 데 팥 난다는 말과 같이 열심히 노력해서 제 꿈을 이루고 싶습니다.
①	②	③

2 표현의 뜻을 추론하며 글을 읽고 물음에 답하시오. [20점]

가 전쟁을 원하는 자가 대화를 원하는 자를 반대해 말하기를 "대화가 무엇이냐, 지금이 어느 때라고! 우리는 폭탄을 들고 나가야 한다."라고 떠듭니다. 또 대화를 원하는 자는 말하기를 "공연히 젊은 놈들이 애간장이 타서 당장 폭탄을 들고 나가면 우리 독립이 되는가?"라고 합니다.

나 오늘 이 자리에 모인 여러분, 우리는 이제부터 누구의 장단점을 말하지 말고 단결해 나갑시다. 모두 함께 독립운동을 할 배포를 기릅시다. 독립을 달성하려고 하루에도 열두 번 노력합시다. 독립운동가가 될 만한 여러분, 독립운동 단체를 조직할 준비를 할 날이 오늘이외다. 그런즉 나와 여러분은 독립운동 단체가 실현되도록 각각의 의견을 버리고 모두의 한 목표를 이루려고 민족적 정신으로 어금니를 악물고 나갑시다. 그래서 독립운동의 깃발 아래 우리의 뜻을 모아야 하겠습니다.

(1) 현재 모인 사람들 사이에는 어떻게 의견이 다른지 쓰시오. [10점]

독립을 하려면 전쟁을 해야 한다.

(2) 밑줄 그은 '깃발 아래'의 뜻을 추론하는 과정입니다. (　　) 안에 알맞은 말을 써넣으시오. [10점]

① '깃발 아래' 앞부분을 보면 '단결하자', '하루에도 열두 번 노력하자'는 글쓴이의 주장이 있다.

↓

② 깃발에는 그 사람들이 속해 있는 단체 이름이나 자신들이 하고 싶은 주장을 적기도 한다. '깃발 아래'는 어떤 이름이나 주장, 의견 아래에 모이자는 뜻이다.

↓

③ 주장이나 의견은 이들의 목표이니까 '깃발 아래'는 (　　　　　　　　　　)는 뜻이다.

2. 관용 표현을 활용해요

[1~3] 다음 대화를 보고 물음에 답하시오.

> 동생: 오빠, 나도 이제 휴대 전화를 사 달라고 할 거야. ㉠쇠뿔도 단김에 빼라고 당장 구경해 보자.
> 오빠: 안 돼. 아직 부모님과 의논도 안 했잖아. 다음에 보자.
> 동생: 에이, 당장 어떤 걸로 할지 결정하고 싶었는데, 오빠 때문에 ㉡김이 식어 버렸잖아.

1 어떤 상황을 보여 주는 대화입니까? (　　　)

① 동생과 오빠가 휴대 전화를 구경한다.
② 동생이 휴대 전화가 고장 나서 속상해한다.
③ 동생의 휴대 전화를 사려고 가족들이 의논한다.
④ 동생이 결정한 휴대 전화를 오빠가 싫다고 한다.
⑤ 동생이 휴대 전화를 구경하려고 하자 오빠가 말린다.

2 ㉠의 뜻으로 알맞은 것은 무엇입니까? (　　　)

① 말한 보람이 없다.
② 일을 하는 방법이 서로 다르다.
③ 일을 잘 처리하지 못하고 미련하다.
④ 어려운 일이 있을 때 임시로 벗어나다.
⑤ 어떤 일이든지 하려고 생각했으면 곧 행동으로 옮겨야 한다.

3 ㉡의 뜻으로 알맞은 것은 무엇입니까? (　　　)

① 매우 쉽게
② 듣기 싫게
③ 재미나 의욕이 없어져
④ 매우 기쁘고 만족스럽게
⑤ 기대에 찬 마음으로 기다리게

[4~6] 다음 대화를 보고 물음에 답하시오.

> 지현: 안나야!
> 안나: 아이고, 깜짝이야! ㉠간 떨어질 뻔했잖니.
> 지현: 미안해. 문구점에 같이 가자! 내일 미술 시간에 필요한 준비물을 사야 하지? 일단 어떤 준비물이 있는지 확인해 보자. 난 색도화지 두 장, 색종이 한 묶음, 딱풀을 사야겠다.
> 안나: 난 좀 넉넉하게 사야겠어. 색 도화지 열 장, 색종이 여덟 묶음, 딱풀이랑 물 풀이랑…….
> 지현: 너 정말 [　㉡　]

4 이 대화에 대한 설명으로 알맞지 않은 것은 무엇입니까? (　　　)

① 친구끼리의 대화이다.
② 누리 대화방에서 벌어지는 대화이다.
③ 말할 때 관용 표현을 활용하고 있다.
④ 안나는 친구가 부르는 소리에 매우 놀라고 있다.
⑤ 미술 시간에 필요한 준비물을 준비하는 상황이다.

5 ㉠의 뜻으로 알맞은 것은 무엇입니까? (　　　)

① 매우 놀라다.
② 몹시 화가 나다.
③ 매우 용기가 있다.
④ 이유 없이 웃음이 난다.
⑤ 걱정으로 안타까워하다.

6 [　㉡　]에 들어갈 관용 표현으로 다음과 같은 뜻을 나타내는 것은 무엇입니까? (　　　)

> 안나가 양을 많이 준비한다는 것을 나타내야 함.

① 눈이 높구나.
② 손이 크구나.
③ 발이 넓구나.
④ 눈에 띄는구나.
⑤ 발 벗고 나서는구나.

[7~9] 다음 글을 읽고 물음에 답하시오.

오늘 저는 여러분께 꿈을 펼치는 몇 가지 방법을 말씀드리려고 이 자리에 섰습니다.

저는 얼마 전부터 오늘을 (㉠). 아마 여러분은 학교를 졸업하면 천하를 얻은 듯 신나서 바로 멋진 어른이 될 수 있으리라 생각할 것입니다. 하지만 자신의 꿈을 향해 달려가는 일은 결코 쉬운 일도, 마음대로 되는 일도 아니었습니다. 저는 여러분께 꿈을 펼치는 세 가지 방법을 말씀드리려고 합니다.

첫째, 자신의 진짜 꿈을 찾으려고 노력합시다. 저는 초등학생 때 꿈이 계속 바뀌었는데, 6학년 때 안전 교육을 해 주신 경찰을 직접 만나 여러 가지 이야기를 들으면서 경찰이 되고 싶다는 꿈을 키우기 시작했습니다. 경찰이라는 직업을 자세히 알아보고 제 능력과 흥미를 살펴보면서 제 진짜 꿈이 경찰이라는 확신이 들었습니다. 쉽게 미래를 결정하는 것보다 자신의 진짜 꿈을 찾는 노력을 꾸준히 하는 것이 중요합니다.

둘째, 자기 자신에게 자신감을 가집시다. 앞날에 대해 고민이 많고 꿈을 어떻게 이룰 것인지 걱정하고 계신가요? 만약 그렇다면 여러분은 꿈을 펼칠 준비가 된 것입니다. 꿈을 키워 나가는 일은 ㉡눈 깜짝할 사이에 이루어지지 않습니다. 저는 5학년 때까지 매우 허약한 체질이었지만, 경찰이 되려고 몇 년 동안 식습관을 바꾸고 체력을 길렀습니다. 당장은 실패하더라도 쉽게 포기하지 말고 꾸준히 노력해야 자신의 꿈을 찾을 수 있습니다. 그 과정에서 좌절하거나 힘들어하지 말고, 열심히 노력하는 자기 자신을 충분히 칭찬해 줍시다.

7 꿈을 펼치고 키워 나가려면 어떤 마음가짐이 필요하다고 하였습니까? (　　　)

① 나쁜 습관을 버린다.
② 좋은 친구를 사귄다.
③ 여러 가지 경험을 해 본다.
④ 자기 자신에게 자신감을 가진다.
⑤ 자신의 꿈과 같은 꿈을 가진 사람을 만난다.

8 (㉠)에 들어갈 관용 표현으로 알맞은 것은 무엇입니까? (　　　)

① 코가 높았습니다
② 눈에 띄었습니다
③ 귀에 익었습니다
④ 발 벗고 나섰습니다
⑤ 손꼽아 기다렸습니다

9 ㉡을 활용하여 알맞게 말한 것은 무엇입니까? (　　　)

① 공연 표가 눈 깜짝할 사이에 다 팔렸다.
② 숨은 그림을 찾으려고 눈 깜짝할 사이이다.
③ 그는 사람들이 욕해도 눈 깜짝할 사이이다.
④ 음식은 많지만 먹을 것은 없으니, 눈 깜짝할 사이이다.
⑤ 오랫동안 뵙지 못한 할머니를 눈 깜짝할 사이에 기다렸다.

10 다음 빈칸에 알맞은 표현은 무엇입니까? (　　　)

> 동생은 용돈을 받아서 (　　　), 돈이 없다고 나한테 빌려달라고 하였다.

① 물로 보더니
② 물 건너가더니
③ 물 쓰듯 쓰더니
④ 물 퍼붓듯 하더니
⑤ 물 뿌린 듯이 하더니

[11~15] 다음 「도산 안창호 선생의 연설」을 읽고 물음에 답하시오.

가 오늘날 우리가 임시 정부를 위한 독립운동 단체를 조직하려면 준비할 것이 셀 수 없이 많습니다. 특히 사람이 많이 모이도록 힘써야 할 것이외다. 그러나 어려운 점이 있습니다. 누구나 자기가 한 가지 생각을 하면 다른 이의 생각을 무엇이든지 반대한다는 것입니다. 예를 들어 말하면 전쟁을 원하는 자가 대화를 원하는 자를 반대해 말하기를 "대화가 무엇이냐, 지금이 어느 때라고! 우리는 폭탄을 들고 나가야 한다."라고 떠듭니다. 또 대화를 원하는 자가 말하기를 "공연히 젊은 놈들이 애간장이 타서 당장 폭탄을 들고 나가면 우리 독립이 되는가?"라고 합니다. 우리가 서로 자기 생각만 옳은 줄 알고 그것만 해야 한다고 하는 것은 ㉠한 가지만 알고 두 가지는 모르는 까닭이외다.

나 오늘 이 자리에 모인 여러분, 우리는 이제부터 누구의 장단점을 말하지 말고 단결해 나갑시다. 모두 함께 독립운동을 할 배포를 기릅시다. 독립을 달성하려고 하루에도 열두 번 노력합시다. 독립운동가가 될 만한 여러분, 독립운동 단체를 조직할 준비를 할 날이 오늘이외다. 그런즉 나와 여러분은 독립운동 단체가 실현되도록 각각의 의견을 버리고 모두의 한 목표를 이루려고 민족적 정신으로 ㉡어금니를 악물고 나갑시다. 그래서 독립운동의 ㉢깃발 아래 우리의 뜻을 모아야 하겠습니다.

11 이 강연을 듣기 위해 모인 사람들 사이에 있는 문제점으로 알맞은 것은 무엇입니까? (　　　)

① 독립 의지가 약하다.
② 모이는 사람들이 적다.
③ 같이 모일 장소가 없다.
④ 서로 의견이 같지 않다.
⑤ 사람들이 지도자의 말을 듣지 않는다.

12 도산 안창호 선생이 연설한 의도로 알맞은 것은 무엇입니까? (　　　)

① 독립의 밑바탕이 교육임을 알리려고
② 독립운동에 필요한 돈을 많이 모으려고
③ 임시 정부를 우리나라에 세우자고 말하려고
④ 사람들의 의견을 하나로 모으자고 설득하려고
⑤ 전쟁으로 독립을 이루어야 한다는 것을 알리려고

13 도산 안창호 선생이 ㉠을 무슨 뜻으로 활용했을지 알맞게 추론한 것은 무엇입니까? (　　　)

① 대화보다는 전쟁이 독립운동에 효과적이다.
② 일제와 대화를 하려면 많은 준비가 필요하다.
③ 자신의 의견만을 고집하고 더 많은 의견의 장점을 알지 못한다.
④ 독립운동 방법 각각의 장점과 단점을 자세하게 생각해 보아야 한다.
⑤ 자신의 의견과 다른 사람의 의견이 다르다면 제3의 의견을 받아들여야 한다.

14 ㉡과 같은 관용 표현에서 느껴지는 마음은 무엇입니까? (　　　)

① 굳은 의지
② 믿는 마음
③ 화가 나는 마음
④ 다른 사람을 위해 희생하는 마음
⑤ 몹시 아끼고 귀중히 여기는 마음

15 ㉢의 뜻을 알맞게 말한 것은 무엇입니까? (　　　)

① 계속 노력하자는 뜻이다.
② 하나의 목표를 품자는 뜻이다.
③ 자신 있게 행동하자는 뜻이다.
④ 실패해도 절망하지 말자는 뜻이다.
⑤ 자신의 의견을 더 소리 높여 강조하자는 뜻이다.

2 단원

[16~17] 다음을 보고 물음에 답하시오.

"가는 말이 고와야 오는 말이 곱다." 라는 말이 있습니다. 내가 남에게 말이나 행동을 좋게 해야 남도 나에게 좋게 한다는 뜻입니다. 우리 반 친구들도 고운 말을 사용하면 좋겠습니다.
우리 반 친구들이 고운 말을 사용하면 좋겠습니다.
고운
규영
혜선
우리 반 친구들이 고운 말을 사용하면 좋겠습니다. 친구에게 나쁜 말을 했다가 자신도 나쁜 말을 들은 경험, 반대로 친구를 칭찬하고 자신도 칭찬을 들은 경험이 있을 것입니다. 가는 말이 고와야 오는 말이 곱습니다.

16 친구들은 무엇을 말하고 있는지, 빈칸에 알맞은 말은 무엇입니까? (　　　)

(　　　　　　　)을/를 사용하자는 것이다.

① 우리말　② 그림말
③ 줄임 말　④ 고운 말
⑤ 새로 만든 말

17 고운이처럼 말을 시작할 때 관용 표현을 활용하면 얻을 수 있는 효과는 무엇입니까? (　　　)

① 말을 짧게 할 수 있다.
② 지식을 자랑할 수 있다.
③ 듣는 사람의 관심을 끌 수 있다.
④ 의견에 대한 근거를 하나만 들 수 있다.
⑤ 의견을 뒷받침하는 자료를 제시하지 않아도 된다.

18 관용 표현을 활용할 때 다음 빈칸에 공통으로 들어갈 말은 무엇입니까? (　　　)

- [　　　]이/가 빠지다.
- [　　　]이/가 꿰이다.
- [　　　]이/가 땅에 닿다.

① 손　② 귀　③ 코
④ 입　⑤ 발

19 관용 표현을 활용하여 하고 싶은 말을 정리한 것으로 알맞지 않은 것은 무엇입니까? (　　　)

	어울리는 관용 표현	하고 싶은 말
①	세 살 적 버릇이 여든까지 간다	어려서부터 질서를 지키는 습관을 기르자.
②	낮말은 새가 듣고 밤말은 쥐가 듣는다	친구들을 헐뜯는 말을 함부로 하지 말자.
③	공든 탑이 무너지랴	꾸준히 노력하는 사람이 되자.
④	백지장도 맞들면 낫다	작은 일도 함께하자.
⑤	벼 이삭은 익을수록 고개를 숙인다.	큰 일도 시작부터 차근차근 해 나가자.

20 관용 표현을 알맞게 활용한 문장은 무엇입니까? (　　　)

① 나는 발이 넓어서 친한 친구들이 적다.
② 동생과 나는 장난을 칠 때에는 손발이 잘 맞는다.
③ 친구가 자꾸 말꼬리를 물고 늘어져서 기분이 좋았다.
④ 발 없는 말이 천 리를 간다더니 비밀이 잘 지켜졌다.
⑤ 눈이 높은 사람을 물건을 살 때 가장 싼 것을 찾는다.

· 답안 입력하기　· 평가 분석표 받기

온라인 개념 강의

개념 강의

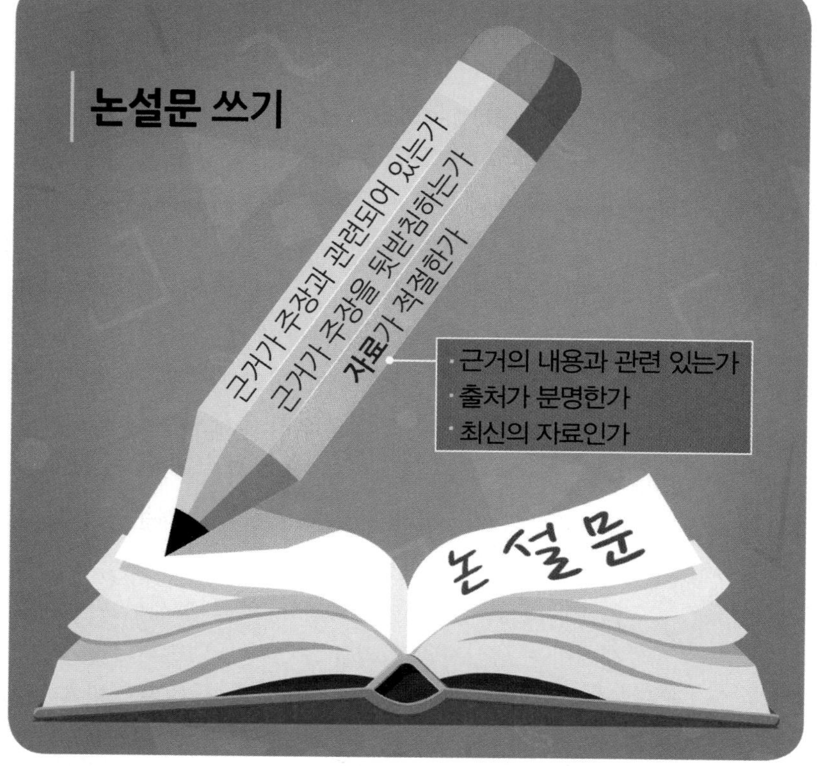
논설문 쓰기
근거가 주장과 관련되어 있는가
근거가 주장을 뒷받침하는가
자료가 적절한가
근거의 내용과 관련 있는가
출처가 분명한가
최신의 자료인가
논설문

✳ 강의를 들으며 중요한 내용을 메모하세요!

● 근거의 타당성을 판단하는 방법은?

● 자료가 근거를 잘 뒷받침하는지 판단하는 방법은?

● 논설문을 쓸 때 알맞은 자료를 활용하는 방법은?

● 자료를 활용해 논설문을 쓰는 방법은?

3 단원

개념 확인하기

정답에 ✓표를 하시오.

정답 29쪽

1 다음은 근거의 타당성을 판단하는 방법입니다. ( ) 안에 알맞은 말은 무엇입니까?

> 근거가 주장과 관련 있는지, ( )을/를 뒷받침하는지, 근거를 뒷받침하는 자료가 적절한지 판단합니다.

㉠ 글자 ☐ ㉡ 주장 ☐ ㉢ 숫자 ☐

2 다음 주장에 알맞은 근거는 무엇입니까?

주장	편식을 하지 말자.

㉠ 나는 햄버거와 피자를 좋아한다. ☐

㉡ 영양소를 골고루 섭취해야 성장에 좋다. ☐

3 자료의 적절성을 판단하는 방법으로 알맞지 않은 것은 무엇입니까?

㉠ 믿을 수 있는 자료를 활용했는지 살펴본다. ☐

㉡ 자료의 출처가 분명한지는 살펴보지 않아도 된다. ☐

4 자신이 쓴 논설문을 스스로 평가하고 고쳐 쓸 때 점검할 내용으로 알맞은 것은 무엇입니까?

㉠ 글에 사용된 표현이 적절한가? ☐

㉡ 주장의 수가 근거의 수보다 많은가? ☐

정답 29쪽

연습 도움말을 참고하여 내 생각을 차근차근 써 보세요.

1 다음 글을 읽고 물음에 답하시오. [15점]

> **가** 가만히 생각해 보렴, 혹시 너에게도 그런 수염이 있는지 말이야. 아이들한테 무슨 수염이 있냐고? 아니야, 그렇지 않아. 너도 누가 질문을 할 때 가끔 '그냥'이라고 대답한 적이 있을 거야. 바로 그 '그냥'이라는 말이 너의 수염이란다.
> **나** '그냥 수염'을 달고 있는 사람은 어느 날 누가 "왜?" 또는 "어떻게?" 하고 물으면 아무 대답도 하지 못해. 아무리 자기가 한 일을 뒤돌아보고 생각해 내려고 애써도 지나온 날들은 이미 멀리 사라져 버려서 흔적조차 찾을 길이 없기 때문이지. 어느 날엔가 너한테도 누군가가 물어 올지 몰라. 그때를 위해서라도 '그냥'이라는 대답이 아닌 무언가를 준비해야겠지?

(1) 우리에게 있는 '수염'은 무엇이라고 하였습니까? [5점]

글쓴이가 '수염'을 달고 있는 사람의 대답을 무엇이라고 하였는지 찾아 보세요.

• 누가 질문을 할 때 깊이 생각하지 않고 '(   )'이라고 대답하는 것이다.

(2) '수염'을 달고 있지 않은 사람은 다음 질문에 대하여 어떻게 대답할지 쓰시오. [10점]

학교는 왜 다니지?

'수염'을 달고 있지 않은 사람은 자기 안에 물음표를 가지고 '왜'나 '어떻게'를 생각한다고 했어요.

2 다음 글에 나타난 주장과 근거를 찾아 쓰고, 근거의 타당성과 자료의 적절성을 판단하여 쓰시오. [각 5점]

> ○○광역시는 공정 무역 상품을 사용하고 공정 무역을 확산시키려는 활동을 지원해 실질적인 변화를 만들어 내는 도시가 되었습니다. 우리도 공정 무역 제품을 사용해 이러한 변화에 동참해야 합니다.
> 공정 무역 제품을 사용해야 하는 까닭은 다음과 같습니다. 첫째, 생산자에게 돌아갈 정당한 이익을 지켜 줍니다. 흔히 볼 수 있는 과일 가운데 하나인 바나나의 경우, 우리가 3천 원짜리 바나나 한 송이를 산다면 약 45원만이 생산자인 농민에게 이익으로 돌아갑니다. 그 까닭은 바나나 생산국에서 우리 손에 오기까지 바나나 농장 주인, 수출하는 회사, 수입하는 회사, 슈퍼마켓 등이 총수익의 98.5퍼센트를 가져가기 때문입니다. 공정 무역에서는 생산자 조합과 공정 무역 회사를 만들어 이러한 중간 유통 단계를 줄이고 실제로 바나나를 재배하는 생산자의 이익을 보장해 주었습니다.

일반 무역 유통 단계와 공정 무역 유통 단계

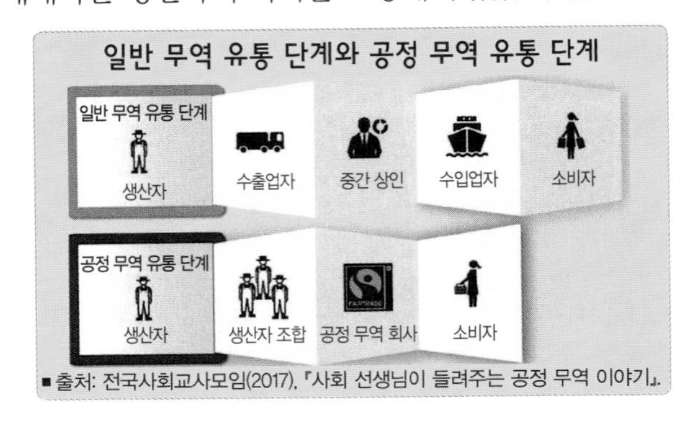

■ 출처: 전국사회교사모임(2017), 『사회 선생님이 들려주는 공정 무역 이야기』.

(1) 주장	
(2) 근거	
(3) 근거의 타당성	
(4) 자료의 적절성	

3. 타당한 근거로 글을 써요

[1~5] 다음 글을 읽고 물음에 답하시오.

가 "할아버지! 할아버지는 주무실 때 그 [㉠]을 이불 안에 넣나요, 아니면 꺼내 놓나요?"

할아버지는 "예끼! 이 버릇없는 놈." 하고 소리치려다가 문득 자기도 궁금해졌단다. 왜냐하면 수염을 기른 채 몇십 년 동안이나 살아왔지만, 그때까지 한 번도 그런 궁금증을 지녀 본 적이 없었거든.

'허허, 그러고 보니 내가 정말 수염을 꺼내 놓고 잤나, 넣고 잤나?'

㉡아무리 생각해 봐도 알쏭달쏭하기만 했지.

나 할아버지는 집에 돌아오기 무섭게 이부자리를 펴고 누웠지. 우선 이불 속에 수염을 넣고 말이야. 그런데 너무 갑갑하고 거북해서 아무래도 수염을 밖에 내놓고 자야 할 것 같았어.

'옳지! 수염을 이불 밖으로 꺼내 놓고 잔 게 분명해!'

할아버지는 얼른 수염을 이불 밖으로 꺼내 놓고 눈을 감아 봤어. 그런데 불편한 건 마찬가지였어. 이불 밖으로 내놓은 수염 때문에 왠지 허전하고 썰렁한 느낌이 들어서 마음이 편하지 않았던 거야. 아무리 자려고 해도 잠을 이룰 수가 없었지.

수염을 이불로 덮으니 갑갑하고, 이불 밖으로 꺼내 놓으면 허전하고……. 할아버지는 밤새도록 수염을 넣었다 꺼냈다 하느라고 한숨도 잘 수가 없었단다.

다 아이들한테 무슨 수염이 있냐고? 아니야, 그렇지 않아. 너도 누가 질문을 할 때 가끔 '그냥'이라고 대답한 적이 있을 거야. 바로 그 '그냥'이라는 말이 너의 수염이란다.

라 '그냥 수염'을 달고 있는 사람은 어느 날 누가 "왜?" 또는 "어떻게?" 하고 물으면 아무 대답도 하지 못해. 아무리 자기가 한 일을 뒤돌아보고 생각해 내려고 애써도 지나온 날들은 이미 멀리 사라져 버려서 흔적조차 찾을 길이 없기 때문이지. 어느 날엔가 너한테도 누군가가 물어 올지 몰라. 그때를 위해서라도 '그냥'이라는 대답이 아닌 무언가를 준비해야겠지?

1 [㉠]에 들어갈 알맞은 말은 무엇입니까? (　　　)

① 베개　② 수염　③ 이불
④ 그냥　⑤ 대답

2 할아버지가 ㉡과 같이 생각한 까닭은 무엇입니까? (　　　)

① 다른 사람에게 물어봐야 해서
② 학교에서 배우지 않은 내용이어서
③ 너무 오래 전에 생각했던 일이어서
④ 아이의 질문을 잘 이해하지 못해서
⑤ 한 번도 생각해 보지 않은 일이어서

3 할아버지가 밤에 한숨도 잘 수 없었던 까닭은 무엇입니까? (　　　)

① 아이가 보고 싶어서
② 날씨가 너무 추워서
③ 갑자기 수염이 너무 많이 자라서
④ 평소에 덮던 이불이 아니라서 불편해서
⑤ 밤새도록 수염을 넣었다 꺼냈다 하느라고

4 '그냥 수염'을 달지 않은 사람은 누구입니까? (　　　)

① 예지: 나는 부모님이 시키니까 공부해.
② 희수: 나는 아무 생각 없이 학교에 다니고 있어.
③ 수영: 나는 남들이 다 하니까 그냥 공부하는 거야.
④ 지호: 나는 모든 순간을 기계적으로 살아가고 있어.
⑤ 민찬: 나는 외교관이 되려고 영어 공부를 열심히 해.

5 글쓴이의 주장과 관련하여 알맞게 말하지 <u>못한</u> 것은 어느 것입니까? (　　　)

① '왜'나 '어떻게'를 생각해야 한다.
② 남들이 한다고 무조건 따라 하면 안 된다.
③ 습관적으로 하루하루를 살아가면 안 된다.
④ 지나온 날에 대하여 미련을 가지면 안 된다.
⑤ '그냥'이라는 대답 대신 다른 대답을 준비해야 한다.

[6~10] 다음 글을 읽고 물음에 답하시오.

가 '공정 무역 도시', '공정 무역 커피' 이런 말을 들어 본 적이 있나요? 2017년에 ○○광역시가 국내 최초로 '공정 무역 도시'로 공식 인정을 받았다는 신문 기사를 접할 수 있었습니다. 공정 무역이란 생산자의 노동에 정당한 대가를 지불해 생산자가 경제적 자립과 발전을 하도록 돕는 무역입니다. ○○광역시는 공정 무역 상품을 사용하고 공정 무역을 확산시키려는 활동을 지원해 실질적인 변화를 만들어 내는 도시가 되었습니다. 우리도 공정 무역 제품을 사용해 이러한 변화에 동참해야 합니다.

나 공정 무역 제품을 사용해야 하는 까닭은 다음과 같습니다. 첫째, 생산자에게 돌아갈 정당한 이익을 지켜 줍니다. 흔히 볼 수 있는 과일 가운데 하나인 바나나의 경우, 우리가 3천 원짜리 바나나 한 송이를 산다면 약 45원만이 생산자인 농민에게 이익으로 돌아갑니다. 그 까닭은 바나나 생산국에서 우리 손에 오기까지 바나나 농장 주인, 수출하는 회사, 수입하는 회사, 슈퍼마켓 등이 총수익의 98.5퍼센트를 가져가기 때문입니다. 공정 무역에서는 생산자 조합과 공정 무역 회사를 만들어 이러한 중간 유통 단계를 줄이고 실제로 바나나를 재배하는 생산자의 이익을 보장해 주었습니다.

다 둘째, 아이들을 위험에서 보호할 수 있습니다. 일부 다국적 기업들은 물건의 생산 비용을 낮추려고 임금이 상대적으로 낮은 어린이를 고용하기도 합니다. 예를 들어 우리가 좋아하는 초콜릿은 열대 과일인 카카오를 주재료로 해서 만듭니다. 카카오는 열대 지방에서만 자라는 식물로 아래의 「초콜릿 감옥」 동영상 자료에서처럼 그 지방 어린이들이 학교도 가지 못하고 카카오를 재배하고 수확하는 경우가 많습니다. 하지만 공정 무역은 "안전하고 노동력 착취 없는 노동 환경이 유지되어야 한다."라는 조건을 지켜야 하기 때문에 아이들의 [㉠]를 막을 수 있습니다.

초콜릿 감옥

하루 10시간 이상 일하는
카카오 농장 아이들

■ 출처: 한국교육방송공사, 2012.

6 다음은 무엇에 대한 설명입니까? (　　　)

> 생산자의 노동에 정당한 대가를 지불해 생산자가 경제적 자립과 발전을 하도록 돕는 무역

① 세계 무역　② 상호 무역　③ 공정 무역
④ 수출 무역　⑤ 외교 무역

7 공정 무역이 생산자에게 돌아갈 정당한 이익을 지켜 주는 방법은 무엇입니까? (　　　)

① 제품을 열대 지방에서만 생산한다.
② 어린이들에게 교육의 기회를 제공한다.
③ 임금이 상대적으로 낮은 어린이를 고용한다.
④ 중간 유통 단계를 줄여 생산자의 이익을 보장한다.
⑤ 더 많은 도시를 '공정 무역 도시'로 인정하여 생산자의 이익을 보장한다.

8 이 글에 나타난 주장에 대한 근거는 무엇입니까? (　　　)

① 공정 무역 커피가 많이 생겼다.
② 농장에서 아이들을 고용할 수 있다.
③ 우리도 공정 무역 제품을 사용해야 한다.
④ 생산자에게 돌아갈 정당한 이익을 지켜 준다.
⑤ ○○광역시가 국내 최초로 '공정 무역 도시'로 인정받았다.

9 글 다에서 근거를 뒷받침하는 자료에 대한 설명으로 알맞지 않은 것은 무엇입니까? (　　　)

① 동영상 자료이다.
② 근거와 관련이 없는 자료이다.
③ 출처를 믿을 수 있는 자료이다.
④ 근거를 잘 뒷받침하는 자료이다.
⑤ 공정 무역을 하지 않는 곳의 아이들이 위험하다는 내용이다.

10 [㉠]에 들어갈 말로 알맞은 것은 무엇입니까? (　　　)

① 무역 회사　② 공정 무역
③ 노동력 착취　④ 경제적 자립
⑤ 중간 유통 단계

[11~15] 다음 글을 읽고 물음에 답하시오.

가 자연을 보호하고 생산자의 건강을 지키는 방법이 됩니다. 공정 무역에서는 지구 환경을 보호하는 친환경 농사법을 권장합니다. 일반적으로 카카오나 바나나, 목화 같은 것은 재배할 때 많은 양을 싸고 빠르게 수확하려고 농약과 화학 비료를 사용합니다. 생산지에서는 농약 회사에서 권장하는 장갑과 마스크를 살 여유가 없기 때문에 해마다 가난한 나라의 농민 2만 명 이상이 작물 재배용 농약에 노출되어 여러 가지 질병을 앓고 있습니다. 『인간의 얼굴을 한 시장 경제, 공정 무역』이라는 책에 따르면 바나나를 재배하는 대부분의 대농장은 원가를 절감하느라 위험한 농약을 대량으로 살포합니다. 대농장 가까이에 사는 노동자들의 음식과 식수는 이 독극물로 오염됩니다. 한 코스타리카 농장을 대상으로 한 연구에서 남성 노동자 가운데 20퍼센트가 그런 화학 물질을 다룬 뒤 불임이 되었다고 합니다.

나 공정 무역 인증 표시는 국제기구가 생산지에서 공정 무역의 주요 원칙이 잘 지켜졌는지를 점검한 물건들에 붙일 수 있습니다. 국제공정무역기구의 조사원들은 농장과 관련 기관들을 찾아가서, 그들이 공정 무역의 규칙에 맞게 생산 활동을 하는지 평가합니다. 소비자들은 이 인증 표시를 보고 윤리적인 소비를 할 수 있습니다.

다 여러분은 달콤한 초콜릿을 살 때 무엇을 보고 고르나요? 겉으로 보기에는 모두 똑같아 보이지만 그 초콜릿이 우리 손에 들어오기까지의 과정은 제품에 따라 매우 다를 수 있습니다. 그것을 만들려고 노력한 사람들이 학교도 못 다니고 음식도 제대로 먹지 못한, 여러분보다 어린 동생들이라면 그 초콜릿을 정말 맛있게 먹을 수 있을까요? 가난한 나라에 일시적인 원조를 제공하는 데 그치지 않고 자립하도록 도와주는 방법이자 우리 환경을 보호할 수 있는 공정 무역 제품, 이제는 우리가 관심을 기울이고 사용할 때입니다.

11 가에서 근거를 뒷받침하기 위해 활용한 자료의 종류는 무엇입니까? (   )

① 책
② 지도
③ 도표
④ 방송 뉴스
⑤ 신문 기사

12 공정 무역에서 친환경 농사법을 권장하는 까닭은 무엇입니까? (   )

① 기업의 이익을 늘리기 위해서
② 상품의 원가를 낮추기 위해서
③ 상품의 가격을 높이기 위해서
④ 생산자의 건강을 지키기 위해서
⑤ 상품을 빠르게 수확하기 위해서

13 글 나에 대하여 알맞게 말하지 못한 것은 어느 것입니까? (   )

① 논설문의 짜임 중 본론에 해당한다.
② 공정 무역 인증 표시에 대한 설명이다.
③ 근거가 주장을 잘 뒷받침하기 때문에 타당하다.
④ 국제공정무역기구의 조사원들이 하는 일이 나타나 있다.
⑤ 소비자들이 공정 무역 인증 표시를 보고 윤리적인 소비를 할 수 있다는 내용이다.

14 이 글에서 주장에 대한 근거가 타당한지 판단할 때 그 기준으로 알맞은 것은 무엇입니까? (   )

① 주장과 근거가 관련 있는가?
② 근거가 읽는 이의 마음에 드는가?
③ 누구나 짐작할 수 있는 근거인가?
④ 사람들에게 감동을 주는 내용인가?
⑤ 글쓴이의 성격이 잘 나타나 있는가?

15 이 글을 읽고 알맞게 말한 사람은 누구입니까? (   )

① 지인: 바나나를 먹지 말아야겠어.
② 현수: 공정 무역 제품을 사용해야겠어.
③ 연주: 자연을 보호하지 않아도 되겠어.
④ 성규: 동생들이 만든 초콜릿만 먹어야겠어.
⑤ 지영: 슈퍼마켓에서 물건을 사지 말아야겠어.

3 단원

[16~18] 다음 글을 읽고 물음에 답하시오.

얼마 전, 누리 소통망에 퍼진 「△△식당 불매 운동」이라는 글을 보신 적이 있나요? 그 가게는 바로 저희 어머니께서 운영하시는 식당입니다. 하지만 누리 소통망에 실린 이야기는 사실과 다릅니다.

저도 기억합니다. 손님이 몰려들기 시작하는 토요일 점심시간에 한 손님께서 짜장면을 주문해서 드시고 계셨습니다. 그러다 곧 주문을 담당한 직원을 화난 표정으로 부르시더군요.

"여기 짜장면 맛이 왜 이래? 빨리 사장 나오라고 해!"

어머니께서 나오셔서 맛을 확인하고도 이상한 점을 발견하지 못해 갸우뚱하셨지만 손님께 짜장면을 새로 가져다드렸습니다. 하지만 손님께서는 새로 가져다드린 짜장면도 이상하다며 배상을 하라고 계속 소란을 피우셨습니다. 결국 저희는 음식값을 받지도 않고 연신 죄송하다고 사과하며 손님을 보내 드렸습니다.

며칠 뒤, 친구에게 연락이 왔습니다. 걱정스러운 목소리로 "성민아, 인터넷 누리 소통망에 너희 가게 이야기가 있는데, 너도 한번 보는 게 좋을 것 같아."라며 인터넷 글을 보내 주더군요. 그 글에는 며칠 전 있었던 일이 사실과는 다르게 적혀 있었습니다.

△△식당에서 짜장면을 먹었는데 맛이 이상한 짜장면을 그냥 먹으라고 하고 사과는커녕 자신을 밀치며 불친절하게 말했다는 겁니다. 사람들은 댓글에 모두 저희 가게를 욕하며 불매 운동을 벌이고 있었습니다. 게다가 저를 아는 누군가가 제 이름과 다니는 학교까지 인터넷에 올리는 바람에 학교에도 소문이 났습니다. 그리고 그 사건 뒤 저희 가게에는 정말 손님이 뚝 끊겨 저희 가족은 힘든 나날을 보내고 있습니다.

인터넷에 떠도는 소문이 아닌 제 말을 믿어 주시고, 이 글을 널리 퍼뜨려 주세요. 저희 가게를 도와주세요.

16 글쓴이가 이 글을 쓴 까닭은 무엇입니까? (　　　)

① △△식당을 홍보하려고
② 자신의 꿈에 대한 이야기를 하려고
③ △△식당에서 겪은 불쾌한 일을 알리려고
④ 누리 소통망에서 유명한 식당을 소개하려고
⑤ 누리 소통망에 퍼진 글이 사실이 아니라는 것을 알리려고

17 이 글에서 알 수 있는 누리 소통망의 단점은 무엇입니까? (　　　)

① 친구를 사귀기 어렵다.
② 글자 수에 제한이 있다.
③ 잘못된 정보가 퍼질 수 있다.
④ 개인 정보가 유출되기 어렵다.
⑤ 음식의 맛을 생생하게 전할 수 있다.

18 이 글을 읽고 논설문을 쓸 때 주장으로 알맞은 것은 무엇입니까? (　　　)

① 불매 운동을 하지 말자.
② 인터넷을 사용하지 말자.
③ 다른 사람에게 친절하게 대하자.
④ 누리 소통망을 올바르게 사용하자.
⑤ 손님이 없는 식당을 이용하지 말자.

19 자료를 수집하는 방법으로 알맞지 않은 것은 어느 것입니까? (　　　)

① 짝에게 물어본다.
② 인터넷 신문 기사를 찾아본다.
③ 설문 조사 결과를 정리해 본다.
④ 전문가의 면담 동영상을 찾아본다.
⑤ 주장을 뒷받침하는 속담을 속담 사전에서 찾아본다.

20 수집한 자료가 알맞은지 평가할 때 살펴볼 점으로 알맞지 않은 것은 어느 것입니까? (　　　)

① 최신의 자료인가?
② 객관적인 자료인가?
③ 출처가 믿을 만한가?
④ 근거를 잘 뒷받침하는가?
⑤ 글쓴이의 성격이 드러나는가?

진도 완료 체크

· 답안 입력하기 · 평가 분석표 받기

온라인 개념 강의

개념 강의

매체 자료를 활용해 발표하기
영상
생생하게 알려 줄 수 있음.
도표
수치를 한눈에 알 수 있음.
사진
정확한 모습을 보여 줄 수 있음.
표
수치를 정확하게 알 수 있음.

✻ 강의를 들으며 중요한 내용을 메모하세요!

- 주제에 맞는 매체 자료인지 평가하는 방법은?
- 발표 상황에 맞는 영상 자료 만들기란?
- 발표를 효과적으로 하는 방법은?
- 영상 자료를 만들어 인터넷에 올릴 때 주의할 점은?

4 단원

개념 확인하기

정답에 ✓표를 하시오.

정답 31쪽

1 다음은 매체 자료를 평가하는 방법입니다. (　　) 안에 알맞은 말은 무엇입니까?

> 매체 자료의 종류, 매체 자료가 전하는 (　　), 매체 자료의 표현 방법을 살펴봅니다.

㉠ 내용 ☐　㉡ 편집 ☐　㉢ 발표 ☐

2 다음 주제에 맞는 매체 자료는 무엇입니까?

주장	다른 나라의 문화

㉠ 베트남의 전통 의상 사진 ☐

㉡ 우리나라의 민속놀이를 소개하는 영상 ☐

3 발표를 효과적으로 하는 방법으로 알맞은 것은 무엇입니까?

㉠ 영상 및 음성에 문제가 없는지는 미리 확인하지 않아도 된다. ☐

㉡ 발표를 하거나 들을 때 집중하고 듣는 사람이나 발표하는 사람을 존중한다. ☐

4 영상 자료를 만들고 편집할 때 고려할 점으로 알맞은 것은 무엇입니까?

㉠ 장면을 차례에 맞게 편집하기 ☐

㉡ 자막은 최대한 길고 복잡하게 넣기 ☐

연습 도움말을 참고하여 내 생각을 차근차근 써 보세요.

1 다음 진아와 별이의 대화를 보고 물음에 답하시오. [12점]

폴란드의 민속춤을 소개할 때 영상을 보여 줘야지.
베트남의 전통 의상을 소개하고 싶어. 베트남의 옷 사진을 찾아봐야겠어.
진아
별이

(1) 친구들이 소개하려는 내용은 각각 무엇인지 쓰시오. [각 2점]

진아	①
별이	②

(2) 진아와 별이가 매체 자료를 활용하여 얻을 수 있는 효과는 무엇인지 쓰시오. [각 4점]

진아는 영상을 활용한다고 하였고, 별이는 사진을 활용한다고 하였어요.

진아	①
별이	②

[2~3] 다음 영상 자료를 보고 물음에 답하시오.

당신은 능력자입니다

당신은 능력자입니다.
손가락만 까딱하면 누군가를 울릴 수도, 아프게 할 수도, 포기하게 할 수도 있습니다.

하지만 당신은 누군가를 기쁘게 할 수도, 행복하게 할 수도 있으며,

다시 뛰게 할 수도 있습니다. 손가락만 까딱하면.

온라인 댓글, 당신은 어떻게 쓰시겠습니까?

2 이 영상 자료를 통해 전하고 싶은 주제는 무엇일지 쓰시오. [4점]

• ((1))을 배려하며
((2))을 긍정적으로 쓰자.

3 이 영상 자료에 배경 음악이 들어간다면 장면 ❶과 ❷의 배경 음악은 어떠할지 쓰시오. [12점]

4. 효과적으로 발표해요

1 태민이가 ㉠과 같이 말한 까닭은 무엇입니까? (　　　　)

1
마침 독도의 날이 다가오니까 좋은 생각이야. 그런데 세미야, ㉠어떤 동작들을 하는지 궁금해.
학습 발표회에서 독도의 날 기념 율동을 하면 어떨까?
세미
태민

2
그럼 사진 말고 영상을 보여 줄게. 인터넷에 있는 율동이야.
아하! 간단하고 재미있네. 우리도 해 보자.

① 글씨를 잘 읽을 수 없기 때문이다.
② 자유롭게 상상할 수 없기 때문이다.
③ 얼굴을 분명하게 알 수 없기 때문이다.
④ 수치를 정확하게 알 수 없기 때문이다.
⑤ 움직임을 생생하게 알 수 없기 때문이다.

2 다음 발표에서 한결이가 활용한 매체 자료에 대한 설명으로 알맞지 <u>않은</u> 것은 무엇입니까? (　　　　)

① 한결이는 그림지도를 활용하여 발표하고 있다.
② 한결이는 직접 찍은 영상을 발표에 활용하고 있다.
③ 매체 자료를 통해 발표 내용을 한눈에 쉽게 이해할 수 있다.
④ 매체 자료를 통해 주요 농산물의 주산지가 바뀌고 있음을 알 수 있다.
⑤ 매체 자료를 통해 제주도에서만 재배되던 감귤이 이제 내륙에서도 재배된다는 사실을 알 수 있다.

3 다른 사람의 발표를 들을 때 주의할 점은 무엇입니까?
(　　　　)

① 전하려는 주제를 무시하며 듣는다.
② 촬영이나 편집에서 효과적인 부분을 찾으며 듣는다.
③ 발표하는 친구가 실수하는 모습만 기록하며 듣는다.
④ 궁금한 것은 발표자가 말하는 도중에 바로 질문을 한다.
⑤ 우리 모둠의 발표 주제는 무엇으로 할지 생각하며 듣는다.

[4~8] 다음을 보고 물음에 답하시오.

가

나

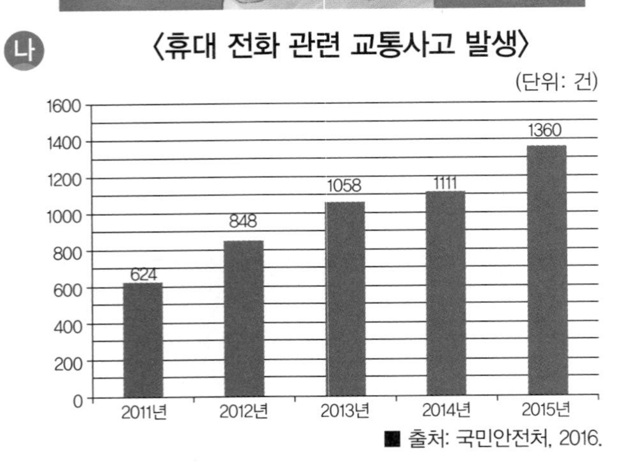

4 매체 자료 가와 나가 주제를 잘 전하는지 알맞게 평가하지 못한 것은 어느 것입니까? (　　　　)

① 가는 글이 질문 형식이라 더 생각하게 한다.
② 나는 연도별 수치 변화를 한눈에 알 수 있다.
③ 나는 수치를 통해 정확한 통계를 알 수 있다.
④ 가는 휴대 전화 중독을 그림으로 잘 표현했다.
⑤ 나는 휴대 전화 관련 교통사고를 생생하게 느낄 수 있다.

5 다음 중 가와 나의 내용으로 알맞지 않은 것은 무엇입니까? (　　　　)

① 가: 사람이 휴대 전화를 붙잡고 있다.
② 가: 휴대 전화가 사람을 꽉 붙잡고 있다.
③ 나: 휴대 전화 관련 교통사고가 점점 늘어나고 있다.
④ 나: 2014년에는 휴대 전화 사용으로 생긴 교통사고가 잠시 줄어들었다.
⑤ 나: 2013년부터는 휴대 전화 사용으로 생긴 교통사고가 1년에 1000건이 넘었다.

6 가의 주제로 알맞은 것은 무엇입니까? (　　　　)

① 휴대 전화는 집중력을 높이는 데 도움이 된다.
② 휴대 전화는 이제 현대인의 생활필수품이 되었다.
③ 휴대 전화는 외로울 때 함께해 주는 참된 친구이다.
④ 휴대 전화에서 다양한 기능을 모두 활용해야 한다.
⑤ 하루 종일 휴대 전화를 잡고 있는 등 휴대 전화에 중독된 사람이 많다.

7 나에서 활용한 매체의 종류는 무엇입니까? (　　　　)

① 책
② 사진
③ 지도
④ 도표
⑤ 동영상

8 나의 매체 자료를 활용하여 전할 수 있는 주제로 가장 알맞은 것은 어느 것입니까? (　　　　)

① 안전띠 매는 습관을 들여야 한다.
② 휴대 전화 기술이 점점 발전하고 있다.
③ 학교 앞에서 자동차 속력을 줄여야 한다.
④ 비가 오는 날 길을 건널 때는 특히 조심해야 한다.
⑤ 걸을 때나 운전할 때 휴대 전화를 사용하면 위험하다.

[9~12] 다음을 보고 물음에 답하시오.

당신은 능력자입니다.
손가락만 까딱하면 누군가를 울릴 수도, 아프게 할 수도, 포기하게 할 수도 있습니다.

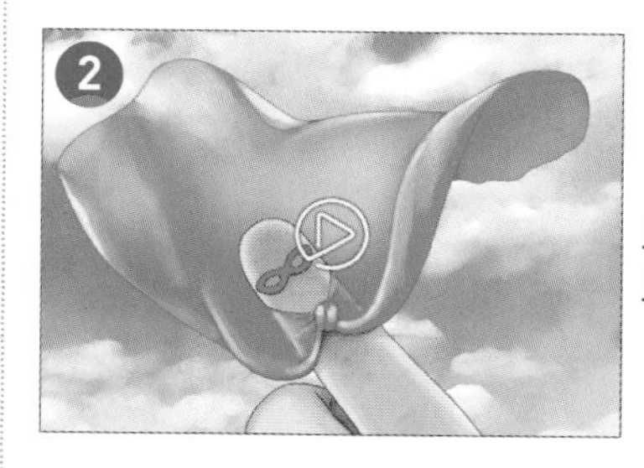

하지만 당신은 누군가를 기쁘게 할 수도, 행복하게 할 수도 있으며

다시 뛰게 할 수도 있습니다. 손가락만 까딱하면.

온라인 댓글, 당신은 어떻게 쓰시겠습니까?

9 이 자료에서 전하려는 주제는 무엇입니까? (　　　)

① 온라인 언어폭력을 하지 말자.
② 하루에 한 시간씩 운동을 하자.
③ 온라인 댓글을 절대 쓰지 말자.
④ 친구끼리 심한 장난을 치지 말자.
⑤ 휴대 전화로 여가를 보내는 방법이 많다.

10 장면 ❶과 ❷에서 주제를 효과적으로 표현하려고 어떤 방법을 사용했습니까? (　　　)

① 숫자를 정확하게 보여 주었다.
② 손가락을 능력자에 비유하였다.
③ 손가락의 크기를 다르게 하였다.
④ 실제로 댓글을 다는 장면을 보여 주었다.
⑤ 온라인 댓글의 예를 들어서 보여 주었다.

11 이 영상을 보고 알맞게 말한 사람은 누구입니까? (　　　)

① 민호: 휴대 전화로 공부하는 방법에 대해 소개하고 있어.
② 지웅: 온라인 댓글을 긍정적으로 쓰자는 주제를 전하고 있어.
③ 예리: 건강을 위해 운동을 꾸준히 하자는 주제를 전하고 있어.
④ 정윤: 온라인으로 교육을 듣는 것의 장점에 대해 소개하고 있어.
⑤ 소진: 맑은 공기를 유지하기 위해 환경 보호에 앞장서자는 주제를 전하고 있어.

12 이 공익 광고 영상에 음악이 들어간다면 장면 ❶에 어울리는 음악은 무엇입니까? (　　　)

① 밝은 음악
② 경쾌한 음악
③ 희망찬 음악
④ 무서운 음악
⑤ 신나는 음악

4 단원

[13~16] 영상 자료를 제작하고 발표하는 과정을 보고 물음에 답하시오.

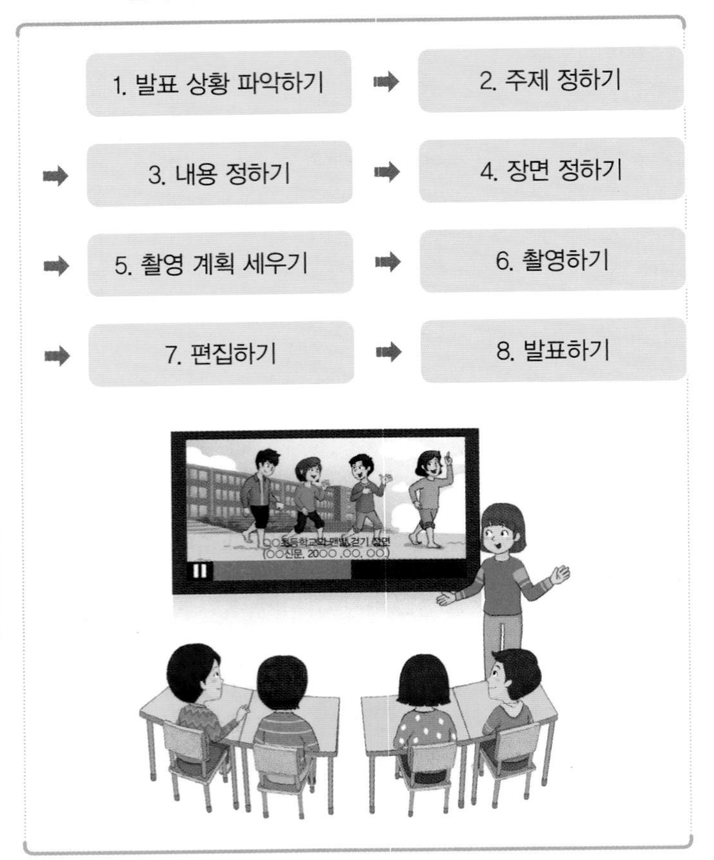

13 다음 그림을 보고 과정 1에서 고려할 점으로 알맞지 않은 것은 무엇입니까? (　　　　)

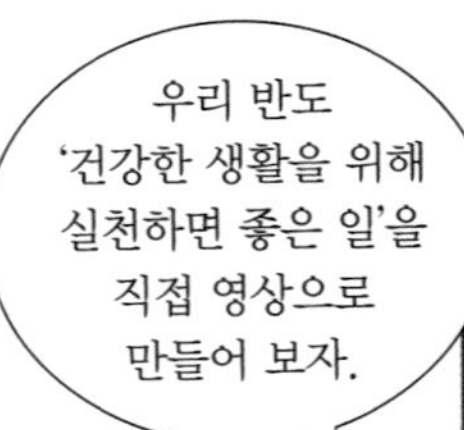

① 주제가 흥미로워야 한다.
② 꼭 반 친구들이 출연해야 한다.
③ 전교생이 이해하기 쉬워야 한다.
④ 건강에 도움을 줄 수 있는 주제여야 한다.
⑤ 학교 방송이므로 알맞은 언어를 사용해야 한다.

14 과정 4에서 발표 장면을 정하는 방법으로 알맞지 않은 것은 어느 것입니까? (　　　　)

① 분량이 발표 시간에 알맞도록 정한다.
② 촬영이나 편집이 가능한 장면을 정한다.
③ 이해하기 쉽도록 장면의 차례를 정한다.
④ 사람이 많이 나오지 않는 장면을 정한다.
⑤ 주제와 내용이 잘 전달되는 장면을 정한다.

15 과정 5에서 정할 내용으로 알맞지 않은 것은 어느 것입니까? (　　　　)

① 촬영 일시를 정한다.
② 촬영 장소를 정한다.
③ 모둠 친구들의 역할을 정한다.
④ 촬영할 때 필요한 준비물을 정한다.
⑤ 촬영한 영상에서 사용할 장면을 고른다.

16 다음은 어떤 과정에서 생각해야 할 내용입니까? (　　　　)

① 과정 1　② 과정 3　③ 과정 5
④ 과정 7　⑤ 과정 8

4 단원

[17~19] 다음을 보고 물음에 답하시오.

17 발표 주제를 정할 때 떠올린 사람으로 알맞지 않은 것은 어느 것입니까? (　　　　)

① 우리 반 봉사왕
② 학교 도서관 사서 선생님
③ 우리 학교 영양사 선생님
④ 우리 아파트 경비원 아저씨
⑤ 재미있게 읽은 책의 주인공

18 꿈을 이루기 위해 열심히 노력하는 친구를 면담하기로 정했습니다. 촬영할 장면을 정한 것 중 알맞지 않은 것은 무엇입니까? (　　　　)

① 친구가 연주 연습을 하는 장면
② 친구가 받은 피아노 대회 우승 트로피
③ 친구가 좋아하는 음식을 소개하는 장면
④ 친구가 면담을 하며 질문에 답하는 장면
⑤ 친구가 매일 꾸준히 피아노 학원에 가는 장면

19 제작한 영상을 점검할 때 생각할 점을 알맞게 말하지 못한 것은 무엇입니까? (　　　　)

① 장면을 차례에 맞게 편집했는가?
② 잘된 점이나 보완할 점은 무엇인가?
③ 주제가 잘 전달되는 부분은 어디인가?
④ 촬영한 장면이 빠짐없이 모두 포함되었는가?
⑤ 제목이나 자막을 필요한 장면에 알맞게 넣었는가?

4 단원

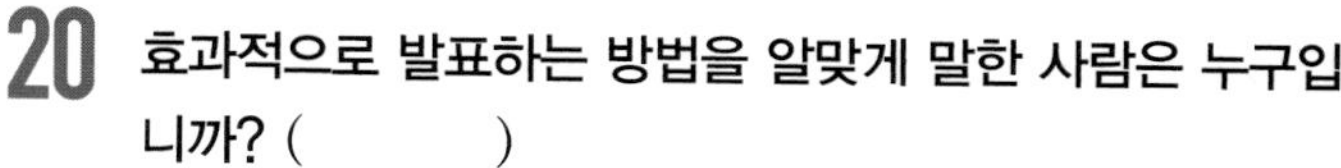

20 효과적으로 발표하는 방법을 알맞게 말한 사람은 누구입니까? (　　　　)

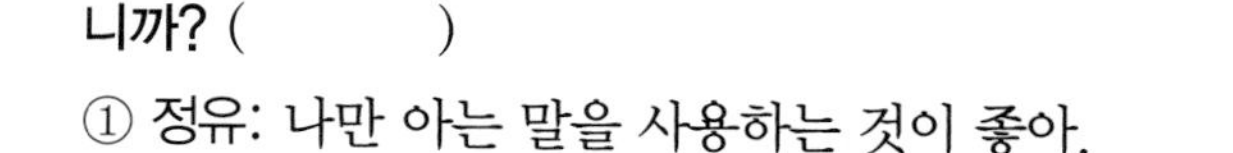

① 정유: 나만 아는 말을 사용하는 것이 좋아.
② 가람: 어려운 낱말을 많이 사용하면 똑똑해 보여.
③ 진호: 발표 전에 소개나 부탁 내용을 말하면 안 돼.
④ 지훈: 영상이나 음성에 문제가 없는지 미리 확인하는 것은 시간 낭비야.
⑤ 정은: 발표를 하거나 들을 때 집중하고 듣는 사람이나 발표하는 사람을 존중해야 해.

· 답안 입력하기 · 평가 분석표 받기

온라인 개념 강의

5 단원

개념 강의

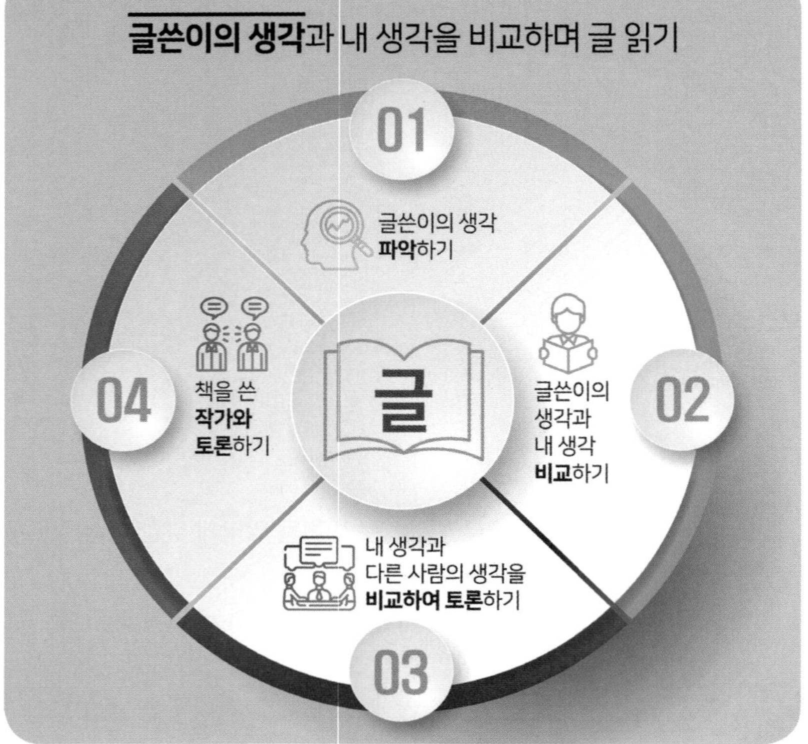

✳ 강의를 들으며 중요한 내용을 메모하세요!

- 관점이란?
- 글쓴이의 생각을 파악하며 글을 읽어야 하는 까닭은?
- 글쓴이의 생각을 파악하는 방법은?
- 토론하는 방법은?

개념 확인하기

정답에 ✓표를 하시오.

정답 33쪽

1 관점의 정의로 알맞은 것은 무엇입니까?

㉠ 사회 속 많은 사람들의 공통된 의견 ☐

㉡ 사물이나 현상을 관찰할 때 그 사람이 바라보는 태도나 방향 또는 처지 ☐

2 다음은 사람마다 관점이 다른 까닭입니다. (　　) 안에 알맞은 말은 무엇입니까?

> 사람마다 관점이 다른 까닭은 사람마다 가지고 있는 지식, (　　), 속한 문화가 다르기 때문입니다.

㉠ 제목 ☐　㉡ 경험 ☐　㉢ 장소 ☐

3 글쓴이의 생각을 파악하며 글을 읽어야 하는 까닭으로 알맞지 않은 것은 무엇입니까?

㉠ 글을 좀 더 빠르게 읽을 수 있다. ☐

㉡ 글 내용을 좀 더 깊이 있게 이해할 수 있다. ☐

4 글쓴이의 생각을 파악하는 방법으로 알맞은 것은 무엇입니까?

㉠ 글쓴이의 생각이 담긴 표현을 찾는다. ☐

㉡ 글쓴이가 예상하는 독자의 수가 몇 명일지 생각한다. ☐

정답 33쪽

연습 도움말을 참고하여 내 생각을 차근차근 써 보세요.

1 글쓴이의 생각을 파악하며 다음 글을 읽고 물음에 답하시오. [12점]

가 로봇을 소유한 기업이나 로봇에게 세금을 부과하자는 주장이 나오고 있다. 로봇이 인간의 일거리를 대신 할 수 있기 때문에 인간에게 필요한 비용을 로봇세로 보충하려는 것이다. 하지만 로봇세 도입은 로봇 산업의 발전과 국가의 미래 경쟁력에 부정적인 영향을 끼칠 수 있다.

나 로봇 개발자는 ㉠개발 비용에 세금까지 더하여 마음의 부담을 느낄 수 있다. 로봇 개발자가 느끼는 마음의 부담은 ㉡로봇을 개발하는 과정에서 혁신적인 생각을 발전시키거나 과감한 투자를 하는 데에 걸림돌이 될 수 있다. 로봇세는 이제 발전하려는 로봇 산업에 방해가 된다.

다 지금은 로봇 산업 발전에 투자해야 할 때이다. 특히 로봇 개발에 필요한 원천 기술에 더 집중해야 한다. 그래야 우리나라의 재산을 지키고 국내 로봇 산업을 이끌 수 있는 힘을 기를 수 있다.

(1) 글쓴이의 생각을 파악하기 위해 ㉠이나 ㉡과 같은 표현을 살펴보아야 하는 까닭을 쓰시오. [6점]

(2) 글쓴이가 이 글을 쓴 의도나 목적을 쓰시오. [6점]

글쓴이가 이 글을 쓴 까닭은 무엇인지, 이 글을 읽을 사람에게 어떤 생각을 전하고 싶은지 떠올려요.
꼭 들어가야 할 말 로봇세

2 글쓴이의 생각을 파악하며 다음 글을 읽고 물음에 답하시오. [12점]

가 로봇에게 세금을 부과하자는 주장이 나오고 있다. 우리도 로봇세를 도입하여 인간과 로봇이 함께 살아가는 방법을 찾아야 한다.

나 세계 경제 포럼은 로봇이나 인공 지능이 이끄는 4차 산업 혁명으로 수많은 사람이 일자리를 잃을 것이라고 전망했다. 로봇 때문에 일자리를 잃고 소득을 얻지 못하는 사람들은 새로운 일자리를 찾기 위해 재교육을 받아야 한다. 로봇세를 도입하면 그 세금으로 일자리를 잃은 사람들에게 진로 상담이나 적성 검사, 기술 교육 등을 할 수 있다. 또 로봇세를 활용하면 일자리를 잃은 사람들이 재교육을 받고 새로운 일자리를 찾는 데 도움을 줄 수 있다.

다 최근 과학의 발달에서 로봇의 변화는 눈부시다. 우리나라도 이미 2008년에 「지능형 로봇 개발 및 보급 촉진법」을 제정해 로봇 산업의 법적 기반을 마련했다. 인간과 로봇이 공존하는 방법을 찾을 수 있도록 지금이라도 로봇세를 도입해야 한다.

(1) 로봇세를 거두면 좋은 점 두 가지를 쓰시오. [4점]

좋은 점 ①	
좋은 점 ②	

(2) 글쓴이의 생각을 파악하여 조건 에 맞게 한 문장으로 쓰시오. [8점]

조건
'~ (해)야 한다.' 형태로 끝나는 문장 쓰기

5. 글에 담긴 생각과 비교해요

[1~3] 다음 글을 읽고 물음에 답하시오.

가 나는 우리나라가 세계에서 가장 아름다운 나라가 되기를 원한다. 가장 부강한 나라가 되기를 원하는 것은 아니다. 내가 남의 침략에 가슴이 아팠으니, 내 나라가 남을 침략하는 것을 원치 아니한다. 우리의 부는 우리 생활을 풍족히 할 만하고, 우리의 힘은 남의 침략을 막을 만하면 족하다. 오직 한없이 가지고 싶은 것은 높은 문화의 힘이다. 문화의 힘은 우리 자신을 행복하게 하고, 나아가서 남에게도 행복을 주기 때문이다. 지금 인류에게 부족한 것은 무력도 아니요, 경제력도 아니다. 자연 과학의 힘은 아무리 많아도 좋으나, 인류 전체로 보면 현재의 자연 과학만 가지고도 편안히 살아가기에 넉넉하다.

나 인류가 현재에 불행한 근본 이유는 인의가 부족하고, 자비가 부족하고, 사랑이 부족한 때문이다. 이 마음만 발달이 되면, 현재의 물질력으로 인류 20억이 다 편안히 살아갈 수 있을 것이다. 인류에게 이 정신을 배양하는 것은 오직 문화이다. 나는 우리나라가 남의 것을 모방하는 나라가 되지 말고, 이러한 높고 새로운 문화의 근원이 되고, 목표가 되고, 모범이 되기를 원한다. [㉠] 진정한 세계의 평화가 우리나라에서, 우리나라로 말미암아 세계에 실현되기를 원한다.

다 홍익인간이라는 우리 국조 단군의 이상이 이것이라고 믿는다. 또 우리 민족의 재주와 정신과 과거의 단련이 이 사명을 달성하기에 넉넉하고, 국토의 위치와 기타의 지리적 조건이 그러하며, 또 제1차 · 제2차 세계 대전을 치른 인류의 요구가 그러하며, 새로 나라를 고쳐 세우는 우리가 서 있는 시기가 그러하다고 믿는다. 우리 민족이 주연 배우로 세계의 무대에 등장할 날이 눈앞에 보이지 아니하는가.

라 이 일을 하기 위하여 우리가 할 일은 사상의 자유를 확보하는 정치 양식의 건립과 국민 교육의 완비이다. 내가 위에서 자유의 나라를 강조하고, 교육의 중요성을 말한 것도 이 때문이다. 최고의 문화를 건설하는 사명을 달성할 민족은 한마디로 말하면 국민 모두를 성인으로 만드는 데 있다. 대한 사람이라면 간 데마다 신용을 받고 대접을 받아야 한다.

1 글쓴이가 높은 문화의 힘을 바라는 까닭은 무엇입니까? (　　　)

① 이웃보다 더 많은 부를 이룰 수 있기 때문에
② 전쟁에서 조금 더 쉽게 승리할 수 있기 때문에
③ 다른 나라의 문화를 더 잘 모방할 수 있기 때문에
④ 문화의 힘은 우리 자신을 행복하게 하고, 남에게도 행복을 주기 때문에
⑤ 문화의 힘은 국민 모두에게 다른 나라의 것을 빼앗을 힘을 주기 때문에

2 [㉠]에 들어갈 이어 주는 말은 무엇입니까? (　　　)

① 그러나
② 그래서
③ 그런데
④ 하지만
⑤ 그렇지만

3 글쓴이의 생각을 잘못 정리한 것은 어느 것입니까? (　　　)

① 지금 인류에게 무력은 부족하지 않다.
② 자연 과학의 힘은 하나도 필요하지 않다.
③ 우리나라가 새로운 문화의 근원이 되었으면 좋겠다.
④ 우리나라로 말미암아 세계의 평화가 이루어지기를 원한다.
⑤ 인류가 현재에 불행한 근본 이유는 인의, 자비, 사랑이 부족하기 때문이다.

[4~8] 다음 글을 읽고 물음에 답하시오.

가 ㉠인공 지능 기술이 발전하면서 로봇이 사람을 대신해 일하는 영역이 늘어나고, 그 규모도 커지고 있다. 이에 따라 외국에서는 로봇을 소유한 기업이나 로봇에게 세금을 부과하자는 주장이 나오고 있다. ㉡우리도 로봇세를 도입하여 인간과 로봇이 함께 살아가는 방법을 찾아야 한다.

나 ㉢세계 경제 포럼은 로봇이나 인공 지능이 이끄는 4차 산업 혁명으로 수많은 사람이 일자리를 잃을 것이라고 전망했다. 로봇 때문에 일자리를 잃고 소득을 얻지 못하는 사람들은 새로운 일자리를 찾기 위해 재교육을 받아야 한다. 로봇세를 도입하면 그 세금으로 일자리를 잃은 사람들에게 진로 상담이나 적성 검사, 기술 교육 등을 할 수 있다. 또 로봇세를 활용하면 일자리를 잃은 사람들이 재교육을 받고 새로운 일자리를 찾는 데 도움을 줄 수 있다.

다 로봇에게 세금을 부과하려면 법적 근거를 마련해야 한다. ㉣법적인 의미에서 자연인과 법인에게만 세금을 부과할 수 있다. 현행법으로는 기계인 로봇에게 세금을 부과할 수 없다. 그래서 2017년에 유럽 의회는 장기적으로 로봇에게 '특수한 권리와 의무를 가진 전자 인간'으로 법적 지위를 부여하는 입법을 집행 위원회가 추진하도록 결의했다.

라 ㉤최근 과학의 발달에서 로봇의 변화는 눈부시다. 우리나라도 이미 2008년에 「지능형 로봇 개발 및 보급 촉진법」을 제정해 로봇 산업의 법적 기반을 마련했다. 인간과 로봇이 공존하는 방법을 찾을 수 있도록 지금이라도 로봇세를 도입해야 한다.

4 글쓴이가 이 글을 통해 전하려는 생각은 무엇입니까? (　　　)

① 로봇세를 없애야 한다.
② 로봇세의 수를 줄여야 한다.
③ 로봇세 도입을 늦추어야 한다.
④ 로봇세를 유럽 지역에만 적용해야 한다.
⑤ 로봇세를 빠른 시일 내에 도입해야 한다.

5 글쓴이가 이 글을 쓴 목적으로 알맞은 것은 무엇입니까? (　　　)

① 인공 지능 기술의 발전을 방해하기 위해서
② 로봇세 도입에 반대하는 사람의 수를 늘리려고
③ 로봇에 관심을 가진 사람들에게 작동 원리를 설명하기 위해서
④ 로봇 산업에 종사하는 기업인들에게 4차 산업 혁명의 특징을 강조하기 위해서
⑤ 로봇세 도입에 반대하는 사람들에게 로봇세 도입에 찬성하도록 설득하기 위해서

6 로봇에게 법적 지위를 부여하는 입법을 추진하도록 결의한 곳은 어디입니까? (　　　)

① 미국 의회
② 국제 연합
③ 유럽 의회
④ 우리나라 국회
⑤ 우리나라 정부

7 글쓴이의 생각이 드러나는 표현이 아닌 것은 무엇입니까? (　　　)

① 자연인과 법인에게만 세금을 부과
② 인간과 로봇이 함께 살아가는 방법
③ 지금이라도 로봇세를 도입해야 한다.
④ 인간과 로봇이 공존하는 방법을 찾을 수 있도록
⑤ 로봇세를 도입하면 그 세금으로 일자리를 잃은 사람들에게 진로 상담이나 적성 검사, 기술 교육 등

8 ㉠~㉤ 중 문단의 중심 문장으로 쓰인 것은 어느 것입니까? (　　　)

① ㉠　② ㉡　③ ㉢　④ ㉣　⑤ ㉤

5 단원

[9~12] 다음 글을 읽고 물음에 답하시오.

가 로봇을 소유한 기업이나 로봇에게 세금을 부과하자는 주장이 나오고 있다. 로봇이 인간의 일거리를 대신 할 수 있기 때문에 인간에게 필요한 비용을 로봇세로 보충하려는 것이다. 하지만 로봇세 도입은 로봇 산업의 발전과 국가의 미래 경쟁력에 부정적인 영향을 끼칠 수 있다.

나 로봇 산업이 본격적으로 발전하면 로봇은 인간을 대신하여 일을 하게 된다. 이럴 경우에 인간은 위험하거나 단순한 일, 반복적인 일에서 해방될 수 있다. 그런데 인간을 대신하여 일을 할 로봇에게 성급하게 세금을 부과한다면 로봇 산업 발전을 더디게 할 것이다. 특히 로봇 개발자는 개발 비용에 세금까지 더하여 마음의 부담을 느낄 수 있다. 로봇 개발자가 느끼는 마음의 부담은 로봇을 개발하는 과정에서 혁신적인 생각을 발전시키거나 과감한 투자를 하는 데에 걸림돌이 될 수 있다.

다 서둘러 로봇세를 도입한 국가가 다른 국가에 비해 미래 경쟁력에서 뒤처질 수 있다. 지금도 로봇 기술은 외국의 대기업들이 독차지하고 있다. 그래서 우리의 기술 없이 로봇을 만들면 막대한 특허 사용료를 외국에 지급해야 한다. 그렇게 될 경우 로봇세를 도입한 국가는 다른 국가에 비해 기술 개발이 늦어질 수 있다. 국가의 미래 경쟁력을 기르려면 로봇 기술의 개발이 먼저 이루어져야 한다.

라 지금은 로봇 산업 발전에 투자해야 할 때이다. 특히 로봇 개발에 필요한 원천 기술에 더 집중해야 한다. 그래야 우리나라의 재산을 지키고 국내 로봇 산업을 이끌 수 있는 힘을 기를 수 있다. [㉠] 우리나라의 미래 경쟁력인 로봇 산업을 키울 수 있도록 로봇세 도입을 늦추어야 한다.

9 이 글의 제목으로 가장 알맞은 것은 무엇입니까? (　　　)

① 로봇세의 긍정적 영향
② 로봇세를 늘려야 한다
③ 로봇세 도입을 늦추어야 한다
④ 외국 기업이 보유한 로봇 기술
⑤ 로봇 기술의 개발을 미루어야 한다

10 다음 설명이 가리키는 것은 무엇입니까? (　　　)

로봇을 소유한 기업이나 로봇에게 부과하는 세금

① 소비세
② 소득세
③ 로봇세
④ 재산세
⑤ 자동차세

11 글에 대해 바르게 설명하지 못한 친구는 누구입니까? (　　　)

① 시원: 글 가에서 전문가와의 면담 내용을 제시하고 있어.
② 정민: 글 나에서 로봇세는 로봇 산업에 방해가 된다고 이야기하고 있어.
③ 채은: 로봇세 도입이 시급하다고 생각하는 사람들에게 다른 관점으로도 생각할 수 있게 하려고 쓴 글이야.
④ 진규: 글 다에서 국가의 미래 경쟁력을 기르려면 로봇 기술의 개발이 먼저 이루어져야 한다고 말하고 있어.
⑤ 성규: '부담', '걸림돌'과 같은 표현을 사용해서 로봇세 도입을 늦추어야 한다는 글쓴이의 생각을 나타내고 있어.

12 [㉠]에 알맞은 이어 주는 말은 무엇입니까? (　　　)

① 그런데　② 따라서　③ 그러나
④ 하지만　⑤ 그렇지만

[13~15] 다음 글을 읽고 물음에 답하시오.

가 『열하일기』는 조선 후기의 실학자 연암 박지원이 중국에 다녀와서 쓴 여행기입니다.

당시 중국은 아무나 갈 수 있는 곳이 아니었습니다. 그만한 자격과 능력이 요구되었지요. 그러나 반대로 중국을 가려고 굳이 나서는 사람도 없었습니다. 몇 달간 누런 모래바람을 뒤집어써야 하는 험난한 여행길을 누가 선뜻 나서겠습니까. 하지만 박지원은 호기심이 많고 모험 정신이 가득한 사람이었습니다.

나 박지원은 3년 동안 정성을 쏟아 『열하일기』를 썼습니다. 자신이 느낀 바를 진솔하게 기록했기에 책 이름에 '일기'라는 말을 붙였습니다. 그러나 사실 『열하일기』는 개인의 감상을 늘어놓은 것이 아닙니다. 시대를 앞서가는 연암의 생각과 기억, 철학과 세계관을 한데 모은 지식의 저장소입니다.

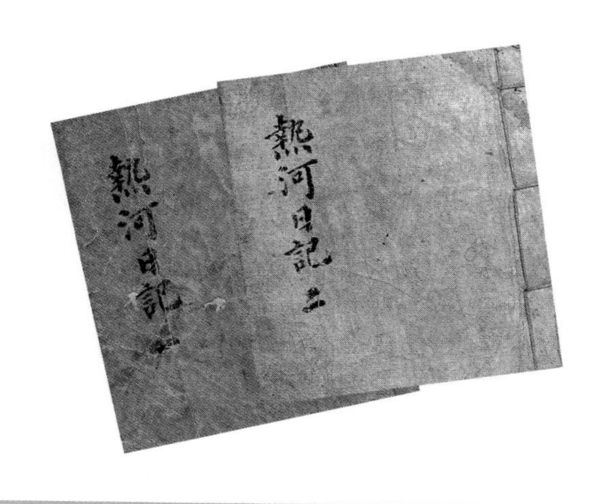

13 중국에 다녀온 박지원의 성격으로 알맞은 것은 무엇입니까? (　　　　)

① 여리고 부드럽다.
② 모험 정신이 가득하다.
③ 돈에 대한 욕심이 많다.
④ 벼슬에 대한 욕심이 많다.
⑤ 언제나 안전을 중요하게 여긴다.

14 박지원이 쓴 책 이름에 '일기'가 들어가는 까닭은 무엇입니까? (　　　　)

① 매일 겪은 일을 일기 형식으로 썼기 때문에
② 자신이 느낀 바를 진솔하게 기록했기 때문에
③ 하루에 읽을 만한 분량으로 끊어서 썼기 때문에
④ 자신의 생각이나 느낌은 하나도 적지 않았기 때문에
⑤ 직접 겪은 일보다는 머릿속으로 상상한 내용을 중심으로 썼기 때문에

15 박지원이 중국에 다녀와서 쓴 여행기에 대한 설명으로 알맞지 않은 것은 무엇입니까? (　　　　)

① 책 이름에 '일기'라는 말이 붙여졌다.
② 개인의 감상을 늘어놓은 글에 해당한다.
③ 박지원이 3년 동안 정성을 쏟아 쓴 글이다.
④ 시대를 앞서가는 박지원의 생각을 모은 책이다.
⑤ 박지원의 철학과 세계관을 엿볼 수 있는 책이다.

16 글쓴이의 생각을 파악하며 글을 읽을 때 생각할 점으로 알맞지 않은 것은 무엇입니까? (　　　　)

① 글의 제목
② 글의 표현
③ 글자의 모양
④ 글을 쓴 목적
⑤ 글을 쓴 의도

5 단원

진도 완료 체크

[17~20] 다음 글을 읽고 물음에 답하시오.

가 "나리는 어떻게 생각하시는지요? 역시 오랑캐의 나라라 볼 게 없다고 여기시는지요?"
창대의 질문에 나리는 기다렸다는 듯이 대답했다.
"나는 시골의 삼류 선비지만, 중국의 제일가는 경치는 저 기와 조각과 똥 덩어리라고 말하고 싶구나."

나 "깨진 기와 조각은 천하에 쓸모없는 물건이다. 그러나 백성들의 집에 담을 쌓을 때 깨진 기와 조각을 둘씩 짝을 지어 물결무늬를 만들기도 하고, 혹은 네 조각을 모아 쇠사슬 모양이나 엽전 모양을 만들지 않느냐? 깨진 기와 조각도 알뜰하게 사용했기에 천하의 고운 빛깔을 다 낼 수 있었던 것이다."

다 "똥오줌을 생각해 보아라. 세상에 둘도 없이 더러운 것들이다. 하지만 거름으로 쓸 때는 한 덩어리라도 흘릴까 하여 조심하고, 말똥을 모으려 삼태기를 들고 말 꽁무니를 따라다니기도 하지 않느냐."

라 "똥과 기와 조각은 사람의 손길에 따라 쓰임새가 정해지기도 하고, 버려지기도 하는 거다. 사람으로 태어나서 어찌 다른 사람의 손길만 기다리겠느냐? 스스로 쓰임새를 찾는다면 어찌 똥오줌이나 깨진 기와 조각의 쓰임새에 비하겠으며, 그렇지 못하다면 그야말로 길거리에 굴러다니는 개똥보다 못할 것이니라."

마 장복이의 응석에 나리는 다시 한 번 꼬집어 말하였다.
"스스로의 가치는 스스로가 매기는 거야. 다른 사람에게 맡길 것이 아닌 거야."

17 나리가 '똥 덩어리'를 중국의 제일가는 경치 중 하나라고 꼽은 까닭은 무엇입니까? (　　　　)

① 세상에 둘도 없이 더러운 것이기 때문에
② 중국에는 볼만한 것이 하나도 없기 때문에
③ 중국의 똥 덩어리는 아주 크고 멋지기 때문에
④ 거름으로 쓸 때에는 쓸모가 있는 것이기 때문에
⑤ 중국에서 가장 유명한 산의 별명이 '똥 덩어리'이기 때문에

18 이 글을 읽고 글쓴이의 의도를 짐작할 때 빈칸에 들어가기에 알맞은 말은 무엇입니까? (　　　　)

> 조선 시대 사람들에게 [　　　　] 제도나 사물의 가치에 대해 다른 관점으로도 생각할 수 있게 하려고 이 글을 쓴 것 같습니다.

① 교육　② 경제　③ 신분
④ 과거　⑤ 상업

19 글쓴이의 생각이 담긴 표현으로 알맞은 것은 무엇입니까? (　　　　)

① 나는 시골의 삼류 선비
② 똥오줌을 생각해 보아라.
③ 백성들의 집에 담을 쌓을 때
④ 나리는 다시 한 번 꼬집어 말하였다.
⑤ 깨진 기와 조각도 알뜰하게 사용했기에 천하의 고운 빛깔을 다 낼 수 있었던 것이다.

20 이 이야기의 주제에 대하여 알맞게 설명한 친구는 누구입니까? (　　　　)

① 정국: 깨진 기와를 잘 활용하자는 이야기야.
② 미진: 오랑캐의 나라를 멀리하자는 이야기야.
③ 효민: 사람은 스스로의 가치를 발견할 수 없다는 이야기야.
④ 현송: 중국의 모든 것이 똥 덩어리 같아서 볼만한 것이 아무것도 없다는 이야기야.
⑤ 돈재: 똥과 같은 하찮은 것도 알맞은 쓰임이 있으니 쓸모 있게 사용하면 좋다는 이야기야.

• 답안 입력하기　• 평가 분석표 받기

온라인 개념 강의

개념 강의

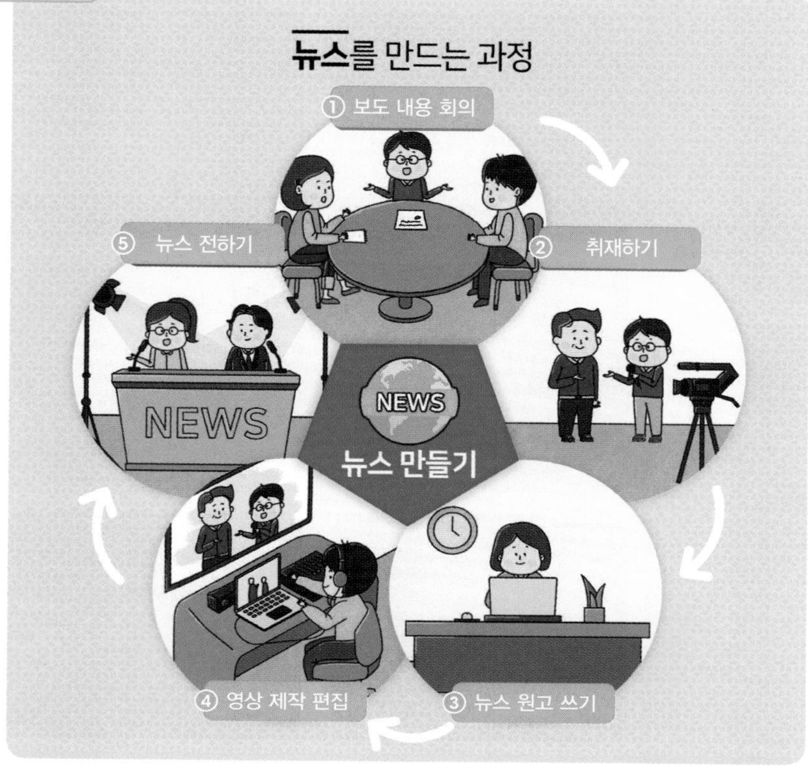

✳ 강의를 들으며 중요한 내용을 메모하세요!

● 뉴스를 만드는 과정은?

● 뉴스 영상을 제작할 때 생각할 점은?

● 뉴스 원고를 쓸 때 주의할 점은?

6 단원

개념 확인하기

정답에 ✓표를 하시오.

정답 35쪽

1 뉴스의 특징으로 알맞은 것은 무엇입니까?

㉠ 중요하고 흥미로운 사건을 보도한다. ☐

㉡ 사소하고 중요하지 않은 사건이라도 모두 보도한다. ☐

2 뉴스를 만드는 과정으로 알맞은 것은 무엇입니까?

㉠ 알리려는 내용을 추측하여 원고를 쓴다. ☐

㉡ 보도할 내용을 고르기 위하여 회의한다. ☐

3 뉴스 영상을 제작할 때 생각할 점으로 알맞은 것은 무엇입니까?

㉠ 취재한 내용과 원고를 바탕으로 제작한다. ☐

㉡ 다양한 정보를 전달하기 위하여 알고 있는 지식을 모두 뉴스로 제작한다. ☐

4 뉴스 원고를 쓸 때 주의할 점으로 알맞은 것은 무엇입니까?

㉠ 짧고 간결하게 표현한다. ☐

㉡ 추상적인 표현을 많이 사용하여 흥미롭게 구성한다. ☐

정답 35쪽

6 단원

연습 도움말을 참고하여 내 생각을 차근차근 써 보세요.

1 뉴스가 미치는 영향을 생각하며 다음을 보고 물음에 답하시오. [10점]

학생: 기후 협약이 뭐예요?
선생님: 기후 협약은 지구 온난화를 막으려고 여러 나라가 체결한 협약이란다.

할머니: 지금은 힘들겠지만 다음 세대를 위해서 환경을 보전하는 일은 꼭 필요해요.
할아버지: 그럼요. 우리가 실천할 수 있는 방법을 찾아봐야겠어요.

(1) 뉴스가 미치는 영향 중에서, 선생님과 학생의 대화를 보고 알 수 있는 내용은 무엇입니까? [4점]

• 뉴스는 사람들에게 새로운 [   ] 을/를 전달해 준다.

(2) 뉴스가 미치는 영향 중에서, 할머니와 할아버지의 대화를 통해 알 수 있는 점은 무엇인지 쓰시오. [6점]

할머니와 할아버지는 뉴스를 보고 나서 '환경을 보전해야 한다.'는 같은 생각을 떠올리고 있어요.
꼭 들어가야 할 말 여론

____

____

2 어떤 표현이 나타나 있는지 생각하며 다음 공익 광고를 보고 물음에 답하시오. [12점]

(1) 음식물 쓰레기 때문에 생기는 경제적 손실은 얼마인지, 그것을 무엇과 비교하여 표현하였는지 쓰시오. [6점]

① 경제적 손실: 일 년에 약 (   )원

② 표현: ______________________________

______________________ 것과 같다고 표현하였다.

(2) 이 공익 광고에서 전하려는 생각을 쓰시오. [6점]

꼭 들어가야 할 말 음식물 쓰레기

____

____

6. 정보와 표현 판단하기

1 오른쪽 그림과 같은 뉴스에 대하여 설명한 것으로 알맞지 않은 것은 무엇입니까? (　　　)

파리 기후 협약 체결, 기온 상승 폭 2도 제한

① 여론을 형성한다.
② 새로운 정보를 전달한다.
③ 세상의 모든 일을 알려 준다.
④ 중요한 사건을 때에 알맞게 전달한다.
⑤ 사건을 긍정적이거나 비판적으로 보게 한다.

[2~6] 다음 광고를 보고 물음에 답하시오.

2 어떤 문제에 대한 광고입니까? (　　　)
① 토양 오염 문제
② 해양 오염 문제
③ 대기 오염 문제
④ 자동차 사고 문제
⑤ 음식물 쓰레기 문제

3 다음 중 광고를 보고 알 수 있는 것은 무엇입니까? (　　　)
① 한 해에 버려지는 소형차의 수
② 사람들이 가장 많이 남기는 음식
③ 음식 포장 용기를 재활용하는 방법
④ 냉장고에 보관해야 하는 음식의 종류
⑤ 음식물 쓰레기로 인해 생기는 경제적 손실 금액

4 이 광고에서 자동차가 바다에 떨어지는 장면을 보여 준 까닭은 무엇입니까? (　　　)
① 음식물 쓰레기의 양이 줄어들고 있기 때문에
② 음식물 쓰레기를 버리는 장면과 비슷하기 때문에
③ 많은 양의 음식물 쓰레기를 구하기 어렵기 때문에
④ 음식물 쓰레기를 바다에 떨어뜨리면 안 되기 때문에
⑤ 자동차가 떨어지는 장면을 다른 영화에서 빌려 왔기 때문에

5 이 광고에서 한 해에 버려지는 음식물 쓰레기로 인한 경제적 손실을 무엇에 빗대어 표현하였습니까? (　　　)
① 자동차 회사를 없애는 것
② 자동차가 갑자기 멈춰 서는 것
③ 중형차 100만 대를 버리는 것
④ 자동차 100만 대를 수출하는 것
⑤ 자동차 100만 대를 수입하는 것

6 광고에서 전달하려고 하는 내용은 무엇입니까? (　　　)
① 음식물 쓰레기를 줄이자.
② 한 가지 음식만 주문하자.
③ 우리 음식 문화를 버리자.
④ 음식에 쓰는 돈을 줄여 중형차를 사자.
⑤ 냉장고에 보관한 음식도 상해서 버리기 쉽다.

6 단원

[7~9] 다음 광고를 보고 물음에 답하시오.

7 무엇에 대하여 광고하는 내용입니까? (　　　　)

① 줄넘기　② 자전거
③ 요가 운동　④ 자전거 헬멧
⑤ 새로 나온 텔레비전

8 이 광고에서 광고한 내용이 아닌 것은 무엇입니까? (　　　　)

① 가격이 아주 싸다.
② 건강에 신바람을 일으켜 준다.
③ 소비자 만족도 1위를 달성하였다.
④ 디자인이 독보적이고 튼튼한 내구성을 갖췄다.
⑤ 재미있는 일이 없을 때 신바람을 불러일으켜 준다.

9 다음 표현에서 알 수 있는 이 광고의 특징은 무엇입니까? (　　　　)

> 기분 최고, 건강 최고, 기술력 최고!

① 공익 광고　② 과장 광고
③ 신문 광고　④ 간접 광고
⑤ 텔레비전 광고

[10~11] 다음 광고를 보고 물음에 답하시오.

10 이 광고에 대한 설명으로 알맞은 것은 무엇입니까? (　　　　)

① 모두 같은 크기의 글씨로 나타냈다.
② 관련된 그림을 사용하지 않아 답답하다.
③ 회사의 이름을 적지 않아 믿음이 가지 않는다.
④ 광고하는 물건의 실제 사진을 사용해서 믿음이 간다.
⑤ 과장하거나 감추는 내용이 있으니 비판적으로 보아야 한다.

11 ㉠은 어떤 표현에 해당합니까? (　　　　)

① 감추는 표현　② 과장하는 표현
③ 사실적인 표현　④ 강조하는 표현
⑤ 비유하는 표현

[12~13] 다음 뉴스를 보고 물음에 답하시오.

12 다음 중 뉴스에 대한 설명으로 알맞지 않은 것은 무엇입니까? (　　　)

① 통계 자료의 출처를 명확히 밝히고 있다.
② 스마트 기부에 관하여 설명하는 뉴스이다.
③ 면담에 응한 사람이 누구인지 밝히고 있다.
④ 스마트 기부와 관련한 자료 화면을 사용했다.
⑤ 통계 자료를 통해 이타형 기부 동기가 더 많다는 보도 내용을 뒷받침했다.

13 다음은 어떤 기준으로 뉴스의 타당성을 판단한 것입니까? (　　　)

> 스마트 기부를 하는 사람들의 동기를 분석한 통계 자료의 출처를 정확히 밝히고 있습니다.

① 중요한 뉴스인가?
② 가치 있는 뉴스인가?
③ 자료의 출처는 명확한가?
④ 활용한 자료가 뉴스 관점을 뒷받침하는가?
⑤ 뉴스 관점과 보도 내용이 관련되어 있는가?

[14~15] 다음 뉴스를 보고 물음에 답하시오.

> 가 독감 때문에 요즘 감염 걱정이 많죠? 하지만 '30초 손 씻기'만 제대로 실천해도 웬만한 감염병은 막을 수 있다고 합니다. '30초의 기적'이라고까지 하는 올바른 손 씻기 방법을 이선주 기자가 알려 드립니다.
>
> 나 하루에도 몇 번씩 씻는 손, 손을 씻는 방법은 제각각입니다.
>
> 〈면담〉 [박윤철 / 6학년 1반 학생]
> "평소에는 그냥 물로 씻는 편이에요."
>
> 〈면담〉 [금성혜 / 6학년 3반 학생]
> "그냥 물휴지 정도로 닦는 편이에요."
>
> 손을 어떻게 씻어야 손에 번식하는 세균을 없앨 수 있을지 알아보려고 손에 형광 물질을 바르고 실험했습니다. 10초 동안 비누로 손바닥과 손가락을 비벼 가며 열심히 씻는 것이 중요합니다. 이렇게 수시로 30초 동안 손을 씻으면 감염병의 70퍼센트는 예방할 수 있습니다.
>
> 〈면담〉 [하영은 / 보건 선생님]
> "감기를 비롯해 장염, 식중독 따위도 모두 손을 깨끗이 씻으면 예방할 수 있습니다."

14 이 뉴스를 보고 알 수 있는 정보로 알맞은 것은 무엇입니까? (　　　)

① 손을 씻는 올바른 방법
② 우리 손에 번식하는 세균의 종류
③ 감염병에 걸렸을 때 대처하는 방법
④ 학생들이 하루 동안 손을 씻는 횟수
⑤ 물로만 손을 씻었을 때의 감염병 예방률

15 뉴스에 대한 설명으로 알맞지 않은 것은 무엇입니까? (　　　)

① 면담에 응한 사람이 누구인지 밝히고 있다.
② 실험을 통해 올바른 손 씻기 방법을 보여 주었다.
③ 연구 결과의 출처를 밝히며 설득력을 높이고 있다.
④ 학생과의 면담 자료를 활용하여 학생들이 평소 손을 씻는 방법을 보여 주고 있다.
⑤ 전문가와의 면담 자료를 활용하여 손 씻기로 예방할 수 있는 질병을 소개하고 있다.

6 단원

진도 완료 체크

16 다음 중 뉴스의 타당성을 판단하는 방법이 아닌 것은 무엇입니까? (　　　)

① 자료의 출처가 명확한지 살핀다.
② 가치 있고 중요한 뉴스인지 살핀다.
③ 이전에 비슷한 뉴스가 나왔는지 살핀다.
④ 뉴스의 관점과 보도 내용이 서로 관련 있는지 살핀다.
⑤ 활용한 자료들이 뉴스의 관점을 뒷받침하는지 살핀다.

17 뉴스를 만들기 위하여 취재 계획을 세울 때 반드시 생각해야 할 점이 아닌 것은 무엇입니까? (　　　)

① 취재 기간
② 촬영 장면
③ 면담 대상
④ 면담 시간과 장소
⑤ 진행자가 입을 옷

18 연주의 상황에 필요한 뉴스의 주제로 알맞은 것은 무엇입니까? (　　　)

> 연주: 신호를 지키지 않는 운전자가 많아서 등하굣길이 위험해 보여.

① 등하굣길 교통수단 이용량
② 초등학생 평균 등하교 시간
③ 안전한 등하교를 위한 방법
④ 자전거를 이용한 등하교 방법
⑤ 등하교 시간에 할 수 있는 간단 공부법

19 다음 상황을 바탕으로 뉴스를 만들 때 가장 알맞지 않은 것은 무엇입니까? (　　　)

> 운동장에서 놀다가 다치는 학생이 많다.

① 운동장에서 다친 경험이 있는 학생들을 면담한다.
② 안전한 운동장 사용 방법을 주제로 뉴스를 만든다.
③ 운동장에서 하면 위험한 행동이 무엇인지 조사한다.
④ 운동장에서 지켜야 할 안전 수칙에 관한 내용을 넣는다.
⑤ 운동장에서 할 수 있는 다양한 운동에 대한 체육 선생님의 면담 자료를 넣는다.

20 뉴스 원고를 쓸 때 주의해야 할 점으로 알맞지 않은 것은 무엇입니까? (　　　)

① 모호한 표현을 사용한다.
② 정확한 내용으로 구성한다.
③ 가치 있는 내용으로 구성한다.
④ 이해하기 쉬운 표현을 사용한다.
⑤ 시청자가 관심을 가질 만한 내용인지 확인한다.

· 답안 입력하기 · 평가 분석표 받기

[12~13] 다음 뉴스를 보고 물음에 답하시오.

12 다음 중 뉴스에 대한 설명으로 알맞지 않은 것은 무엇입니까? (　　　)

① 통계 자료의 출처를 명확히 밝히고 있다.
② 스마트 기부에 관하여 설명하는 뉴스이다.
③ 면담에 응한 사람이 누구인지 밝히고 있다.
④ 스마트 기부와 관련한 자료 화면을 사용했다.
⑤ 통계 자료를 통해 이타형 기부 동기가 더 많다는 보도 내용을 뒷받침했다.

13 다음은 어떤 기준으로 뉴스의 타당성을 판단한 것입니까? (　　　)

> 스마트 기부를 하는 사람들의 동기를 분석한 통계 자료의 출처를 정확히 밝히고 있습니다.

① 중요한 뉴스인가?
② 가치 있는 뉴스인가?
③ 자료의 출처는 명확한가?
④ 활용한 자료가 뉴스 관점을 뒷받침하는가?
⑤ 뉴스 관점과 보도 내용이 관련되어 있는가?

[14~15] 다음 뉴스를 보고 물음에 답하시오.

> 가 독감 때문에 요즘 감염 걱정이 많죠? 하지만 '30초 손 씻기'만 제대로 실천해도 웬만한 감염병은 막을 수 있다고 합니다. '30초의 기적'이라고까지 하는 올바른 손 씻기 방법을 이선주 기자가 알려 드립니다.
>
> 나 하루에도 몇 번씩 씻는 손, 손을 씻는 방법은 제각각입니다.
>
> 〈면담〉 [박윤철 / 6학년 1반 학생]
> "평소에는 그냥 물로 씻는 편이에요."
>
> 〈면담〉 [금성혜 / 6학년 3반 학생]
> "그냥 물휴지 정도로 닦는 편이에요."
>
> 손을 어떻게 씻어야 손에 번식하는 세균을 없앨 수 있을지 알아보려고 손에 형광 물질을 바르고 실험했습니다. 10초 동안 비누로 손바닥과 손가락을 비벼 가며 열심히 씻는 것이 중요합니다. 이렇게 수시로 30초 동안 손을 씻으면 감염병의 70퍼센트는 예방할 수 있습니다.
>
> 〈면담〉 [하영은 / 보건 선생님]
> "감기를 비롯해 장염, 식중독 따위도 모두 손을 깨끗이 씻으면 예방할 수 있습니다."

14 이 뉴스를 보고 알 수 있는 정보로 알맞은 것은 무엇입니까? (　　　)

① 손을 씻는 올바른 방법
② 우리 손에 번식하는 세균의 종류
③ 감염병에 걸렸을 때 대처하는 방법
④ 학생들이 하루 동안 손을 씻는 횟수
⑤ 물로만 손을 씻었을 때의 감염병 예방률

15 뉴스에 대한 설명으로 알맞지 않은 것은 무엇입니까? (　　　)

① 면담에 응한 사람이 누구인지 밝히고 있다.
② 실험을 통해 올바른 손 씻기 방법을 보여 주었다.
③ 연구 결과의 출처를 밝히며 설득력을 높이고 있다.
④ 학생과의 면담 자료를 활용하여 학생들이 평소 손을 씻는 방법을 보여 주고 있다.
⑤ 전문가와의 면담 자료를 활용하여 손 씻기로 예방할 수 있는 질병을 소개하고 있다.

16 다음 중 뉴스의 타당성을 판단하는 방법이 아닌 것은 무엇입니까? (   )

① 자료의 출처가 명확한지 살핀다.
② 가치 있고 중요한 뉴스인지 살핀다.
③ 이전에 비슷한 뉴스가 나왔는지 살핀다.
④ 뉴스의 관점과 보도 내용이 서로 관련 있는지 살핀다.
⑤ 활용한 자료들이 뉴스의 관점을 뒷받침하는지 살핀다.

진도 완료 체크

17 뉴스를 만들기 위하여 취재 계획을 세울 때 반드시 생각해야 할 점이 아닌 것은 무엇입니까? (   )

① 취재 기간
② 촬영 장면
③ 면담 대상
④ 면담 시간과 장소
⑤ 진행자가 입을 옷

18 연주의 상황에 필요한 뉴스의 주제로 알맞은 것은 무엇입니까? (   )

연주: 신호를 지키지 않는 운전자가 많아서 등하굣길이 위험해 보여.

① 등하굣길 교통수단 이용량
② 초등학생 평균 등하교 시간
③ 안전한 등하교를 위한 방법
④ 자전거를 이용한 등하교 방법
⑤ 등하교 시간에 할 수 있는 간단 공부법

19 다음 상황을 바탕으로 뉴스를 만들 때 가장 알맞지 않은 것은 무엇입니까? (   )

운동장에서 놀다가 다치는 학생이 많다.

① 운동장에서 다친 경험이 있는 학생들을 면담한다.
② 안전한 운동장 사용 방법을 주제로 뉴스를 만든다.
③ 운동장에서 하면 위험한 행동이 무엇인지 조사한다.
④ 운동장에서 지켜야 할 안전 수칙에 관한 내용을 넣는다.
⑤ 운동장에서 할 수 있는 다양한 운동에 대한 체육 선생님의 면담 자료를 넣는다.

20 뉴스 원고를 쓸 때 주의해야 할 점으로 알맞지 않은 것은 무엇입니까? (   )

① 모호한 표현을 사용한다.
② 정확한 내용으로 구성한다.
③ 가치 있는 내용으로 구성한다.
④ 이해하기 쉬운 표현을 사용한다.
⑤ 시청자가 관심을 가질 만한 내용인지 확인한다.

· 답안 입력하기 · 평가 분석표 받기

온라인 개념 강의

개념 강의

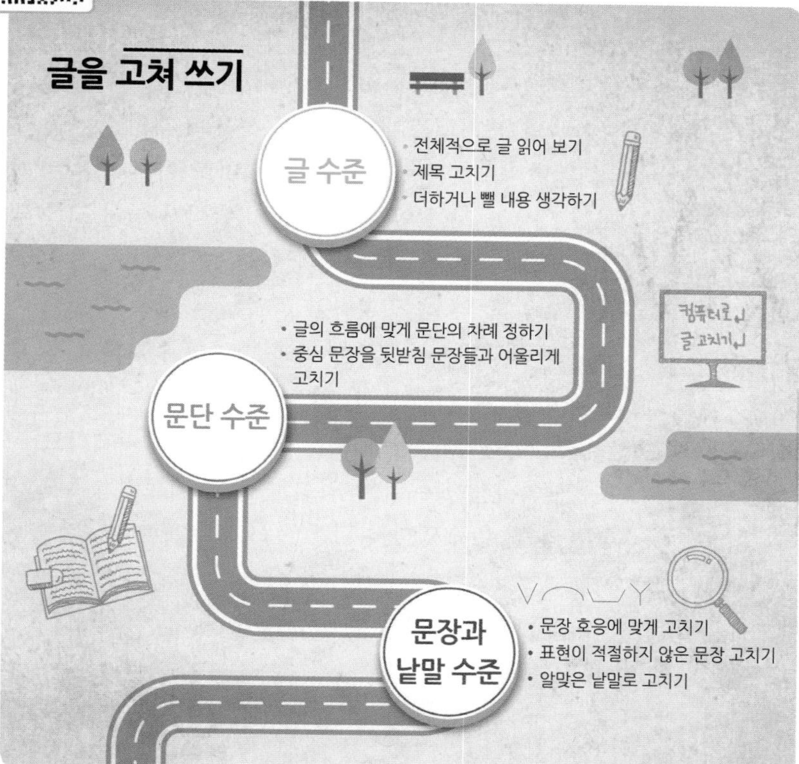

글을 고쳐 쓰기
글 수준
· 전체적으로 글 읽어 보기
· 제목 고치기
· 더하거나 뺄 내용 생각하기
· 글의 흐름에 맞게 문단의 차례 정하기
· 중심 문장을 뒷받침 문장들과 어울리게 고치기
문단 수준
문장과 낱말 수준
· 문장 호응에 맞게 고치기
· 표현이 적절하지 않은 문장 고치기
· 알맞은 낱말로 고치기

✳ 강의를 들으며 중요한 내용을 메모하세요!

● 고쳐쓰기란?

● 글을 고쳐 쓰면 좋은 점은?

● 글을 고쳐 쓰는 방법은?

7 단원

개념 확인하기

정답에 ✓표를 하시오.

정답 37쪽

1 고쳐쓰기를 할 때 생각할 점으로 알맞은 것은 무엇입니까?

㉠ 어떤 주제로 글을 쓸까? ☐

㉡ 글의 내용과 표현이 알맞은가? ☐

2 글을 고쳐 쓰면 좋은 점으로 알맞지 않은 것은 무엇입니까?

㉠ 자신의 생각을 더 잘 전달할 수 있다. ☐

㉡ 읽는 사람이 글을 이해하기 쉬워진다. ☐

㉢ 글의 내용이 많아져 글의 길이가 늘어난다. ☐

3 글을 쓴 목적과 제목을 생각하여 고쳐 쓰는 것은 어떤 수준에서의 고쳐 쓰기입니까?

㉠ 글 수준 ☐

㉡ 문단 수준 ☐

㉢ 낱말 수준 ☐

4 문장 수준에서 글을 고쳐 쓰는 방법으로 알맞은 것은 무엇입니까?

㉠ 표현이 적절하지 않은 문장 고쳐 쓰기 ☐

㉡ 뒷받침 문장들과 어울리지 않는 중심 문장 고쳐 쓰기 ☐

연습 도움말을 참고하여 내 생각을 차근차근 써 보세요.

1 다음을 읽고 물음에 답하시오. [11점]

가 쓰레기가 되는 불량 식품

여러분, 불량 식품을 먹지 맙시다. 불량 식품을 먹고 나서 쓰레기를 버리는 사람이 많습니다. 그렇게 버린 쓰레기들이 우리 학교 주변을 더럽혀 보기에도 좋지 않고, 악취도 납니다. 불량 식품에는 무엇이 들어갔는지, 그리고 유통 기한은 언제까지인지 정확히 적혀 있지 않습니다. 불량 식품을 먹으면 해로운 물질이 몸에 들어가 병에 걸리기 쉽습니다. 불량 식품은 아무리 맛있어서 먹으면 안 됩니다.

나

이 글에서 불량 식품을 먹지 말자고 말하고 싶었어.
주제와 관련 없거나 보충할 내용을 찾아보면 좋겠어.
지혜

(1) 가의 글쓴이가 글을 쓴 목적은 무엇인지 쓰시오. [3점]

주장하는 글에서 글쓴이의 주장이 무엇인지 알아보세요.

• ☐ 을 먹지 말자고 설득하려고 썼다.

(2) 가의 글쓴이에게 나의 지혜처럼 해 주고 싶은 말을 생각하여 두 가지 쓰시오. [8점]

[답안 작성 시 유의 사항] 글쓴이가 글을 고쳐 쓸 때 도움이 되는 내용을 쓴다.

2 고쳐 써야 할 부분을 생각하며 「다른 사람을 존중하자」를 읽고 물음에 답하시오. [22점]

가 ㉠요즘 많은 어린이가 이야기할 때 은어나 비속어를 사용했다. 국립국어원 조사에 따르면 조사 대상 초등학생의 93퍼센트가 비속어를 사용한 적이 있다고 한다. 만약 학생 열 명이 있다면 적어도 아홉 명은 비속어를 사용한 적이 있는 것이다. 비속어가 아닌 고운 말을 사용해야 하는 까닭은 무엇일까?

나 고운 말은 다른 사람을 존중하는 마음을 전할 수 있게 한다. 그리고 다른 사람과 대화를 원활하게 할 수 있게 한다. 또 ㉡무조건 고운 말을 사용하는 것만이 우리말을 아름답게 가꾸고 지키는 일이다. 이제라도 고운 말을 사용하는 바른 언어 습관을 기르려고 ㉢노력하면 좋을 수도 있다.

(1) ㉠을 다음과 같이 고쳐 쓴 까닭을 쓰시오. [10점]

요즘 많은 어린이가 이야기할 때 은어나 비속어를 사용한다.

(2) ㉡을 다음 '고쳐 쓴 까닭'에 맞게 고쳐 쓰시오. [8점]

고쳐 쓴 까닭: 지나치게 단정적인 표현은 거부감을 줄 수 있기 때문이다.

(3) ㉢을 알맞게 고쳐 쓰시오. [4점]

단원 평가

문제 풀이

[1~2] 다음 그림을 보고 물음에 답하시오.

불량 식품을 먹으면 아플 수도 있어.
불량 식품을 먹고 쓰레기를 함부로 버리는구나.
불량 식품을 먹지 말자는 주장을 글로 쓰고 싶어.
불량 식품에는 유통 기한도 적혀 있지 않구나.
1
2
3
4

1 도현이가 글을 쓰려고 하는 까닭은 무엇입니까? (　　　)

① 불량 식품이 과대 포장되어서
② 식품의 유통 기한이 지나치게 길어서
③ 불량 식품을 먹고 아픈 친구를 보아서
④ 학교 앞에 쓰레기통이 없어 불편을 겪어서
⑤ 유통 기한이 지난 음식을 먹고 배탈 나는 친구들이 많아서

2 글을 쓸 때 도현이의 주장을 뒷받침할 근거로 알맞은 것은 무엇입니까? (　　　)

① 불량 식품을 먹으면 선생님께 혼이 난다.
② 불량 식품을 사 먹으면 돈을 많이 쓰게 된다.
③ 불량 식품을 먹고 쓰레기를 버릴 곳이 부족하다.
④ 불량 식품을 친구와 나눠 먹지 않으면 사이가 나빠질 수 있다.
⑤ 불량 식품에는 유통 기한도 적혀 있지 않아서 상한 식품을 먹을 수 있다.

[3~4] 다음 글을 읽고 물음에 답하시오.

(가) 처음 쓴 글: ㉠쓰레기가 되는 불량 식품

여러분, 불량 식품을 먹지 맙시다. ㉡불량 식품을 먹고 나서 쓰레기를 버리는 사람이 많습니다. 그렇게 버린 쓰레기들이 우리 학교 주변을 더럽혀 보기에도 좋지 않고, 악취도 납니다. 불량 식품에는 무엇이 들어갔는지, 그리고 유통 기한은 언제까지인지 정확히 적혀 있지 않습니다. 불량 식품을 먹으면 해로운 물질이 몸에 들어가 병에 걸리기 쉽습니다. 불량 식품은 ㉢아무리 맛있어서 먹으면 안 됩니다.

(나) 고쳐 쓴 글: ㉣건강을 해치는 불량 식품

여러분, 불량 식품을 먹지 맙시다. 불량 식품에는 무엇이 들어갔는지, 그리고 유통 기한은 언제까지인지 정확히 적혀 있지 않습니다. 불량 식품을 먹으면 해로운 물질이 몸에 들어가 병에 걸리기 쉽습니다. ㉤그리고 유통 기한을 알 수 없어 신선하지 않은 식품을 먹게 될 수도 있습니다. 불량 식품은 아무리 맛있어도 먹지 말아야 합니다.

3 글 (가)의 내용으로 알맞은 점을 모두 고른 것은 무엇입니까? (　　　)

㈎ 불량 식품을 먹으면 건강이 나빠지기 쉽다.
㈏ 불량 식품은 유통 기한이 없으므로 상하지 않는다.
㈐ 불량 식품에 들어가는 재료를 정확히 알 수 있다.
㈑ 불량 식품 쓰레기를 함부로 버려 학교 주변이 더러워진다.

① ㈎　② ㈏　③ ㈑
④ ㈎, ㈐　⑤ ㈎, ㈑

4 ㉠~㉤에 대한 설명으로 알맞은 것은 무엇입니까? (　　　)

① ㉠은 글의 주장을 잘 나타내는 제목이다.
② ㉡은 내용이 너무 길어 글이 어려워져 삭제하였다.
③ ㉢은 '아무리'와 '맛있어서'가 서로 어울리지 않으므로 고쳐 썼다.
④ ㉣은 글의 내용과 반대되는 주장에 어울리는 제목이다.
⑤ ㉤은 주장을 뒷받침하기에 알맞지 않은 내용이다.

7 단원

[5~8] 다음 글을 읽고 물음에 답하시오.

가 요즘 많은 어린이가 이야기할 때 은어나 비속어를 사용한다. 국립국어원 조사에 따르면 조사 대상 초등학생의 93퍼센트가 비속어를 사용한 적이 있다고 한다. 만약 ㉠학생 열 명이 있기 때문에 적어도 아홉 명은 비속어를 사용한 적이 있는 것이다. 비속어가 아닌 고운 말을 사용해야 하는 까닭은 무엇일까?

나 고운 말을 사용하면 서로 존중하는 마음을 전할 수 있다. 흔히 말이 눈에 보이지 않는 마음임을 표현할 때 "말은 마음의 거울"이라는 격언을 사용한다. 고운 말을 사용해야 하는 것은 어린이만이 아니다. 존중하는 마음이 없다면 고운 말도 나오지 않는다.

다 고운 말은 다른 사람을 존중하는 마음을 전할 수 있게 하고, 다른 사람과 대화를 원활하게 할 수 있게 한다. 또 무조건 고운 말을 사용하는 것만이 우리말을 아름답게 가꾸고 지키는 일이다. ㉡이제라도 고운 말을 사용하는 바른 언어 습관을 기르려고 노력하면 좋을 수도 있다.

라 고운 말을 사용하면 다른 사람과 원활하게 대화할 수 있다. 은어나 비속어는 대화를 어렵게 하고 오해를 불러일으킨다. 단순히 재미있으려고 은어나 비속어를 사용했다가 친구들끼리 싸움으로 이어지는 경우도 있고, 어른과 어린이의 일상적인 대화가 어려워지는 경우도 있다.

마 고운 말을 사용하는 것은 우리말을 지키는 것과 같다. 말은 우리 민족의 혼이 담긴 소중한 문화유산이다. 은어나 비속어를 사용한다면 그것이 우리 후손에게 그대로 전해질 것이다. 고운 말을 사용해 아름다운 우리말을 지켜야 한다.

5 가~마를 글의 흐름에 알맞게 배열한 것은 무엇입니까? (　　　)

① 가 - 나 - 다 - 라 - 마
② 가 - 나 - 라 - 마 - 다
③ 가 - 마 - 나 - 다 - 라
④ 가 - 다 - 나 - 라 - 마
⑤ 가 - 나 - 라 - 다 - 마

6 ㉠을 바르게 고친 것은 무엇입니까? (　　　)

① 학생 열 명이 있고
② 학생 열 명이 있지만
③ 학생 열 명이 있으나
④ 학생 열 명이 있다면
⑤ 학생 열 명이 있으므로

7 ㉡을 고쳐 써야 하는 이유로 가장 알맞은 것은 무엇입니까? (　　　)

① 잘못된 내용이어서
② 문장 호응에 맞지 않아서
③ 불확실한 표현을 사용해서
④ 지나치게 어려운 표현을 사용해서
⑤ 중심 문장의 내용과 관련이 없어서

8 글쓴이가 이 글을 쓴 목적은 무엇입니까? (　　　)

① 고운 말이 무엇인지 설명하려고
② 고운 말을 사용해야 한다고 주장하려고
③ 다른 사람을 존중해야 한다고 주장하려고
④ 다른 사람을 존중하는 방법을 설명하려고
⑤ 친구 관계에서 말이 얼마나 중요한지 설명하려고

[9~11] 다음 글을 읽고 물음에 답하시오.

아침밥의 중요성

하루 세끼 가운데에서 가장 ㉠중요한것이 아침밥이다. 부모님께서는 건강하려면 아침밥을 먹어야 한다고 말씀하신다. ㉮비록 한 끼라서 아침밥을 거르거나 대충 때우면 ㉡하루 온종일 열량과 영양소가 부족해 건강을 잃게 된다. 아침밥을 거르면 영양소가 부족해 몸도 마음도 힘들어진다. 그렇다면 아침밥을 먹어야 하는 ㉢까닥은 무엇일까?

아침밥은 장수의 필수 조건이다. 날마다 아침밥을 거르면 밤새 분비된 위산이 중화되지 않아 위가 ㉣불편해졌다. 이런 습관이 오래 지속되면 위염이나 위궤양으로 진행될 수 있다. 또 밤새 써 버린 수분을 보충하기 어렵고 체내에 저장해 두었던 영양소가 소모된다. 그래서 피부는 ㉤푸석 푸석해지고 주름에 빈혈까지 생겨 건강이 나빠진다.

아침밥을 먹으면 몸도 건강해지고 하루를 활기차게 시작할 수 있다. 우리 모두 아침밥을 거르지 말고 꼭 먹자.

9 글을 읽고 알 수 있는 것으로 알맞지 않은 것은 무엇입니까? (　　　)

① 오래 살기 위해서는 아침밥을 먹어야 한다.
② 아침밥을 먹지 않으면 영양소가 부족해진다.
③ 글쓴이는 아침밥을 먹어야 한다고 주장하고 있다.
④ 아침밥을 먹으면 하루를 활기차게 시작할 수 있다.
⑤ 아침밥을 먹으면 밤새 분비된 위산이 중화되지 않는다.

10 ㉠~㉤을 고친 것으로 알맞은 것은 무엇입니까? (　　　)

① ㉠ – 중요한것은
② ㉡ – 하루 온 종일
③ ㉢ – 까닭
④ ㉣ – 불편했었다
⑤ ㉤ – 푸석푸석 해지고

11 ㉮를 고칠 때 사용하는 교정 부호는 어느 것입니까? (　　　)

① ∨　② ⌒　③ (교정 부호)　④ (교정 부호)　⑤ (교정 부호)

12 글을 고쳐 쓸 때, 점검할 질문으로 알맞지 않은 것은 무엇입니까? (　　　)

① 필요 없는 문장이 있는가?
② 타당한 근거를 들어 썼는가?
③ 문단의 중심 생각이 잘 나타나 있는가?
④ 중심 문장과 뒷받침 문장이 자연스럽게 연결되는가?
⑤ 한 문단에 여러 개의 중심 문장과 하나의 뒷받침 문장이 있는가?

13 읽는 사람이 더 잘 이해할 수 있는 글이 아닌 것은 어느 것입니까? (　　　)

① 군더더기가 없는 글
② 틀린 문장이 없는 글
③ 필요한 내용이 적은 글
④ 문장 호응이 잘 이루어진 글
⑤ 적절하지 않은 낱말이 없는 글

7 단원

[14~16] 다음 글을 읽고 물음에 답하시오.

동물의 희생, 동물 실험을 반대한다

의약품 따위를 만드는 실험으로 전 세계에서 해마다 약 6억 마리의 동물이 희생되고 있다. 개발한 약품을 사람에게 바로 사용하지 않고 동물을 대상으로 먼저 실험해 보기 때문이다. 예를 들면 피부에 사용하는 약품을 개발할 때 토끼의 눈에 화학 물질을 넣어 부작용이 생기는지 확인한다. 토끼는 눈 깜빡임과 눈물이 적어 실험 결과를 오래 관찰할 수 있기 때문이다. 눈에 화학 물질이 들어간 토끼는 눈에서 피가 나기도 하고 심한 경우 눈이 멀기도 한다.

동물 실험을 반대하는 사람들이 늘어나고 있다. 사람과 동물의 몸은 차이가 크기 때문에 이러한 동물 실험은 소용이 없다고 주장한다. 실제로 동물 실험을 통과한 신약 후보 열 개 가운데 아홉 개는 사람에게 효과가 없거나 부작용을 일으킨다고 한다.

14 이 글을 읽고 알 수 있는 것으로 알맞지 않은 것은 무엇입니까? (　　　)

① 동물 실험에 사용된 토끼는 눈이 멀기도 한다.
② 개발한 약품은 사람보다 동물에게 먼저 실험해 본다.
③ 토끼의 눈은 실험 결과를 오래 관찰할 수 있는 조건을 갖췄다.
④ 동물 실험을 통과한 약이라도 사람에게 부작용을 일으킬 수 있다.
⑤ 동물 실험이 시작된 이후 실험으로 희생된 동물의 수는 약 6억 마리이다.

15 글쓴이의 주장은 무엇입니까? (　　　)

① 동물 실험을 해야 한다.
② 신약을 개발하면 안 된다.
③ 동물 실험을 해서는 안 된다.
④ 사람과 동물의 몸에는 차이가 없다.
⑤ 동물 실험은 작은 동물로만 해야 한다.

16 글쓴이의 주장을 생각할 때 글에 추가할 내용으로 알맞은 것은 무엇입니까? (　　　)

① 유기 동물 보호 방법
② 신약이 필요한 질병들
③ 한 해에 낭비되는 화장품의 양
④ 동물 실험이 처음 시작된 사례
⑤ 동물 실험 찬반 투표에서 반대표가 많은 결과

[17~18] 다음 글을 읽고 물음에 답하시오.

동물 실험을 없애도 괜찮을까

최근 미국 ○○대학교 연구진은 전 세계적으로 680여 명이 희생된 중동호흡기증후군[메르스]의 백신을 개발했다. 연구진이 동물 실험으로 그 효과를 확인하려고 백신을 원숭이에게 투여했다. 그리고 이 백신이 중동호흡기증후군[메르스]을 예방할 수 있다는 확신을 가졌다. 이렇게 동물 실험은 새로운 약 개발에 중요한 역할을 한다.

동물 실험도 하지 않고 개발한 약을 사람들에게 사용하면 부작용이 발생할 수 있다. 1937년에 한 제약 회사에서 술파닐아미드라는 약을 새롭게 개발했다. 그런데 동물 실험을 거치지 않고 사람들에게 이 약을 판매했다. 그 결과, 이 약을 복용한 많은 사람이 부작용으로 사망하는 불행한 일이 일어났다.

일부 사람들은 동물 실험을 당장 다른 방법으로 대체해야 한다고 주장한다. 그러나 대체 방법을 개발하는 데 6년 이상의 시간과 약 400억 원 이상의 비용이 필요하다. 이처럼 오랜 개발 기간과 막대한 비용 때문에 빠른 시일 안에 동물 실험을 대체하기는 어렵다.

17 **이 글의 글쓴이의 주장은 무엇입니까? (　　　　)**

① 동물 실험을 해야 한다.
② 동물 실험을 해서는 안 된다.
③ 동물 실험은 의료 목적으로만 해야 한다.
④ 동물 실험을 다른 방법으로 대체해야 한다.
⑤ 동물 실험은 새로운 약 개발에 중요한 역할을 한다.

18 **이 글에서 알 수 있는 사실은 무엇입니까? (　　　　)**

① 약 개발에는 시간이 적게 걸린다.
② 새로 개발한 약은 부작용이 없다.
③ 약 개발에 동물 실험은 중요하지 않다.
④ 동물 실험은 대체 실험보다 시간이 많이 걸린다.
⑤ 동물 실험은 새로운 약 개발에 중요한 역할을 한다.

19 **다음 빈칸에 알맞은 말은 무엇입니까? (　　　　)**

글 수준에서는 글 전체 (　　　　)이/가 잘 드러났는지 확인해야 한다.

① 길이
② 주제
③ 상황
④ 표현
⑤ 문장

20 **다음 그림을 보고 인간과 자연의 조화를 주제로 글을 쓸 계획을 알맞게 말한 사람을 모두 고른 것은 무엇입니까?**
(　　　　)

❶

❷

혜림: '악취 나는 하천의 문제점'을 제목으로 정할 거야.
정한: 불필요한 에너지 소비를 줄이자는 내용을 쓸 거야.
연정: 동물들에게도 행복할 권리가 있다는 내용을 쓸 거야.
동현: 난방비가 올라 보일러를 틀지 못하는 상황에 대처하는 방법을 쓸 거야.

① 혜림　　② 정한
③ 혜림, 동현　　④ 정한, 연정
⑤ 정한, 연정, 동현

7 단원

· 답안 입력하기　· 평가 분석표 받기

온라인 개념 강의

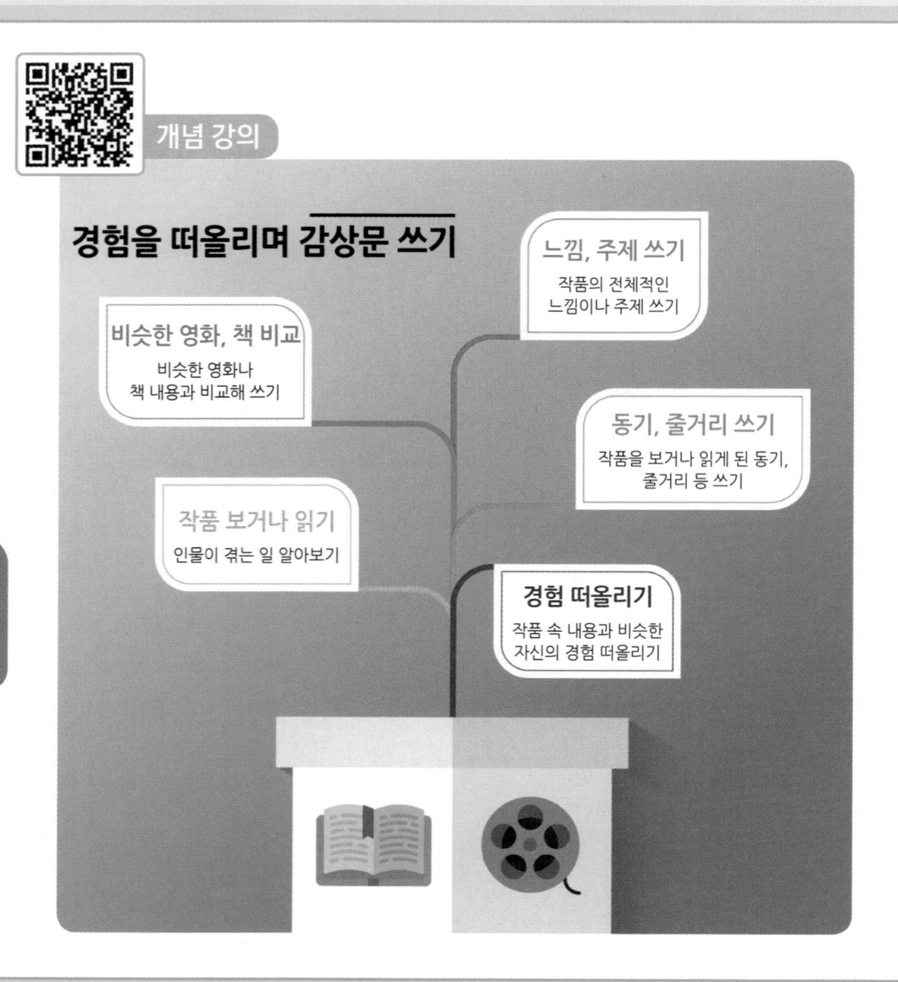
개념 강의
경험을 떠올리며 감상문 쓰기
느낌, 주제 쓰기
작품의 전체적인 느낌이나 주제 쓰기
비슷한 영화, 책 비교
비슷한 영화나 책 내용과 비교해 쓰기
동기, 줄거리 쓰기
작품을 보거나 읽게 된 동기, 줄거리 등 쓰기
작품 보거나 읽기
인물이 겪는 일 알아보기
경험 떠올리기
작품 속 내용과 비슷한 자신의 경험 떠올리기

✳ 강의를 들으며 중요한 내용을 메모하세요!

● 영화를 감상하는 방법은?

● 경험한 내용을 영화로 만드는 방법은?

8 단원

개념 확인하기

정답에 ✓표를 하시오.

정답 39쪽

1 영화를 감상하는 방법으로 알맞은 것은 무엇입니까?

㉠ 인물의 성격과 인물들의 관계를 이해한다. ☐

㉡ 영상의 특징보다는 영상을 상영하는 장소를 살펴본다. ☐

2 경험한 내용을 영화로 만들 때 주제로 알맞은 것은 무엇입니까?

㉠ 10년 뒤의 내 모습 ☐

㉡ 수학여행에서 있었던 일 ☐

3 경험한 내용을 영화로 만드는 과정으로 알맞은 것은 무엇입니까?

㉠ 친구들의 경험을 조사한다. ☐

㉡ 주제와 관련된 자료를 수집한다. ☐

4 경험한 내용을 영화로 만들고 보완할 때 생각할 점으로 알맞은 것은 무엇입니까?

㉠ 음악은 요즘 유행하는 것인가? ☐

㉡ 사진 자료와 자막의 내용이 어울리는가? ☐

연습 도움말을 참고하여 내 생각을 차근차근 써 보세요.

1

자신이 여행 갈 곳을 떠올리며 「나의 여행」 일부를 보고 물음에 답하시오. [13점]

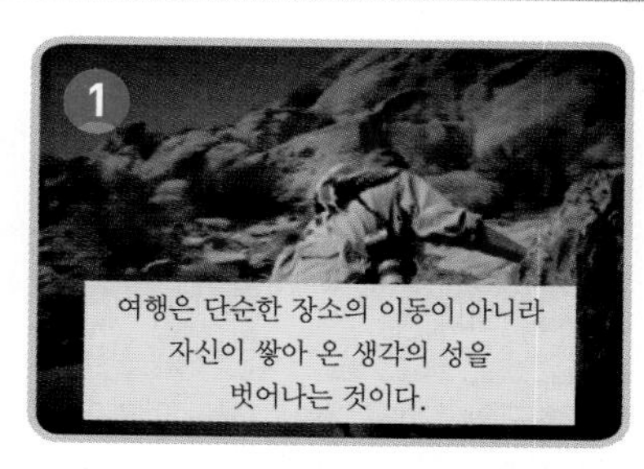

1
여행은 단순한 장소의 이동이 아니라
자신이 쌓아 온 생각의 성을
벗어나는 것이다.

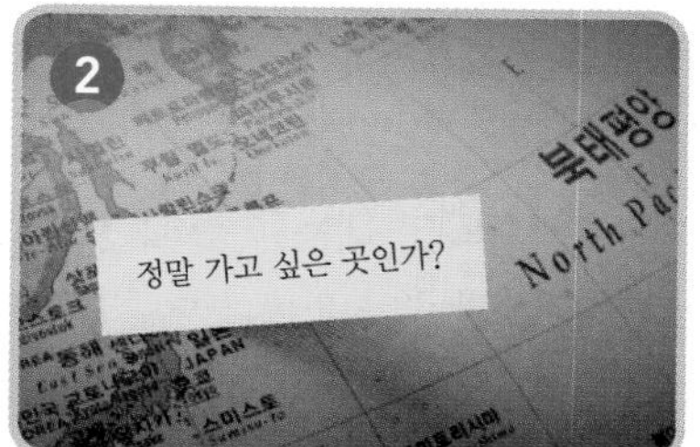

3
다른 문화를 존중하고
배려하는 서로 공정한 여행

(1) 여행이란 무엇인지 영상에서 찾아 쓰시오. [5점]

(2) ❷와 같이 여행을 가기 전에 알아보아야 할 것은 무엇인지 쓰시오. [8점]

[답안 작성 시 유의 사항] 여행을 가기 전에 책이나 인터넷 따위의 자료에서 알아보아야 할 것을 두 가지 쓴다.

2

인물이 겪는 일을 상상하며 「대상주 홍라」를 읽고 물음에 답하시오. [30점]

가 가자. 교역을 하러 가자. 어머니가 돌아오기 전에 빚을 갚는 거야. 상단을 지키는 거야. 대상주 금기옥의 딸답게.

홍라는 눈물을 닦았다. 언제부터인가 울고 있었던 것이다. 하지만 이제는 울지 않을 생각이었다. 상단을 이끌고 교역을 떠나야 했다. 상단을 지켜야 했다.

따로 상단의 일을 배운 적은 없지만, 상단의 딸이다. 나면서부터 교역에 대해 보고 들었다. 어떻게 해야 하는지 알 수 있었다.

나 "장안으로 교역을 나설 거야. 월보, 비녕자, 같이 갈 수 있지?"

선심 쓰는 듯 말했지만, 속으로 좀 걱정이 되었다. 월보에게도 아직 품삯을 주지 못했다. 상단이 망해 간다는 소문이 파다한데, 월보가 따라나서 줄지 걱정이었다. 비녕자의 불만에 찬 표정도 마음에 걸렸다.

하지만 월보는 반색해 주었다.

"자, 장안이라고요? 네! 네, 갈게요. 가겠습니다!"

(1) 글 **가**와 **나**에서 홍라가 겪는 일은 무엇인지 쓰시오. [각 7점]

① 가	② 나

(2) 이 글에서 인상 깊은 장면과 그렇게 생각하는 까닭을 쓰시오. [각 8점]

① 인상 깊은 장면	② 그렇게 생각하는 까닭

8 단원

[1~2] 다음 영상을 보고 물음에 답하시오.

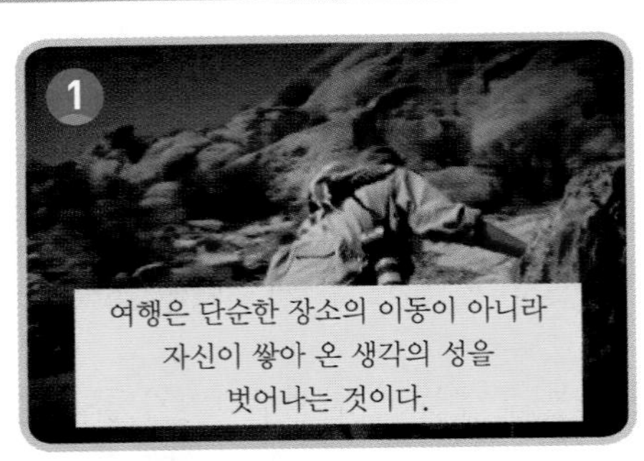

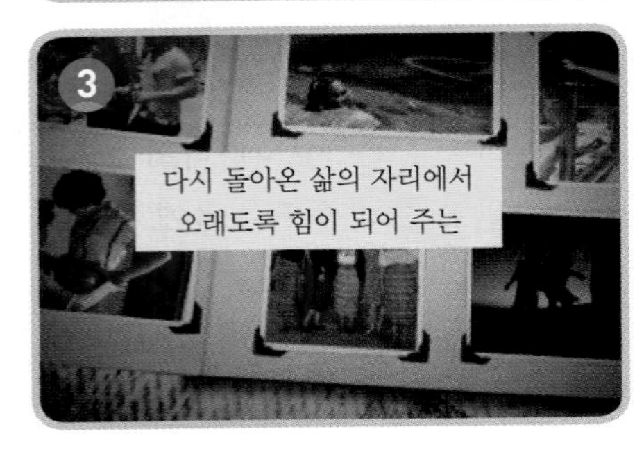

3
다시 돌아온 삶의 자리에서
오래도록 힘이 되어 주는

1 ❷번 장면을 바탕으로 생각할 때 바람직한 여행이란 무엇입니까? (　　　)

① 국내를 여행하는 것
② 기념품을 많이 사는 것
③ 여러 장소를 돌아다니는 것
④ 다른 문화의 사람들을 존중하는 것
⑤ 잘 알려지지 않은 곳에 방문하는 것

2 영상을 보고 알 수 있는 여행의 의미로 알맞은 것은 무엇입니까? (　　　)

① 고향으로 돌아가는 것이다.
② 자기 문화를 체험하는 것이다.
③ 살아온 곳에서 이동하는 것이다.
④ 오래도록 힘이 되어 주는 것이다.
⑤ 여러 나라의 성을 방문하는 것이다.

[3~5] 다음 영화 장면을 보고 물음에 답하시오.

융이 입양되기 전 고아원에서 밥을 먹음.

아들, 넘어져도
일어나서 다시 타면 돼.

양아버지가 융에게 자전거 타는 방법을 가르쳐 줌.

융이 학교에서 친구의 식권을 훔쳐서 양어머니께 '썩은 사과'라고 불리며 꾸지람을 들음.

사람의 따뜻함이
그리웠던 것 같아요.

융이 아프자 양어머니께서 위로해 주고 융은 양어머니 마음속에 자신이 자리 잡고 있다는 것을 알게 됨.

3 ❶의 영상과 자막의 내용을 통해 알 수 있는 것은 무엇입니까? (　　　)

① 융은 양할머니와 함께 산다.
② 융은 입양되기 전에 고아원에서 살았다.
③ 형제들은 융을 싫어해서 같이 놀지 않는다.
④ 융은 형제가 많아 소란스러운 것을 싫어한다.
⑤ 양어머니는 융에 대해 양할머니께 알리지 않았다.

4 ❸에서 융의 얼굴 표정은 어떠합니까? (　　　)

① 기쁘다.
② 행복하다.
③ 신기하다.
④ 속상하다.
⑤ 만족스럽다.

5 ❹를 통해 알 수 있는 것은 무엇입니까? (　　　)

① 융은 형제들이 많다.
② 양어머니는 융을 사랑하신다.
③ 형제들은 융과 잘 어울리며 지낸다.
④ 융과 가족은 서로 어울릴 생각을 하지 않는다.
⑤ 융이 항상 어두운 표정이어서 형제들이 싫어한다.

8 단원

6 영화를 보고 내용을 확인하기 위해 만든 질문으로 알맞지 않은 것은 무엇입니까? (　　　)

① 주인공은 어떤 말을 했나요?
② 주인공의 이름은 무엇인가요?
③ 영화를 본 장소는 어디인가요?
④ 주인공에게 어떤 일이 일어났나요?
⑤ 등장인물들의 관계는 어떻게 되나요?

[7~9] 다음 글을 읽고 물음에 답하시오.

가 「피부 색깔=꿀색」이라는 영화를 보았다. 제목부터가 뭔가 전하고 싶은 이야기가 많은 영화라고 생각했다. 이 영화는 벨기에에 입양된 우리 동포 융이라는 사람이 어린 시절을 회상하며 이야기가 시작된다.
나 융은 한국에서 새로 입양된 여동생과 자신이 닮았다는 말을 듣기 싫어하며 동생과 가족을 멀리한다. ㉠그리고 융은 학교에서 말썽을 일으키고 집에서 거짓말까지 하면서 점점 더 엇나가는 행동을 한다.
　융의 장난만큼은 아니지만 나도 가끔은 친구나 동생에게 심한 장난을 한다. 하지만 융의 행동이 주위의 관심과 사랑을 받고 싶고 자신이 누구인지를 찾으려는 몸부림이라는 것을 알았을 때 마음이 많이 아팠다.
다 영화를 보는 내내 나는 입양된 사람들이 우리 역사에서 겪은 아픔을 생각했다. 본인의 의지와 상관없이 다른 나라에서 살아야 하는 사람들, 그리고 우리나라에 온 사람들까지. 나는 우리가 지금 서로를 따뜻하게 감싸 안아야 할 때라고 생각한다.

7 글쓴이가 영화를 보는 내내 생각한 것은 무엇입니까? (　　　)

① 입양을 하는 시기
② 입양을 하는 까닭
③ 입양을 많이 하는 나라
④ 우리나라에서 입양되는 아이의 숫자
⑤ 입양된 사람들이 우리 역사에서 겪은 아픔

8 융이 ㉠과 같은 행동을 한 까닭은 무엇입니까? (　　　)

① 양부모님에게 반항하고 싶어서
② 친구들과 친하게 지내기 싫어서
③ 양부모님께 꾸중을 듣고 싶어서
④ 주위의 관심과 사랑을 받고 싶어서
⑤ 양부모님의 관심에서 벗어나고 싶어서

9 글쓴이가 영화 감상문에 쓰지 않은 것은 무엇입니까? (　　　)

① 영화의 줄거리
② 영화를 보고 느낀 점
③ 제목을 보고 든 생각
④ 이 영화를 추천하고 싶은 이유
⑤ 영화를 보고 떠올린 자신의 경험

8 단원

10 영화 감상문을 쓰는 방법으로 알맞지 않은 것은 어느 것입니까? (　　　)

① 영화를 보게 된 까닭은 쓰지 않는다.
② 영화를 보면서 떠오르는 책 내용을 쓴다.
③ 인상 깊은 장면과 그렇게 생각하는 까닭을 적는다.
④ 줄거리는 영화를 볼 사람에게 도움이 되도록 쓴다.
⑤ 시나 만화, 일기와 같은 여러 가지 형식으로 쓸 수 있다.

[11~13] 다음 글을 읽고 물음에 답하시오.

가 홍라는 탁자 위에 지도를 펼쳤다. 오래된 가죽 냄새를 맡으니 어머니에 대한 그리움이 밀려들었다. 어머니는 지도를 펼치는 것으로 하루를 시작했다. 어머니의 손길로 반들반들해진 지도였다. 지도에 새겨진 길을 손끝으로 더듬자 어머니의 목소리가 들려오는 것 같았다.
나 홍라는 소그드의 은화를 가만히 들여다보았다. 그러다 다시 지도로 눈길을 돌렸다.
솔빈으로 가서 은화를 팔고……. 그래! 솔빈의 말을 사자!
솔빈의 말은 당나라까지 널리 알려진 명마다. 솔빈의 말을 장안으로 가져가면 비싼 값에 팔 수 있다. 그리고 장안에서 비단을 싸게 사서 온다면……. 가만히 앉아 있으면 묘원의 은화는 비단 오백 필 값. 그러나 길을 나선다면 천 필, 아니 이천 필 값이 될 수 있다.
가자. 교역을 하러 가자. 어머니가 돌아오기 전에 빚을 갚는 거야. 상단을 지키는 거야. 대상주 금기옥의 딸답게.
다 홍라는 눈물을 닦았다. 언제부터인가 울고 있었던 것이다. ㉠하지만 이제는 울지 않을 생각이었다. 상단을 이끌고 교역을 떠나야 했다. 상단을 지켜야 했다.

11 홍라가 오래된 가죽 지도를 보면서 어머니를 그리워한 까닭은 무엇입니까? (　　　)

① 어머니가 항상 보던 지도이기 때문이다.
② 어머니가 가장 좋아했던 지도이기 때문이다.
③ 어머니가 홍라에게 사 준 지도이기 때문이다.
④ 어머니가 정성스럽게 그린 지도이기 때문이다.
⑤ 어머니가 먼 곳에서 구해 온 지도이기 때문이다.

12 홍라가 교역을 떠나기로 결심한 까닭은 무엇입니까? (　　　)

① 어머니를 찾으려고
② 빚을 갚고 상단을 지키려고
③ 더 넓은 세상에 나가 많은 경험을 하려고
④ 신기한 물건들이 많은 서역에 가 보고 싶어서
⑤ 자신이 대상주의 딸이라는 것을 증명해 보이려고

13 ㉠에서 알 수 있는 홍라의 생각으로 알맞은 것은 무엇입니까? (　　　)

① 기쁜 마음이 든다.
② 더는 어머니 생각을 하지 않겠다.
③ 상단을 지키기 위해 강해져야 한다.
④ 상단을 이끌어 줄 사람을 찾을 것이다.
⑤ 먼 길을 가는 것은 두려우니 가까운 곳으로 교역을 떠나겠다.

[14~17] 다음 글을 읽고 물음에 답하시오.

가 "친샤!"

홍라가 부르자 곧 친샤가 검으로 마루를 툭툭 쳐서 기척을 보냈다. 홍라는 밖으로 나갔다.

"월보는 떠났어?"

상단의 믿음직한 일꾼들은 지난 풍랑으로 거의 잃었다. 상단에 남아 있던 일꾼들은 대상주를 찾기 위해 동경에 가 있었다. 그러고도 남아 있는 일꾼들은 나이가 많거나 혹은 너무 어렸다. 그렇다고 표 나게 사람을 모을 수는 없었다. 빚쟁이들의 눈총이 무서웠다.

나 곧 친샤가 월보와 어느 소년을 데리고 왔다.

홍라는 소년을 보고서 미간을 찌푸리며 기억을 더듬었다. 분명 낯익은 얼굴인데, 누구인지 잘 기억나지 않았다. / 월보가 소년을 소개했다.

"아가씨, 비녕자이옵니다. 동경의 해안에서 우리를 구해 주었던……." / "아!"

홍라는 그제야 기억이 났다. 비녕자. 말값으로 금가락지를 주고 떠나며 금씨 상단으로 찾아오라 했다. 목숨 구해 준 값도 후하게 치르겠다고 약속했다.

다 "장안으로 교역을 나설 거야. 월보, 비녕자, 같이 갈 수 있지?"

㉠선심 쓰는 듯 말했지만, 속으로 좀 걱정이 되었다. 월보에게도 아직 품삯을 주지 못했다. 상단이 망해 간다는 소문이 파다한데, 월보가 따라나서 줄지 걱정이었다. 비녕자의 불만에 찬 표정도 마음에 걸렸다.

하지만 월보는 반색해 주었다.

"자, 장안이라고요? 네! 네, 갈게요. 가겠습니다!"

비녕자는 여전히 뚱한 얼굴이지만 그래도 고개를 끄덕였다.

반가워서 손이라도 잡아 주고 싶었다. 하지만 대상주답게 굴어야 했다. 홍라는 애써 엄한 표정을 지었다.

14 홍라가 교역을 떠날 일꾼을 모으는 데 어려움을 겪은 이유로 알맞은 것은 무엇입니까? (　　　)

① 일꾼들의 나이가 서로 달라서
② 표 나게 사람을 모을 수 없어서
③ 상단의 일꾼들은 믿을 수 없어서
④ 일꾼들이 새로운 대상주를 원해서
⑤ 상단의 일꾼들을 풍랑으로 모두 잃어서

15 다음 중 비녕자에 대해 설명한 것으로 알맞은 내용을 모두 고른 것은 무엇입니까? (　　　)

㉮ 금씨 상단의 일꾼이었다.
㉯ 동경에서 홍라의 목숨을 구해 주었다.
㉰ 장안으로 교역을 간다는 이야기를 듣고 기뻐했다.
㉱ 홍라의 목숨을 구해 준 답례로 금가락지를 받았다.

① ㉮　② ㉯　③ ㉱
④ ㉮, ㉰　⑤ ㉯, ㉱

16 홍라가 ㉠과 같이 생각한 까닭은 무엇입니까? (　　　)

① 장안은 위험한 곳이어서
② 비녕자가 자신을 싫어해서
③ 장안으로 가는 길을 몰라서
④ 상단이 망해 간다는 소문이 돌아서
⑤ 월보와 비녕자 중 누구를 데려가야 할지 결정하지 못해서

17 글을 읽고 알 수 있는 내용으로 알맞지 않은 것은 무엇입니까? (　　　)

① 대상주는 아직 돌아오지 못했다.
② 홍라는 장안으로 교역을 갈 것이다.
③ 상단이 망해 간다는 소문이 돌았다.
④ 홍라가 품삯을 주지 못한 사람이 있었다.
⑤ 홍라는 함께 교역을 떠날 사람들이 마음에 들지 않았다.

8 단원

[18~20] 다음 글을 읽고 물음에 답하시오.

가 그렇게 교역을 떠날 상단이 꾸려졌다. 대상주의 자격으로 상단을 이끄는 홍라, 무사 친샤, 천문생 월보, 일꾼 비녕자. 초라하기 그지없지만, 중요한 임무를 띠고 있었다. 금씨 상단을 지키기 위한 마지막 기회인지도 몰랐다.

이틀 동안 길 떠날 준비를 했다. 준비랄 것도 없었다. 집안 일꾼들 모르게 몇 가지를 챙기는 게 전부였다. 창고 점검을 한다는 핑계로 말린 고기며 곡식 가루를 좀 챙겼다. 노숙을 해야 할지도 모르니 음식을 조리할 도구도 필요했다. 집에 있는 걸 가져가려니 일꾼들이 알아챌까 걱정스러웠다. 결국 친샤가 시장에서 몇 가지를 사 왔다. 그리고 돈피도 몇 장 챙겼다.

말은 모두 다섯 마리를 준비했다. 홍라와 친샤의 말에 월보와 비녕자가 탈 말도 필요했다. 짐 실을 말도 한 마리 있어야 했다.

홍라는 하인들에게 말을 팔 거라는 핑계를 대고 세 마리를 미리 빼돌렸다. 출발하는 날 아침에 조용히 집을 나서려고 미리 준비해 둔 것이다. 월보가 말들을 성문 근처의 객줏집에 맡겨 두었다. 홍라의 말 하늬와 친샤의 말은, 팔 거라는 핑계를 댈 수 없으니 그냥 집에 두었다.

나 모든 준비를 마친 뒤, 홍라는 방으로 들어왔다. 탁자 앞에 앉아 옥상자를 열었다. 어머니가 남겨 준 열쇠, 그리고 아버지의 선물인 소동인이 있었다.

홍라는 소동인과 열쇠 두 개를 가죽끈에 꿰어 목에 걸었다. 이제 먼 길을 가는 내내 어머니, 아버지가 함께 해 줄 것이다.

드디어 떠난다. 홍라의 가슴이 세차게 고동쳤다. 대상주가 되어 교역을 떠난다. 빚을 갚고 상단을 구할 것이다. 걱정거리가 없지 않지만, 다 이겨 낼 수 있을 것만 같았다. 이겨 내야만 했다.

18 홍라가 교역을 떠나기 위해 한 일이 아닌 것은 무엇입니까? (　　　)

① 돈피를 몇 장 챙겼다.
② 홍라의 말은 집에 두었다.
③ 말 세 마리를 시장에 팔았다.
④ 음식을 조리할 도구를 구입했다.
⑤ 창고에서 말린 고기와 곡식 가루를 챙겼다.

19 홍라가 겪은 일과 비슷한 경험을 알맞게 말하지 못한 사람은 누구입니까? (　　　)

① 세준: 축구 예선 마지막 시합을 앞두고 긴장되고 떨리던 기억이 나.
② 윤지: 중요한 시험을 앞두고 전혀 긴장되지 않아 놀랐던 적이 있어.
③ 미나: 중요한 대회 전날 내가 잘할 수 있을지 걱정돼서 긴장했던 기억이 떠올라.
④ 진호: 반장이 되어 처음 반 행사를 이끌어야 했을 때 걱정되지만 설렜던 마음이 떠올라.
⑤ 수현: 할머니가 선물해 주신 목걸이를 하고 있으면 언제나 할머니와 함께 있는 것 같아서 힘이 났어.

20 이 글을 읽고 독서 감상문을 쓸 때 들어갈 내용으로 가장 알맞은 것은 무엇입니까? (　　　)

① 작품의 가격
② 작품을 산 장소
③ 작품을 읽은 장소
④ 작품을 읽은 사람의 수
⑤ 작품에서 인상 깊은 장면

8 단원

진도 완료 체크

· 답안 입력하기　· 평가 분석표 받기

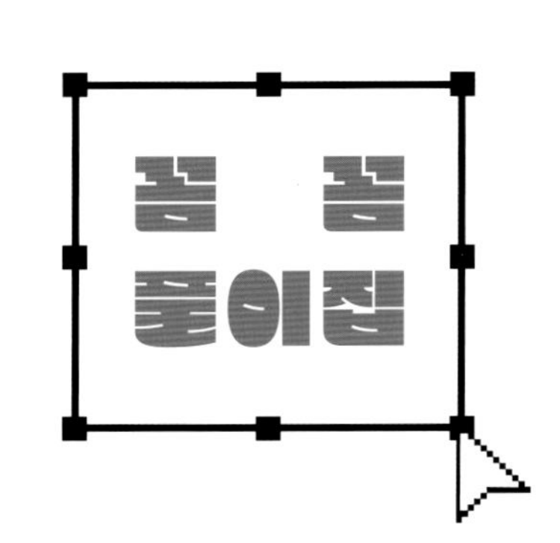
꼼 꼼
풀이집

정답과 풀이

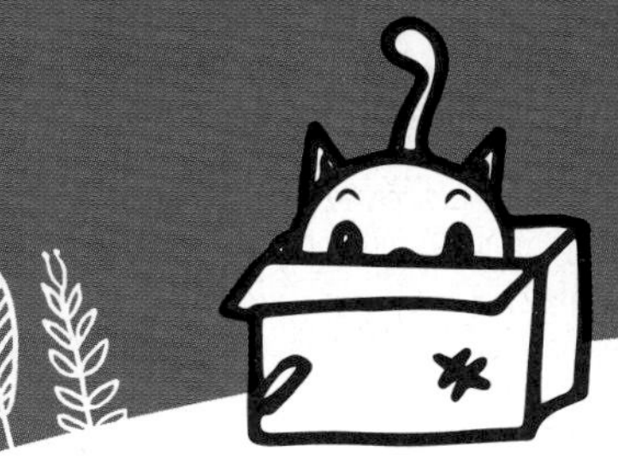

6-2

교과서 진도북

1. 작품 속 인물과 나

진도 학습

교과서 진도북 11~34쪽

1 ①, ④ **2** ① **3** ④ **4** ③, ⑤
5 (1) 남녀 차별 (2) 을사늑약 **6** ②, ③ **7** 서우
8 ⑤ **9** 허련 **10** ① **11** ㉮ **12** ①, ②
13 윤서 **14** ④ **15** ⑤ **16** ①, ⑤ **17** ②
18 (1) 이야기 (2) 소망 (3) 내면 **19** 생각 **20** ①
21 ① **22** ① **23** ② **24** 현준
25 (1) 이상 (2) 생각 **26** ① **27** ③ **28** ③
29 초목법 **30** ④ **31** ② **32** 예 끈기와 열정을 가지고 끊임없이 꿈을 향해 노력하는 삶/성실과 정직을 바탕으로 하여 자신을 속이지 않고 최선을 다하는 삶/용기 있게 자신의 목표에 도전하는 삶 **33** (2) ○ **34** ② **35** ①
36 ③ **37** 우진 **38** ① **39** ①, ④, ⑤
40 ④ **41** ② **42** ② **43** 사랑 **44** ⑤
45 ⑤ **46** 소방관 **47** ①, ②, ③ **48** 끈기
49 싸워 이기겠다는 **50** ② **51** ①, ②, ④
52 예 경민이 아버지의 도전 정신을 본받아 나도 어렵다고 포기한 목표에 도전하겠다. **53** ㉯ **54** 피아노 연습
55 ① **56** ②, ⑤ **57** 건반 **58** ⑤ **59** ①
60 구정물 **61** (1) ○ **62** ② **63** ⑤
64 (1) 생각 (2) 날개 **65** 지민 **66** ③, ⑤ **67** ㉯
68 ⑤ **69** (1) ② (2) ③ (3) ① **70** (1) ① (2) ②
71 (1) ○ **72** ① **73** (1) 꿈을 꾸는 것 (2) 꿈을 이루고 싶은 **74** ① **75** 소민 **76** ①, ④
77 ③ **78** ② **79** ⑤ **80** ④ **81** 책
82 ⑤ **83** ② **84** 예 상수리가 비록 꿈을 꾸는 즐거움을 잠시 잊기는 했지만, 꿈을 이루려고 계속 노력한 것은 배울 점이라고 생각한다. **85** 공 **86** ⑤ **87** ①
88 (1) ×

자습서 확인 문제 24쪽

1 소방관 **2** ㉢ **3** 도전 **4** ③

자습서 확인 문제 33쪽

1 어기 **2** 책 **3** (2) ○ **4** ②

1 의병 운동에 자금이 많이 부족했다는 것과 윤희순이 어떻게든 의병을 돕고 싶은 마음이 컸다는 것을 알 수 있습니다.

2 '왜놈들이 이 나라를 집어삼키려는 마당'이라는 말에서 나라가 일제의 침략을 받았다는 것을 알 수 있습니다.

3 직접 나가 싸우지 못하더라도 숯을 구워서 팔아 의병 운동 자금을 지원하고 노래를 만들어 사람들의 힘을 모았습니다.

4 사람들의 마음을 한 덩어리로 모았고 전에 없던 용기마저 불끈 솟아나게 했습니다.

5 조정 대신이 나라를 팔아먹는다는 말에서 을사늑약이 강제로 체결된 뒤라는 것을 알 수 있습니다.

> **더 알아보기**
>
> **을사 의병**
>
> 1905년에 러시아와의 전쟁에서 이긴 일본은 우리나라를 본격적으로 침략하여 1905년 11월 17일에 강제로 을사늑약을 체결하여 우리나라의 외교권을 빼앗았습니다. 그 결과 을사 의병이 일어났습니다.

6 안사람 의병대가 집집마다 찾아다니며 모금을 하자 살림살이가 어려운 사람들도 의병을 돕겠다고 발 벗고 나섰습니다.

7 일제의 침략으로 우리나라 사람들의 경제 상황이 어려웠다는 것을 알 수 있습니다.

8 윤희순의 삶은 '열정'을 가지고 '정의'를 향해 '도전'하는 삶입니다. 올바른 삶을 향해서 끊임없이 노력하고 도전하기 때문입니다. 그리고 올바른 행동을 하려고 많은 문제와 어려움을 이겨 내기 때문입니다.

9 허련은 해남의 초의 선사에게 학문을 배우다가 초의 선사의 추천으로 추사 김정희에게 그림을 배우러 왔습니다.

10 추사 김정희는 허련의 그림을 보고 견문이 부족하다고 몹시 나쁘게 말하였습니다.

11 허련은 계속 추사 김정희의 집에 머물며 허드렛일을 하며 추사 김정희에게 자신을 제자로 받아 달라고 말하였습니다.

12 추사 김정희가 몇 번이나 자신의 그림을 혹평해 좌절할 수 있는데도 계속 제자가 되려고 노력하는 모습에서 '도전'과 '용기'가 느껴집니다.

13 스승을 찾는 것이 중요한 것이 아니라 스스로 열심히 노력해야 한다는 뜻을 가지고 있습니다.

14 허련은 추사 김정희가 제자로 받아 주지 않는데도 추사 김정희의 제자가 되겠다고 다짐하였습니다.

15 추사 김정희가 제자로 받아 주지 않은 상황에서 허련은 월성위궁을 떠나지 않고 추사 김정희의 시중을 들었습니다. 그리고 추사 김정희가 독서하고 연습하는 습관을 관찰했습니다.

16 허련이 스스로 길을 찾기를 바라고 자신도 그림을 계속 발전시키고 싶어 합니다.

17 추사 김정희가 겉으로는 허련을 제자로 받아 주지 않았지만 허련이 필요한 책이나 화첩을 허련에게 건네주는 것으로 보아 허련의 발전 상황을 계속 지켜보고 있다는 것을 알 수 있습니다.

18 추사 김정희는 허련의 그림을 보고 그림에 허련의 정신이 있는지 물었습니다.

19 허련이 그린 그림을 보고 추사 김정희는 "자네의 정신이 거기 있는가?"라고 물었습니다. 추사 김정희는 허련의 그림에 정신이 깃들어 있지 않다고 생각한 것입니다. 이 질문을 듣고 허련은 '내 내면을 깊고 그윽한 무엇으로 채우지 않고서는 제대로 된 그림을 그릴 수 없겠구나.'라고 생각하였습니다. 허련이 대상과 똑같이 그림을 그리는 것에만 신경을 썼을 뿐 그림에 대한 생각이 부족했다는 것을 깨달은 것입니다.

20 허련이 추사 김정희에게 자신의 그림에 정신이 들어 있지 않다는 말을 들은 상황에서 기법이 아닌 정신을 채우려고 책을 읽고 생각을 많이 했습니다.

21 허련은 월성위궁에 머물며 계속 노력하였습니다.

22 붓이 천 개쯤 뭉뚝해지도록 열심히 그림을 그려야 한다는 뜻입니다.

23 추사 김정희는 이미 글씨 부분에서 대가임에도 비석에 있는 글씨를 탁본해 오고 연구하였습니다.

24 스승으로서 추사 김정희가 추구하는 삶에 대한 의견을 말하는 것이 알맞습니다.

25 허련은 추사 김정희의 그림을 살펴보면서 그림에 깃든 정신에 대하여 깨달았습니다.

26 추사 김정희가 없는 동안 허련은 화첩에서 배운 필법을 바탕으로 하여 연구와 실험을 하며 그 나름의 붓질법을 만들어 나갔습니다.

27 허련은 몽당붓 수십 개가 생기도록 그림을 그렸습니다. 자신이 하는 일에 최선을 다하는 '성실'과 자신을 속이지 않는 '정직'이 있었기 때문입니다.

28 체면도 잊고 쪼그려 앉아 허련이 그린 그림을 보며 탄식하는 것으로 보아 허련의 그림에 놀라고 감탄했다는 것을 알 수 있습니다.

29 마르고 건조한데 윤기가 있어 보이는 붓질을 보고 추사 김정희가 초묵법이라고 하였습니다.

30 허련이 자신만의 기법을 완성하자 진심으로 기뻐하였습니다.

31 추사 김정희는 허련이 생각해 낸 초묵법을 즐겨 사용하였습니다.

32 허련이 처한 상황에서 한 말이나 행동을 바탕으로 하여 추구하는 삶을 알맞게 씁니다.

채점 기준

평가	답안 내용
상	정답 키워드 예 용기, 도전 예 용기 있게 자신의 목표에 도전하는 삶
	→ 예시 답안 외에도 '자신이 하는 일에 최선을 다하는 성실한 삶' 따위와 같이 허련이 추구하는 삶을 구체적으로 씀.
중	예 최선을 다하는 삶
	→ 예시 답안 외에도 '노력하는 삶' 따위와 같이 허련이 추구하는 삶을 간단하게 씀.

부족한 답안 ~~끊임없이 그리고 책을 읽는 삶.~~
→ 목표를 이루려고 열정을 가지고 도전하면서 끈기 있게 노력하는 삶
→ 허련의 행동이 아니라 추구하는 삶이 무엇인지 나타나게 써요.

더 알아보기

허련은 추사 김정희가 제주도로 유배되자 제주도로 세 번이나 찾아갔을 정도로 추사 김정희를 존경하고 따랐습니다. 이런 모습에서 정이 많고 신의를 지킬 줄 아는 허련의 삶의 태도를 알 수 있습니다.

33 일요일, 경민이네 집에서 일어난 일입니다.

34 모처럼 아버지와 함께 맞은 일요일인데, 아침 밥상을 물리고 잠깐만 쉬겠다던 아버지께서 한나절이 다 지나도록 주무셨기 때문입니다.

35 어머니는 경민이가 아버지와 함께 놀고 싶어 하는 마음을 알면서도 피곤한 경민이 아버지가 좀 더 편하게 낮잠을 자도록 경민이에게 밖으로 나가자고 하였습니다.

36 경민이는 일요일인데도 아버지께서 놀아 주지 않아서 서운하였습니다.

37 경민이가 아버지에게 서운함을 느끼자 어머니가 아버지를 이해해 주기를 바라는 마음에서 어제 이야기를 하셨습니다.

38 어제 경민이 아버지는 화재 현장에 출동하셨다가 새벽녘에나 집에 들어오셨습니다.

39 소방관의 가족들이 소방관들이 안전하기를 애타게 기도합니다.

40 "먼저 나가. 내가 한 번만 더……."라는 말에서 포기하지 않는 의지와 도전 정신이 느껴집니다. 그리고 말릴 새도 없이 뛰어 들어간 행동에서 용기와 열정이 떠오릅니다.

41 화재 현장에서 아버지는 빠져나왔지만 아버지의 동료는 빠져나오지 못하였습니다.

42 눈앞에서 동료를 잃은 일을 이야기하는 상황에서 아버지는 뜨거운 눈물을 쏟으셨습니다. 그리고 "만약에 빠져나오는 차례가 나와 바뀌었더라면 그가 살고 나는 지금 이 자리에 없는 거야…….''라고 말씀하셨습니다.

43 어머니는 아버지가 무사하신 것에 안심하였습니다.

44 경민이는 어머니께 화재 현장에서 있었던 이야기를 듣고 아버지가 위험 속에서 살아나신 것이 고마웠습니다.

45 아버지는 동료를 잃은 충격이 큰 상황에서도 가족에게 고마워하고 있습니다.

46 아버지는 경민이에게 자기가 처음으로 소방관이 되고자 결심한 어린 시절의 사건 하나를 들려주었습니다.

47 집에 불이 났는데 동생이 보이지 않는 상황일 경우 어떤 마음이 들지 생각해 봅니다.

48 아버지는 어린 마음에도 동생을 찾아야 한다는 마음으로 불꽃이 널름거리는 방문 앞까지 몇 번이나 다가갔다가 물러 나왔습니다.

49 아버지는 동생을 삼켜 버린 불길과 싸워 이기겠다는 결심으로 소방관이 되었습니다.

50 아버지는 생명을 존중하고 다른 사람을 위해 자신을 희생하고 봉사하는 삶을 삽니다. 그리고 아버지는 불에 대한 두려움과 부모님의 반대를 이겨 내기 위해 끈기 있게 노력하고 도전하는 삶을 추구합니다.

51 아버지를 이해하게 됨으로써 이야기를 듣기 전보다 배려와 존중이 높아졌습니다.

52 정의, 생명 존중, 도전, 봉사, 끈기 등에 관련한 다짐을 씁니다.

채점 기준

평가	답안 내용
상	예 자신의 이익보다 올바른 정의를 추구한 경민이 아버지를 보면서 사회의 정의를 지키는 사회 운동가가 되고 싶다고 생각했다.
	→ 예시 답안 외에도 경민이 아버지가 추구하는 삶과 관련된 자신의 다짐을 구체적으로 씀.
중	예 주변의 친구들에게 도움을 실천하겠다.
	→ 경민이 아버지가 추구하는 삶이 구체적으로 나타나지 않게 자신의 다짐만 간단하게 씀.

부족한 답안 ~~소방관이 되기 위해 노력하겠다.~~
↳ 끈기 있게 도전하고 노력하여 소방관이 되고 싶다.

→ 경민이 아버지가 추구하는 삶과 관련된 낱말이 나타나게 다짐을 쓰는 것이 좋아요.

53 피아니스트가 되는 것이 꿈이며 어렸을 때부터 피아노를 쳐 온 상수리는 갑자기 피아노 소리가 나지 않아 고민합니다.

54 상수리는 힘들어도 훌륭한 피아니스트가 되려고 놀거나 쉬는 시간을 아껴 가며 피아노 연습을 해 왔습니다.

55 상수리는 피아니스트가 되기 위하여 계속해서 노력하였습니다.

56 이모는 피아노가 지금 우울하고 피아노의 꿈이 훌륭한 피아니스트와 연주하는 것이 아닐 수도 있다고 생각합니다.

57 이모는 피아노 건반들이 우울한 것이라고 말하면서 상수리에게 피아노 건반을 씻어서 널어 주라고 하였습니다.

58 상수리는 피아노에서 소리가 나지 않는 것에 대해서 고민하고 있습니다.

59 진진이 상수리를 열심히 돕는 행동과 말에서 성실하게 노력하는데도 피아노에서 소리가 나지 않아 고민하는 상수리를 안타까워하고 있음을 알 수 있습니다.

60 퐁은 건반들이 더럽다고 생각하였습니다.

61 상수리와 진진은 서로 쉬라며 배려하고 있습니다.

62 앞부분에서 이모가 상수리에게 피아노 건반들이 우울해하고 있으므로 깨끗하게 씻어 주라고 하였고, 상수리는 깨끗하게 목욕한 피아노 건반들의 기분이 좋아질지 걱정하고 있습니다.

63 초리와 어기의 대화 내용을 보면 어기는 날기 위해 나는 방법을 생각하는 등 많은 노력을 하고 있다는 것을 알 수 있습니다.

64 어기는 날개를 한 번 휘젓는 데 걸리는 시간까지 생각하고 있지만 초리는 날 때 생각은 필요 없고 날개에만 맡겨 두라고 대답하였습니다.

65 진진은 열심히 노력하는데도 날지 못하는 어기를 위로해 주었습니다.

66 "하나도 안 힘들어. 꿈꾸는 게 왜 힘드니?", "아니, 속상하지 않아. 난 늘 즐거워. 만약 꿈꾸는 동안 즐겁지 않다면 그게 무슨 꿈이니?", "자, 쉬었으니 또 신나게 날아오르러 가 볼까?"와 같은 어기의 말을 살펴봅니다.

67 어기는 날지 못해서 나는 연습을 하면서도 그 일을 힘들게 생각하지 않고 신나는 일이라고 여깁니다. 이런 모습에서 어기가 지금 당장 이루지 못하더라도 희망을 가지고 즐겁게 도전하는 삶을 추구한다는 것을 알 수 있습니다.

68 바람이 빨랫줄에 매달린 피아노 건반들을 흔들면서 피아노 소리를 내었습니다.

69 피아노 건반들이 곡을 연주한 후에 나오는 상수리의 말을 살펴보면 알 수 있습니다.

70 진진과 상수리의 행동이나 표정에서 마음을 짐작할 수 있습니다. '까딱까딱'은 '고개 따위를 자꾸 아래위로 가볍게 움직이는 모양.'을 흉내 내는 말로, 진진의 흥겨운 기분을 표현합니다.

71 피아니스트가 되려고 지긋지긋하게 연습만 하던 상수리가 피아노와 얽힌 추억을 떠올리면서 피아노에 대한 마음가짐이 달라지게 되는 부분입니다.

72 상수리는 피아노 학원을 간다며 편찮으신 할머니께 가 보지 않은 것을 후회하였습니다.

73 상수리는 피아니스트가 되는 꿈을 이루어야만 행복해지는 줄 알고 꿈을 꾸는 과정의 행복함을 잊고 있었습니다.

74 피아노는 상수리가 행복한 피아니스트가 되길 꿈꾸었을 것입니다.

75 상수리는 자신이 열심히 노력해 왔지만 꿈을 이루는 데 급급한 나머지, 행복하게 꿈을 꾸는 것을 잊어버렸다는 것을 깨달았습니다.

76 상수리는 피아니스트라는 꿈을 이루려고 놀지도 않고 열심히 피아노 연습만 하였습니다. 그런데 어느 날부터인가 피아노에서 소리가 나지 않아 고민하다가 자신이 꿈을 이루는 과정을 즐거워하지 않고 꿈을 이루는 것만 생각했다는 것을 깨닫게 됩니다. 이런 상수리의 모습에서 성실하게 노력하는 삶을 추구한다는 것을 알 수 있습니다.

77 두레박 퐁의 꿈은 신나게 춤추는 것입니다.

78 퐁은 꿈이 꼭 무엇이 되는 것은 아니라고 생각합니다.

79 퐁은 춤추는 일을 시간이 지날수록 더 즐겁게 하고 싶다고 하였습니다.

80 중간 부분 이야기에서 상수리가 진진에게 빨리 꿈을 만나길 바란다는 내용의 편지를 남긴 것과 진진이 '내 꿈은 뭐지?'라고 생각하는 부분에서 진진의 고민을 알 수 있습니다.

81 이모가 즐거워하는 것은 책을 읽는 것입니다.

82 이모는 자신이 좋아하는 것을 하는 것을 중요하게 생각하고, 또 그것을 위해 시간을 쪼개어 씁니다.

83 이모는 책을 읽는 것을 좋아해서 책과 함께하는 삶을 추구합니다.

84 만약 인물과 같은 상황이라면 자신은 어떻게 할지, 또는 자신의 삶과 비슷한 점이나 다른 점은 무엇인지 생각해 보며 인물이 추구하는 삶과 자신의 삶을 비교해 봅니다.

채점 기준

평가	답안 내용
상	예 나도 퐁처럼 내가 좋아하고 신나는 일을 열심히 하고 싶다. / 상수리가 계속 노력한 것은 배울 점이라고 생각한다. → 예시 답안 외에도 인물과 같은 상황이라면 자신은 어떻게 할지, 또는 자신의 삶과 비슷한 점이나 다른 점을 생각해 보며 구체적으로 씀.
중	예 이모처럼 내가 좋아하는 일을 하고 싶다. → 인물이 추구하는 삶과 자신의 삶을 비교하여 간단하게 씀.

부족한 답안 ~~어기의 행동을~~ 본받고 싶다.
↳ 어기가 꿈을 이룰 수 있다는 희망을 가지고 꿈을 이루기 위해 즐겁게 노력한 점을
→ 인물이 추구하는 삶의 태도 중에서 어떤 점을 본받고 싶은지 잘 알 수 있도록 써요.

85 시에서 말하는 이는 둥근 공처럼 살아 봐야겠다고 했습니다.

86 '떨어져도'는 힘든 상황을 의미하고 '튀는'은 그 힘든 상황을 극복하는 모습을 뜻합니다.

87 포기하거나 좌절하지 않는 삶, 도전하는 삶에 대한 생각이나 느낌을 말하는 것이 알맞습니다.

더 알아보기

시 「떨어져도 튀는 공처럼」의 각 연의 의미

1연	어려운 일이 생기더라도 그 자리에 푹 주저앉는 것이 아니라 통통 튀는 공처럼 어려움을 이겨 내며 살겠다고 결심함.
2연	공이 쓰러지지 않는 것처럼 어떤 상황에 처하더라도 희망을 버리지 않고 꿋꿋하게 살겠다고 결심함.
3연	통통 튀는 공이 가볍게 솟구치듯이 활기차게 살겠다고 결심함.
4연	떨어져도 튀어 오르고 쓰러지는 법이 없는 공처럼 자신도 그렇게 살아가겠다는 의지를 보임.

88 시에서 말하는 이가 추구하는 삶의 모습을 떠올리며 어떤 생각이나 느낌이 들었는지, 시를 읽으며 떠오르는 장면이나 경험에 어떤 것이 있는지 등을 묻는 것이 좋습니다.

더 알아보기

시 「떨어져도 튀는 공처럼」을 읽고 질문 만들기 예

- 말하는 이는 무엇처럼 살아 봐야겠다고 했나요?
- 말하는 이는 추구하는 삶의 모습을 무엇에 빗대어 표현했나요?
- 말하는 이가 추구하는 삶의 모습을 떠올리며 어떤 생각이나 느낌이 들었나요?

단원 평가

교과서 진도북 35~38쪽

1 ②, ④, ⑤ **2** ① **3** ① **4** (1) 사내 (2) 의병
5 예 도전이다. 조선 시대는 여자와 남자의 역할이 다르다고 생각하던 때인데 여자임에도 의병 운동에 적극적으로 나섰기 때문이다. **6** 혹평 **7** ④ **8** (2) ○ **9** ⑤
10 건우 **11** 예 속상하다/서운하다 **12** ④
13 ①, ③ **14** ① **15** 소방관 **16** (1) 나는 (2) 춤추는
17 ② **18** ① **19** 꿈꾸는 **20** 예 좋은 대학에 가는 것이 아니라 자신의 진짜 꿈을 찾아가게 될 것이다.

1 윤희순이 살아가며 겪는 문제
- 나라가 일제의 침략을 받았습니다.
- 의병 운동에 많은 사람을 참여시키고 싶지만 반대하는 사람들이 있습니다.
- 여자는 집안일을 해야 한다고 생각하던 시대라 의병 운동을 하기 어려웠습니다

더 알아보기

윤희순은 안사람들을 모아 의병 운동을 돕는 것에 그치지 않고 의병대를 조직해 군사 훈련을 하고 무기를 만드는 등 의병장으로서 활약했습니다. 또한 독립운동가를 키워 내며 평생을 일제에 맞서 싸웠습니다.

2 윤희순이 문제를 대하는 태도
- 일제가 침략했다고 해서 포기하거나 좌절하지 않고 침략 세력을 물리치려고 의병 운동을 합니다.
- 의병 운동을 하는 것을 두려워하는 사람들을 설득하고 노래로 힘을 모았습니다.
- 직접 나가 싸우지 못하더라도 숯을 구워서 팔아 의병 운동 자금을 지원하고 노래를 만들어 사람들의 힘을 모았습니다.

3 일제의 침략으로 우리나라 사람들의 경제 상황이 어려웠지만 우리나라 사람들의 극복 의지가 대단했다는 것을 알 수 있습니다.

4 윤희순은 어떻게든 의병을 돕고 싶은 마음이 컸습니다.

더 알아보기

윤희순이 만든 안사람 의병대가 한 일

- 집집마다 찾아다니며 모금을 했습니다.
- 많은 사람의 마음을 움직여 살림살이가 어려운 사람들도 의병을 돕겠다고 발 벗고 나서게 했습니다.
- 무기를 만들 수 있는 놋쇠와 구리, 돈을 모아 춘천 의병 부대의 힘이 세지게 했습니다.

5 문제에 제시된 다섯 개의 낱말 모두 윤희순이 삶에서 추구한 가치와 관련 있는 낱말이므로 까닭을 생각해 봅니다.

채점 기준

평가	답안 내용
상	정답 키워드 도전 / 정의 / 열정 / 용기 / 봉사 예 • 정의이다. 올바른 행동을 하려고 많은 문제와 어려움을 이겨 냈기 때문이다. • 열정이다. 포기하지 않고 숯을 굽고 노래를 만드는 등 끊임없이 의병 운동을 위해 노력했기 때문이다. • 용기이다. 당시 시대 상황에서 여자가 일제에 맞서 싸우고 독립운동의 뜻을 펼치는 것이 쉽지 않았을 텐데 그러한 어려움을 이겨 냈기 때문이다. • 봉사이다. 자신의 생명이 위험할 수 있는데도 나라를 위해 힘을 바쳤기 때문이다.
	➡ 윤희순이 삶에서 추구한 가치와 관련 있는 낱말을 고르고 그 까닭을 윤희순의 삶과 관련하여 구체적으로 씀.
중	예 용기이다. 여자가 의병 운동에 참여했기 때문이다.
	➡ 윤희순이 삶에서 추구한 가치와 관련 있는 낱말을 골랐지만 그 까닭을 구체적으로 쓰지 못하고 간단하게 씀.

부족한 답안 봉사이다. ~~나라를 위했기 때문이다.~~
↳ 자신의 생명이 위험할 수 있음에도 나라를 위해 힘을 바쳐 애썼기
➡ 윤희순이 추구하는 삶을 잘 알 수 있는 말이나 행동이 나타나게 써요.

6 허련이 추사 김정희의 제자가 되려고 추사 김정희를 찾아왔지만, 추사 김정희는 허련을 제자로 받아들이지 않았습니다.

7 추사 김정희는 허련이 열심히 노력하여 자신만의 그림을 그리는 방법을 찾기를 바랍니다.

더 알아보기

인물의 말에 담긴 뜻 파악하기

추사 김정희가 허련에게 "자네는 자네의 스승을 찾게."라고 말한 까닭

스승을 찾는 것이 중요한 것이 아니라는 뜻입니다.

스승을 찾는 것이 중요하지 않다는 말의 뜻

스스로 연습하는 것이 중요하지 좋은 스승을 만나기만 해서 좋은 화가가 되는 것은 아니라는 뜻입니다.

추사 김정희의 말을 들은 허련의 마음

당황했지만 더 추사 김정희의 제자가 되고 싶었습니다. 추사 김정희의 집을 떠나지 않고 허드렛일을 하면서도 그림을 그리면서 계속 노력하였기 때문입니다.

8 허련은 추사 김정희가 제자로 받아 주지 않고 자신의 그림을 혹평하여도 추사 김정희의 곁을 떠나지 않고 수십 개의 붓이 뭉툭해질 정도로 연습을 하였습니다.

9 허련이 추구하는 삶
- 끈기와 열정을 가지고 끊임없이 꿈을 향해 노력하는 삶을 추구합니다.
- 성실과 정직을 바탕으로 하여 자신을 속이지 않고 최선을 다하는 삶을 추구합니다.
- 용기 있게 자신의 목표에 도전하는 삶을 추구합니다.

10 추사 김정희가 추구하는 삶 파악하기

추사 김정희가 처한 상황	• 제자(허련)가 스스로 자신의 길을 찾기를 바랍니다. • 자신도 그림을 계속 발전시키고 싶어 합니다.
추사 김정희가 처한 상황에서 한 말이나 행동	• "자네는 자네의 스승을 찾게. 나는 내 제자를 찾을 터이니." • "그 나무는 자네의 나무인가?" • 허련의 그림에 대해 가끔 칭찬하고 가끔 혹평합니다. • 허련이 자신만의 기법을 완성하자 진심으로 기뻐합니다.
추사 김정희가 추구하는 삶과 관련 있는 가치	• 진심으로 노력하는 사람에게 '도움'을 주고 싶어 합니다. • 자신의 일을 스스로 해결해 가는 '자주정신'을 가르치려고 합니다. • 이미 뛰어난 그림 실력이 있음에도 제자인 허련에게서도 배우는 '겸손'함이 있습니다.
추사 김정희가 추구하는 삶	• 겸손함을 지니고 자신의 그림을 계속 발전시켜 가는 열정이 있는 삶을 추구합니다. • 성실하고 정직한 사람에게 도움을 주는 삶을 추구합니다.

11 소방관인 경민이 아버지가 쉬는 날 낮잠만 주무시자 경민이는 자신과 놀아 주지 않는 아버지가 야속하였습니다. 이런 경민이가 아버지가 소방관이 된 사연을 들은 후에는 듣기 전보다 아버지에 대한 사랑이 더 커졌습니다. 그리고 아버지를 이해하게 됨으로써 아버지에 대한 배려와 존중이 높아졌습니다. 경민이의 마음은 아버지가 소방관이 된 사연을 들은 뒤에 달라지므로 경민이가 추구하는 삶의 가치가 어떻게 변화하는지, 그 가치는 무엇인지 등을 찾아보는 활동을 해 봅니다.

12 마지막에 뛰어 들어간 소방관이 자신의 안전이나 이익을 생각했다면 목숨을 희생하는 행동을 하지 않았을 것입니다.

더 알아보기

마지막에 뛰어 들어간 소방관이 추구하는 삶을 찾기

마지막에 뛰어 들어간 소방관의 말이나 행동과 관련 있는 삶의 가치 찾기	• "먼저 나가. 내가 한 번만 더……."라는 말에서 포기하지 않는 의지와 도전 정신이 느껴집니다. • 말릴 새도 없이 뛰어 들어간 행동에서 용기와 열정이 떠오릅니다.
마지막에 뛰어 들어간 소방관이 추구하는 삶	• 끝까지 포기하지 않고 열정과 끈기가 있는 삶을 추구합니다. • 자신의 안전보다 남을 위해 희생하고 남을 배려하는 삶을 추구합니다. • 도전과 정의를 추구하지만 자신에 대한 안전은 덜 생각합니다.

13 동료를 잃고 뜨거운 눈물을 쏟으며 안타까워하는 행동을 보면 생명 존중과 동료에 대한 사랑을 알 수 있습니다.

14 경민이 아버지는 불에 대한 두려움과 부모님의 반대를 이겨 내기 위해 끈기 있게 노력하고 도전하는 삶을 추구하였습니다.

15 경민이 아버지는 동생과의 마지막 숨바꼭질처럼 소중한 추억을 영원히 잊지 않기 위해서 소방관이 되었습니다.

16 어기는 하늘을 날기 위해 날마다 열심히 연습하고, 퐁의 꿈은 신나게 춤추는 것입니다.

17 어기는 난다는 꿈을 이루는 것도 중요하지만 꿈을 이루기 위한 연습도 즐겁게 하고 있습니다.

18 전에 진진은 어른들은 꿈이 없다고 생각했지만 이제는 모든 사람이 다 꿈이 있다고 생각하게 되었습니다.

19 이모의 꿈은 재미있는 책들과 꿈꾸는 아이들이 오는 집입니다.

20 캠프에서 돌아온 진진은 자신이 어렸을 때 꿈꾸었던 기억을 떠올리게 됩니다.

채점 기준

평가	답안 내용
상	예 꿈 때문에 즐겁고 행복했던 기억을 떠올리며 다시 꿈을 꿀 것을 다짐할 것이다.
	→ 진정한 꿈의 의미와 꿈을 이루는 과정이 즐거워야 한다는 것을 깨달은 진진의 변화를 알맞게 상상하여 씀.
중	예 자신의 진짜 꿈을 찾을 것이다.
	→ 진진의 변화를 간단하게 씀.

부족한 답안 ~~목표로 하는 대학을 다시 정할 것이다.~~
↳ 자신이 즐겁게 이룰 수 있는 꿈이 무엇인지 생각하게 될 것이다.
→ 꿈의 진정한 의미를 깨달은 진진의 변화를 써요.

2. 관용 표현을 활용해요

진도 학습

교과서 진도북 41~47쪽

1 ③ **2** ⑤ **3** 영철 **4** 정우 **5** ④
6 ⑤ **7** ② **8** 예 손이 크구나.
9 안전 교육 **10** ①, ②, ③
11 (1) ③ (2) ② (3) ① **12** 나은 **13** ⑤ **14** ②
15 ① **16** ① **17** 독립운동 **18** (1) ① (2) ② (3) ③
19 예 목표를 품자/의견을 갖자/뜻을 모으자 **20** 예 자신의 의견만을 주장하는 마음을 바꾸어야 한다. / 우리의 의견을 모아 이끌어 줄 지도자가 필요하다. **21** 고운 말 **22** ⑤
23 ㉯ **24** 세아

자습서 확인 문제 46쪽

1 의견 **2** (2) ○ **3** 유리 **4** 장점

1 ①은 "눈을 붙이다.", ②는 "눈을 돌리다.", ④는 "눈에 띄다.", ⑤는 "눈에 어리다."의 뜻입니다.

2 "발 없는 말이 천 리 간다."는 말조심을 하라고 할 때 쓰는 관용 표현입니다.

3 영철이가 관용 표현을 활용하여 하고 싶은 말을 간단하게 표현하였습니다. "손발이 맞다."는 '함께 일을 하는 데에 마음이나 의견, 행동 방식 따위가 서로 맞다.'라는 뜻입니다.

4 영철이가 일반적인 설명이 아니라 함축적인 의미가 담겨 있는 표현을 하였습니다.

5 동생이 휴대 전화를 산다고 구경한다고 하자 오빠가 부모님과 의논하지 않았다고 말리는 상황입니다.

6 어떤 일이든지 하려고 생각했으면 한창 열이 올랐을 때 망설이지 말고 곧 행동으로 옮겨야 한다는 뜻입니다.

7 "간 떨어지다."는 '몹시 놀라다.'라는 뜻입니다.

8 "손이 크다."는 '씀씀이가 후하고 크다.'라는 뜻입니다.

채점 기준

평가	답안 내용
상	예 손이 크구나. / 손이 걸구나.
	→ 예시 답안처럼 안나가 양을 많이 준비한다는 뜻의 관용 표현을 알맞게 씀

부족한 답안 손이 맵구나. (→ 크구나)
→ 말하고자 하는 뜻을 전달하려는 관용 표현을 써요.

9 경찰을 만난 후에 경찰이 되고 싶다는 꿈을 키웠습니다.

10 자신의 진짜 꿈을 찾으려고 노력하고, 자기 자신에게 자신감을 가지며, 구체적인 목표를 세우자고 하였습니다.

11 앞뒤 내용을 살펴보고 뜻을 짐작해 봅니다.

12 "금이 가다."는 '서로의 사이가 벌어지거나 틀어지다.'라는 뜻입니다. 그러므로 "작은 말실수 때문에 친구와의 우정에 금이 갔다." 등과 같이 말해야 관용 표현과 말하려는 내용의 뜻이 통하게 됩니다.

13 ❷에서 수도꼭지를 잠그고 있습니다.

14 '물 쓰듯'은 물건을 헤프게 쓰거나 돈을 흥청망청 낭비할 때 쓰는 관용 표현입니다.

15 물 쓰듯 쓴다는 것이 아주 헤프게 쓴다는 뜻으로 쓰이지 않도록 물을 아껴 쓰자는 것입니다.

16 물을 아주 헤프게 쓴다는 점을 강조하기 위해서입니다.

17 임시 정부를 위한 독립운동 단체를 조직하려고 합니다.

18 "어금니를 악물다."는 '고통이나 분노 따위를 참으려고 이를 악물어 굳은 의지를 나타내다.'라는 뜻입니다.

19 '깃발 아래'는 하나의 목표를 품자는 뜻으로 활용되었습니다.

20 연설 내용을 알맞게 정리하여 씁니다.

채점 기준

평가	답안 내용
상	정답 키워드 예 의견 / 지도자 예 자신의 의견만을 주장하는 마음을 바꾸어야 한다. / 우리의 의견을 모아 이끌어 줄 지도자가 필요하다.
	→ 예시 답안처럼 자신의 의견만을 주장하는 마음을 바꾸어야 한다는 내용이나 지도자가 필요하다는 내용을 썼으면 정답으로 인정
중	예 독립운동을 하려고 모인 사람들의 의견이 같아야 하고 서로 다른 생각도 찬성해야 한다.
	→ 들어가는 내용을 파악하고는 있지만 정리하여 쓰지 못하고 연설 앞부분의 내용과 반대되게 씀.

21 고운 말을 사용하면 좋겠다는 의견을 말하였습니다.

22 "구슬이 서 말이라도 꿰어야 보배."는 아무리 훌륭하고 좋은 것이라도 다듬고 정리하여 쓸모 있게 만들어 놓아야 값어치가 있음을 뜻합니다.

23 말을 시작할 때 관용 표현을 활용하면 듣는 사람의 관심을 끌 수 있습니다.

24 "벼 이삭은 익을수록 고개를 숙인다."는 교양이 있고 수양을 쌓은 사람일수록 겸손하고 남 앞에서 자기를 내세우지 않는다는 뜻입니다.

단원 평가

교과서 진도북 48~50쪽

1 (2) ○ **2** ④ **3** 영철 **4** 예 일반적인 설명이 아니라 함축적인 의미가 담겨 있기 때문이다. / 한 번 더 생각하게 하는 표현이기 때문이다. **5** ③
6 (1) 문구점 (2) 준비물 **7** ④ **8** (1) 운동 (2) 공부
9 (1) ③ (2) ② (3) ① **10** 우진 **11** 물 쓰듯 **12** ③
13 예 물을 아껴 쓰자. **14** ㉯ **15** 예 의견/생각
16 ②, ④, ⑤ **17** 예 자주/빈번하게/잦게
18 예 열심히 노력해 독립운동의 깃발 아래 뜻을 모으자.
19 ㉮ **20** 정

1 (1)은 기본이 되는 것보다 덧붙이는 것이 더 많거나 큰 경우, (2)는 아무리 비밀히 한 말이라도 반드시 남의 귀에 들어간다는 뜻입니다.

2 관용 표현을 활용하면 간단한 말로 자신의 생각을 표현할 수 있습니다.

3 관용 표현을 활용하면 듣는 사람의 관심을 끌 수 있습니다.

4 관용 표현은 원래의 뜻과는 다른 새로운 표현이므로 의미를 한 번 더 생각하게 합니다.

채점 기준

평가	답안 내용
상	정답 키워드 함축 / 생각 예 한 번 더 생각하게 하는 표현이기 때문이다.
	→ 함축적인 의미가 담겨 있는 표현이거나 한 번 더 생각하게 하는 표현이라는 내용으로 씀.
중	예 효과적이기 때문이다.
	→ '무엇' 때문에 효과적인 표현인지 쓰지 못함.

부족한 답안 ~~평소에 잘 쓰지 않는 표현이기 때문이다.~~
↳ 함축적인 의미가 담겨 있는 / 한 번 더 생각하게 하는
→ 관용 표현은 원래의 뜻과는 다른 새로운 표현이에요.

5 '재미나 의욕이 없어지다.'라는 뜻입니다.

6 지현이와 안나가 문구점에서 내일 미술 시간에 필요한 준비물을 사는 상황입니다.

7 "간 떨어지다."는 몹시 놀랐을 때 쓰는 표현입니다.

8 말하는 사람은 경찰이 되려고 체력을 기르고 지식을 쌓기로 목표를 정하였습니다.

9 관용 표현이 쓰인 앞뒤 내용을 살펴보고 뜻을 짐작해 봅니다.

10 "간이 크다."는 겁이 없고 매우 대담하다는 뜻입니다.

더 알아보기

자신의 꿈을 관용 표현을 활용하여 말하기 예

관용 표현	관용 표현의 뜻	말할 문장
귀가 얇다	남의 말을 쉽게 받아들인다.	저는 귀가 얇아서 친구들의 꿈을 들으면 저도 그것을 하고 싶었습니다.
입이 짧다	음식을 심하게 가리거나 적게 먹다.	저는 입이 짧은 동생을 보면서 동생이 맛있게 먹을 수 있는 음식을 하는 요리사가 되고 싶다고 생각하였습니다.

11 광고에서 찾을 수 있는 관용 표현은 '물 쓰듯'입니다.

12 ① '떨어질 수 없는 관계이다.'는 "물과 고기", ② '따져 보지 않고 함부로 행동하다.'는 "물인지 불인지 모르다."의 뜻입니다.

13 물 쓰듯 쓴다는 것이 아주 헤프게 쓴다는 뜻으로 쓰이지 않도록 물을 아껴 쓰자는 것입니다.

14 "손에 익다."는 '일이 손에 익숙해지다.'라는 뜻입니다.

15 독립운동을 하는 방법에 있어서 전쟁으로 하자는 의견과 대화로 하자는 의견이 있습니다.

16 앞부분을 보면 '누구나 자기가 한 가지 생각을 하면 다른 이의 생각을 무엇이든지 반대한다.', '서로 자기 생각만 옳은 줄 알고' 등의 내용이 있습니다. 그리고 "한 가지만 알고"는 자기 생각만 고집한다는 뜻이고 "두 가지는 모른다"는 의견을 합해야 더 좋다는 것을 알지 못한다는 뜻입니다.

17 '열두 번'이라는 말에 '자주'라는 뜻이 담겨 있습니다.

18 안창호 선생이 연설한 의도가 나타나게 씁니다.

채점 기준

평가	답안 내용
상	정답 키워드 독립운동 / 뜻 예 열심히 노력해 독립운동의 깃발 아래 뜻을 모으자.
	→ 예시 답안처럼 독립운동의 깃발 아래 뜻을 모으자는 내용을 씀.
중	예 독립운동을 할 배포를 기르자.
	→ 글의 일부분의 내용을 씀.

부족한 답안 ~~독립운동 단체를 만들자.~~
↳ 독립운동을 하기 위해 우리의 뜻을 모으자.
→ 뜻을 모으자는 내용이 들어가게 써요.

19 말을 끝낼 때 관용 표현을 활용하면 생각을 효과적으로 전달할 수 있습니다.

20 상대편이 자기에게 말이나 행동을 좋게 하여야 자기도 상대편에게 좋게 한다는 뜻입니다.

3. 타당한 근거로 글을 써요

진도 학습

교과서 진도북 53~62쪽

1 ⑤ 2 ② 3 ⑤ 4 (3) ○ 5 그냥
6 ③ 7 ⑤ 8 예 읽는 사람에게 감동을 주어 자신이 주장하는 내용을 설득하기 위해서이다. 9 예나
10 ④ 11 ⑤ 12 공정 무역
13 (1) 생산자 (2) 경제적 14 ③ 15 하린 16 생산자
17 ⑤ 18 ⑤, 예 주장을 직접적으로 뒷받침하지 못하기 때문이다. 19 ② 20 ① 21 (1) ② (2) ①
22 ③ 23 ⑤ 24 (1) 친절하고, 좋다 (2) 불친절하고, 이상하다 25 예 쉽게 26 윤서 27 ⑤
28 (1) ③, ④ (2) ①, ② 29 ④ 30 (3) ○
31 (1) 우리 동네 (2) 논설문 32 ① 33 ②, ⑤
34 (1) 예 불법 주차를 하지 맙시다.
(2) 예 불법 주차된 차 때문에 교통사고가 일어나는 경우가 많습니다.

자습서 확인 문제 58쪽

1 안전하고 2 ㉣ 3 (3) ×

1 주무실 때 수염을 이불 안에 넣는지 아니면 꺼내 놓는지 물었습니다.

2 할아버지는 자기도 궁금해져서 내일 아침에 대답해 주겠다고 말하였습니다.

3 할아버지는 수염을 기른 채 몇십 년 동안이나 살아왔지만, 그때까지 한 번도 그런 궁금증을 지녀 본 적이 없었습니다.

4 할아버지는 마음이 편하지 않아서 아무리 자려고 해도 잠을 이룰 수 없었습니다.

5 아무 생각 없이 '그냥'이라고 말하는 것이 우리에게 있는 수염이라고 하였습니다.

더 알아보기

'그냥 수염'이 뜻하는 것

- 생각 없이 '그냥'이라고 대답하는 것
- 남들이 하니까 그냥 따라 하는 것
- 어른들이 시키니까 그냥 하는 것
- 습관적으로 기계적으로 살아가는 것

6 습관적으로 그냥 살지 말고 자기 안에 물음표를 가지고 살아야 합니다.

7 습관적으로 그냥 살지 말고 자기 안에 물음표를 가지고 살아가자는 주장이 나타나 있습니다.

8

채점 기준

평가	답안 내용
상	예 읽는 사람의 흥미를 불러일으킬 수 있기 때문이다. / 감동을 바탕으로 하여 자신의 주장을 뒷받침하기 위해서이다.
	→ 읽는 사람의 흥미를 불러일으킬 수 있고, 감동을 바탕으로 주장하는 내용을 설득할 수 있다는 등의 내용을 씀.
중	예 주장을 뒷받침한다.
	→ 이야기를 활용하여 주장을 내세운 까닭을 구체적으로 쓰지 못함.

부족한 답안 자신이 주장하는 내용을 설득하기 위해서이다. (읽는 사람에게 감동을 주어)
→ 자신의 주장을 설득하기 위해 이야기를 활용하였을 때 좋은 점이 무엇인지 구체적으로 밝혀 쓰는 것이 좋아요.

9 자신의 잘못이 아닌 까닭으로 가난하게 살아가는 사람에 대한 내용입니다.

10 일부 다국적 기업이 일한 것에 비해 적은 임금을 주기 때문입니다.

11 일부 다국적 기업은 가난한 나라의 물건을 제값을 주지 않고 아주 싸게 산 뒤 비싸게 팔아 많은 돈을 법니다.

12 만화의 마지막에서 알 수 있습니다.

13 글 ❶에 공정 무역에 대한 설명이 나타나 있습니다.

14 우리도 공정 무역 제품을 사용하자는 주장이 나타나 있습니다.

15 일부 다국적 기업들은 물건의 생산 비용을 낮추기 위해 임금이 상대적으로 낮은 어린이를 고용하기도 한다고 하였습니다.

16 글 ❷의 마지막에 나타나 있습니다.

17 공정 무역은 농민들이 농약과 화학 비료를 적게 쓰고 유기농으로 농사를 짓게 하여 농약으로 인한 질병 문제를 해결하려고 합니다.

18 글 ❺의 근거는 공정 무역 제품을 사용해야 하는 까닭이 아니라 공정 무역 인증 표시에 대한 설명만 하고 있기 때문에 '공정 무역 제품을 사용하자.'는 주장을 직접적으로 뒷받침하지 못합니다.

19 여가를 보내는 방법이 다양해진다는 내용은 나타나 있지 않습니다.

20 숲이 있으면 좋은 점을 근거로 든 것으로 보아 숲을 보호하자는 주장이 알맞습니다.

21 근거 ②와 ③을 뒷받침하는 자료의 내용을 찾아봅니다.

22 제시된 자료가 알려 주는 내용은 나무를 심으면 나무가 이산화 탄소를 흡수해 지구 온난화 예방에 도움이 된다는

내용입니다. 그러므로 이 자료는 숲이 지구 온난화를 막아 준다는 근거 ③을 뒷받침하는 자료입니다.

23 누리 소통망에서 가게를 이용한 손님이 쓴 글을 읽었다고 하였습니다.

24 소희 엄마와 소희 오빠의 말을 살펴봅니다.

25 음식점을 직접 이용한 손님이 쓴 정보를 쉽게 얻을 수 있어서 편하다고 하였습니다.

26 소희 엄마가 알고 있는 정보와 소희 오빠가 알고 있는 정보 중 무엇이 정확한지 알 수 없습니다.

27 성민이는 누리 소통망에 퍼진 글이 사실과 다르다는 것을 알리려고 글을 썼습니다.

28 누리 소통망의 장점과 단점을 살펴봅니다. 누리 소통망은 다른 사람이 쓴 정보를 쉽게 접할 수 있다는 점과 많은 사람에게 정보를 쉽게 전달할 수 있다는 점이 장점입니다. 하지만, 개인 정보가 유출되기 쉽고 잘못된 정보가 쉽게 퍼질 수 있다는 단점을 갖고 있습니다.

29 누리 소통망을 올바르게 사용하자는 주장을 할 수 있습니다.

30 누리 소통망을 통하여 잘못된 정보가 쉽게 퍼진다는 근거와 관련이 있고, 출처를 믿을 만한 자료를 활용하는 것이 알맞습니다.

31 더 좋은 우리 동네를 만들기 위해 우리 동네의 문제점을 해결하는 내용으로 논설문을 공모하는 포스터입니다.

32 논설문을 쓸 때 꾸며 주는 말을 많이 쓸 필요는 없습니다.

33 ❶~❸의 그림에 나타난 문제점을 살펴봅니다.

34 **채점 기준**

평가	답안 내용
상	(1) 예 불법 주차를 하지 말아 주세요. (2) 예 불법 주차된 차 때문에 인도가 좁아집니다.
	→ (1)에 불법 주차를 하는 차가 많은 문제점을 해결할 수 있는 주장을 쓰고, (2)에 주장을 뒷받침하는 근거를 씀.
중	(1) 예 불법 주차를 하지 맙시다. (2) 예 위험하기 때문입니다.
	→ (1)에 주장을 알맞게 썼지만 (2)에 근거를 구체적으로 쓰지 못함.

부족한 답안 (1) 주차는 지정된 곳에만 해 주세요.
(2) 위험합니다.
불법 주차된 차 때문에 달려오는 차를 보지 못해서
→ 근거를 쓸 때에는 주장대로 하면 좋은 점이나 주장대로 하지 않았을 때의 나쁜 점을 구체적으로 쓰는 것이 좋아요.

단원 평가

교과서 진도북 63~66 쪽

1 (3) ○ **2** ④ **3** 그냥 **4** ①
5 예 습관적으로 그냥 살지 말고 '왜' 또는 '어떻게'를 생각하며 살자. **6** 서론 **7** ② **8** 동영상 **9** ㉢
10 재윤 **11** ② **12** ①, ② **13** 재희 **14** 예 올바르게 사용하자. **15** 예 누리 소통망에서는 잘못된 정보가 쉽게 퍼질 수 있다. **16** ③ **17** ④ **18** ㉣
19 ⑤ **20** ②

1 할아버지는 아이의 질문을 듣고 "예끼!" 하고 소리치려다가 문득 자기도 궁금해졌습니다.

2 할아버지는 한 번도 생각해 본 적이 없기 때문에 자신이 잘 때 수염을 이불 안에 넣고 자는지 꺼내 놓고 자는지 궁금해졌습니다.

3 누가 질문을 할 때 생각 없이 '그냥'이라고 대답하는 것이 '수염'입니다.

4 자신의 주장을 내세우기 전에 긴 수염 할아버지 이야기를 자료로 활용하였습니다.

5 **채점 기준**

평가	답안 내용
상	예 습관적으로 그냥 살지 말고 자기 안에 물음표를 가지고 살자.
	→ 습관적으로 그냥 살지 말고 자기 안에 물음표를 가지고 '왜'나 '어떻게'를 생각하며 살자는 내용을 씀.
중	예 생각하며 살자.
	→ 글쓴이가 주장하는 내용과 비슷한 내용이지만 글의 내용과 관련성이 부족하거나 너무 간단하게 씀.

부족한 답안 습관적으로 그냥 살지 말자.
→ 말고 '왜'나 '어떻게'를 생각하며 살자.
→ 글쓴이는 읽는 사람에게 자기 안에 물음표를 가지고 '왜'나 '어떻게'를 생각하며 살자는 생각을 전하고 있어요. 그러한 내용을 구체적으로 밝혀 쓰는 것이 좋아요.

6 논설문의 짜임인 서론, 본론, 결론 중 무엇에 해당하는지 생각해 봅니다.

왜 틀렸을까?
글 ㉮는 읽는 사람의 흥미를 불러일으키는 내용과 글쓴이의 주장이 나타나 있는 서론입니다. 본론에는 주장을 뒷받침하는 근거가 나타나 있고, 구체적이고 사실적인 자료를 활용합니다. 결론에는 본론의 내용을 요약하고 주장을 다시 한번 강조하는 내용이 들어갑니다.

7 글 ㉯에 공정 무역에서 생산자 조합과 공정 무역 회사를 만들어 중간 유통 단계를 줄이고 생산자의 이익을 보장한다는 내용이 나타나 있습니다.

8 공정 무역 제품을 사용하면 아이들을 위험에서 보호할 수 있다는 근거를 뒷받침하기 위해 「초콜릿 감옥」 동영상 자료를 활용하였습니다.

9 ㉢은 주장을 직접적으로 뒷받침하지 못하기 때문에 타당하지 않습니다.

10 ㉢은 공정 무역 제품을 사용해야 하는 까닭이 아니라 공정 무역 인증 표시에 대한 설명만 하고 있어서 주장을 직접적으로 뒷받침하지 못합니다.

왜 틀렸을까?
근거의 길이가 주장보다 긴 것은 근거의 타당성을 판단하는 기준으로 알맞지 않기 때문에 해미의 말은 알맞지 않고, ㉢의 내용은 사실이기 때문에 연서의 말이 알맞지 않습니다.

11 다른 사람이 쓴 정보를 쉽게 접할 수 있다는 장점을 알 수 있습니다.

12 누리 소통망을 통하여 잘못된 정보가 쉽게 퍼질 수 있고, 개인 정보가 유출되기 쉽다는 문제점이 나타나 있습니다.

13 많은 사람이 글을 보게 하려고 누리 소통망에 글을 썼습니다.

14 누리 소통망을 올바르게 사용하자는 내용의 주장을 쓸 수 있습니다.

15 **채점 기준**

평가	답안 내용
상	예 누리 소통망을 통해서 개인 정보가 쉽게 유출될 수 있다.
	➡ 누리 소통망을 올바르게 사용하자는 주장을 뒷받침하는 근거를 씀.
중	예 누리 소통망을 잘못 사용할 때의 피해가 크다.
	➡ 누리 소통망을 올바르게 사용하자는 주장에 대한 근거이지만 구체적인 내용을 밝혀 쓰지 못하고 너무 간단하게 씀.

부족한 답안 누리 소통망을 잘못 사용하면 안 된다.
→ 잘못된 정보가 쉽게 퍼지기 때문이다.
➡ 누리 소통망을 올바르게 사용하자는 주장에 대한 근거를 쓸 때에는 누리 소통망을 잘못 사용하면 나쁜 점이나 누리 소통망을 올바르게 사용했을 때의 좋은 점이 구체적으로 나타나게 쓰는 것이 좋아요.

16 공모의 참가 대상은 개인입니다.

17 아이들이 있는데도 길에서 담배를 피우는 모습입니다.

18 숲을 개발하는 것의 장점은 숲을 보호하자는 주장의 근거가 될 수 없습니다.

19 근거를 뒷받침하기 위한 자료를 수집할 때에는, 근거와 관련된 자료 중 필요한 자료를 활용하는 것이 좋습니다.

20 논설문을 평가할 때는 객관적으로 평가해야 합니다.

4. 효과적으로 발표해요

진도 학습

교과서 진도북 69~75쪽

1 ⑤ 2 (1) 사진 (2) 영상 3 ❷ 4 예 생생하게 5 ④ 6 ⑤ 7 제인 8 (1) ② (2) ① 9 (1) × 10 (1) ㉠ (2) ㉡ 11 ㉯ 12 재호 13 예 온라인 댓글을 긍정적으로 쓰자. / 읽는 사람을 배려하면서 온라인 댓글을 쓰자. 14 맨발 걷기 15 (2) ○ 16 ① 17 민구 18 예 5분 영상 발표회 19 ③, ④ 20 예 꿈을 가지고 재능을 꾸준히 키워 나가자. 21 ③ 22 ③ 23 ④ 24 은호 25 요리사 26 ③, ④ 27 (2) ○ 28 ② 29 태일 30 예 촬영하는 동안 특히 기억에 남는 일은 무엇인가요?

자습서 확인 문제 72쪽

1 ㉢ 2 (1) × 3 성규

1 학습 발표회에서 할 독도의 날 기념 율동을 말하고 있습니다.

2 대화 ❶에서는 사진을 보여 주었고, 대화 ❷에서는 영상을 보여 주었습니다.

3 대화 ❶에서는 어떤 동작들을 하는지 궁금하다고 하였습니다.

4 영상을 통해 생생한 장면을 볼 수 있습니다.

5 주상 절리의 모습을 설명할 때에는 사진을 보여 주면 이해하기 쉽습니다.

6 기후 변화에 따라 주요 농산물 주산지가 바뀌는 것을 알 수 있습니다.

7 그림지도를 활용하면 듣는 사람이 발표하는 내용을 한눈에 보면서 쉽게 이해할 수 있습니다.

8 진아는 영상을 활용하려고 하고 별이는 사진을 활용하려고 합니다.

더 알아보기

진아와 별이가 활용하려는 매체 자료의 종류와 효과

	매체 자료의 종류	매체 자료의 효과
진아	영상	움직임이나 특징을 더 자세하게 파악할 수 있다.
별이	사진	어떤 모습인지 더욱 쉽게 알 수 있다.

9 멕시코의 전통 음식에 대해 소개할 때에는 전통 음식의 모습을 잘 알 수 있는 사진이나 영상 등을 활용하는 것이 좋습니다. 일본의 축제를 소개할 때 영상을 활용하면 움직임과 소리를 잘 알 수 있고, 아프리카 원주민의 의식주 문화를 소개할 때 사진과 설명을 보면 더 잘 이해할 수 있습니다.

10 가와 나의 내용을 살펴보고 어떤 주제를 전하려고 하는지 생각해 봅니다.

11 나에서 교통사고 발생량의 수치를 보여 주었습니다.

12 장면 ❶에서는 손가락에 검정 망토를 두르고, 장면 ❷에서는 푸른 망토를 둘러 어떤 댓글을 다는지에 따라 손가락의 능력이 달라진다는 것을 나타내었습니다. 또 댓글 내용에 따라 배경의 색깔을 다르게 하고 악마 또는 천사의 모습으로 비유했습니다.

더 알아보기

「온라인 언어폭력: 능력자」 영상에서 주제를 효과적으로 표현한 방법

장면 구성	• 학생의 표정이나 행동을 대조되는 장면으로 구성했습니다. • 망토 색깔을 다르게 하여 댓글 내용에 따라 손가락의 능력이 달라짐을 나타냅니다.
배경, 음악, 소리	• 나쁜 댓글 장면은 배경이 어둡고 배경 음악이 무섭습니다. • 좋은 댓글 장면은 배경이 밝고 배경 음악이 경쾌합니다.
비유적 표현	• 당신은 누군가를 아프게도 하고 기쁘게도 하는 능력자라고 비유했습니다. • 상대에게 영향을 주는 댓글을 다는 손가락을 악마 또는 천사의 모습으로 비유했습니다.
자막, 해설	• 해설자의 해설로 내용을 더 잘 이해할 수 있습니다. • 마지막 장면에서 질문을 자막으로 넣어 영상을 보는 사람이 스스로를 돌아보게 했습니다.

13 채점 기준

평가	답안 내용
상	정답 키워드 온라인 댓글 / 온라인 언어폭력 예 온라인 댓글을 긍정적으로 쓰자.
	➜ 온라인 언어폭력을 하지 말자는 등의 내용을 씀.
중	예 온라인 댓글을 잘 쓰자.
	➜ 온라인 언어폭력과 온라인 댓글의 내용에 대하여 구체적으로 쓰지 못함.

부족한 답안 온라인 댓글을 ~~쓰지 말자.~~ → 긍정적으로 쓰자

➜ 온라인 댓글을 쓰지 말자는 주제가 아니라, 좋은 댓글을 쓰자는 주제를 밝혀 써야 해요.

14 '맨발 걷기'를 주제로 영상 자료를 만들기로 하였습니다.

15 주제를 효과적으로 전달할 수 있는 내용을 정해야 합니다.

16 촬영할 내용 선정하기는 '내용 정하기' 단계에서 할 활동입니다.

17 영상 자료를 제작하고 발표를 할 때에는, 적당한 크기의 목소리로 말하는 것이 좋습니다. 또한, 발표 전이나 발표 뒤에 소개나 부탁 내용을 말할 수도 있습니다. 발표를 할 때에도 들을 때에도 집중해야 합니다.

18 선생님의 말과 칠판의 내용을 살펴보면 발표 상황에 대해 알 수 있습니다. 5분 영상 발표회에서 주변 인물 탐구 영상을 발표하려는 상황입니다.

19 듣는 사람과 발표 시간을 생각하여 촬영하고 발표해야 합니다.

20 채점 기준

평가	답안 내용
상	예 꿈을 가지고 재능을 꾸준히 키워 나가자.
	➜ 꿈을 이루기 위하여 꾸준히 노력하자는 내용을 씀.
중	예 꿈을 가지자.
	➜ 꿈을 가지자는 내용만 쓰고 노력하자는 내용은 쓰지 못함.

부족한 답안 꿈을 가지고 ~~악기 연습을 열심히~~ 하자. → 재능을 키우기 위해 노력을

➜ 악기 연주뿐만 아니라 자신의 재능을 꾸준히 키워 가자는 주제를 전할 수 있어요.

21 친구가 떡볶이를 먹는 장면은 주제와 관련이 없습니다.

22 말하기 쉬운 편안한 분위기를 만들어 겸손한 자세로 면담하는 것이 좋습니다.

23 촬영 대상자에게 미리 동의를 구해야 합니다.

24 자막은 필요한 장면에 알맞게 넣는 것이 좋습니다.

25 지민이의 말을 살펴보면 지민이네 모둠은 요리사를 소개하는 영상을 제작하였음을 알 수 있습니다.

26 지민이의 말을 살펴보면 발표 내용에는 방송에서 유명 요리사가 요리하는 장면, 요리사와 직접 면담한 내용, 다양한 요리 분야를 조사한 내용이 포함된다는 것을 알 수 있습니다.

27 소개할 인물에 대한 관심을 불러일으키고, 한두 문장으로 간단히 소개하는 것이 좋습니다.

28 지민이네 모둠은 영상을 보여 준 뒤에 영상 내용, 제작 과정, 겪은 일에 대한 내용을 말할 수 있습니다. 다른 모둠이 잘못한 점을 말할 필요는 없습니다.

29 다른 모둠의 발표를 들을 때 짝과 이야기를 나누는 것은 알맞은 태도가 아닙니다.

30 채점 기준

평가	답안 내용
상	예 촬영하는 동안 특히 기억에 남는 일은 무엇인가요?
	→ 영상 내용, 제작 과정, 발표와 관련지어 궁금한 점으로 알맞은 내용을 씀.
중	예 왜 이 주제를 정했나요?
	→ 발표 내용에 대한 질문이지만 발표를 통해 알 수 있는 질문을 씀.

단원 평가

교과서 진도북 76~78쪽

1 사진 **2** (2) ○ **3** 영상 **4** (1) 폴란드의 민속춤 (2) 베트남의 전통 의상 **5** ④ **6** 지예 **7** 도표 **8** 예 늘어난다 **9** ⑤ **10** ④ **11** 은지 **12** ② **13** 예 당신은 누군가를 아프게도 하고 기쁘게도 하는 능력자라고 비유했다. / 손가락을 악마 또는 천사의 모습으로 비유했다. **14** (1) ○ **15** 내용 정하기 **16** 예 맨발 걷기의 효과를 정리한 내용 **17** ④ **18** 은찬 **19** ① **20** (3) ×

1 대화 ②에서 세미의 말을 보면 대화 ①에서는 사진을 보여 주었다는 것을 알 수 있습니다.

2 율동에 대하여 말하면서 사진을 보여 주면 동작을 생생하게 알 수 없습니다.

3 율동의 동작을 생생하게 알 수 있는 매체 자료의 종류는 영상입니다.

4 진아는 폴란드의 민속춤, 별이는 베트남의 전통 의상을 소개하고 싶다고 하였습니다.

5 민속춤을 소개할 때에는 동작을 알 수 있는 영상을, 베트남의 전통 의상을 소개할 때는 모습을 쉽게 알 수 있는 사진을 활용하는 것이 좋습니다.

6 발표 내용과 관련 있는 매체 자료를 활용해야 합니다.

7 휴대 전화 관련 교통사고 발생량을 정리한 도표입니다.

8 휴대 전화 관련 교통사고가 해마다 점점 늘어나는 것을 알 수 있습니다.

9 휴대 전화 관련 교통사고 발생량을 나타낸 매체 자료이므로 걸을 때나 운전할 때 휴대 전화를 사용하면 위험하다는 주제를 전합니다.

10 도표를 활용하면 수치를 넣어 더 정확한 통계를 알 수 있습니다.

더 알아보기

매체 자료의 종류와 효과

매체 자료의 종류	매체 자료를 활용해 얻을 수 있는 효과
영상	움직임을 생생하게 전달하거나 음악이나 자막을 넣어 분위기를 잘 전달할 수 있습니다.
사진	대상의 정확한 모습을 알 수 있고, 대상을 한눈에 보여줄 수 있습니다.
표	자료의 수를 정확히 나타내거나 많은 양의 자료를 간단히 나타낼 수 있습니다.
도표	수량의 변화 정도를 알 수 있고, 정확한 수치를 나타낼 수 있습니다.

11 나쁜 댓글의 예를 구체적으로 보여 주지는 않았습니다.

12 읽는 사람을 배려하여 온라인 댓글을 달자는 주제를 전하고 있습니다.

13 채점 기준

평가	답안 내용
상	예 당신은 누군가를 아프게도 하고 기쁘게도 하는 능력자라고 비유했다.
	→ 영상 자료에서 사용한 비유적 표현을 씀.

부족한 답안 손가락을 비유했다. (악마 또는 천사의 모습으로)
→ 무엇을 무엇에 비유했는지 구체적으로 나타나게 써야 합니다.

14 발표 상황을 파악하는 과정입니다.

15 주제를 정한 뒤에는 촬영할 내용을 정해야 합니다.

16 채점 기준

평가	답안 내용
상	예 맨발 걷기의 효과를 정리한 내용
	→ '맨발 걷기'라는 주제와 관련된 장면을 씀.
하	예 맨발 걷기와 관련된 내용
	→ 주제와 관련된 내용을 구체적으로 밝혀 쓰지 못함.

17 한 명이 두 가지 이상의 역할을 담당할 수도 있습니다.

18 자막은 필요한 내용만 간단하게 넣고, 알맞은 배경 음악을 넣는 것은 도움이 됩니다.

19 유행하는 말을 사용하기보다 바르고 고운 말을 사용하는 것이 좋습니다.

20 자신의 의견이 얼마나 반영되었는지보다 친구들과 제작 과정에 협력을 잘했는지 생각하는 것이 좋습니다.

5. 글에 담긴 생각과 비교해요

진도 학습

교과서 진도북 81~93쪽

1 ④, ⑤ 2 관점 3 ④, ⑤ 4 ③ 5 ㉮
6 ⑤ 7 ①, ③, ④ 8 (1) ○ (3) ○ 9 교육
10 ㉱ 11 (2) ○ (3) ○ 12 (1) 인자 (2) 덕
13 ④ 14 ② 15 ① 16 예 가장 아름다운 우리나라 / 봄바람이 가득한 우리나라를 만듭시다
17 (2) ○ (3) ○ 18 예 로봇세 도입을 더 이상 미루면 안 된다. / 로봇세를 빠른 시일 내에 도입해야 한다.
19 (1) × 20 (1) 권리 (2) 전자 인간 21 ①
22 (3) ○ 23 ② 24 ㉠, ㉡ 25 로봇세
26 ② 27 ㉣ 28 ①, ② 29 ③
30 ①, ②, ③ 31 ④ 32 ④ 33 ⑤
34 (1) ○ 35 ① 36 ④ 37 (1) 기와 조각 (2) 똥
38 예 무늬 39 예 중국의 것을 다 익히고 중국보다 낫게 된
40 ㉠, ㉢ 41 ⑤ 42 ⑤ 43 (3) ○ 44 ㉠, ㉡
45 진우 46 예 위험에 처한 사람을 돕지 않으면 처벌할 수 있다. 47 ⑤ 48 우진 49 찬성

자습서 확인 문제 85쪽

1 ㉢ 2 (1) × 3 의도

1 아이들이 우리말보다 영어를 먼저 배우는 것과 국어보다 영어에 익숙해진 현실에 대하여 "우리말을 사랑하자."라는 주제를 전달하고 있습니다.

2 사람마다 관점이 다르기 때문에 같은 글자를 봐도 서로 다르게 생각할 수 있습니다.

3 사람마다 지식이나 경험, 문화 등이 다르게 때문에 같은 글자를 봐도 서로 다르게 생각할 수 있습니다.

4 공익 광고의 끝부분에 나온 '우리말을 사랑합시다.' 부분이 주제를 잘 나타내고 있습니다.

5 우리말을 사랑하자는 내용의 공익 광고를 보았다면, 어떻게 우리말을 사랑할 수 있을지 실천 방안을 떠올려 볼 수 있습니다.

6 글쓴이는 우리나라가 세계에서 가장 아름다운 나라가 되기를 원한다고 하였습니다.

7 글쓴이는 인의, 자비, 사랑이 부족하여 인류가 불행한 것이라고 생각하였습니다.

8 글쓴이는 글의 내용과 글쓴이의 생각이 잘 드러나는 제목을 지었을 것입니다.

9 글쓴이는 문화의 힘을 높이기 위해 국민 교육을 완비하고, 사상의 자유를 확보하는 정치 양식을 세워야 한다고 하였습니다.

10 '우리의 적이 우리를 누르고 있을 때'와 '적은 이미 물러갔으니'를 통해 글쓴이가 글을 쓴 때는 광복 이후임을 짐작할 수 있습니다.

11 글쓴이는 증오와 투쟁을 버리고 인자하고 어진 사람이 되어야 한다고 강조하였습니다.

12 글쓴이는 사랑하는 동포를 아끼는 마음과 즐거운 것을 남에게 권하는 마음을 우리 조상들의 인자하고 어진 덕이라고 하였습니다. 그리고 우리나라 사람들이 바로 이 마음을 가져야 한다고 하였습니다.

13 누구나 투쟁하는 나라는 살기 좋은 나라의 예로 보기 어렵습니다.

14 글쓴이는 일찍이 교육에 종사하면서 교육의 힘을 믿어 온 사람이며, '교육의 힘'을 통해 우리나라가 높은 문화의 힘을 가질 것이라고 믿었습니다.

15 글쓴이는 직접 국민 교육에 종사할 나날이 얼마 남지 않아서 안타까워하였습니다.

16 채점 기준

평가	답안 내용
상	정답 키워드 우리나라 / 나라 예 가장 아름다운 우리나라
	→ 정답 키워드를 포함시켜 글쓴이의 생각이 드러난 제목으로 알맞은 것을 간단히 씀.
중	예 나의 소원 / 나의 꿈
	→ 정답 키워드를 빠뜨려 글쓴이의 소원이 무엇인지 잘 드러나지 않는 제목을 간단히 씀.

17 글쓴이의 생각을 파악하며 글을 읽어야 하는 까닭은 글쓴이의 생각을 파악하며 글을 읽을 때의 좋은 점과 연관지어 생각할 수 있습니다. 글쓴이의 생각을 파악하며 글을 읽으면 그렇지 않을 때보다 글의 내용을 좀 더 깊이 있게 이해할 수 있고, 글쓴이의 의도나 목적을 알 수 있어서 좋습니다.

18 채점 기준

평가	답안 내용
상	정답 키워드 로봇세 예 로봇세 도입을 더 이상 미루면 안 된다.
	→ 정답 키워드를 포함시켜 로봇세를 도입해야 한다는 글쓴이의 생각을 정확한 문장으로 씀.
중	예 로봇세 도입, 더 이상 미룰 수 없다.
	→ 글의 제목과 비슷하게 씀.

19 많은 특허 사용료를 외국에 지급하는 것은 로봇세를 거두는 것의 장점이 아닙니다.

20 2017년 유럽 의회에서는 로봇에게 특수한 권리와 의무를 가진 전자 인간이라는 법적 지위를 부여하는 입법을 추진하도록 결의하였습니다.

21 글 ㉮의 글쓴이는 로봇세 도입에 긍정적인 입장에서 로봇세를 미루지 않아야 한다는 생각을 나타냈습니다.

22 로봇을 소유한 기업이나 로봇에게 매기는 세금을 '로봇세'라고 합니다.

23 글의 제목 '로봇세 도입을 늦추어야 한다'를 통해 글쓴이는 로봇세를 거두는 것에 부정적인 생각을 가지고 있음을 짐작할 수 있습니다. 또한 '부담'이나 '걸림돌', '로봇세 도입을 늦추어야 한다' 등과 같은 표현에서 지금은 로봇세를 도입할 시기가 아니라는 글쓴이의 생각을 짐작할 수 있습니다.

24 글쓴이는 로봇세를 도입하기에는 아직 이르다고 하면서 로봇세에 부정적인 입장을 나타냈습니다.

25 글쓴이는 로봇세 도입이 시급하다고 생각하는 사람들에게 다른 관점을 제시하려고 이 글을 썼을 것입니다.

26 연암 박지원은 중국에 다녀와서 자신이 느낀 바를 토대로 『열하일기』라는 책을 완성하였습니다.

27 몇 달 동안이나 모래바람을 뚫고 가야 하는 힘든 길이었기 때문에 중국에 가려는 사람이 없었습니다.

28 글쓴이는 박지원이 호기심이 많고, 모험 정신이 가득한 인물이었기에 중국에 다녀올 수 있었다고 하였습니다.

29 글쓴이는 『열하일기』에 대하여 시대를 앞서가는 박지원의 생각을 모은 책이라고 평가하였습니다.

30 '나리'와 나리를 모시는 '창대', '장복'이 등장합니다.

31 당시의 선비들은 연경에서 돌아온 사람을 만나면 제일가는 경치는 무엇이었느냐는 질문을 꼭 한다고 하였습니다.

32 창대는 나리 뒤에서 흘깃흘깃 곁눈질만 했기 때문에 중국에서 가장 볼만한 것이 무엇이었는지 떠오르지 않는다고 하였습니다.

33 금강산의 일만 이천 봉우리들은 당시의 조선에서 볼 수 있었던 것입니다.

34 나리의 말을 통해 일류 선비는 중국엔 도무지 볼 것이라곤 없다고 대답한다는 것을 알 수 있습니다.

35 일류 선비는 중국을 오랑캐의 나라라고 여겨서 볼 것이 없다고 생각한다고 하였습니다.

36 이류 선비들은 당시의 중국(청나라)에 대해 일류 선비들보다 더 부정적으로 보아서, 소탕해야 할 오랑캐들이라고 여겼습니다.

37 나리는 창대의 물음에 중국의 제일가는 경치는 깨진 기와 조각과 똥 덩어리라고 대답하였습니다.

38 나리는 담을 쌓을 때 깨진 기와 조각으로 여러 가지 무늬를 넣을 수 있다고 하였습니다.

39 채점 기준

평가	답안 내용
상	정답 키워드 중국 예 중국의 것을 다 익히고 중국보다 낫게 된 → 정답 키워드를 포함시켜 글에 나타난 내용과 서로 통하는 내용을 정확한 표현으로 씀.
중	예 중국의 것을 다 익혀 낸 → 글에 나타난 내용에서 빠진 부분이 있음.
하	예 오랑캐의 것을 익힌 / 청나라의 것을 배운 → 정답 키워드 대신에 '오랑캐'나 '청나라'를 넣어 ㉮에 호응하지 않도록 일부 내용을 빠뜨리고 씀.

40 글쓴이는 도움이 된다면 오랑캐의 것이라도 본받아야 하고, 하찮은 물건에도 알맞은 쓰임이 있다는 생각을 전하고 있습니다.

41 나리는 똥을 거름으로 쓸 때에는 소중히 여긴다는 점을 말하면서 똥 덩어리가 중국의 높은 성곽이나 궁실보다 아름답다고 하였습니다.

42 장복이가 나리에게 자신과 같은 천민도 쓸모가 있겠냐고 묻자, 장복이처럼 천민이었던 창대는 자신이 똥오줌보다 못할까 봐 가슴이 조마조마하였습니다.

43 스스로의 가치는 스스로 매겨야 한다는 말에서 신분 제도에 대한 글쓴이의 생각을 짐작할 수 있습니다.

44 박지원은 당시의 우리나라 선비나 양반들에게 사물의 가치나 신분 제도에 대한 다른 관점을 제시하고자 이 글을 썼을 것이라고 생각할 수 있습니다.

45 기와 조각과 똥 덩어리를 아름답다고 표현한 것에서 진우가 말한 내용을 짐작할 수 있습니다.

46 채점 기준

평가	답안 내용
상	예 위험에 처한 사람을 돕지 않으면 처벌할 수 있다. → 도움이 필요한 사람에게 도움을 주지 않으면 벌을 준다는 내용이 분명히 드러나게 씀.
중	예 어려운 처지에 놓인 사람을 도와주어야 한다. → 도와주어야 한다는 내용만 드러나고, 도움을 주지 않으면 처벌한다는 내용이 빠져 있음.

47 당시의 법률에는 구조 의무가 없었기 때문에 물에 빠진 사람을 돕지 않았던 젊은이에 대한 소송이 기각되었습니다.

48 착한 사마리아인의 법이 있더라도 사고는 일어날 수 있기 때문에 우진이의 설명은 옳지 않습니다.

49 착한 사마리아인의 법을 제도적으로 도입하여 처벌해야 한다는 주장이므로, 찬성하는 입장입니다.

단원 평가

교과서 진도북 94~96 쪽

1 ④ **2** 우리말 **3** (3) ○ **4** (1) 생활 (2) 풍족히
5 ⑤ **6** ①, ② **7** 예 개인의 자유를 극도로 주장하되, 제 가족과 이웃과 국민을 잘 살게 하는 데 쓰이는 자유를
8 기계 **9** ①, ②, ③ **10** ⑤ **11** ②, ③ **12** 부담
13 예 아직은 너무 이른 로봇세 / 시기상조인 로봇세 도입
14 ⑤ **15** 의도 / 목적 등 **16** ③, ④ **17** ④
18 예 거름으로는 쓸모가 있는 것이기 때문에 / 거름으로는 아주 쓸모가 있기 때문에 **19** ③ **20** ㉠

1 이 글은 공공의 이익을 위해 만든 광고입니다.

2 자랑스러운 우리말은 우리 민족의 정신이라고 하였으므로, 우리말을 사랑하자는 생각을 전하려는 공익 광고로 볼 수 있습니다.

3 글쓴이는 우리나라가 세계에서 가장 아름다운 나라가 되기를 원합니다.

4 글쓴이는 우리 생활을 풍족히 할 만한 부를 가지면 된다고 하였습니다.

5 글쓴이는 우리나라가 오직 문화의 힘을 한없이 가지기를 바란다고 하였습니다.

6 문화의 힘은 우리 자신을 행복하게 하고, 남에게도 행복을 준다고 하였습니다.

7 채점 기준

평가	답안 내용
상	정답 키워드 가족, 이웃, 국민
	→ 정답 키워드를 모두 포함시켜 예시 답안과 같은 내용을 구체적으로 정확하게 씀.
중	예 개인의 자유를 추구하면서, 국민 모두가 잘 살게 되는 자유를
	→ 정답 키워드 중 일부만을 포함시켜 씀.
하	예 국민들이 잘 살 수 있는 자유
	→ 정답 키워드를 빠뜨리고, '~ 추구해야 한다.'로 끝나는 문장에 어색한 표현으로 씀.

8 로봇은 법적인 의미에서 자연인이나 법인이 아닌 기계이기 때문에 현행법으로는 세금을 부과할 수 없습니다.

9 글쓴이는 로봇에 관심을 가진 학생들이나 로봇 산업에서 일하고 있는 사람들, 로봇세 도입에 반대하는 관계자들을 대상으로 자신의 생각을 전하기 위해 이 글을 썼을 것입니다.

10 각 문단의 중심 문장에서 글쓴이가 나타낸 생각을 알 수 있습니다. 글 ㉯의 첫 번째 문장에서 글쓴이는 로봇에게 세금을 부과할 수 있는 법적 근거를 마련해야 한다고 말했습니다.

11 로봇이나 그 로봇을 소유한 기업에 로봇세를 부과한다고 하였습니다.

12 '부정적인 영향', '마음의 부담'과 같은 표현을 통해 로봇세에 대한 부정적인 생각을 알 수 있습니다.

13 채점 기준

평가	답안 내용
상	정답 키워드 로봇세
	→ 정답 키워드를 포함시켜 로봇세 도입에 대한 부정적인 생각이 잘 드러나게 씀.
중	예 로봇세 도입을 늦추어야 한다.
	→ 교과서에 나온 글의 제목을 그대로 씀.

14 글쓴이는 로봇세를 도입하면 아직 제대로 발전되지 않은 로봇 산업에 걸림돌이 될 수 있다고 생각하였습니다.

15 글에 쓰인 표현, 글의 제목, 글을 쓴 목적과 의도를 통해 글쓴이의 생각을 짐작할 수 있습니다.

16 나리는 창대의 질문에 '기와 조각'과 '똥 덩어리' 두 가지가 중국의 제일가는 경치라고 대답하였습니다.

17 나리는 깨진 기와를 넣어 담장에 무늬를 넣는 것처럼 잘만 사용하면 쓸모가 있기 때문에, 기와 조각을 중국의 제일가는 경치라고 하였습니다.

18 채점 기준

평가	답안 내용
상	정답 키워드 거름
	→ 정답 키워드를 포함시켜 거름으로 쓸모가 있기 때문이라는 내용이 드러나게 씀.
중	예 쓸모가 있기 때문에
	→ 단순히 쓸모가 있기 때문이라고 씀.

19~20 기와 조각과 똥 덩어리도 쓰임에 따라 아름답게 볼 수 있는 것이나 사람 스스로의 가치는 스스로 매기는 것이라고 한 것처럼, 글쓴이는 사물의 가치나 신분 제도에 대하여 새로운 관점을 제시하기 위해 이 글을 썼을 것입니다.

6. 정보와 표현 판단하기

진도 학습

교과서 진도북 99~106쪽

1 ②, ⑤　2 ㉯　3 우진　4 토의　5 ⑤
6 ㉡　7 ①, ⑤　8 ❹　9 ⑤
10 예 디자인이 독보적이고, 튼튼한 내구성을 인정받았기 때문이다.　11 ㉡　12 최고　13 ④　14 ⑤
15 ㉱　16 (3) ○　17 ㉰　18 ④　19 ㉡
20 ②　21 ④　22 (2) ○　23 예 전문가와 관련 있는 정보를 정확히 밝히고 있다. / 기자의 마무리 부분에 제시한 연구 결과의 출처가 명확하지 않다.　24 ②　25 ②
26 ④　27 (3) ○

자습서 확인 문제 104쪽

1 우빈　2 ㉠　3 ㉢

1 뉴스와 사람들의 반응을 보면, '파리 기후 협약'은 지구 온난화를 막으려고 여러 나라가 체결한 것이라는 점을 알 수 있습니다. 기온 상승 폭을 2도로 제한하였고,온실가스 배출 규정에 대한 내용도 포함되어 있습니다.

2 ㉮, ㉯, ㉰는 모두 뉴스가 우리 생활에 미치는 영향으로 알맞은 내용에 해당합니다. ㉠과 ㉡은 뉴스를 통해 몰랐던 점을 새로 알게 된 것을 나타내므로, 정답은 ㉯ '뉴스는 사람들에게 새로운 정보를 전달해 준다.'입니다.

3 대화를 보면, '기후 협약은 환경 보전을 위해 필요한 것'이라고 같은 생각을 가진 점을 알 수 있습니다. 이는 뉴스가 여론을 형성한다는 것을 알려 줍니다.

4 뉴스나 공익 광고를 보고 세계 곳곳에서 일어나는 문제에 관심을 갖고 토의할 수 있습니다.

5 광고에서 한 해에 버려지는 음식물 쓰레기로 인하여 발생하는 경제적 손실이 중형차 100만 대를 버리는 것과 같다고 하였습니다.

6 바다에 자동차를 빠뜨리는 모습을 통해 음식물 쓰레기가 버려지는 것을 느낄 수 있도록 표현하였습니다.

7 잘못된 음식 문화를 고치고 음식물 쓰레기는 줄여야 한다는 내용을 전하는 공익 광고입니다.

더 알아보기

공익 광고의 특징

- 사회 문제에 대하여 알립니다.
- 공공의 이익을 목적으로 합니다.

8 큰 크기의 글자로 강조한 부분이 있는 곳, 글자의 배경을 붉은 느낌의 색으로 칠한 곳을 찾아야 합니다. 이와 같은 표현 특징이 나타난 부분은 네 번째 장면입니다.

9 건강해지려고 여러 가지 방법으로 노력해 보아도 소용이 없을 때 신바람 자전거가 해결책이라는 듯이 표현하였습니다.

10 광고에서 자전거의 무엇을 인정받아 소비자 만족도 1위를 했다고 나와 있는지 살펴봅니다.

채점 기준

평가	답안 내용
상	정답 키워드 디자인, 내구성 예 독보적인 디자인과 튼튼한 내구성을 갖추어서. → 정답 키워드를 모두 포함시켜 광고에서 제시된 내용을 알맞게 씀.
하	예 디자인이 좋아서. / 내구성이 튼튼해서. → 정답 키워드 중 한 가지만 포함시켜 관련 내용을 단순하게 씀.

11 언제, 어떤 조사에서 소비자 만족도 1위를 했는지 나와 있지 않습니다.

12 광고에서 '최고'와 같은 표현은 비판적으로 보아야 할 과장된 표현입니다.

13 '디자인'은 좋고 나쁨을 나타내는 낱말이 아니므로 이 낱말만 놓고 보면 과장된 표현이 아닙니다.

14 '이보다 가벼울 수는 없다!'는 더 가벼운 책가방이 있을 수도 있기 때문에 과장된 표현입니다.

15 책가방의 재질이나 가격, 무게에 대한 자세한 정보는 주어지지 않았습니다.

16 ㉡에는 해외 어느 나라로 수출하는지에 대한 정보가 감추어져 있습니다.

17 물건을 팔기 위해 만든 광고를 그대로 믿으면 구입한 물건이 광고와 달라 피해를 입을 수도 있으므로 비판적으로 보아야 합니다.

18 스마트 기부의 다양한 유형에 대하여 설명하며 걷거나 게임을 하고 광고 동영상을 시청하는 것으로 기부를 할 수 있는 스마트폰 앱도 있다고 하였습니다.

19 뉴스에 들어간 면담이나 통계 자료는 뉴스를 더욱 체계적으로 만들어 주어 보는 사람들의 이해를 돕는 역할을 합니다.

20 올바른 손 씻기 방법과 그 효과에 대한 정보를 전달하는 뉴스 원고입니다.

21 관련 분야의 전문가인 보건 선생님과의 면담 자료에 해당합니다.

22 손으로 얼굴을 자주 만지면 손에 있는 세균이 눈, 코, 입으로 들어가 감염을 일으킬 수 있다고 하였습니다.

23 채점 기준

평가	답안 내용
상	예 누구와 면담한 내용인지 정확하게 제시하였다. / 기자의 마무리 부분에 활용한 연구 결과의 출처를 분명히 밝혀야 한다.
	→ 면담에 응해 준 학생이나 보건 선생님이 누구인지 정확히 밝혔다는 점 또는 기자의 마무리 부분에 활용한 자료의 출처에 대한 판단을 정확하게 씀.
하	예 활용한 자료의 출처가 명확하지 않다.
	→ 어느 자료에 대한 판단인지 애매하게 씀.

24 텔레비전 뉴스를 만들 때에는 가장 먼저 회의를 하여 어떤 내용을 보도할지 정합니다.

25 그림 ❸은 취재한 내용을 바탕으로 보도할 뉴스의 원고를 쓰는 과정입니다.

26 그림 ❹는 텔레비전 뉴스의 영상을 제작하고 편집하는 과정입니다.

27 등하굣길이 안전하게 되길 바라고 있으므로 (3)과 같은 주제의 뉴스가 필요합니다.

단원 평가

교과서 진도북 107~110쪽

1 ⑤ **2** (1) 기후 협약 (2) 2도 **3** ㉰ **4** 성채
5 ③ **6** ②, ④ **7** ❻ **8** ④ **9** ㉡
10 예 광고를 그대로 믿으면 실제와 달라서 피해를 볼 수 있다. / 과장된 표현을 그대로 믿으면 실제 물건을 보고 실망할 수 있다. **11** (1) 깃털 책가방 회사 (2) 깃털 책가방
12 예 어떤 나라로 수출하는지와 관련 있는 자세한 정보가 감추어져 있다. / 해외 어느 나라에 수출하는지 정확하게 밝히지 않았다. **13** ④ **14** ③ **15** ⑤ **16** (3) ○
17 ㉰ **18** ① **19** ⑤ **20** ②

1 자동차들이 달리는 모습은 기후 협약과 관련이 있는 장면으로 볼 수 있습니다.

2 파리에서 체결된 기후 협약에 관한 내용입니다.

3 그림의 대화를 통해 뉴스가 여론을 형성한다는 점을 알 수 있습니다.

4 대기 오염을 막기 위해 자동차의 배기가스를 줄일 필요는 있지만, 성채가 말한 의견은 실제로 실천하기 어렵습니다.

5 어떤 문제에 대해 여러 사람들의 관심이 필요할 때 이와 같은 '공익 광고'를 이용하기도 합니다.

6 음식물 쓰레기로 인한 경제적 손실은 연간 약 20조 원이며, 이는 중형차 100만 대를 버리는 것과 비슷한 수준이라고 하였습니다.

7 광고의 끝부분에 잘못된 음식 문화의 예를 사진으로 생생하게 제시하였습니다.

8 '신바람 자전거'를 광고하고 있습니다.

9 '최고'는 과장된 표현에 해당합니다.

10 채점 기준

평가	답안 내용
상	예 과장 광고를 그대로 믿고 물건을 샀다가 광고와 달라서 피해를 입을 수 있다.
	→ 과장 광고를 그대로 믿으면 실망을 하거나 피해를 입을 수 있다는 내용을 정확하게 씀.
중	예 광고를 믿지 않게 된다. / 기분이 나빠진다.
	→ 과장 광고에 피해를 본 다음에 일어날 내용 등으로 초점에서 다소 벗어난 답안을 씀.

11 광고의 끝부분에 광고를 만든 회사의 이름이 나와 있습니다.

12 채점 기준

평가	답안 내용
상	정답 키워드 수출 예 어느 나라로 수출하는지에 대한 정보를 감추고 있다.
	→ 정답 키워드를 포함하여 그에 대한 정보가 감추어져 있다는 내용을 정확하게 씀.
중	예 얼마나 수출하는지 감추고 있다.
	→ 정답 키워드를 포함시켜 감추고 있는 내용을 썼으나, 수출하는 나라에 대한 내용에서 벗어난 답안을 씀.

13 있지 않은 상품 기능을 있는 것처럼 거짓으로 설명하는 광고를 '허위 광고'라고 합니다.

14 '진행자의 도입' 부분은 뉴스에서 보도할 내용을 유도하거나 전체를 요약해서 안내하는 역할을 합니다.

15 스마트 기부를 하는 사람들의 동기를 분석한 통계 자료입니다.

16 '기자의 마무리' 부분에서는 뉴스 전체를 요약해 주거나 핵심 내용을 강조합니다.

17 글 ㉮는 '진행자의 도입', 글 ㉯는 '기자의 보도' 부분에 해당합니다.

18 민규는 뉴스에서 활용한 면담 대상이 누구인지 명확히 밝혔다고 이야기하였습니다.

19 보도할 내용을 정할 때는 우리 주변에서 알릴 만한 가치가 있는 일을 찾아야 합니다.

7. 글 고쳐 쓰기

진도 학습

교과서 진도북 113~119쪽

1 ① 2 (2) ○ 3 예 글의 주제 4 ㉣
5 ② 6 ② 7 ❶, ❹, ❸
8 (1) 예 사용한다 (2) 예 있다면 9 (1) 예 고운 말을 사용하자 (2) 예 고운 말을 사용하자는 글쓴이의 생각을 나타내기 위해서이다. 10 ①, ④ 11 불편해졌다. 12 ②
13 푸석 푸석해지고 14 ④, ⑤ 15 ㉰ 16 ⑤
17 ② 18 하나 19 ③ 20 예 분명하지 않거나 지나치게 단정적인 표현은 없는가? / 알맞은 낱말을 사용했는가? 21 태영 22 ④, ⑤ 23 예 함께 행복한 삶
24 ③, ⑤ 25 ⑤ 26 ㉮, ㉱, ㉲

자습서 확인 문제 115쪽

1 ㉢ 2 문단 3 ㉠

1 도현이는 ❹에서 불량 식품을 먹지 말자는 주장을 글로 쓰고 싶다고 했습니다.

2 「쓰레기가 되는 불량 식품」이라는 제목은 '불량 식품을 먹지 말자'는 주제와 관련 없습니다. 글의 제목은 주장이 잘 드러나게 짓는 것이 좋습니다.

3 ㉡은 불량 식품을 먹고 생긴 쓰레기를 아무 데나 버리지 말자는 내용으로, 불량 식품을 먹지 말자는 글의 주제와 관련 없습니다.

4 '아무리'는 '~아도', '~어도'와 같이 써야 어울리는 낱말입니다. 따라서 '아무리 맛있어도 먹으면 안 됩니다.'가 호응에 맞는 문장입니다. 문장 호응이 잘 이루어지지 않으면 읽는 사람이 이해하기 어려울 수 있습니다.

5 글을 고쳐 쓴다고 항상 전보다 더 짧은 글이 되는 것은 아닙니다.

더 알아보기

고쳐쓰기를 하면 좋은 점

- 적절하지 않은 낱말이나 틀린 문장이 없어서 읽는 사람이 글을 쉽게 이해할 수 있습니다.
- 자신의 생각을 더 명확하게 전달할 수 있습니다.
- 필요한 내용을 추가하여 더 내용이 풍부한 글을 쓸 수 있습니다.
- 읽는 사람의 반응을 잘 이끌어 낼 수 있습니다.

6 글쓴이는 고운 말을 사용해야 하는 까닭에 대하여 글을 썼습니다.

7 문단 ❶~❺를 읽어 보고 각 문단에서 문제 상황, 주장, 근거를 파악한 다음 글의 흐름에 맞게 문단의 차례를 정해야 합니다. 문단 ❶에는 문제 상황, 문단 ❷, ❹, ❺에는 주장에 대한 근거, 문단 ❸에는 근거를 정리하여 주장을 다시 강조하는 내용이 드러나 있습니다.

더 알아보기

주장하는 글은 주로 문제 상황, 글쓴이의 주장, 주장을 뒷받침하는 근거 순으로 글이 전개됩니다.

8 '사용했다'를 '요즘'에 맞게, '있기 때문에'를 '만약'에 맞게 고쳐 씁니다.

9 제목이 글의 내용이나 글을 쓴 목적과 맞는지 생각해 봅니다.

채점 기준

평가	답안 내용
상	(1) 예 고운 말을 사용하자 (2) 예 고운 말을 사용하자는 글쓴이의 생각을 나타내기 위해서이다.
	→ (1)에 제목을 알맞게 바꾸어 썼고 (2)에 까닭도 알맞게 씀.
중	(1) 예 고운 말을 사용하자 (2) 예 고운 말을 사용하자고 해서
	→ (1)에 제목은 알맞게 바꾸어 썼지만 (2)에 까닭은 너무 간단하게 썼거나 문장에 어색한 부분이 있음.
하	(1) 예 고운 말을 사용하자
	→ (1)에 제목만 알맞게 바꾸어 씀.

10 교정 부호를 사용하여 글을 고쳐 쓰면 글을 다시 쓰는 것보다 시간을 절약할 수는 있지만 글을 빨리 읽는 효과가 있는 것은 아닙니다. 또한 교정 부호는 약속된 기호이기 때문에 교정 부호를 사용하였다고 해서 읽는 사람에 따라 글의 내용이 달라지는 것은 아닙니다.

11 글의 흐름에 맞게 '불편해졌다'를 '불편해진다'로 고쳐 써야 합니다. 이때는 한 글자를 고칠 때 사용하는 교정 부호인 '⌒'를 사용해야 합니다.

12 '오래'와 '지속되면'은 띄어 써야 합니다.

13 '푸석 푸석해지고'는 한 낱말이므로 붙여 씁니다. 이때는 붙여 쓸 때 사용하는 교정 부호인 '⌒'를 사용합니다.

14 자료 1 의 주장은 '동물 실험을 해서는 안 된다.'입니다. 주장을 뒷받침하는 사실은 동물 실험을 없애자는 근거로 쓸 수 있는 ④와 ⑤입니다.

왜 틀렸을까?

①과 ③의 내용은 동물 실험이 필요하다고 주장하는 글에 적합한 내용이므로 자료 1 의 주장과 반대됩니다.

15 ㉰는 동물 실험 대체 방법 개발이 쉽지 않다는 것을 강조하기 위해 사용한 자료입니다.

16 자료 1 은 동물 실험에 반대하는 내용이고, 자료 2 는 찬성하는 내용입니다. 이러한 동물 실험과 관련해 주장하는 글을 쓸 때 ⑤ '털을 사용하기 위해 마구잡이로 담비를 사냥하는 현장 사진'은 동물 실험과 관련된 자료가 아니기 때문에 필요하지 않습니다.

더 알아보기

자료 1 , 자료 2 에 나타난 주장과 근거 및 뒷받침 자료

	자료 1	자료 2
주장	동물 실험을 하면 안 된다.	동물 실험은 필요하다.
근거와 뒷받침 자료	• 해마다 약 6억 마리의 동물이 동물 실험에 희생된다. • 인간과 동물의 몸은 차이가 커서 동물에게 실험을 해도 인간에게는 효과가 없거나 부작용을 일으키는 약이 나올 수 있다. • 국민 의식 조사에 따르면 동물 실험을 다른 방법으로 대체해야 한다는 의견이 많다.	• 동물 실험을 통해 중동호흡기증후군[메르스]의 백신을 개발했다. • 동물 실험을 하지 않고 개발된 술파닐아미드라는 신약의 부작용으로 많은 사람이 사망하였다. • 대체 방법을 개발하는 데는 6년 이상의 시간과 약 400억 원 이상의 비용이 필요하다.

17 지나치게 단정적인 표현이나 분명하지 않은 표현을 확인하는 것은 글 수준이 아닌 문장과 낱말 수준에서 점검할 내용입니다.

18 중심 생각은 한 문단에 하나만 있어야 하므로 [㉡]에는 '하나'라는 낱말이 들어가야 합니다.

19 어색한 낱말을 사용했는지는 문장과 낱말 수준에서 점검할 내용입니다.

20 글을 고쳐 쓸 때 문장과 낱말 수준에서 살펴보아야 할 점이 무엇인지 생각해 봅니다.

채점 기준

평가	답안 내용
상	예 분명하지 않거나 지나치게 단정적인 표현은 없는가? / 알맞은 낱말을 사용했는가? ➞ 문장과 낱말 수준의 점검 질문을 알맞게 씀.
중	➞ 문장과 낱말 수준의 점검 질문을 알맞게 쓰지 못함.

부족한 답안 ~~필요 없는 문단이~~ 사용되지 않았는가?
(↳ 어색한 낱말이)
➞ 문장과 낱말 수준에서는 문장의 표현이나 낱말이 적절하지 않은 것은 없는지 살펴보아야 합니다.

21 태영은 칭찬할 점을, 미나는 더 고쳤으면 하는 점을 썼습니다.

22 ❶에서는 하천을 복원하는 것으로, ❷에서는 에너지 사용을 줄이는 것으로 환경을 보호한다는 것을 알 수 있습니다.

23 인간과 자연이 조화를 이루며 발전하기 위한 실천 방안에 대하여 쓴 글의 내용을 생각해 보고 어떤 제목이 적절할지 떠올려 봅니다.

24 지구는 인간만의 것이 아니고, 인간뿐 아니라 동물에게도 행복할 권리가 있기 때문에 인간과 자연이 조화를 이루며 발전해야 합니다.

25 인간과 자연이 조화를 이루기 위해서는 환경을 가꾸고 보호하여야 합니다. 그러나 숲에 사는 동물에게 먹이를 주게 되면 동물의 본능이 사라지게 되어 오히려 동물에게 해가 됩니다.

26 '내복을 만드는 과정'이나 '숲에 사는 동물의 종류'는 인간과 자연이 조화를 이루며 발전하기 위한 실천 방안에 대한 자료로 적절하지 않습니다.

단원 평가

교과서 진도북 120~122 쪽

1 ㉡ 2 (2) ○ 3 예 먹지 말자 4 ①
5 (1) 예 건강을 해치는 불량 식품 (2) 예 주제를 잘 드러내는 제목이 아니기 때문이다. 6 ② 7 ① 8 (2) ○
9 ④ 10 ③ 11 ③ 12 투쟁 → 예 싸움
13 예 지나치게 긴 문장은 이해하기 어렵기 때문에 이해하기 쉽게 두 문장으로 나누어 썼다. 14 수분 15 ㉱
16 한 ~~끼라서~~ (일지라도) 17 자료 1 18 ㉡ 19 ㉡
20 (1) 문장과 낱말 (2) 문단

1 ❶, ❷, ❸에서 도현이가 어떤 모습을 보았는지 확인할 수 있습니다.

2 도현이는 글을 쓰려고 찾은 정보를 보면서 불량 식품에는 유통 기한도 적혀 있지 않다는 것을 알게 되었습니다.

3 ❶에서 도현이는 불량 식품을 먹으면 안 된다고 이야기하고 싶어 합니다. 또한 ❷, ❸, ❹에서 불량 식품의 안 좋은 점을 발견하고 있습니다.

4 주장하는 글에서 글쓴이가 '~합시다'나 '~하자'라고 한 내용이 무엇인지 찾아봅니다.

5 채점 기준

평가	답안 내용
상	(1) 예 건강을 해치는 불량 식품 (2) 예 주제를 잘 드러내는 제목이 아니기 때문이다.
	→ (1)에 제목을 알맞게 바꾸어 썼고 (2)에 제목을 바꾸어 쓴 까닭을 알맞게 씀.
중	(1) 예 건강을 해치는 불량 식품 (2) 예 주제를 알 수 없어서
	→ (1)에 제목은 알맞게 바꾸어 썼지만 (2)에 쓴 까닭은 다소 부족한 부분이 있음.
하	(1) 예 건강을 해치는 불량 식품
	→ (1)에 제목은 알맞게 바꾸어 썼지만 (2)에 까닭은 쓰지 못함.

부족한 답안 (2) 글 ~~내용이 아니어서~~
→ 글 내용이나 주제를 알 수 있는 제목이 아니기 때문이다.
→ 제목을 붙일 때는 글의 내용이나 주제를 알 수 있게 해야 합니다. 따라서 제목을 바꾸어 쓸 때도 이러한 점을 생각해야 합니다.

6 '불량 식품을 먹지 말자'는 주제와 관련 없는 내용이므로 삭제합니다.

7 '아무리'는 '~아도'나 '~어도'와 호응하는 낱말인데 '아무리'를 '맛있어서'와 함께 써서 문장 호응에 맞지 않습니다.

8 불량 식품을 먹지 말자고 주장하는 글에 어울리는 내용을 찾아봅니다.

더 알아보기

도현이가 쓴 글 살펴보기

도현이가 글을 쓰게 된 상황	• 불량 식품을 먹고 아파하는 친구를 본 상황 • 불량 식품 쓰레기를 아무 데나 버려서 학교 주변이 더러워진 것을 본 상황
전하고자 하는 주장	불량 식품을 먹지 말자.
도현이가 글을 쓰는 데 사용한 근거	• 불량 식품을 먹고 나서 버린 쓰레기들로 학교 주변이 더러워지고 악취가 난다. • 불량 식품에 들어간 재료가 무엇인지 정확히 알 수 없다. • 유통 기한이 적혀 있지 않다. • 불량 식품에는 해로운 물질이 들어 있다.
도현이의 글에서 고쳐야 할 내용	불량 식품을 먹지 말자는 주장에 대한 근거로 쓰레기를 함부로 버려 학교 주변이 더러워진다는 내용은 알맞지 않으므로, 불량 식품을 먹어 생기는 부작용으로 바꾸거나 내용을 삭제해야 합니다.

9 글 ㉯의 중심 문장은 '고운 말을 사용하면 서로 존중하는 마음을 전할 수 있다.'입니다.

10 '요즘'은 현재를 나타내는 말이므로 과거를 나타내는 '사용했다'와는 어울리지 않습니다. 따라서 '요즘 많은 어린이가 이야기할 때 은어나 비속어를 사용한다.'로 고쳐 쓰는 것이 알맞습니다.

11 '대화를' 앞에 '원활한'이 들어가면 문장이 더 자연스럽습니다.

12 '투쟁'은 어떤 대상을 극복하려고 싸우거나 집단 간에 싸우는 일을 일컫는 말이므로 '투쟁'을 '싸움'으로 바꾸어 씁니다.

13 지나치게 긴 문장을 두 문장으로 나누어 쓰면 읽는 사람이 더 쉽게 이해할 수 있습니다.

채점 기준

평가	답안 내용
상	예 지나치게 긴 문장은 이해하기 어렵기 때문에 이해하기 쉽게 두 문장으로 나누어 썼다.
	→ 한 문장을 두 문장으로 나누어 쓴 까닭을 알맞게 씀.
중	예 문장이 길어서.
	→ 까닭을 너무 간단하게 써서 두 문장으로 나누어 쓴 까닭이 명확히 드러나지 않음.
하	예 이해하기 어렵기 때문이다.
	→ 왜 이해하기 어려운지 명확하게 드러나지 않음.

부족한 답안 이해하기 어렵기 때문에
→ 지나치게 긴 문장은 → 이해하기 쉽게 두 문장으로 나누어 썼다.
→ 문장이 너무 길면 글의 내용을 이해하기 어렵기 때문에 두 문장으로 나누어 썼다는 내용이 들어가게 써요.

14 아침밥을 거르면 체내에 저장해 두었던 영양소가 소모된다.

15 ㉠'중요한것이'는 '중요한 것이'로 띄어 써야 하므로 '∨'를 사용합니다. '오래지속되면'도 '오래 지속되면'으로 띄어 써야 합니다.

16 '비록'은 '-ㄹ지라도', '-지마는'과 같이 쓰는 말이므로 '한 끼라서'를 교정 부호 '__/'를 사용해 '한 끼일지라도'로 고쳐 씁니다.

17 자료 1 에는 동물 실험으로 인하여 고통 받는 동물의 사례가 나타나 있고, 자료 2 에는 동물 실험을 하지 않은 약 때문에 사람들이 사망한 사례가 나와 있습니다.

18 자료 1 의 주장을 뒷받침하기 위해서는 동물 실험에 반대하는 내용을 찾아야 합니다.

19 동물 실험을 해야 하는 까닭을 알 수 있는 내용을 골라 봅니다.

20 글을 고쳐 쓸 때 글 전체에서 살펴볼 내용, 문단에서 살펴볼 내용, 문장이나 낱말에서 살펴볼 내용을 구분해 봅니다.

8. 작품으로 경험하기

진도 학습

교과서 진도북 125~132쪽

1 (1) ❻ (2) ❹ 2 ⑤ 3 예 나는 여행을 가서 유명 맛집에서 먹고 그 근처의 볼거리를 찾아봤는데 「나의 여행」에서는 다른 문화를 체험해 보고 존중하고 배려하는 여행을 하고 있는 것이 다르다.
4 ① 5 ④ 6 (1) ○ 7 ③ 8 미리
9 ④ 10 ①, ② 11 (1) ㉯ (2) ㉮
12 예 서로를 따뜻하게 감싸 안자. 13 (2) ○
14 말, 비단 15 ③ 16 (1) ○ 17 ㉢ 18 정석
19 ③ 20 ① 21 ㉰ 22 예 교역을 떠날 짐을 몰래 준비하는 장면이다. 자신의 상단인데도 교역을 떠나는 것을 빚쟁이들에게 들키지 않으려고 조심스럽게 짐을 싸고 있는 것이 안타깝기 때문이다. 23 (2) ○ 24 ㉰ 25 민서
26 ⑤ 27 ① 28 (3) ○ 29 ② 30 ③

1 여행을 가기 전, 여행을 하면서, 여행을 다녀온 뒤의 일을 각각 생각해 봅니다.

2 서로 공정한 여행이란 다른 문화를 존중하고 배려하는 것이라고 하였습니다.

3 「나의 여행」에서 알 수 있는 여행의 특징이 무엇인지 정리해 봅니다.

채점 기준

평가	답안 내용
상	정답 키워드 「나의 여행」 예 나는 여행을 가서 유명 맛집에서 먹고 그 근처의 볼거리를 찾아봤는데 「나의 여행」에서는 다른 문화를 체험해 보고 존중하고 배려하는 여행을 하고 있는 것이 다르다.
	→ 자신이 갔던 여행과 「나의 여행」을 비교해 알맞게 씀.
중	예 나는 여행을 가서 유명 맛집을 찾아갔다. 「나의 여행」에서는 다른 문화를 체험해 보았다.
	→ 자신이 갔던 여행과 「나의 여행」의 특징만을 씀.
하	→ 자신이 갔던 여행에 대해서만 썼거나 「나의 여행」에 대해서만 씀.

4 2018 동계 올림픽이 열린 곳은 강원도 평창입니다.

5 등장하는 인물의 수는 영화를 감상하는 데 필요한 내용이 아닙니다.

6 융은 혼자 그림을 그리고 산책을 하며 친부모님에 대한 그리움을 달랬습니다.

7 같은 한국인 여자아이가 입양되어 왔지만 융은 심술이 나고 외로움을 느낍니다.

8 ❺에서 양어머니는 융의 거짓말 때문에 매우 화가 나 있는 상태입니다. 형제들까지 거짓말과 나쁜 짓을 배우게 되기 때문에 "썩은 사과 같으니."라고 소리쳤습니다.

9 주인공에 대하여 알 수는 있지만, 등장인물들 간의 관계는 나타나 있지 않습니다.

10 자신의 피부색이 벨기에의 가족과 다르다는 것과 한국에 친부모님이 있을지도 모른다는 생각에 잘 적응하지 못하고 힘들어했습니다.

11 ❸은 영화 속 내용과 비슷한 자신의 경험을, ❹는 예전에 본 영화를 떠올린 내용입니다.

12 글 ❺의 마지막 문장을 통해 이 글의 주제가 무엇인지 알 수 있습니다.

채점 기준

평가	답안 내용
상	예 서로를 따뜻하게 감싸 안자.
	→ 글쓴이의 생각이나 느낌을 나타낸 부분에서 주제를 알맞게 찾아 씀.
하	→ '해외 동포를 생각하자.'라고 씀.

13 어머니가 항상 사용하던 지도여서 홍라는 그 지도를 보며 어머니를 그리워했습니다.

14 홍라는 솔빈에서 은화를 팔아 말을 사서 장안으로 가서 팔아 비단을 사 오면 이문을 많이 남길 수 있다는 생각을 했습니다.

15 어머니가 돌아오기 전에 빚을 갚고 상단을 지키고 싶어서입니다.

16 홍라는 빚쟁이들의 눈총이 무서워 조용히 사람을 구했습니다.

17 작은 고깃배를 타고 나가 풍랑에 휩쓸린 사람은 비녕자의 부모님이라고 하였습니다. 부모님을 잃은 비녕자는 의지하고 지내기 위하여 금씨 상단에 찾아왔다고 하였습니다.

18 정석은 홍라처럼 좌절을 이겨 내고 노력한 경험을 이야기하였습니다.

19 비녕자가 부모가 없고 아는 사람이 없어서 교역을 떠나도 소문이 나지 않을 것이기 때문에 몰래 떠나기에 알맞았습니다.

20 홍라는 대상주의 위엄을 갖추기 위하여 기쁜 마음을 감추고 엄한 표정을 지었습니다.

21 홍라는 자신이 교역을 떠난다는 사실을 집안 일꾼들이 눈치채지 못하도록 창고에서 말린 고기와 곡식 가루를 챙겼습니다.

22 채점 기준

평가	답안 내용
상	예 교역을 떠날 짐을 몰래 준비하는 장면이다. 자신의 상단인데도 교역을 떠나는 것을 빚쟁이들에게 들키지 않으려고 조심스럽게 짐을 싸고 있는 것이 안타깝기 때문이다.
	→ 인상 깊은 장면과 그렇게 생각하는 까닭을 알맞게 씀.
중	→ 인상 깊은 장면은 알맞게 썼지만 그렇게 생각하는 까닭은 너무 간단하게 씀.
하	→ 인상 깊은 장면만 간단하게 씀.

23 교역을 떠난다는 사실을 들키지 않기 위해서 말을 몰래 빼돌렸습니다.

24 장안은 밤이면 색색의 등불이 반짝이는 곳이며, 장안에는 동방의 상인들이 장사하는 동부 시장과 서역 상인들의 서부 시장이 있다고 하였습니다.

25 자신의 느낌을 말한 사람은 민서입니다.

26 독서 감상문에 등장하는 모든 인물의 이름을 쓸 필요는 없습니다.

27 자신의 경험을 떠올려 주제를 정해야 합니다.

28 주제와 관련 있는 자료가 무엇인지 생각해 봅니다.

29 수집한 자료에 어울리는 설명을 기록하는 단계입니다.

30 자막만 너무 크게 넣으면 영상의 내용을 알기 어렵습니다.

단원 평가

교과서 진도북 133~136 쪽

1 ❶ 2 ② 3 공정한 여행
4 (1) ㉯ (2) ㉮ 5 (1) ㉰ (2) ㉯ 6 ②
7 가영 8 ② 9 (1) 예 걱정스럽고 슬프다.
(2) 예 양어머니에게 심한 말을 들었기 때문이다. 10 ③
11 ⑤ 12 ① 13 ①, ④ 14 예 입양된 사람들이 우리 역사에서 겪은 아픔에 대하여 생각하였다. 15 ㉣
16 솔빈 → 장안(당나라) 17 ① 18 ① 19 연우
20 ㉯, ㉶, ㉮

1 여행을 가기 전에는 여행지가 자신이 정말 가고 싶은 곳인지 생각해 보아야 합니다.

2 다시 돌아온 삶의 자리에서 오래도록 힘이 되어 준다는 내용이 나옵니다.

3 설명하는 내용에 알맞은 것은 ❷의 '공정한 여행'입니다.

4 우리나라 최대의 섬은 제주도이고, 넓은 목장이 있고 눈꽃 축제가 열리는 곳은 대관령입니다.

5 여행 계획서를 쓸 때는 어떤 것에 주의하며 써야 하는지 생각해 봅니다.

6 ❶에는 융이 입양되기 전의 모습이 나타나 있습니다.

7 입양되기 전 어려웠던 융의 모습을 알맞게 말한 사람은 가영입니다.

8 융이 친부모님에 대하여 생각하는 장면입니다.

9 채점 기준

평가	답안 내용
상	(1) 예 걱정스럽고 슬프다. (2) 예 양어머니에게 심한 말을 들었기 때문이다.
	→ (1)에 융의 마음을, (2)에 그렇게 생각한 까닭을 알맞게 씀.
중	(1) 예 외롭고 소외감을 느낀다. (2) 예 혼났기 때문이다.
	→ (1)에 융의 마음은 알맞게 썼지만, (2)에 그렇게 생각한 까닭은 구체적으로 쓰지 못함.
하	→ (1)에 융의 마음만 아주 간단하게 씀.

10 융의 새 가족은 융에게 관심을 많이 기울이고 배려해 줍니다.

11 융은 동생과 가족을 멀리하고 말썽을 일으키기도 하였지만 한국으로 돌려보내 달라고 하지는 않았습니다.

12 「피부 색깔=꿀색」이나 「국가 대표」에는 해외 입양아 문제가 나옵니다.

13 글 ㉤에는 영화를 본 느낌이나 감상, 영화 감상문의 주제가 드러나 있습니다.

14 채점 기준

평가	답안 내용
상	예 입양된 사람들이 우리 역사에서 겪은 아픔에 대하여 생각하였다.
	→ 글에서 글쓴이가 자신의 생각에 대해 이야기한 것을 알맞게 찾아 씀.
중	예 입양된 사람들의 아픔
	→ 글에서 글쓴이가 자신의 생각에 대해 이야기한 것을 조금 다르게 씀.

15 「피부 색깔=꿀색」의 영상의 특성은 알 수 없습니다.

16 홍라는 솔빈에서 산 말을 장안에서 팔고 장안의 비단을 사서 발해로 돌아오려고 하고 있습니다.

17 교역을 떠나려고 해도 빚쟁이들의 눈총이 무섭다는 것일 뿐 빚쟁이들에게 쫓기는 것은 아닙니다.

18 어머니가 없어 자신이 상단을 지켜야 하기 때문입니다.

19 홍라는 상단의 일을 배운 적은 없지만 어려서부터 보고 들은 것으로 교역에 대해 알고 있다고 하였습니다.

20 주제를 정하여 자료를 수집하고 설명할 내용을 정한 다음, 편집 프로그램을 활용해 자료를 넣고 음악과 자막을 넣습니다.

1. 작품 속 인물과 나

개념 확인하기

온라인 학습북 4쪽

1 ㉠ 2 ㉡ 3 ㉡ 4 ㉡

서술형·논술형

온라인 학습북 5쪽

|연습|

1 (1) ① 숯 ② 예 자금 / 돈

(2) 예 도전이다. 조선 시대는 여자와 남자의 역할이 다르다고 생각하던 때인데, 여자임에도 의병 운동에 적극적으로 나섰기 때문이다. / 정의이다. 올바른 행동을 하려고 많은 문제와 어려움을 이겨 냈기 때문이다. / 열정이다. 포기하지 않고 숯을 굽고 노래를 만드는 등 끊임없이 의병 운동을 위해 노력하였기 때문이다. / 용기이다. 당시 시대 상황에서 여자가 일제에 맞서 싸우고 독립운동의 뜻을 펼치는 것이 쉽지 않았을 텐데 그러한 어려움을 이겨 냈기 때문이다. / 봉사이다. 자신의 생명이 위험할 수 있는데도 나라를 위해 힘을 바쳤기 때문이다.

|실전|

2 (1) ① 시중 ② 생각

(2) 예 끈기와 열정을 가지고 끊임없이 꿈을 향해 노력하는 삶을 추구한다. / 성실과 정직을 바탕으로 하여 자신을 속이지 않고 최선을 다하는 삶을 추구한다. / 용기 있게 자신의 목표에 도전하는 삶을 추구한다.

|연습|

1 (1) 인물의 말과 행동에서 시대적 배경을 알 수 있습니다.

더 알아보기

「의병장 윤희순」에서 시대적 배경 파악하기

인물의 말과 행동	시대적 배경
"아니, 조정 대신이란 놈들이 나라를 팔아먹으려 드는데 우리 같은 여자들이 나선다고 뭐가 달라지겠소?"	• 을사늑약이 강제로 체결된 뒤이다. • 남녀 차별이 있던 시대이다.
살림살이가 어려운 사람들도 의병을 돕겠다고 발 벗고 나섰다.	• 일제의 침략으로 우리나라 사람들의 경제 상황이 어려웠다. • 어려운 상황 속에서도 우리나라 사람들의 위기 극복 의지가 대단했다.

(2) 인물이 살아가며 겪는 문제와 문제를 대하는 태도로 인물이 추구한 가치를 알 수 있습니다.

채점 기준

(1)	①과 ② 모두 모범 답안과 같이 표기한 정답만 인정			배점 각 2점
(2)	윤희순이 삶에서 추구한 가치와 관련 있는 낱말을 고르고 그 까닭을 알맞게 썼는가?			배점 6점
	윤희순이 삶에서 추구한 가치와 관련 있는 낱말을 고르고 그 까닭을 구체적으로 썼다.	윤희순이 삶에서 추구한 가치와 관련 있는 낱말을 고르고 그 까닭을 간단하게 썼다.	윤희순이 삶에서 추구한 가치와 관련 있는 낱말만 썼다.	
	6점	4점	1점	

|실전|

2 (1)~(2) 인물이 처한 상황에서 한 말이나 행동에서 관련 있는 삶의 가치를 찾아봅니다.

더 알아보기

「구멍 난 벼루」에서 허련이 한 말이나 행동에서 허련이 추구하는 삶과 관련 있는 가치 찾기

인물의 말과 행동	추구하는 삶과 관련 있는 가치
허련은 추사 김정희가 자신을 제자로 받아 주지 않는데도 계속 월성위궁에 머물면서 노력했다.	'끈기'와 '열정'이 없었다면 금세 포기했을 것이다.
허련은 붓 수십 자루가 몽당붓이 되도록 그림을 그리고, 그리고, 또 그렸다.	자신이 하는 일에 최선을 다하는 '성실'과 자신을 속이지 않는 '정직'이 있었기 때문이다.
추사 김정희가 몇 번이나 자신의 그림을 혹평해 좌절할 수도 있었는데 계속 추사 김정희의 제자가 되려고 노력했다.	'도전'과 '용기'가 느껴진다.

채점 기준

(1)	①과 ② 모두 모범 답안과 같이 표기한 정답만 인정			배점 각 2점
(2)	허련이 추구하는 삶을 알맞게 썼는가?			배점 6점
	허련이 추구하는 삶을 구체적으로 썼다.	허련이 추구하는 삶을 간단하게 썼다.	'끈기', '열정', '성실', '도전' 등과 같이 허련이 추구하는 삶과 관련 있는 낱말만 썼다.	
	6점	4점	1점	

정답을 확인하기 전에 자기가 푼 단원평가의 정답을 큐알을 찍어 올려 보세요.

단원 평가

온라인 학습북 6~10쪽

문항 번호	정답	평가 내용	난이도
1	③	인물이 살아가며 겪는 문제 파악하기	보통
2	⑤	글의 내용 파악하기	쉬움
3	④	시대적 배경 파악하기	어려움
4	③	글의 내용 파악하기	쉬움
5	②	글의 내용 파악하기	쉬움
6	①	인물이 처한 상황 알기	보통
7	④	인물이 추구하는 삶과 관련 있는 가치 찾기	어려움
8	④	인물이 추구하는 삶과 관련 있는 가치 찾기	어려움
9	①	인물에게 생긴 일 파악하기	쉬움
10	②	인물이 추구하는 삶과 관련 있는 가치 찾기	어려움
11	⑤	이야기의 내용 파악하기	보통
12	①	글의 내용 알기	쉬움
13	④	인물이 추구하는 삶 파악하기	보통
14	③	인물의 삶과 관련 있는 가치 찾기	어려움
15	③	인물이 추구하는 삶 알기	보통
16	⑤	인물의 성격 파악하기	보통
17	②	인물에게 하고 싶은 말 떠올리기	어려움
18	④	인물이 추구하는 삶 알기	보통
19	③	이야기의 내용 파악하기	쉬움
20	⑤	인물이 추구하는 삶 알기	어려움

1 글에 윤희순이 중국으로 망명하려고 한다는 내용은 나오지 않습니다.

2 「안사람 의병가」는 사람들의 마음을 한 덩어리로 모았고, 전에 없던 용기마저 불끈 솟아나게 했습니다.

3 글에 항일 의병 운동에 대한 양반과 상민의 생각 차이는 나타나지 않습니다.

4 안사람 의병대는 무기를 만들 수 있는 놋쇠와 구리, 돈을 모아 춘천 의병 부대의 힘이 세지게 했습니다.

5 허련은 자신의 그림에 정신이 깃들지 않았다는 것을 깨닫고 맥이 빠졌습니다.

6 추사 김정희는 허련이 스스로 길을 찾기를 바라고 자신도 그림을 계속 발전시키고 싶어 하였습니다.

7 추사 김정희가 허련에게 무심하게 건네주는 책이나 화첩이 허련에게 필요한 것이라는 말에서 추사 김정희가 허련의 연습 정도를 눈여겨보고 있다는 것을 알 수 있습니다.

8 허련은 무엇인가에 몰두하는 끈기와 열정이 있습니다.

9 추사 선생이 없는 동안 본 추사 선생의 글씨와 그림들에서 전에 안 보이던 게 보였습니다.

10 추사 김정희는 허련이 생각해 낸 초묵법을 즐겨 사용하였습니다.

11 어제 경민이 아버지는 화재 현장에 출동하셨다가 새벽녘에나 집에 들어왔습니다.

12 경민이 아버지가 화재 현장에서 다치셨다는 내용은 나오지 않습니다.

13 "먼저 나가. 내가 한 번만 더……."라는 말에서 포기하지 않는 의지와 도전 정신이 느껴지고, 말릴 새도 없이 뛰어 들어간 행동에서 용기와 열정이 떠오릅니다.

14 생명 존중과 동료에 대한 사랑을 알 수 있습니다.

15 어기는 지금 당장 날지 못하더라도 희망을 가지고 즐겁게 도전하는 삶을 추구합니다.

16 진진은 열심히 노력하는데도 날지 못하는 어기를 위로해 주었습니다.

17 피아노는 상수리가 행복한 피아니스트가 되기를 꿈꾸었을 것입니다.

18 상수리의 피아노는 꿈을 이루는 과정도 즐겁고 행복해야 한다고 생각합니다.

19 두레박 퐁의 꿈은 신나게 춤추는 것입니다.

20 퐁은 춤추는 일을 시간이 지날수록 더 즐겁게 하고 싶다고 하였습니다.

2. 관용 표현을 활용해요

개념 확인하기

온라인 학습북 11쪽

1 ㉠　2 ㉠　3 ㉡
4 ㉠

서술형·논술형

온라인 학습북 12쪽

|연습|

1 (1) ① 예 매우 기쁘고 만족스럽다.
② 예 매우 짧은 순간.
(2) ① 예 발 벗고 나서다.
② 예 적극적으로 나서다.
③ 예 제 꿈을 이룰 수 있는 모든 활동에 발 벗고 나서겠습니다.

|실전|

2 (1) 예 독립을 하기 위해서는 대화를 해야 한다.
(2) 예 하나의 목표를 품자

|연습|

1 (1) 앞뒤 문장을 잘 살펴보거나, 관용 표현에 포함된 낱말의 뜻을 생각해서 관용 표현의 뜻을 파악합니다.

더 알아보기

「꿈을 펼치는 길」에 활용된 관용 표현과 그 뜻

관용 표현	관용 표현의 뜻
손꼽아 기다리다	기대에 차 있거나 안타까운 마음으로 날짜를 꼽으며 기다리다.
천하를 얻은 듯	매우 기쁘고 만족스러움.
눈 깜짝할 사이	매우 짧은 순간.
금이 가다	서로의 사이가 벌어지거나 틀어지다.
막을 열다	무대의 공연이나 어떤 행사를 시작하다.
쇠뿔도 단김에 빼라	어떤 일이든지 하려고 생각했으면 한창 열이 올랐을 때 망설이지 말고 곧 행동으로 옮겨야 한다.

(2) 말하려는 내용과 관용 표현이 어울려야 합니다.
관용 표현과 그 뜻을 확인하고 싶을 때에는 속담 사전이나 관용어 사전 등을 참고합니다.

채점 기준

(1)	①과 ② 모두 모범 답안과 비슷한 뜻으로 표기한 정답만 인정			배점 각 5점
(2)	관용 표현의 뜻에 어울리게 말할 내용을 알맞게 썼는가?			배점 15점
	관용 표현과 관용 표현의 뜻, 말할 문장을 모두 알맞게 썼다.	관용 표현과 관용 표현의 뜻만 알맞게 썼다.	관용 표현만 썼다.	
	15점	10점	5점	

|실전|

2 (1) 독립을 위한 방법으로 전쟁을 원하는 사람들과 대화를 원하는 사람들의 의견이 대립되고 있습니다.
(2) 관용 표현의 뜻에서 말한 사람의 의도를 적절하게 추론할 수 있어야 합니다.

더 알아보기

'깃발 아래'의 뜻을 추론하는 과정

① 글 앞뒤에 있는 내용을 살펴본다.
- "독립운동의 깃발 아래 우리의 뜻을 모아야 하겠습니다."라고 말하고 있다.
- 더 앞부분을 보면 '단결하자', '하루에도 열두 번 노력하자'는 글쓴이의 주장이 있다.

⬇

② 표현에 쓰인 낱말이 평소에 어떤 뜻으로 쓰이는지 생각해 본다.
- '깃발'은 주로 집단이나 여러 사람의 맨 앞에서 드는 물건이다.
- 깃발에는 그 사람들이 속해 있는 단체 이름이나 자신들이 하고 싶은 주장을 적기도 한다.

⬇

③ 그러한 표현을 쓴 의도를 생각해 본다.
- '깃발 아래'는 어떤 이름이나 주장, 의견 아래에 모이자는 뜻일 것이다.
- 이 주장이나 의견은 이들의 목표를 나타내니까 하나의 목표를 품자는 뜻이다.

채점 기준

(1)	'독립을 하기 위해서는 대화를 해야 한다.'라는 내용의 문장을 써야 정답으로 인정			배점 10점
(2)	관용 표현의 뜻을 알맞게 추론하여 썼는가?			배점 10점
	'하나의 목표를 품자', '하나의 목표를 갖자' 등의 내용을 썼다.	'목표가 하나여야 한다' 등과 같이 일부 내용을 알맞지 않게 썼다.	'목표 아래 있자' 등과 같이 추론한 뜻의 내용을 알맞지 않게 썼다.	
	10점	4점	1점	

정답을 확인하기 전에 자기가 푼 단원평가의 정답을 큐알을 찍어 올려 보세요.

단원 평가

온라인 학습북 13~16쪽

문항 번호	정답	평가 내용	난이도
1	⑤	대화의 상황 알기	쉬움
2	⑤	관용 표현의 뜻 알기	어려움
3	③	관용 표현의 뜻 알기	어려움
4	②	대화 이해하기	쉬움
5	①	관용 표현의 뜻 알기	보통
6	②	내용에 알맞은 관용 표현 찾기	어려움
7	④	글의 내용 파악하기	보통
8	⑤	내용에 알맞은 관용 표현 찾기	어려움
9	①	관용 표현을 활용하여 말하기	보통
10	③	내용에 알맞은 관용 표현 찾기	어려움
11	④	글의 내용 이해하기	쉬움
12	④	글쓴이의 의도 파악하기	보통
13	③	관용 표현의 뜻 파악하기	어려움
14	①	관용 표현의 뜻 알기	보통
15	②	관용 표현의 뜻 알기	어려움
16	④	대화 내용 이해하기	쉬움
17	③	관용 표현을 활용할 때의 효과 알기	쉬움
18	③	몸과 관련한 관용 표현 알기	보통
19	⑤	관용 표현을 활용하여 말하기	보통
20	②	관용 표현을 알맞게 활용하기	어려움

1 동생이 휴대 전화를 구경하려고 하자 오빠가 부모님과 의논을 하기 전이라며 말리는 상황입니다.

2 단단히 박힌 소의 뿔을 뽑으려면 불로 달구어 놓은 김에 해치워야 한다는 뜻으로, 어떤 일이든지 하려고 생각했으면 한창 열이 올랐을 때 망설이지 말고 곧 행동으로 옮겨야 한다는 뜻입니다.

3 '재미나 의욕이 없어지다.'라는 뜻입니다.

4 두 사람이 직접 만나 나누는 대화입니다.

5 '몹시 놀라다.'라는 뜻입니다.

6 "손이 크다."는 '씀씀이가 후하고 크다.'라는 뜻입니다.

7 자신의 진짜 꿈을 찾으려고 노력하고, 자기 자신에게 자신감을 가지자고 하였습니다.

8 "손꼽아 기다리다."는 '기대에 차 있거나 안타까운 마음으로 날짜를 꼽으며 기다리다.'라는 뜻입니다.

9 "눈 깜짝할 사이"는 '매우 짧은 순간.'이라는 뜻입니다.

10 '물 쓰듯'이라는 말은 물건을 헤프게 쓰거나, 돈 따위를 흥청망청 낭비한다는 뜻입니다. "물로 보다"는 '사람을 하찮게 보거나 쉽게 생각하다.', "물 건너가다."는 '일의 상황이 끝나 어떠한 조치를 할 수 없다.'라는 뜻입니다.

11 현재 모인 사람들 사이에는 서로 의견이 같지 않다는 문제가 있습니다.

12 독립운동 단체가 실현되도록 사람들의 의견을 하나로 모으자고 설득하기 위해서입니다.

13 '한 가지'는 자신의 의견만 아는 것을 뜻하고, '두 가지'는 다른 사람의 의견 또는 서로의 의견을 합치는 것을 뜻합니다.

14 "어금니를 악물다."는 '고통이나 분노 따위를 참으려고 이를 악물어 굳은 의지를 나타내다.'라는 뜻입니다.

15 '깃발 아래'는 어떤 이름이나 주장, 의견 아래에 모이자는 뜻이고, 주장이나 의견은 목표이므로 하나의 목표를 품자는 뜻입니다.

16 고운 말을 사용하면 좋겠다는 의견을 말하였습니다.

17 말을 시작할 때 관용 표현을 활용하면 듣는 사람의 관심을 끌 수 있습니다.

18 모두 '코'가 들어가는 관용 표현입니다.

19 "벼 이삭은 익을수록 고개를 숙인다."는 겸손해야 한다는 말을 하고 싶을 때 활용할 관용 표현으로 알맞습니다.

20 "손발이 맞다."는 '함께 일을 하는 데에 마음이나 의견, 행동 방식 따위가 서로 맞다.'라는 뜻입니다.

3. 타당한 근거로 글을 써요

개념 확인하기

온라인 학습북 17쪽

1 ㉡ 2 ㉡ 3 ㉡
4 ㉠

서술형·논술형

온라인 학습북 18쪽

|연습|

1 (1) 그냥
(2) 예 내가 자라면서 배워야 할 여러 가지를 배울 수 있기 때문이야.

|실전|

2 (1) 예 공정 무역 제품을 사용하자.
(2) 예 생산자에게 돌아갈 정당한 이익을 지켜 준다.
(3) 예 주장과 관련이 있기 때문에 타당하다.
(4) 예 근거의 내용과 관련이 있고 근거를 잘 뒷받침하기 때문에 적절하다.

|연습|

1 (1) 글쓴이는 누가 질문을 할 때 깊이 생각하지 않고 '그냥'이라고 대답하는 것이 우리에게 있는 '수염'이라고 하였습니다.
(2) '그냥 수염'을 달고 있지 않은 사람은 '그냥' 대신 '왜'나 '어떻게'를 생각한다고 하였습니다.

더 알아보기

「'그냥'이 아니라 '왜'」를 읽고 주장하는 내용 찾기

① 제목과 그림을 보고 내용을 짐작해 봅니다.

내용	할아버지는 '왜'나 '어떻게'를 생각하지 않고 '그냥' 수염을 길렀습니다.

② 중심 내용을 간추리며 글을 읽어 봅니다.

중심 내용	할아버지는 한 번도 궁금증을 가져본 적이 없었기 때문에 수염을 이불 안에 넣고 자는지, 밖으로 꺼내고 자는지 알지 못했습니다.

③ 글에서 활용한 자료를 살펴봅니다.

활용한 자료	긴 수염 할아버지 이야기를 자료로 활용했습니다.

④ 글쓴이의 주장을 생각해 봅니다.

글쓴이의 주장	습관적으로 그냥 살지 말고 자기 안에 물음표를 가지고 살자.

채점 기준

			배점
(1)	'그냥'이라고 정확하게 썼는가?		5점
	그렇다.	아니다.	
	5점	0점	
(2)	'왜'를 생각하여 구체적으로 썼는가?		10점
	학교에 다니는 이유를 '왜' 또는 '어떻게'를 생각하며 구체적으로 썼다.	'공부하려고'와 같이 구체적으로 쓰지 못하였다.	
	10점	5점	

|실전|

2 (3) 근거가 주장과 관련되어 있는지 판단하고 근거가 주장을 뒷받침하는지 판단해 봅니다.
(4) 자료가 근거의 내용과 관련 있는지 살펴봅니다.

더 알아보기

「공정 무역 제품을 사용합시다」에 나타난 주장과 근거 파악하기

주장	공정 무역 제품을 사용하자.
근거 1	생산자에게 돌아갈 정당한 이익을 지켜 준다.
근거 2	아이들을 위험에서 보호할 수 있다.
근거 3	자연을 보호하고 생산자의 건강을 지키는 방법이 된다.
근거 4	공정 무역 인증 표시는 국제기구가 생산지에서 공정 무역의 주요 원칙이 잘 지켜졌는지를 점검한 물건들에 붙일 수 있다.

채점 기준

내용	배점
(1) 예 공정 무역 제품을 사용하자. (2) 예 공정 무역 제품을 사용하면 생산자에게 돌아갈 정당한 이익을 지켜 준다. (3) 예 주장과 관련이 있고 주장을 잘 뒷받침하기 때문에 타당하다. (4) 예 근거의 내용과 관련이 있고 근거를 잘 뒷받침하며 믿을 만하기 때문에 적절하다. ➡ (1)과 (2)에 글에 나타난 주장과 근거를 찾아 쓰고, (3)에 근거의 타당성을 판단하는 방법에 따라 타당하다고 판단하고, (4)에 자료의 적절성을 판단하는 방법에 따라 적절하다고 판단하여 씀.	20점
➡ (1)~(4) 중 세 가지만 알맞게 씀.	15점
➡ (1)~(4) 중 두 가지만 알맞게 씀.	10점
➡ (1)~(4) 중 한 가지만 알맞게 씀.	5점

정답을 확인하기 전에 자기가 푼 단원평가의 정답을 큐알을 찍어 올려 보세요.

단원 평가

온라인 학습북 19~22쪽

문항 번호	정답	평가 내용	난이도
1	②	빈칸에 들어갈 말 유추하기	쉬움
2	⑤	글의 내용 파악하기	보통
3	⑤	인물의 마음 파악하기	보통
4	⑤	글의 내용 파악하기	쉬움
5	④	글을 읽고 주장 찾기	보통
6	③	글의 내용 파악하기	쉬움
7	④	설명하는 대상 파악하기	보통
8	④	주장에 대한 근거 파악하기	보통
9	②	자료의 적절성 판단하기	어려움
10	③	빈칸에 들어갈 말 유추하기	보통
11	①	자료를 평가하는 방법 알기	쉬움
12	④	글의 내용 파악하기	보통
13	③	주장과 근거 연결하기	어려움
14	①	근거의 타당성 판단하기	어려움
15	②	글의 내용 파악하기	보통
16	⑤	글을 읽고 주장 찾기	보통
17	③	글의 내용 파악하기	어려움
18	④	글을 읽고 주장 파악하기	보통
19	①	자료를 수집하는 방법 알기	쉬움
20	⑤	자료를 평가하는 방법 알기	어려움

1 아이는 할아버지에게 주무실 때 수염을 이불 안에 넣는지 꺼내 놓는지 물었습니다.

2 할아버지는 한 번도 수염을 꺼내 놓고 자는지 이불 안에 넣고 자는지 생각해 본 적이 없습니다.

3 할아버지는 밤새도록 수염을 넣었다 꺼냈다 하느라고 한 숨도 잘 수 없었습니다.

4 '왜'나 '어떻게'를 생각하는 민찬이가 '그냥 수염'을 달지 않은 사람입니다.

5 지나온 날에 대하여 미련을 가지면 안 된다는 내용은 나타나 있지 않습니다.

6 '생산자의 노동에 정당한 대가를 지불해 생산자가 경제적 자립과 발전을 하도록 돕는 무역'은 '공정 무역'입니다.

7 공정 무역에서는 생산자 조합과 공정 무역 회사를 만들어 중간 유통 단계를 줄이고 생산자의 이익을 보장합니다.

8 논설문의 본론인 ㉯와 ㉰에 주장에 대한 근거가 나타나 있습니다.

9 ㉰에서 활용한 동영상은 근거의 내용과 관련이 있고 근거를 잘 뒷받침하는 자료입니다.

10 공정 무역은 노동력 착취 없는 노동 환경이 유지되어야 한다는 조건을 지켜야 하기 때문에 아이들의 노동력 착취를 막을 수 있었습니다.

11 ㉮에서는 근거를 뒷받침하기 위해 『인간의 얼굴을 한 시장 경제, 공정 무역』이라는 책의 내용을 활용하였습니다.

12 공정 무역에서는 자연을 보호하고 생산자의 건강을 지키기 위해 친환경 농사법을 권장합니다.

13 글 ㉯에 나타난 근거는 주장을 직접적으로 뒷받침하지 못하기 때문에 타당하지 않습니다.

14 주장에 대한 근거가 타당한지 판단하기 위해서는 주장과 근거가 관련이 있는지 살펴보아야 합니다.

15 이 글에는 공정 무역 제품에 관심을 기울이고 사용하자는 주장이 나타나 있습니다. 따라서 공정 무역 제품을 사용해야겠다는 현수의 말이 알맞습니다.

16 글쓴이는 글을 통해 누리 소통망에 퍼진 △△식당에 대한 글이 사실이 아니라고 알리고 있습니다.

17 누리 소통망을 통해 잘못된 정보가 쉽게 퍼질 수 있다는 점을 알 수 있습니다.

18 누리 소통망을 올바르게 사용하자는 주장으로 논설문을 쓸 수 있습니다.

19 자료를 수집할 때에는 출처가 분명하고 믿을 만한 자료를 수집해야 합니다.

20 글쓴이의 성격이 드러나는가는 수집한 자료가 알맞은지 평가할 때의 기준이 아닙니다.

4. 효과적으로 발표해요

개념 확인하기

온라인 학습북 23쪽

1 ㉠ **2** ㉠ **3** ㉡
4 ㉠

서술형·논술형

온라인 학습북 24쪽

|연습|
1 (1) ① 폴란드의 민속춤
② 베트남의 전통 의상
(2) ① 예 움직임을 생생하게 보여 줄 수 있다.
② 예 전통 의상의 모습을 정확하게 보여 줄 수 있다.
|실전|
2 (1) 예 읽는 사람 (2) 예 온라인 댓글
3 예 장면 ❶은 배경 음악이 어둡고 무서운데, 장면 ❷는 배경 음악이 밝고 경쾌할 것이다.

|연습|

1 (1) 진아는 폴란드의 민속춤에 대해 소개하려고 합니다. 별이는 베트남의 전통 의상을 소개하려고 합니다.
(2) 영상은 움직임을 생생하게 보여 주고, 사진은 대상의 모습을 정확하게 보여 줍니다.

더 알아보기

매체 자료의 종류와 효과

매체 자료의 종류	매체 자료를 활용해 얻을 수 있는 효과
표	자료의 수를 정확히 나타내거나 많은 양의 자료를 간단히 나타낼 수 있습니다.
도표	수량의 변화 정도를 알 수 있고, 정확한 수치를 나타낼 수 있습니다.

채점 기준

(1)	①에 '폴란드의 민속춤', ②에 '베트남의 전통 의상'을 썼는가?			배점 4점
	두 가지 모두 썼다.	한 가지만 알맞게 썼다.	쓰지 못했다.	
	4점	2점	0점	
(2)	①에 영상을 활용할 때의 효과, ②에 사진을 활용할 때의 효과를 알맞게 썼는가?			배점 8점
	두 가지 모두 썼다.	한 가지만 알맞게 썼다.	쓰지 못했다.	
	8점	4점	0점	

|실전|

2 읽는 사람을 배려하며 온라인 댓글을 긍정적으로 쓰자는 주제를 전하고 있습니다.

채점 기준

(1)	'읽는 사람', '상대방' 등의 내용을 썼는가?		배점 2점
	그렇다.	아니다.	
	2점	0점	
(2)	'댓글', '온라인 댓글' 등의 내용을 썼는가?		배점 2점
	그렇다.	아니다.	
	2점	0점	

3 주제를 효과적으로 표현하기 위해 어떤 배경 음악이 들어가면 좋을지 생각해 봅니다.

더 알아보기

「온라인 언어폭력: 능력자」에서 주제를 효과적으로 표현한 방법

장면 구성	• 학생의 표정이나 행동을 대조되는 장면으로 구성했습니다. • 망토 색깔을 다르게 하여 댓글 내용에 따라 손가락의 능력이 달라짐을 나타냅니다.
배경, 음악, 소리	• 나쁜 댓글 장면은 배경이 어둡고 배경 음악이 무섭습니다. • 좋은 댓글 장면은 배경이 밝고 배경 음악이 경쾌합니다.
비유적 표현	• 당신은 누군가를 아프게도 하고 기쁘게도 하는 능력자라고 비유했습니다. • 상대에게 영향을 주는 댓글을 다는 손가락을 악마 또는 천사의 모습으로 비유했습니다.
자막, 해설	• 해설자의 해설로 내용을 더 잘 이해할 수 있습니다. • 마지막 장면에서 질문을 자막으로 넣어 영상을 보는 사람이 스스로를 돌아보게 했습니다.

채점 기준

예 장면 ❶은 배경 음악이 음침하고, 장면 ❷는 쾌활한 느낌을 줄 것이다. ➡ 장면 ❶과 ❷의 내용에 어울리는 배경 음악을 대조적으로 나타내어 씀.	12점
예 장면 ❶은 배경 음악이 조용하고, 장면 ❷는 시끄러울 것이다. ➡ 장면에 어울리는 내용을 구체적으로 쓰지 못하고 명확하지 못한 부분이 있음.	6점

정답을 확인하기 전에 자기가 푼 단원평가의 정답을 큐알을 찍어 올려 보세요.

단원 평가

온라인 학습북 25~29쪽

문항 번호	정답	평가 내용	난이도
1	⑤	매체 자료 평가하기	보통
2	②	글의 내용 파악하기	쉬움
3	②	매체 자료에서 주제 찾기	보통
4	⑤	매체 자료 활용의 효과 알기	쉬움
5	④	매체 자료 분석하기	쉬움
6	⑤	매체 자료에서 주제 찾기	보통
7	④	매체 자료의 종류 구분하기	쉬움
8	⑤	매체 자료를 활용한 상황 파악하기	보통
9	①	매체 자료에서 주제 찾기	어려움
10	②	효과적인 표현 방법 찾기	보통
11	②	매체 자료에서 주제 찾기	보통
12	④	효과적인 표현 방법 찾기	쉬움
13	②	발표 주제와 내용 정하기	보통
14	④	발표 장면 토의하기	보통
15	⑤	효과적인 발표 자료 만들기	보통
16	④	촬영한 영상 편집하기	어려움
17	⑤	발표 주제와 내용 정하기	쉬움
18	③	촬영 계획 정하기	보통
19	④	효과적인 발표 자료 만들기	어려움
20	⑤	발표 상황에서 고려할 점 생각하기	보통

1 율동을 보여 줄 때에 사진을 활용하면 움직임을 생생하게 알 수 없습니다.

2 한결이는 영상이 아닌 그림지도를 활용하여 발표하고 있습니다.

3 다른 사람의 발표를 들을 때에는 주제를 파악하고 촬영이나 편집에서 효과적인 부분을 찾으면서 듣습니다.

4 나에서 활용한 매체 자료는 도표입니다. 움직임을 생생하게 전달하는 매체는 영상입니다.

5 2014년에도 휴대 전화 사용으로 생긴 교통사고는 이전에 비해 늘어났습니다.

6 가는 휴대 전화에 중독된 사람이 많다는 주제를 전하고 있습니다.

7 나는 휴대 전화 관련 교통사고 발생량을 나타낸 도표입니다.

8 걸을 때나 운전할 때 휴대 전화를 사용하면 위험하다는 주제를 전하고 있습니다.

9 읽는 사람을 배려하면서 온라인 댓글을 쓰자는 주제를 전하는 영상 자료입니다.

10 장면 1과 2에서는 주제를 효과적으로 표현하기 위해 손가락을 능력자에 비유하였습니다.

11 읽는 사람을 배려하면서 온라인 댓글을 쓰자는 주제를 전하는 영상입니다.

12 장면 1은 어두운 배경의 장면이므로 무서운 음악이 들어가기에 알맞습니다.

13 건강을 주제로 한 작품을 만들 때 꼭 반 친구들이 출연할 필요는 없습니다.

14 주제를 잘 드러낼 수 있고 이해할 수 있도록 장면 내용과 차례를 정해야 합니다.

15 촬영한 영상에서 사용할 장면을 고르는 것은 '편집하기' 과정에서 할 일입니다.

16 '편집하기' 과정에서 생각할 내용입니다.

17 책에 등장하는 인물이 아니라, 우리 주변 인물 중에서 떠올려야 합니다.

18 꿈을 이루기 위해 노력하는 것과 관련된 장면을 촬영해야 합니다.

19 제작한 영상을 점검할 때는 촬영한 장면 중에서 사용할 장면을 골라 편집하여 제작해야 합니다.

20 발표 전이나 발표 뒤에 할 소개나 부탁 내용을 준비하면 효과적으로 발표할 수 있습니다.

5. 글에 담긴 생각과 비교해요

개념 확인하기

온라인 학습북 30쪽

1 ㉡ 2 ㉡ 3 ㉠
4 ㉠

서술형·논술형

온라인 학습북 31쪽

|연습|

1 (1) 예 글쓴이는 로봇세에 대해 부정적으로 생각하므로, '세금까지 더하여 마음의 부담', '걸림돌'이라는 표현을 의도적으로 사용하였기 때문이다.
(2) 예 로봇 산업에 관련이 있는 사람들에게 지금 로봇세를 거두면 좋지 않다는 생각을 알리기 위해 썼을 것이다.

|실전|

2 (1) ① 예 일자리를 잃은 사람들에게 진로 상담이나 적성 검사, 기술 교육 등을 할 수 있다.
② 예 일자리를 잃은 사람들이 재교육을 받고 새로운 일자리를 찾는 데 도움을 줄 수 있다.
(2) 예 로봇세 도입을 늦추지 말아야 한다. / 로봇세를 빨리 도입해야 한다.

|연습|

1 (1) 글쓴이는 '로봇세'에 대한 자신의 생각을 드러내기 위해 글에 사용할 표현을 골랐을 것입니다.
(2) 글쓴이의 생각을 파악하며 읽으면 글쓴이가 글을 쓴 의도나 목적을 알 수 있고, 글의 주제를 쉽게 파악할 수 있습니다.

더 알아보기

「로봇세 도입을 늦추어야 한다」에 나타난 글쓴이의 생각 파악하기

제목	로봇세 도입을 늦추어야 한다
표현	• 부담 • 걸림돌 • 막대한 특허 사용료를 외국에 지급
의도	로봇세 도입이 필요하다는 사람들에게 다른 관점 제시
글쓴이의 생각	아직은 로봇세를 도입하지 말아야 한다.

채점 기준

	기준		배점
(1)	글쓴이의 생각이 드러나기 때문이라는 내용이 드러나게 썼는가?		6점
	그렇다.	단순히 중요한 표현이라고 써서 글쓴이의 생각이 드러난다는 내용으로 보기 어려움.	
	6점	2점	
(2)	꼭 들어가야 할 말을 넣어 글쓴이의 의도나 목적으로 적절한 내용을 정확한 표현으로 썼는가?		6점
	그렇다.	꼭 들어가야 할 말을 빠뜨렸거나, '로봇세가 싫어서' 등으로 써서 글쓴이의 의도를 제대로 이해하지 못함.	
	6점	3점	

|실전|

2 (1) 글쓴이는 로봇세를 활용하면 일자리를 잃은 사람들이 재교육을 받을 수 있다고 하였습니다.

더 알아보기

「로봇세를 도입해야 한다」에 나타난 글쓴이의 생각 파악하기

제목	로봇세를 도입해야 한다
표현	• 도입 • 소득을 재분배 • 인간과 로봇이 공존하는 방법
의도	로봇세 도입에 부정적인 사람들에게 다른 관점 제시
글쓴이의 생각	로봇세를 도입해야 한다.

(2) 조건에 맞게 로봇세 도입에 찬성하는 글쓴이의 생각을 정리해서 써야 합니다.

채점 기준

	기준			배점
(1)	로봇세를 활용할 수 있는 방안 두 가지를 알맞게 찾아 썼는가?			4점
	그렇다.	로봇세를 활용할 수 있는 방안 두 가지 중 한 가지만 제대로 씀.		
	4점	2점		
(2)	로봇세 도입에 긍정적인 글쓴이의 생각을 조건에 맞게 썼는가?			8점
	그렇다.	글쓴이의 생각으로 알맞지만 조건에 맞지 않음.	'로봇세가 옳다.' 등으로 조건에 맞지 않게 거리가 있는 내용을 씀.	
	8점	4점	2점	

정답을 확인하기 전에 자기가 푼 단원 평가의 정답을 큐알을 찍어 올려 보세요.

단원 평가

온라인 학습북 32~36쪽

문항 번호	정답	평가 내용	난이도
1	④	글쓴이의 생각 파악하기	보통
2	②	이어 주는 말 찾기	쉬움
3	②	글쓴이의 생각 파악하기	보통
4	⑤	글쓴이의 생각 파악하기	쉬움
5	⑤	글쓴이가 글을 쓴 목적 파악하기	보통
6	③	글의 내용 파악하기	보통
7	①	글쓴이의 표현 분석하기	쉬움
8	②	중심 문장 찾기	보통
9	③	글의 제목 떠올리기	보통
10	③	글의 내용 파악하기	보통
11	①	글의 내용 파악하기	보통
12	②	이어 주는 말 찾기	쉬움
13	②	글의 내용 파악하기	보통
14	②	글쓴이의 관점 파악하기	보통
15	②	글의 내용 파악하기	어려움
16	③	글쓴이의 생각 파악하기	보통
17	④	글의 내용 파악하기	쉬움
18	③	글쓴이의 의도 파악하기	보통
19	⑤	글쓴이의 의도 파악하기	어려움
20	⑤	글의 주제 파악하기	보통

1 글쓴이는 문화의 힘이 우리 자신을 행복하게 하고, 나아가서 남에게도 행복을 준다고 하였습니다.

2 앞의 내용으로 말미암아 뒤의 내용이 이루어지는 것으로 볼 수 있으므로 '그래서'가 가장 알맞습니다.

3 글쓴이는 자연 과학의 힘은 아무리 많아도 좋지만, 현재의 과학만 가지고도 충분하다고 하였습니다.

4 글쓴이는 지금이라도 로봇세를 도입해야 한다고 주장하고 있습니다.

5 글쓴이는 로봇세 도입에 부정적인 사람들에게 다른 관점으로도 생각할 수 있게 하려고 이 글을 썼을 것입니다.

6 유럽 의회는 로봇에게 특수한 권리와 의무를 가진 전자인간으로서의 법적인 지위를 부여하도록 하였습니다.

7 글쓴이는 기계인 로봇에게도 세금을 부과해야 한다는 입장입니다.

8 ㉠, ㉢, ㉣, ㉤은 각 문단의 중심 문장을 자세히 설명해 주는 뒷받침 문장으로 쓰였습니다.

9 글쓴이는 로봇세 도입을 늦추어야 한다는 입장을 나타내고 있습니다.

10 글 가에서 로봇세의 뜻과 로봇세를 부과하자는 주장의 등장 배경을 설명하고 있습니다.

11 글쓴이는 글 가에서 자신의 주장을 제시하고 글 나, 다에서 로봇세 도입을 늦추어야 하는 까닭을 제시하였습니다.

12 앞의 내용으로 말미암아 뒤의 내용이 이루어지는 것으로 볼 수 있으므로 '따라서'가 가장 알맞습니다.

13 박지원은 호기심이 많고 모험 정신이 가득한 인물이었다고 하였습니다.

14 박지원은 자신이 느낀 바를 진솔하게 기록했기에 책 제목에 '일기'를 붙였다고 하였습니다.

15 『열하일기』는 개인의 감상을 늘어놓은 글이 아니라 박지원의 지식을 모은 저장소로 볼 수 있습니다.

16 글에 쓰인 표현, 글의 제목, 글을 쓴 목적과 의도를 통해 글쓴이의 생각을 짐작할 수 있습니다.

17 알맞은 쓰임새가 있기 때문에 '똥 덩어리'를 중국의 제일 가는 경치라고 표현하였습니다.

18 신분 제도나 사물의 가치에 대해 다른 관점을 제시한 글로 볼 수 있습니다.

19 깨진 기와 조각이 왜 볼만한 것인지 분명하게 밝히는 문장에서 글쓴이의 생각을 짐작할 수 있습니다.

20 신분 제도나 사물의 가치에 대해 다른 관점을 제시한 글이므로 돈재의 말이 알맞습니다.

6. 정보와 표현 판단하기

개념 확인하기

온라인 학습북 37쪽

1 ㉠ **2** ㉡ **3** ㉠ **4** ㉠

서술형·논술형

온라인 학습북 38쪽

|연습|

1 (1) 정보/소식 등

(2) 예 뉴스는 여러 사람들의 생각에 영향을 주어 여론을 형성한다.

|실전|

2 (1) ① 20조(이십 조)

② 예 중형차 100만 대를 버리는

(2) 예 음식물 쓰레기를 줄입시다. / 음식물 쓰레기를 줄여야 합니다.

|연습|

1 (1) 학생은 뉴스를 통해 파리 기후 협약이 체결되었다는 정보를 얻고 기후 협약이 무엇인지 선생님께 여쭈어 보고 있습니다.

더 알아보기

「파리 기후 협약 체결, 기온 상승 폭 2도 제한」으로 알아보는 뉴스가 사람들에게 미치는 영향

뉴스를 본 사람의 반응	뉴스가 미치는 영향
우리가 실천할 수 있는 방법을 찾아봐야겠어요.	사람들의 생각에 영향을 주어 여론을 형성함.
기후 협약은 지구 온난화를 막으려고 체결한 것이구나.	뉴스를 본 사람들에게 새로운 정보를 알려줌.
기후 협약에 참여하지 않는 나라는 비판받을 만해.	어떤 일을 긍정적이거나 비판적인 시각으로 보게 함.

(2) 할머니와 할아버지가 뉴스를 보고 환경을 보전해야 한다는 공통된 생각을 하게 되었습니다.

더 알아보기

뉴스의 타당성을 판단하는 기준

- 가치 있고 중요한 뉴스인가?
- 뉴스의 관점과 보도 내용이 서로 관련 있는가?
- 활용한 자료들이 뉴스를 뒷받침하는가?
- 자료의 출처가 명확한가?

채점 기준

<table>
<tr><td rowspan="3">(1)</td><td colspan="2">'정보'나 '소식' 등으로 알맞은 낱말을 썼는가?</td><td>배점
4점</td></tr>
<tr><td>그렇다.</td><td colspan="2">'지식' 등으로 관련이 거의 없는 답안을 썼다.</td></tr>
<tr><td>4점</td><td colspan="2">1점</td></tr>
<tr><td rowspan="3">(2)</td><td colspan="2">꼭 들어가야 할 말을 포함시켜 여론을 형성한다는 내용으로 썼는가?</td><td>배점
6점</td></tr>
<tr><td>그렇다.</td><td colspan="2">'여론'을 빠뜨리고 비슷한 생각을 하게 된다는 내용으로 썼다.</td></tr>
<tr><td>6점</td><td colspan="2">3점</td></tr>
</table>

|실전|

2 (1) 광고를 보고 음식물 쓰레기로 인한 경제적 손실이 연간 약 20조 원가량씩 발생하고 있다는 것을 알 수 있습니다. 이를 중형차 100만 대를 버리는 것과 같은 일이라고 표현했습니다.

(2) 음식물 쓰레기를 줄이자는 생각을 전달하고 있습니다.

더 알아보기

광고 「중형차 백만 대를 버렸다」 살펴보기 예

광고의 종류	공익 광고
광고의 의도	음식물 쓰레기를 줄이자.
광고에 사용된 표현	• 한 해에 버려지는 음식물 쓰레기로 생기는 손해를 중형차 100만 대와 비교함. • 자동차가 바다에 떨어지는 장면을 통해 음식물 쓰레기가 버려지는 것을 느끼도록 표현함. • 중요한 글자의 배경을 빨간색으로 하여 눈에 띄게 만듦.

채점 기준

<table>
<tr><td rowspan="3">(1)</td><td colspan="2">①에 정답을 정확히 쓰고, ②에 예시 답안과 유사한 내용을 정확하게 썼는가?</td><td>배점
6점</td></tr>
<tr><td>그렇다.</td><td>②에 쓴 뜻의 내용은 알맞으나 문장의 호응이 어색함.</td><td>① 에만 정답을 씀.</td></tr>
<tr><td>6점</td><td>4점</td><td>1점</td></tr>
<tr><td rowspan="3">(2)</td><td colspan="2">꼭 들어가야 할 말을 포함시켜 공익 광고의 주제로 적절한 내용을 썼는가?</td><td>배점
6점</td></tr>
<tr><td>그렇다.</td><td>음식 문화를 고쳐야 한다는 내용 등으로 씀.</td><td>음식물 쓰레기가 많아서 문제라는 내용으로 씀.</td></tr>
<tr><td>6점</td><td>4점</td><td>2점</td></tr>
</table>

정답을 확인하기 전에 자기가 푼 단원 평가의 정답을 큐알을 찍어 올려 보세요.

단원 평가

온라인 학습북 39~42쪽

문항 번호	정답	평가 내용	난이도
1	③	뉴스의 특성 알기	보통
2	⑤	광고 내용 파악하기	보통
3	⑤	광고 내용 파악하기	쉬움
4	②	광고 장면의 의도 파악하기	보통
5	③	광고 내용 파악하기	쉬움
6	①	광고 의도 파악하기	어려움
7	②	광고 대상 파악하기	쉬움
8	①	광고 내용 파악하기	보통
9	②	비판적으로 광고 보기	어려움
10	⑤	광고 내용 파악하기	보통
11	②	광고 문구 비판하기	보통
12	⑤	뉴스 내용 파악하기	보통
13	③	뉴스의 타당성 판단하기	보통
14	①	뉴스가 전달하는 정보 파악하기	보통
15	③	뉴스 자료 파악하기	보통
16	③	뉴스의 타당성 판단하기	어려움
17	⑤	뉴스 취재 계획하기	보통
18	③	뉴스 주제 정하기	보통
19	⑤	뉴스 만들기	보통
20	①	뉴스 원고 작성하기	보통

1 뉴스는 세상의 모든 일이 아닌 중요하고 알릴 가치가 있는 일을 전달합니다.

2 음식물 쓰레기로 인한 경제적 손실이 크다는 것을 말하는 공익 광고입니다.

3 음식물 쓰레기로 인하여 연간 약 20조 원의 경제적 손실이 발생한다고 하였습니다.

4 바다에 자동차를 빠뜨리는 모습을 통하여 음식물 쓰레기가 버려지는 것을 느낄 수 있도록 표현하였습니다.

5 한 해에 버려지는 음식물 쓰레기로 인한 경제적 손실이 중형차 100만 대를 버리는 것과 같다고 표현하였습니다.

6 잘못된 음식 문화를 버리고 음식물 쓰레기를 줄이자고 이야기하는 공익 광고입니다.

7 신바람 자전거에 대하여 광고하고 있습니다.

8 자전거의 가격에 관한 내용은 광고에서 이야기하고 있지 않습니다.

9 '최고', '무조건', '절대로', '100퍼센트'와 같은 표현은 실제보다 과장하는 표현이므로 비판적으로 살피며 광고를 보아야 합니다.

10 과장하는 표현, 감추는 내용 등이 있으므로 비판적으로 보아야 하는 광고입니다.

11 광고의 책가방보다 더 가벼운 책가방이 있을 수도 있기 때문에 과장된 표현입니다.

12 통계 자료에서는 이기형 기부 동기가 더 많다는 것을 확인할 수 있습니다.

13 활용한 자료의 출처가 명확한지를 기준으로 뉴스의 타당성을 판단하였습니다.

14 올바른 손 씻기 방법과 그 효과에 대한 정보를 전달하고 있습니다.

15 손 씻기로 감염병의 70%를 예방할 수 있다는 연구 자료의 출처를 밝히고 있지 않습니다.

16 이전에 비슷한 뉴스가 나왔는지 아닌지는 뉴스의 타당성과 관련이 없습니다.

17 진행자가 입을 옷을 정하는 것은 취재 준비 과정에 해당하지 않습니다.

18 연주에게 필요한 정보로 알맞은 것은 등하굣길을 안전하게 다닐 수 있는 방법입니다.

19 운동장에서 다치는 학생이 많은 상황에 어울리는 뉴스 주제를 생각해 봅니다.

20 뉴스 원고에는 모호한 표현이 아닌 정확한 표현을 사용하여야 합니다.

7. 글 고쳐 쓰기

개념 확인하기

온라인 학습북 43쪽

1 ㉡ 2 ㉢ 3 ㉠
4 ㉠

서술형·논술형

온라인 학습북 44쪽

|연습|

1 (1) 불량 식품

(2) 예 주제를 잘 드러내는 제목으로 바꾸면 좋겠다. / 글의 주제와 관련 없는 내용을 삭제하면 좋겠다. / 문장 호응에 잘 맞게 고쳐 썼으면 좋겠다.

|실전|

2 (1) 예 '요즘'은 현재를 나타내는 말이고, '사용했다'는 과거를 나타내는 말이므로 '요즘'에 맞게 '사용했다'가 아닌 '사용한다'를 써야 하기 때문이다.

(2) 예 고운 말을 사용하는 것은 우리말을 아름답게 가꾸고 지키는 일이다.

(3) 예 노력하자.

|연습|

1 (1) ㉮의 첫 문장을 통해 글쓴이의 주장을 확인할 수 있습니다.

채점 기준

		배점
(1)	모범 답안과 같이 표기한 정답만 인정	3점

(2) ㉯의 지혜가 "주제와 관련 없거나 보충할 내용을 찾아보면 좋겠어."라고 말한 것처럼 ㉮의 글에서 고쳐 쓸 부분에 대해 말해 주어야 합니다.

더 알아보기

「쓰레기가 되는 불량 식품」 고쳐쓰기 예

고쳐 써야 할 부분	고쳐 쓸 계획
글의 제목	주제를 잘 드러내는 제목으로 고쳐 쓴다.
불량 식품 쓰레기에 관한 내용	글의 주제와 관련 없는 내용이므로 삭제하고, 주제와 관련 있는 다른 근거를 추가한다.
'아무리 맛있어서 먹지 말아야 합니다.'	문장 호응에 맞게 '아무리 맛있어도 먹지 말아야 합니다.'로 고치기

채점 기준

답안	배점
예 주제를 잘 드러내는 제목으로 바꾸면 좋겠다. / 글의 주제와 관련 없는 내용을 삭제하면 좋겠다. / 문장 호응에 잘 맞게 고쳐 썼으면 좋겠다.	8점
➡ 글 ㉮에서 고쳐 쓸 내용에 대해 알맞게 씀.	
예 제목을 바꾸면 좋겠다. / 두 번째와 세 번째 문장을 삭제하면 좋겠다.	4점
➡ 왜, 어떻게 고쳐 써야 하는지 알 수 있게 쓰지 못함.	
예 주제가 안 드러났다.	1점
➡ 어느 부분에 대해 해 준 말인지 알 수 있게 쓰지 못함.	

부족한 답안 제목을 바꾸면 좋겠다.
→ 주제를 잘 드러내는 제목으로

➡ 바꾸어 써야 하는 제목을 '어떻게' 바꾸어 써야 하는지 알려 주어야 ㉮의 글쓴이가 글을 고쳐 쓸 때 도움이 됩니다.

|실전|

2 (1) '요즘'은 현재를 나타내는 말인데 '사용했다'는 과거를 나타내는 말이어서 서로 어울리지 않습니다.

(2) '무조건', '것만이'는 지나치게 단정적인 표현이므로 '무조건'은 삭제하고 '것만이'는 '것은'으로 고쳐 써야 합니다.

(3) 주장하는 글에서는 '노력하면 좋을 수도 있다.'와 같이 불확실한 표현은 사용하지 않는 것이 좋습니다.

채점 기준

			배점
(1)	㉠을 고쳐 쓴 까닭을 알맞게 썼는가?		10점
	'요즘'에 맞게 '사용했다'를 '사용한다'로 고쳐 썼다는 내용을 넣어 알맞게 썼다.	'현재를 나타내는 말로 고쳐 썼다.'와 같이 간단하게 썼다.	㉠을 고쳐 쓴 까닭을 알맞게 쓰지 못했다.
	10점	4점	0점
(2)	㉡을 '고쳐 쓴 까닭'에 맞게 고쳐 썼는가?		8점
	그렇다.	아니다.	
	8점	0점	
(3)	㉢을 확실한 표현으로 고쳐 썼는가?		4점
	그렇다.	아니다.	
	4점	0점	

정답을 확인하기 전에 자기가 푼 단원 평가의 정답을 큐알을 찍어 올려 보세요.

단원 평가

온라인 학습북 45~49쪽

문항 번호	정답	평가 내용	난이도
1	③	글을 쓰는 상황 파악하기	쉬움
2	⑤	주장을 뒷받침할 근거 찾기	보통
3	⑤	글의 내용 파악하기	보통
4	③	글 고쳐 쓰기	보통
5	②	글의 흐름 파악하기	보통
6	④	문장 호응에 알맞게 글 고치기	보통
7	③	글 고쳐 쓰기	보통
8	②	글의 목적 파악하기	보통
9	⑤	글의 내용 파악하기	쉬움
10	③	글 고쳐 쓰기	보통
11	④	교정 부호 사용하기	어려움
12	⑤	문단 수준에서 글 고치기	어려움
13	③	글 고쳐 쓰기	쉬움
14	⑤	글의 내용 파악하기	보통
15	③	글쓴이의 주장 파악하기	보통
16	⑤	글 고쳐 쓰기	어려움
17	①	글쓴이의 주장 파악하기	보통
18	⑤	글의 내용 파악하기	보통
19	②	글 수준에서 글 고치기	보통
20	④	글 쓸 계획 세우기	보통

1 도현이는 불량 식품을 먹고 배가 아픈 친구와 불량 식품을 먹고 쓰레기를 함부로 버리는 친구를 보고 글을 쓰려고 하고 있습니다.

2 불량 식품을 먹지 말자는 주장을 뒷받침할 수 있는 알맞은 근거를 찾아봅니다.

3 불량 식품을 먹으면 해로운 물질이 몸에 들어가 병에 걸리기 쉽다고 하였습니다.

4 '아무리'는 '-아도/-어도'와 어울려 쓰이는 말입니다.

5 주장하는 글은 보통 문제 상황, 주장, 주장을 뒷받침하는 근거, 주장을 다시 한번 강조하는 내용으로 씁니다.

6 '있기 때문에'를 '만약'에 호응하는 말로 바꾸어야 하므로 '있다면'이 적절합니다.

7 주장하는 글을 쓸 때에는 확실한 표현을 사용하는 것이 좋습니다.

8 글쓴이는 고운 말을 사용해야 한다고 다른 사람을 설득하기 위하여 이 글을 썼습니다.

9 아침밥을 먹지 않으면 밤새 분비된 위산이 중화되지 않는다고 하였습니다.

10 맞춤법과 낱말의 문장 내의 쓰임을 생각하여 글을 고쳐 봅니다.

11 '비록'과 어울리는 말은 '-일지라도'이므로 여러 글자를 고쳐 쓸 때 사용하는 교정 부호인 '___/'를 사용해야 합니다.

12 뒷받침 문장은 여러 개여도 되지만 중심 문장은 하나여야 합니다.

13 필요한 내용이 적으면 읽는 사람이 글을 자세히 이해하기 어렵습니다.

14 한 해에 동물 실험으로 희생되는 동물이 약 6억 마리라고 하였습니다.

15 제목을 보면 글쓴이의 주장이 무엇인지 쉽게 알 수 있습니다.

16 동물 실험에 반대하는 주장을 뒷받침할 수 있는 내용을 찾아봅니다.

17 글쓴이는 동물 실험을 해야 한다는 주장을 담아 글을 썼습니다.

18 글쓴이가 중동호흡기증후군의 백신을 원숭이에게 투여한 것을 예로 든 까닭을 생각해 봅니다.

19 글 전체 주제가 잘 드러났는지 확인하며 글을 고쳐 써야 합니다.

20 주제와 어울리는 내용을 골라 봅니다.

8. 작품으로 경험하기

개념 확인하기

온라인 학습북 50쪽

1 ㉠ 2 ㉡ 3 ㉡
4 ㉡

서술형·논술형

온라인 학습북 51쪽

|연습|

1 (1) 여행은 단순한 장소의 이동이 아니라 자신이 쌓아 온 생각의 성을 벗어나는 것이다.
(2) 예 여행 가려는 곳은 안전한가? / 그 지역의 금기 사항은 무엇인가? / 그 지역에서 살펴볼 문화재에는 무엇이 있는가?

|실전|

2 (1) ① 예 어머니가 안 계셔서 홍라가 상단을 이끌어야 해서 눈물을 닦았다.
② 예 장안으로 교역을 가기 위해 사람을 모은다.
(2) ① 예 월보와 비녕자에게 교역을 같이 갈 수 있냐고 묻는 장면
② 예 걱정하는 자신의 속마음은 숨기고 당당하게 명령하듯이 말하기 때문이다.

|연습|

1 (1) ❶에서 여행이 무엇인지에 대한 설명을 찾을 수 있습니다.

채점 기준

		배점
(1)	모범 답안과 같이 표기한 정답만 인정	5점

(2) 더 즐겁고 편하게 여행을 하기 위해 여행을 가기 전에 여러 가지를 알아보아야 합니다.

더 알아보기

여행 계획을 세울 때 생각할 점

- 여행 기간과 장소
- 여행 장소에서 방문할 곳
- 같이 여행 갈 사람
- 여행 가서 하고 싶은 일
- 필요한 비용
- 여행 가려는 지역의 문화와 지켜야 할 것

채점 기준

내용	배점
예 여행 가려는 곳은 안전한가? / 그 지역의 금기 사항은 무엇인가? / 그 지역에서 살펴볼 문화재에는 무엇이 있는가? / 같이 가고 싶은 사람은 누구인가? / 여행 비용은 얼마나 들 것인가? ➡ 여행을 가기 전에 알아볼 내용을 두 가지 이상 알맞게 씀.	8점
➡ 여행을 가기 전에 알아볼 내용을 한 가지만 알맞게 씀.	4점

부족한 답안 여행 간 곳은 안전한가? / 여행 비용은 얼마나 들었는가?
(간 → 가려는, 들었는가? → 들 것인가?)

➡ '여행 간 곳은 안전한가?' 또는 '여행 비용은 얼마나 들었는가?'라고 하면 여행을 다녀온 뒤에 생각할 내용이 됩니다. 따라서 어느 때를 나타내는지 잘 생각하고 알맞은 낱말을 사용해야 합니다.

|실전|

2 (1) ㉮에서 홍라는 어머니 대신 상단을 이끌어야 했고, ㉯에서는 함께 교역을 떠날 사람을 모으기 위해 월보와 비녕자에게 장안으로 가자는 제안을 했습니다.

더 알아보기

「대상주 홍라」를 읽고 자신의 경험 떠올리기 예

장면	자신의 경험 말하기
지도를 펼치고 어머니를 그리워하는 장면	전학 간 친구와 함께 가지고 놀던 게임기를 볼 때마다 친구 생각이 났다.
홍라가 교역을 떠나기로 다짐하며 눈물을 닦는 장면	피아노 대회에서 상을 받지 못해 속상했지만, 다음 대회에 도전하기 위해 열심히 연습하였다.

채점 기준

	내용		배점
(1)	홍라가 겪는 일을 알맞게 썼는가?		14점
	①, ② 모두 알맞게 썼다.	①, ② 중 한 가지만 알맞게 썼다.	
	14점	7점	
(2)	인상 깊은 장면과 그렇게 생각하는 까닭을 알맞게 썼는가?		16점
	①, ② 모두 알맞게 썼다.	①, ② 중 한 가지만 알맞게 썼다.	
	16점	8점	

정답을 확인하기 전에 자기가 푼 단원 평가의 정답을 큐알을 찍어 올려 보세요.

단원 평가

온라인 학습북 52~56쪽

문항 번호	정답	평가 내용	난이도
1	④	영상 내용 파악하기	보통
2	④	영상을 보고 뜻 생각하기	보통
3	②	영화 감상하기	쉬움
4	④	인물의 감정 파악하기	보통
5	②	영화 감상하기	보통
6	③	영화 내용 확인하기	쉬움
7	⑤	글쓴이의 생각 파악하기	보통
8	④	감상문의 내용 파악하기	어려움
9	④	감상문에 들어간 내용 파악하기	보통
10	①	영화 감상문 쓰기	보통
11	①	글의 내용 파악하기	보통
12	②	인물이 그렇게 행동한 까닭 파악하기	보통
13	③	인물의 생각 추측하기	어려움
14	②	글의 내용 파악하기	보통
15	②	인물 파악하기	보통
16	④	인물의 생각 추측하기	보통
17	⑤	글의 내용 파악하기	어려움
18	③	인물이 한 일 파악하기	쉬움
19	②	인물과 비슷한 경험 이야기하기	보통
20	⑤	독서 감상문 쓰기	보통

1 '다른 문화를 존중하고 배려하는 공정한 여행'이라는 문구를 통하여 바람직한 여행이 무엇인지 짐작할 수 있습니다.

2 다시 돌아온 삶의 자리에서 오래도록 힘이 되어 주는 것이라고 하였습니다.

3 ①의 영상은 융이 입양되기 전의 모습을 보여 주고 있습니다.

4 융이 양어머니께 꾸지람을 들은 후 속상해하는 마음이 표정에 나타나 있습니다.

5 융은 양어머니의 위로를 받고 양어머니가 자신을 사랑한다는 것을 알게 되었습니다.

6 영화를 본 장소에 대하여 묻는 질문은 영화 내용을 확인하는 질문이 아닙니다.

7 글쓴이는 영화를 보는 내내 입양된 사람들이 우리 역사에서 겪은 아픔을 생각했다고 하였습니다.

8 글쓴이는 융이 주위의 관심과 사랑을 받고 싶고 자신이 누구인지 찾으려는 마음에서 말썽을 일으키고 거짓말을 했다고 하였습니다.

9 영화를 추천하고 싶은 이유는 나와 있지 않습니다.

10 영화 감상문을 쓸 때는 영화를 보게 된 까닭, 영화의 줄거리, 자신이 본 영화와 관련된 책 내용 등을 씁니다.

11 어머니가 매일 펼쳐 보아서 어머니의 손길로 반들반들해진 지도라고 하였습니다.

12 홍라는 어머니가 돌아오시기 전에 빚을 갚고 상단을 지키기 위하여 교역을 떠나기로 하였습니다.

13 상단을 이끌고 지키기 위해서 강해져야 한다는 홍라의 생각을 알 수 있습니다.

14 빚쟁이들의 눈총이 무서웠기 때문에 표 나게 일꾼을 모을 수 없었습니다.

15 비녕자가 동경의 해안에서 홍라 일행을 구해 주었다고 하였습니다.

16 아직 월보에게 품삯을 주지 못하였으며 상단이 망해 간다는 소문이 돈다고 하였습니다.

17 홍라는 월보와 비녕자가 같이 교역을 떠나겠다고 해 주어 기뻤습니다.

18 말 세 마리를 시장에 팔 것이라고 핑계를 대며 미리 빼돌렸습니다.

19 홍라는 먼 곳으로 교역을 떠나게 되어 설레기도 하지만 긴장될 것입니다.

20 독서 감상문에는 작품을 읽게 된 동기, 줄거리, 작품의 내용과 관련 있는 경험 등이 들어갑니다.

힘이 되는
좋은 말

영어 알파벳 중에서 가장 위대한 세 철자는
N, O, W
곧 지금(NOW)이다.

The three greatest English alphabets are N, O, W,
which means now.

월터 스콧

언젠가는 해야지, 언젠가는 달라질 거야!
'언젠가는'이라는 말에 자신의 미래를 맡기지 마세요.
해야 할 일, 하고 싶은 일은 지금 당장 실행에 옮기세요.
가장 중요한 건 과거도 미래도 아닌 바로 지금이니까요.

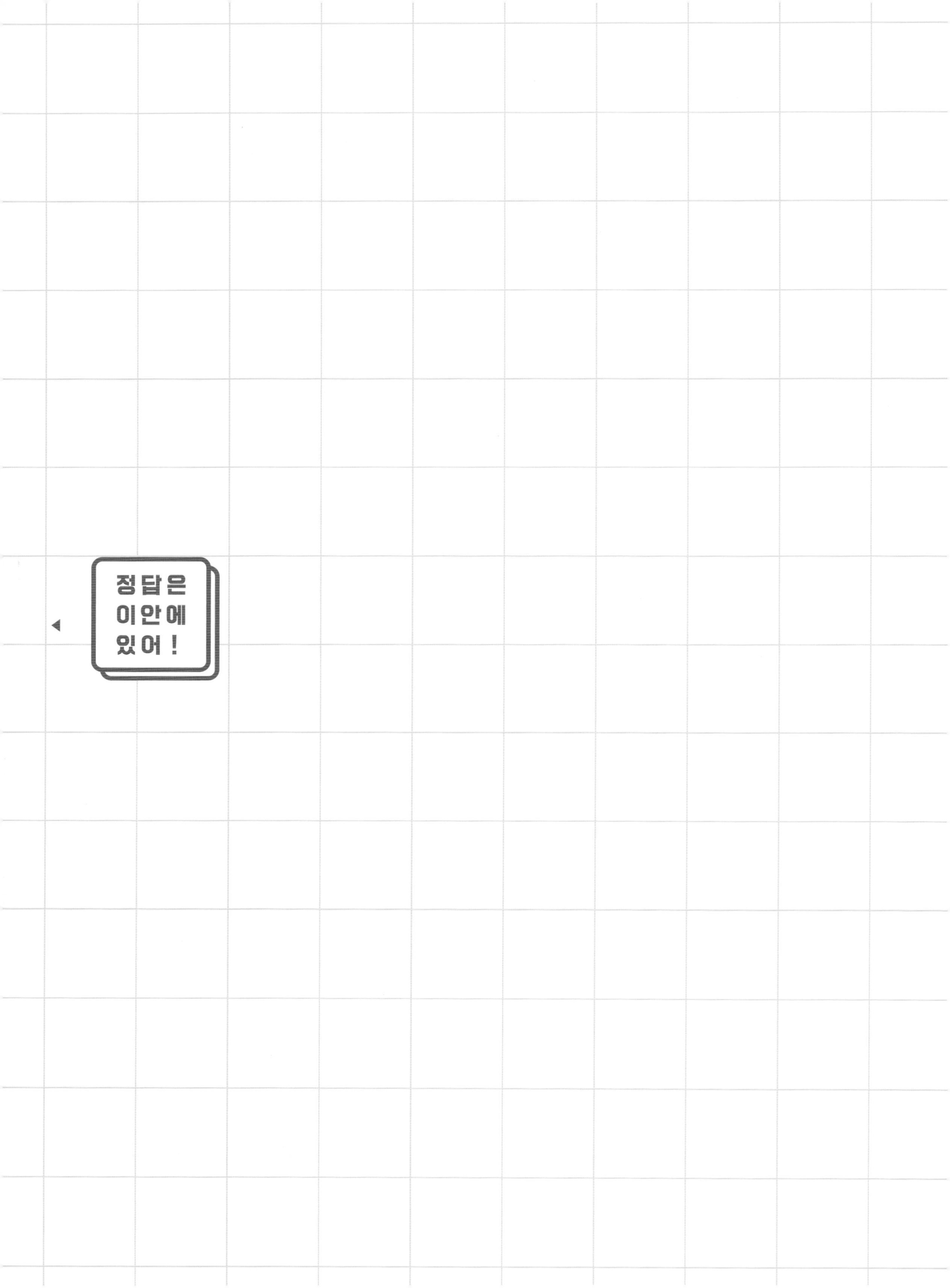
정답은
이안에
있어!

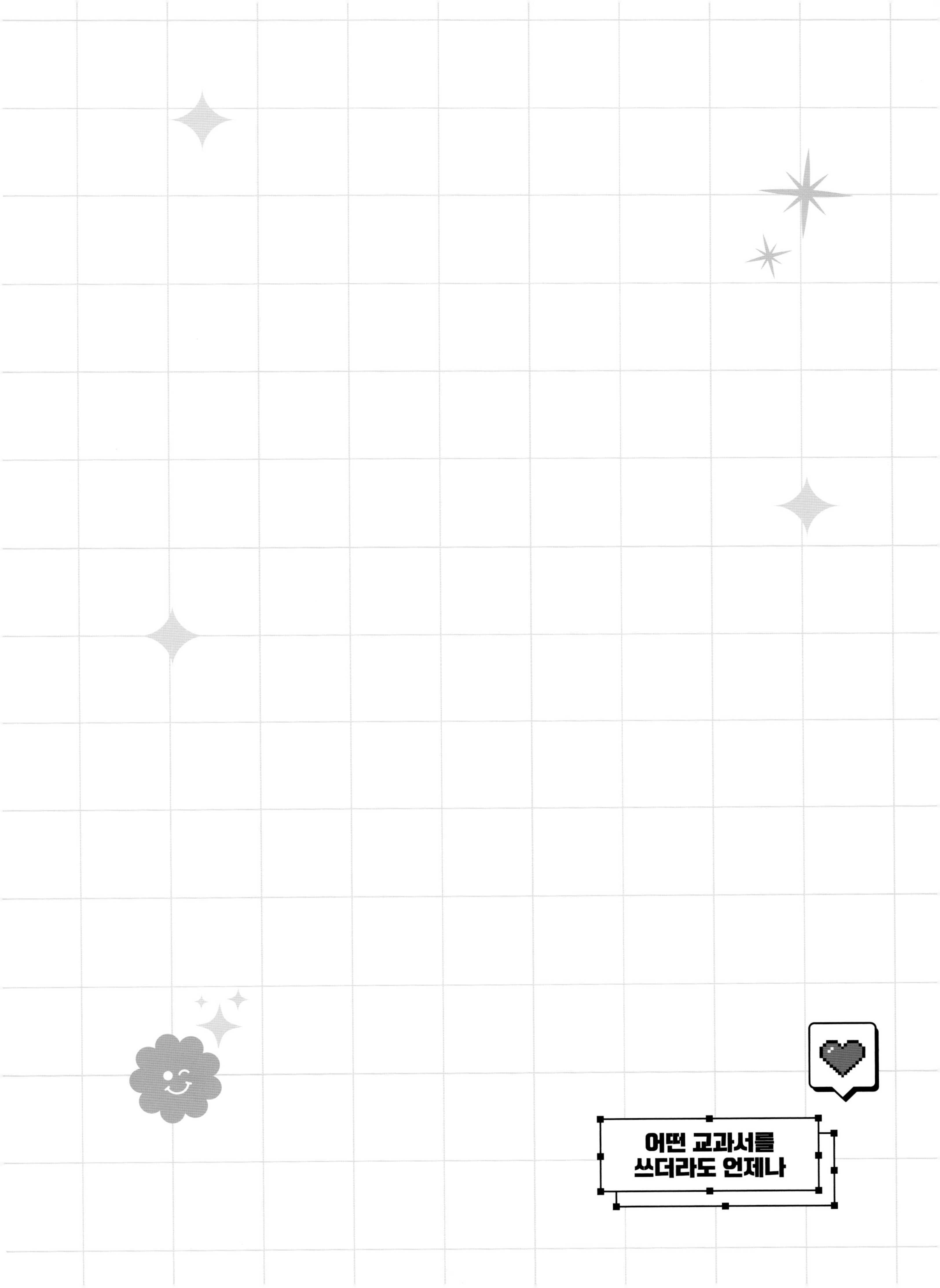
어떤 교과서를
쓰더라도 언제나